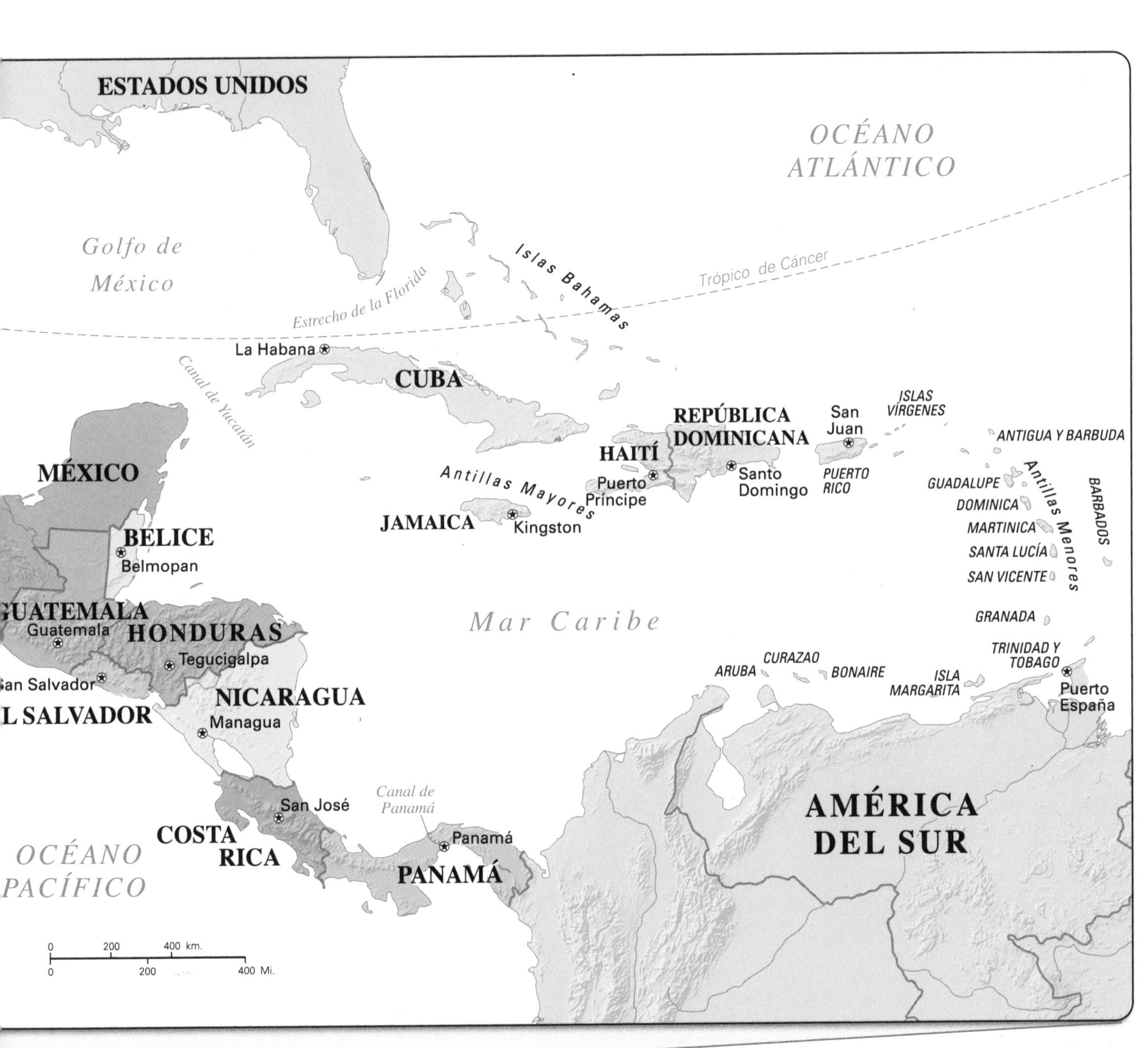
ESTADOS UNIDOS
OCÉANO ATLÁNTICO
Golfo de México
Islas Bahamas
Trópico de Cáncer
Estrecho de la Florida
La Habana
Canal de Yucatán
CUBA
REPÚBLICA DOMINICANA
San Juan
ISLAS VÍRGENES
ANTIGUA Y BARBUDA
HAITÍ
MÉXICO
Antillas Mayores
Puerto Príncipe
Santo Domingo
PUERTO RICO
GUADALUPE
Antillas Menores
BARBADOS
DOMINICA
JAMAICA
Kingston
MARTINICA
BELICE
Belmopan
SANTA LUCÍA
SAN VICENTE
GUATEMALA
Guatemala
HONDURAS
Mar Caribe
GRANADA
Tegucigalpa
TRINIDAD Y TOBAGO
CURAZAO
ARUBA
BONAIRE
ISLA MARGARITA
San Salvador
Puerto España
NICARAGUA
EL SALVADOR
Managua
San José
Canal de Panamá
AMÉRICA DEL SUR
COSTA RICA
Panamá
OCÉANO PACÍFICO
PANAMÁ
0 200 400 km.
0 200 400 Mi.

THIRD CANADIAN EDITION

¡HOLA, AMIGOS!

THIRD CANADIAN EDITION

¡HOLA, AMIGOS!

Ana C. Jarvis
Chandler-Gilbert Community College

Raquel Lebredo
California Baptist University, Emerita

Francisco Mena-Ayllón
University of Redlands, Emeritus

Mercedes Rowinsky-Geurts
Wilfrid Laurier University

Rosa L. Stewart
University of Victoria

NELSON

NELSON

¡Hola, amigos!, Third Canadian Edition

by Ana C. Jarvis, Raquel Lebredo, Francisco Mena-Ayllón, Mercedes Rowinsky-Geurts, and Rosa L. Stewart

Vice President, Editorial Higher Education:
Anne Williams

Publisher:
Anne-Marie Taylor

Executive Marketing Manager:
Amanda Henry

Senior Developmental Editor:
Roberta Osborne

Photo Researcher and Permissions Coordinator:
Karen Hunter

Senior Production Project Manager:
Natalia Denesiuk Harris

Production Service:
Cenveo Publisher Services

Copy Editor:
Margaret Hines

Proofreader:
Carlos Calvo

Indexer:
Cenveo Publisher Services

Design Director:
Ken Phipps

Managing Designer:
Franca Amore

Interior Design:
Sharon Lucas

Cover Design:
Trinh Truong

Cover Image:
Jeremy Woodhouse/BrandX/
Getty Royalty Free

Compositor:
Cenveo Publisher Services

Printed and bound in Canada
6 7 8 9 21 20 19 18

For more information contact Nelson Education Ltd.,
1120 Birchmount Road, Toronto, Ontario, M1K 5G4. Or you can visit our Internet site at nelson.com

Library and Archives Canada Cataloguing in Publication Data

Jarvis, Ana C., author

¡Hola, amigos! / Ana C. Jarvis, Chandler-Gilbert Community College, Raquel Lebredo, California Baptist University, Emerita, Francisco Mena-Ayllón, University of Redlands, Emeritus, Mercedes Rowinsky-Geurts, Wilfrid Laurier University, Rosa L. Stewart, University of Victoria. — Third Canadian edition.

Includes index.

Revision of: ¡Hola, amigos! / Ana C. Jarvis ... [et al.]. — 2nd Canadian ed. — Toronto : Nelson Education, [2011], ©2012.

Text in English and Spanish.
ISBN 978-0-17-653143-0 (bound)

1. Spanish language—Textbooks for second language learners—English speakers. 2. Spanish language—Grammar. I. Lebredo, Raquel, author II. Mena-Ayllón, Francisco, 1936–, author III. Rowinsky-Geurts, Mercedes, 1951–, author IV. Stewart, Rosa L., 1957–, author V. Title. VI. Title: Hola, amigos!.

PC4129.E5H64 2015 468.2’421
C2014-902661-7

ISBN-13: 978-0-17-653143-0
ISBN-10: 0-17-653143-2

BRIEF CONTENTS

SCOPE AND SEQUENCE

		VOCABULARIO	PARA PRACTICAR EL VOCABULARIO
UNIDAD 1 LOS ESTUDIANTES UNIVERSITARIOS pp. 4–59	**LECCIÓN 1** **¡En la universidad!**	**pp. 8–9** *Sustantivos* *Adjetivos* *Despedidas* *Expresiones de cortesía* *Preguntas y respuestas útiles* *Otras palabras y expresiones* *Colores* *Vocabulario para la clase* **DE PAÍS A PAÍS**	**pp. 10–11** A. Los estudiantes B. Yo soy el anfitrión (la anfitrio C. ¡Somos pintores! D. ¿Qué necesitamos? E. ¿Qué necesitas? **PRONUNCIACIÓN:** *Las vocales*
	LECCIÓN 2 **Estudiantes y profesores**	**pp. 30–31** *Cognados* *Sustantivos* *Verbos* *Adjetivos* *Preguntas y respuestas* *Otras palabras y expresiones* *Asignaturas* *Para pedir bebidas* **DE PAÍS A PAÍS**	**pp. 32–33** A. Palabras y más palabras B. En la universidad C. ¿Qué deciden? D. ¿Qué clases necesito? **PRONUNCIACIÓN:** *Linking*
UNIDAD 2 LA VIDA SOCIAL pp. 60–109	**LECCIÓN 3** **Antes de la fiesta**	**pp. 64–65** *Cognados* *Sustantivos* *Verbos* *Adjetivos* *Otras palabras y expresiones* *Aparatos electrodomésticos y batería de cocina* **DE PAÍS A PAÍS**	**pp. 66–67** A. En casa B. ¡Hay mil cosas que hacer! C. ¿Qué necesitas? D. Los trabajos de la casa E. ¡Mucho trabajo! **PRONUNCIACIÓN:** *Las consona* (consonants) b, v
	LECCIÓN 4 **Una celebración**	**pp. 88–89** *Cognados* *Sustantivos* *Verbos* *Adjetivos* *Otras palabras y expresiones* *Todos nosotros* **DE PAÍS A PAÍS**	**pp. 90–91** A. Preguntas y respuestas B. Planes para la fiesta C. Una fiesta de cumpleaños D. Los parientes E. De mi álbum de fotos **PRONUNCIACIÓN:** *La consonant*

PUNTOS PARA RECORDAR	ENTRE NOSOTROS	ASÍ SOMOS	
pp. 12–23 1. Gender and number of nouns (p. 12) 2. Definite and indefinite articles (p. 13) 3. Subject pronouns (p. 16) 4. Present indicative of *ser* (p. 17) 5. *¿Qué?* and *¿cuál?* used with *ser* (p. 18) 6. Forms of adjectives and agreement of articles, nouns, and adjectives (p. 19) 7. The alphabet (p. 21) 8. Numbers 11 to 39 (p. 22)	**pp. 24–25** **¡CONVERSEMOS!** **PARA ESCRIBIR:** *Un mensaje electrónico* *Situaciones* **UN DICHO**	**pp. 26–27** **VAMOS A ESCUCHAR:** *María Luisa Rojas y Enrique Vera Acosta* **VAMOS A LEER:** *Estudiantes hispanos en la Universidad de Calgary*	**pp. 54–55** **EL MUNDO HISPÁNICO:** **Explorando la cultura hispana en Canadá**
pp. 34–49 1. Present indicative of *-ar* verbs (p. 34) 2. Interrogative and negative sentences (p. 36) 3. Possessive adjectives (p. 39) 4. Gender of nouns, part II (p. 41) 5. Numbers 40 to 200 (p. 42) 6. Telling time (p. 44) 7. Days of the week and months and seasons of the year (p. 47)	**pp. 50–51** **¡CONVERSEMOS!** **PARA ESCRIBIR:** *Tu horario* **UN DICHO**	**pp. 52–53** **VAMOS A VER:** *Dos amigos*	**TOMA ESTE EXAMEN:** **LECCIÓN PRELIMINAR Y LECCIÓN 1** **pp. 56–57** **LECCIÓN 2** **pp. 58–59**
pp. 68–81 1. Present indicative of *-er* and *-ir* verbs (p. 68) 2. Possession with *de* (p. 70) 3. Present indicative of *tener* and *venir* (p. 72) 4. Expressions with *tener* (p. 74) 5. Demonstrative adjectives and pronouns (p. 76) 6. Numbers from 300 to 1,000 (p. 79)	**pp. 82–83** **¡CONVERSEMOS!** **PARA ESCRIBIR:** *Para dividir el trabajo* **UN DICHO**	**pp. 84–85** **VAMOS A ESCUCHAR:** *¿Qué hacemos hoy?* **VAMOS A LEER:** *Una nota de mamá*	**pp. 104–105** **EL MUNDO HISPÁNICO:** **México** **Guatemala** **El Salvador** **Honduras**
pp. 92–99 1. Verbs with irregular first-person forms (p. 92) 2. *Saber* vs. *conocer* (p. 93) 3. Personal *a* (p. 94) 4. Contractions: *al* and *del* (p. 95) 5. Present indicative of *ir*, *dar*, and *estar* (p. 97) 6. *Ir a* + infinitive (p. 98)	**pp. 100–101** **¡CONVERSEMOS!** **PARA ESCRIBIR:** *Un mensaje electrónico* **UN DICHO**	**pp. 102–103** **VAMOS A VER:** *¡Qué sorpresa!*	**TOMA ESTE EXAMEN:** **LECCIÓN 3** **pp. 106–107** **LECCIÓN 4** **pp. 108–109**

SCOPE AND SEQUENCE

		VOCABULARIO	PARA PRACTICAR EL VOCABULARIO
UNIDAD 3 ¿QUÉ COMEMOS HOY? pp. 110–161	**LECCIÓN 5** **En un restaurante**	**pp. 114–115** *Cognados* *Sustantivos* *Verbos* *Adjetivos* *Otras palabras y expresiones* *Para poner la mesa* **DE PAÍS A PAÍS**	**pp. 116–117** A. En el restaurante B. Preguntas y respuestas C. Para poner la mesa D. Deseo... **PRONUNCIACIÓN:** *Las consona* g, j, h
	LECCIÓN 6 **En el mercado**	**pp. 136–137** *Cognados* *Sustantivos* *Verbos* *Adjetivos* *Otras palabras y expresiones* *Más comestibles* **DE PAÍS A PAÍS**	**pp. 138–139** A. ¿Qué es? B. Preguntas y respuestas C. Dime… D. ¿Qué quieren? E. En el supermercado F. La lista de Maribel **PRONUNCIACIÓN:** *Las consona* ll, ñ
UNIDAD 4 PARA DIVERTIRSE pp. 162–215	**LECCIÓN 7** **Un fin de semana**	**pp. 166–167** *Cognados* *Sustantivos* *Verbos* *Adjetivos* *Otras palabras y expresiones* *Para invitar a alguien a salir* *Partes del cuerpo* **DE PAÍS A PAÍS**	**pp. 168–169** A. Preguntas y respuestas B. Todos se divierten C. ¿Adónde vamos…? D. ¿Quieres ir…? E. ¿Qué sabes de anatomía? **PRONUNCIACIÓN:** *Las consona* l, r, rr
	LECCIÓN 8 **Las actividades al aire libre**	**pp. 190–191** *Cognados* *Sustantivos* *Verbos* *Adjetivos* *Otras palabras y expresiones* *Más sobre las actividades al aire libre* **DE PAÍS A PAÍS**	**pp. 192–193** A. Preguntas y respuestas B. ¿Lógico o ilógico? C. Palabras y más palabras D. Planes para un fin de seman E. En la playa **PRONUNCIACIÓN:** *Pronunciatio context*

SCOPE AND SEQUENCE

		VOCABULARIO	PARA PRACTICAR EL VOCABULARIO
UNIDAD 5 ¿QUÉ HACEMOS HOY? pp. 216–269	**LECCIÓN 9** **De compras**	**pp. 220–221** *Cognados* *Sustantivos* *Verbos* *Adjetivos* *Otras palabras y expresiones* *Más ropa* *El tiempo* **DE PAÍS A PAÍS**	**pp. 222–223** A. En la tienda y en la zapatería B. ¿Qué se ponen? C. El fin de semana de Elena D. Confusiones E. Hablando del tiempo **PRONUNCIACIÓN:** *Pronunciatio* *context*
	LECCIÓN 10 **¡A trabajar!**	**pp. 242–243** *Cognados* *Sustantivos* *Verbos* *Adjetivos* *Otras palabras y expresiones* *En la oficina* *Un poco de tecnología* **DE PAÍS A PAÍS**	**pp. 244–245** A. Preguntas y respuestas B. Rubén y Eva hacen diligenci C. ¿Qué necesito o qué tengo q hacer? D. ¿Qué necesita hacer? **PRONUNCIACIÓN:** *Pronunciatio* *context*
UNIDAD 6 DE VACACIONES pp. 270–325	**LECCIÓN 11** **¡Buen viaje!**	**pp. 274–275** *Cognados* *Sustantivos* *Verbos* *Adjetivos* *Otras palabras y expresiones* *Más sobre los viajes* **DE PAÍS A PAÍS**	**pp. 276–277** A. Preguntas y respuestas B. ¿Qué hago? ¿Adónde voy? C. Definiciones D. En la agencia de viajes E. La llamada telefónica **PRONUNCIACIÓN:** *Pronunciatio* *context*
	LECCIÓN 12 **¿Dónde nos hospedamos?**	**pp. 298–299** *Cognados* *Sustantivos* *Verbos* *Adjetivos* *Otras palabras y expresiones* *Más sobre los hoteles* **DE PAÍS A PAÍS**	**pp. 300–301** A. Palabras B. Preguntas y respuestas C. Oraciones incompletas D. En el hotel E. Para conversar **PRONUNCIACIÓN:** *Pronunciatio* *context*

PUNTOS PARA RECORDAR	ENTRE NOSOTROS	ASÍ SOMOS	
pp. 224–235 1. Some uses of *por* and *para* (p. 224) 2. Weather expressions (p. 226) 3. The preterite contrasted with the imperfect (p. 228) 4. *Hace…* meaning *ago* (p. 231) 5. Possessive pronouns (p. 233)	**pp. 236–237** **¡CONVERSEMOS!** **PARA ESCRIBIR:** *¿Cómo eras tú?* **UN DICHO**	**pp. 238–239** **VAMOS A ESCUCHAR:** *En la tienda* **VAMOS A LEER:** *"La señorita Julia," Ana Cortesi*	**pp. 264–265** **EL MUNDO HISPÁNICO:** **Ecuador** **Perú** **Bolivia** **Paraguay**
pp. 246–259 1. Past participles (p. 246) 2. Present perfect tense (p. 248) 3. Past perfect (pluperfect) tense (p. 250) 4. Introduction to the subjunctive mood (p. 252) 5. Subjunctive with verbs of volition (p. 254) 6. Subjunctive with verbs of emotion (p. 257)	**pp. 260–261** **¡CONVERSEMOS!** **PARA ESCRIBIR:** *Tu trabajo favorito* **UN DICHO**	**pp. 262–263** **VAMOS A VER:** *Un día funesto*	**TOMA ESTE EXAMEN:** **LECCIÓN 9** **pp. 266–267** **LECCIÓN 10** **pp. 268–269**
pp. 278–291 1. Subjunctive to express doubt, denial, and disbelief (p. 278) 2. Some uses of the prepositions *a*, *de*, and *en* (p. 284) 3. Formal commands: *Ud.* and *Uds.* (p. 287) 4. First-person plural commands (p. 290)	**pp. 292–293** **¡CONVERSEMOS!** **PARA ESCRIBIR:** *Un viaje especial* **UN DICHO**	**pp. 294–295** **VAMOS A ESCUCHAR:** *Arturo y Vicente planean sus vacaciones* **VAMOS A LEER:** *"La muerte (El grimorio)," Enrique Anderson-Imbert*	**pp. 320–321** **EL MUNDO HISPÁNICO:** **Chile** **Argentina** **Uruguay** **España**
pp. 302–315 1. Subjunctive to express indefiniteness and nonexistence (p. 302) 2. Familiar commands (p. 304) 3. Verbs and prepositions (p. 307) Rodeo: Summary of the Command Forms (p. 307) 4. Ordinal numbers (p. 309) 5. Future tense (p. 310) 6. Conditional tense (p. 312) Rodeo: Summary of the Tenses of the Indicative (p. 315)	**pp. 316–317** **¡CONVERSEMOS!** **PARA ESCRIBIR:** *En un hotel* **UN DICHO**	**pp. 318–319** **VAMOS A VER:** *¡Suban al avión!*	**TOMA ESTE EXAMEN:** **LECCIÓN 11** **pp. 322–323** **LECCIÓN 12** **pp. 324–325**

SCOPE AND SEQUENCE

¡HOLA, AMIGOS! TAKES STUDENTS FROM PRACTICE TO COMMUNICATION.

UNIDAD 4
PARA DIVERTIRSE

LECCIÓN 7
UN FIN DE SEMANA
OBJETIVOS
- Learn parts of the body
- Talk about what you like or dislike doing
- Discuss weekend activities
- Talk about your daily routine

LECCIÓN 8
LAS ACTIVIDADES AL AIRE LIBRE
OBJETIVOS
- Discuss activities you can do outdoors
- Discuss past actions, events and states
- Talk about the way things used to be

¿QUÉ HACES PARA DIVERTIRTE?

Los estudiantes en las universidades del mundo hispano participan en muchos de los deportes que son populares en Canadá. Por ejemplo, a muchos jóvenes les gusta nadar, hacer surf y acampar en el verano. **¿Qué actividades te gustan a ti? ¿Qué deportes practicas en el verano? ¿Qué haces en el invierno?**

1. Estos turistas hacen un viaje por barco en el Parque Nacional Canaima de Venezuela.
2. El béisbol es una pasión para los dominicanos de todas las edades.
3. Desde una playa en La Habana se ve el Castillo de los Tres Reyes Magos del Morro.
4. Este hombre bucea y saca fotos del coral cerca de la Culebra Reserva Natural, Puerto Rico.

Map courtesy of Patricia Isaacs, Parrot Graphics

163

Provides focus for student learning. Each unit opens with a two-page spread that introduces the themes and cultures featured in that unit and provides an overview of the communicative goals for the unit.

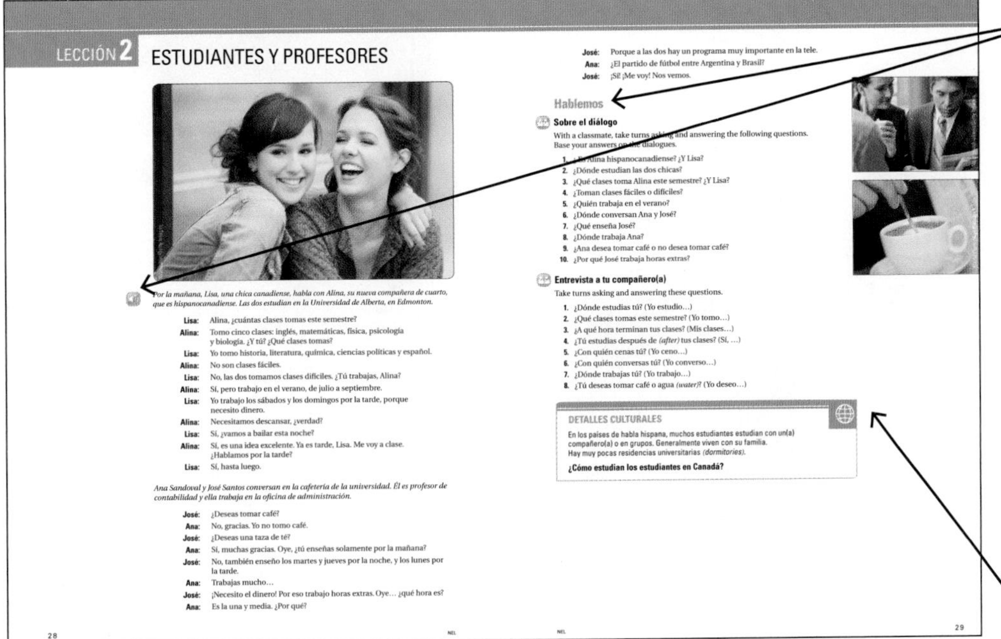
LECCIÓN 2 ESTUDIANTES Y PROFESORES

Por la mañana, Lisa, una chica canadiense, habla con Alina, su nueva compañera de cuarto, que es hispanocanadiense. Las dos estudian en la Universidad de Alberta, en Edmonton.

Lisa: Alina, ¿cuántas clases tomas este semestre?
Alina: Tomo cinco clases: inglés, matemáticas, física, psicología y biología. ¿Y tú? ¿Qué clases tomas?
Lisa: Yo tomo historia, literatura, química, ciencias políticas y español.
Alina: No son clases fáciles.
Lisa: No, las dos tomamos clases difíciles. ¿Tú trabajas, Alina?
Alina: Sí, pero trabajo en el verano, de julio a septiembre.
Lisa: Yo trabajo los sábados y los domingos por la tarde, porque necesito dinero.
Alina: Necesitamos descansar, ¿verdad?
Lisa: Sí, ¿vamos a bailar esta noche?
Alina: Sí, es una idea excelente. Ya es tarde, Lisa. Me voy a clase. ¿Hablamos por la tarde?
Lisa: Sí, hasta luego.

Ana Sandoval y José Santos conversan en la cafetería de la universidad. Él es profesor de contabilidad y ella trabaja en la oficina de administración.

José: ¿Deseas tomar café?
Ana: No, gracias. Yo no tomo café.
José: ¿Deseas una taza de té?
Ana: Sí, muchas gracias. Oye, ¿tú enseñas solamente por la mañana?
José: No, también enseño los martes y jueves por la noche, y los lunes por la tarde.
Ana: Trabajas mucho…
José: ¡Necesito el dinero! Por eso trabajo horas extras. Oye… ¿qué hora es?
Ana: Es la una y media. ¿Por qué?
José: Porque a las dos hay un programa muy importante en la tele.
Ana: ¿El partido de fútbol entre Argentina y Brasil?
José: ¡Sí! ¡Me voy! Nos vemos.

Hablemos

Sobre el diálogo

With a classmate, take turns asking and answering the following questions. Base your answers on the dialogues.

1. ¿… Alina hispanocanadiense? ¿Y Lisa?
2. ¿Dónde estudian las dos chicas?
3. ¿Qué clases toma Alina este semestre? ¿Y Lisa?
4. ¿Toman clases fáciles o difíciles?
5. ¿Quién trabaja en el verano?
6. ¿Dónde conversan Ana y José?
7. ¿Qué enseña José?
8. ¿Dónde trabaja Ana?
9. ¿Ana desea tomar café o no desea tomar café?
10. ¿Por qué José trabaja horas extras?

Entrevista a tu compañero(a)

Take turns asking and answering these questions.

1. ¿Dónde estudias tú? (Yo estudio…)
2. ¿Qué clases tomas este semestre? (Yo tomo…)
3. ¿A qué hora terminan tus clases? (Mis clases…)
4. ¿Tú estudias después de *(after)* tus clases? (Sí, …)
5. ¿Con quién cenas tú? (Yo ceno…)
6. ¿Con quién conversas tú? (Yo converso…)
7. ¿Dónde trabajas tú? (Yo trabajo…)
8. ¿Tú deseas tomar café o agua *(water)*? (Yo deseo…)

DETALLES CULTURALES

En los países de habla hispana, muchos estudiantes estudian con un(a) compañero(a) o en grupos. Generalmente viven con su familia. Hay muy pocas residencias universitarias *(dormitories)*.

¿Cómo estudian los estudiantes en Canadá?

28 NEL NEL 29

Offers a natural setting for introducing language. The lesson-opening dialogues provide a vibrant and realistic context to introduce each lesson's vocabulary and structures. The *Hablemos* exercises that follow allow students to interact with the content of the lesson-opening dialogues and encourage students to make connections between the topics presented in the dialogues and their own daily lives.

Helps students develop a better understanding of the rich variety of cultures in the Spanish-speaking world. Written in simple Spanish, the *Detalles culturales* text boxes can be used to promote classroom discussions and cross-cultural reflection on subjects related to the lesson's theme.

SUCCESSFUL ORAL COMMUNICATION

Provides a solid foundation for building communication skills. The *Vocabulario* section introduces new vocabulary through topics of interest to today's students. Each *Vocabulario* section lists all active vocabulary introduced in the opening dialogue, as well as other words and phrases related to the lesson's theme.

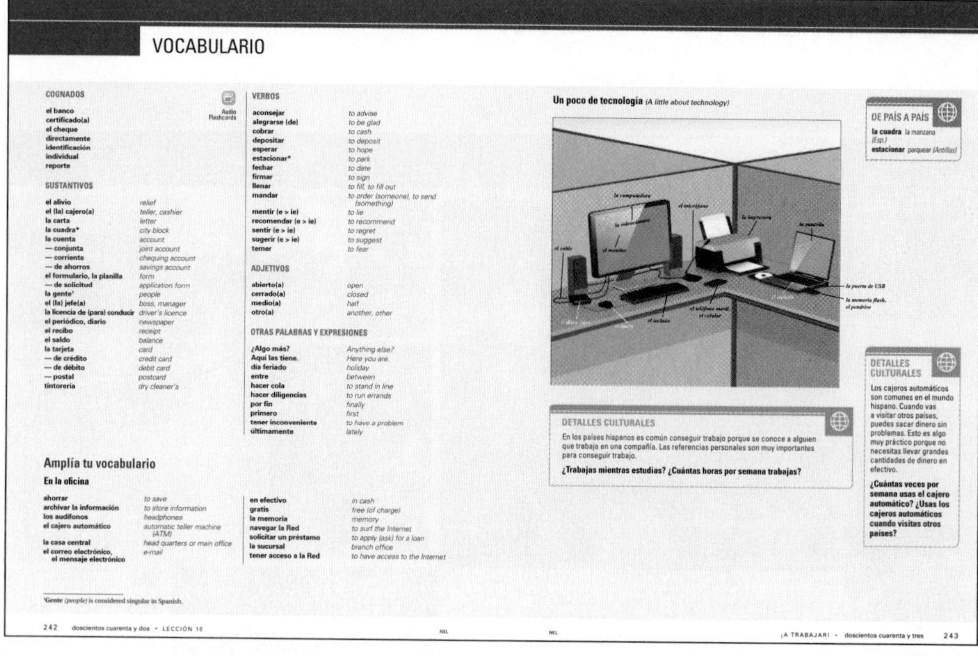

VOCABULARIO

Audio Flashcards

COGNADOS

el banco
certificado(a)
el cheque
directamente
identificación
individual
reporte

SUSTANTIVOS

el alivio	*relief*
el (la) cajero(a)	*teller, cashier*
la carta	*letter*
la cuadra*	*city block*
la cuenta	*account*
— conjunta	*joint account*
— corriente	*chequing account*
— de ahorros	*savings account*
el formulario, la planilla	*form*
— de solicitud	*application form*
la gente[1]	*people*
el (la) jefe(a)	*boss, manager*
la licencia de (para) conducir	*driver's licence*
el periódico, diario	*newspaper*
el recibo	*receipt*
el saldo	*balance*
la tarjeta	*card*
— de crédito	*credit card*
— de débito	*debit card*
— postal	*postcard*
tintorería	*dry cleaner's*

VERBOS

aconsejar	*to advise*
alegrarse (de)	*to be glad*
cobrar	*to cash*
depositar	*to deposit*
esperar	*to hope*
estacionar*	*to park*
fechar	*to date*
firmar	*to sign*
llenar	*to fill, to fill out*
mandar	*to order (someone), to send (something)*
mentir (e > ie)	*to lie*
recomendar (e > ie)	*to recommend*
sentir (e > ie)	*to regret*
sugerir (e > ie)	*to suggest*
temer	*to fear*

ADJETIVOS

abierto(a)	*open*
cerrado(a)	*closed*
medio(a)	*half*
otro(a)	*another, other*

OTRAS PALABRAS Y EXPRESIONES

¿Algo más?	*Anything else?*
Aquí las tiene.	*Here you are.*
día feriado	*holiday*
entre	*between*
hacer cola	*to stand in line*
hacer diligencias	*to run errands*
por fin	*finally*
primero	*first*
tener inconveniente	*to have a problem*
últimamente	*lately*

Amplía tu vocabulario

En la oficina

ahorrar	*to save*
archivar la información	*to store information*
los audífonos	*headphones*
el cajero automático	*automatic teller machine (ATM)*
la casa central	*head quarters or main office*
el correo electrónico, el mensaje electrónico	*e-mail*
en efectivo	*in cash*
gratis	*free (of charge)*
la memoria	*memory*
navegar la Red	*to surf the Internet*
solicitar un préstamo	*to apply (ask) for a loan*
la sucursal	*branch office*
tener acceso a la Red	*to have access to the Internet*

[1]Gente *(people)* is considered singular in Spanish.

242 doscientos cuarenta y dos • LECCIÓN 10 NEL

Un poco de tecnología *(A little about technology)*

DE PAÍS A PAÍS

la cuadra la manzana *(Esp.)*
estacionar parquear *(Antillas)*

DETALLES CULTURALES

En los países hispanos es común conseguir trabajo porque se conoce a alguien que trabaja en una compañía. Las referencias personales son muy importantes para conseguir trabajo.

¿Trabajas mientras estudias? ¿Cuántas horas por semana trabajas?

DETALLES CULTURALES

Los cajeros automáticos son comunes en el mundo hispano. Cuando vas a visitar otros países, puedes sacar dinero sin problemas. Esto es algo muy práctico porque no necesitas llevar grandes cantidades de dinero en efectivo.

¿Cuántas veces por semana usas el cajero automático? ¿Usas los cajeros automáticos cuando visitas otros países?

NEL ¡A TRABAJAR! • doscientos cuarenta y tres 243

Familiarizes students with sounds, words, and expressions that are challenging. The *Pronunciación* box in each lesson highlights the basic pronunciation rules of the Spanish language and includes exercises to practise pronunciation, linking, and intonation. Audio recordings of the *Pronunciación* text boxes are available online.

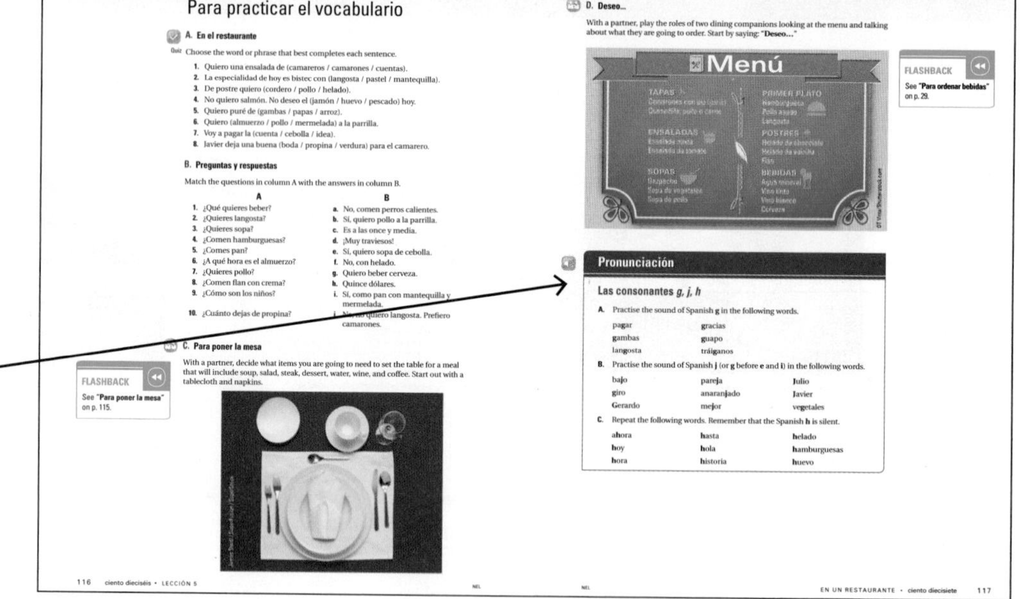

Para practicar el vocabulario

A. En el restaurante

Quiz Choose the word or phrase that best completes each sentence.

1. Quiero una ensalada de (camareros / camarones / cuentas).
2. La especialidad de hoy es bistec con (langosta / pastel / mantequilla).
3. De postre quiero (cordero / pollo / helado).
4. No quiero salmón. No deseo el (jamón / huevo / pescado) hoy.
5. Quiero puré de (gambas / papas / arroz).
6. Quiero (almuerzo / pollo / mermelada) a la parrilla.
7. Voy a pagar la (cuenta / cebolla / idea).
8. Javier deja una buena (boda / propina / verdura) para el camarero.

B. Preguntas y respuestas

Match the questions in column A with the answers in column B.

A	B
1. ¿Qué quieres beber?	a. No, comen perros calientes.
2. ¿Quieres langosta?	b. Sí, quiero pollo a la parrilla.
3. ¿Quieres sopa?	c. Es a las once y media.
4. ¿Comen hamburguesas?	d. ¡Muy traviesos!
5. ¿Comes pan?	e. Sí, quiero sopa de cebolla.
6. ¿A qué hora es el almuerzo?	f. No, con helado.
7. ¿Quieres pollo?	g. Quiero beber cerveza.
8. ¿Comen flan con crema?	h. Quince dólares.
9. ¿Cómo son los niños?	i. Sí, como pan con mantequilla y mermelada.
10. ¿Cuánto dejas de propina?	j. No, no quiero langosta. Prefiero camarones.

C. Para poner la mesa

With a partner, decide what items you are going to need to set the table for a meal that will include soup, salad, steak, dessert, water, wine, and coffee. Start out with a tablecloth and napkins.

FLASHBACK
See **"Para poner la mesa"** on p. 115.

116 ciento dieciséis • LECCIÓN 5 NEL

D. Deseo...

With a partner, play the roles of two dining companions looking at the menu and talking about what they are going to order. Start by saying: **"Deseo..."**

FLASHBACK
See **"Para ordenar bebidas"** on p. 29.

Pronunciación

Las consonantes *g, j, h*

A. Practise the sound of Spanish **g** in the following words.

pagar	gracias
gambas	guapo
langosta	tráiganos

B. Practise the sound of Spanish **j** (or **g** before **e** and **i**) in the following words.

bajo	pareja	Julio
giro	anaranjado	Javier
Gerardo	mejor	vegetales

C. Repeat the following words. Remember that the Spanish **h** is silent.

ahora	hasta	helado
hoy	hola	hamburguesas
hora	historia	huevo

NEL EN UN RESTAURANTE • ciento diecisiete 117

PUNTOS PARA RECORDAR

Grammar Tutorial

1 Subjunctive to express indefiniteness and nonexistence

(El subjuntivo para expresar lo indefinido y lo no existente)

- The subjunctive is always used in the subordinate clause when the main clause refers to something or someone that is indefinite, unspecified, hypothetical, or nonexistent.

—¿**Hay algún** paquete turístico que **incluya** el hotel? — *"**Is there any tour** that **includes** the hotel?"*
—No, **no hay ninguno** que lo **incluya**. — *"No, **there is not any** that **includes** it."*

—**Necesito un secretario** que **hable** francés. — *"**I need a secretary** who **speaks** French."*
—**No conozco a nadie** que **hable** francés. — *"**I don't know anyone** who **speaks** French."*

—**Estamos buscando un restaurante** donde sirvan comida italiana. — *"**We're looking for a restaurant** where **they serve** Italian food."*
—**Hay varios restaurantes** donde **sirven** comida italiana. — *"**There are several restaurants** where **they serve** Italian food."*

FLASHBACK

You may want to review the subjunctive formation pp. 252–253, as well as the conjugation of **incluir**, p. 274 (footnote).

¡ATENCIÓN!

If the subordinate clause refers to existent, definite, or specified persons or things, the indicative is used instead of the subjunctive.

¿Hay un restaurante que sirva buenas tapas en la Plaza Mayor?

302 trescientos dos • LECCIÓN 12

NEL

Práctica y conversación

Quiz

A. Minidiálogos

Complete the following dialogues, using the indicative or the subjunctive, as appropriate.

1. —¿Hay algún hotel que ________ (quedar) cerca de la playa?
   —Sí, el hotel El Sol ________ (quedar) a una cuadra de la playa.
2. —¿Sabes si hay algún cuarto libre que ________ (tener) vista al mar?
   —No, pero hay uno que ________ (tener) vista a la piscina.
3. —¿Hay alguien aquí que no ________ (tener) pasaporte?
   —No, todos ________ (tener) pasaporte y visa.
4. —Necesito un botones que ________ (poder) llevar las maletas.
   —Tenemos un botones que ________ (estar) ocupado en este momento, pero puede ayudarlos en unos minutos.

B. Vienen los argentinos

A family from Argentina has recently moved into your neighbourhood. Answer their questions.

1. ¿Hay alguien que quiera vender su casa?
2. ¿Hay algún restaurante que sirva comida argentina?
3. ¿Hay alguien que sepa español y quiera trabajar de traductor?
4. ¿Hay algún mercado que venda productos de Sudamérica?
5. Nuestro hijo es agente de viajes. ¿Sabe si hay alguna agencia que necesite empleados?
6. Queremos vender nuestro coche. ¿Conoce Ud. a alguien que necesite un auto?

C. En la pensión

Use your imagination to complete each statement.

1. Nuestro cuarto tiene vista al jardín, pero preferimos uno…
2. El baño tiene bañadera, pero yo quiero uno…
3. Esta pensión no incluye las comidas, pero yo necesito una…
4. Esta pensión es buena pero no está en un lugar céntrico; queremos una…
5. Este folleto es sobre Viña del Mar, pero nosotras necesitamos uno…

D. Dime una cosa

You and a classmate want to find out about each other's relatives and friends. Ask each other questions about the following, always beginning with:

¿Hay alguien en tu familia o entre *(among)* tus amigos que…?

1. jugar al béisbol
2. viajar a México todos los veranos
3. bailar muy bien
4. tener una piscina en su casa
5. celebrar su aniversario de bodas este mes
6. ser muy optimista
7. conocer España
8. hablar portugués
9. saber varios idiomas
10. trabajar para un hotel
11. ser empleado(a) de banco
12. ser argentino(a)

E. Nuestro viaje a España

In groups of three or four, play the role of very wealthy and lazy travellers who want to make arrangements for a trip to Spain. Say what you need people to do for you.

- **MODELO:** *Necesitamos a alguien que vaya a la agencia de viajes.*

NEL

¿DÓNDE NOS HOSPEDAMOS? • trescientos tres 303

Presents grammar structures in a clear and succinct manner with contextualized language models. The *Puntos para recordar* section presents, in English, an average of five or six grammar structures per lesson. Each structure is immediately followed by a *Práctica* or *Práctica y conversación* section that includes pair and group work that ranges from controlled drills to open-ended communicative activities.

PRACTICAL LANGUAGE TRAINING

Presents opportunities to actively use the language in the classroom. The activities in the *Entre nosotros* section at the end of each lesson encourage students to synthesize what they've learned in order to communicate in real-life situations. *¡Conversemos!* consists of a series of open-ended conversational activities for vocabulary review that can be completed in pairs and groups, including illustration-based activities and task-based activities. *Para escribir* offers an opportunity for students to write on a topic related to the communicative goals of the lesson.

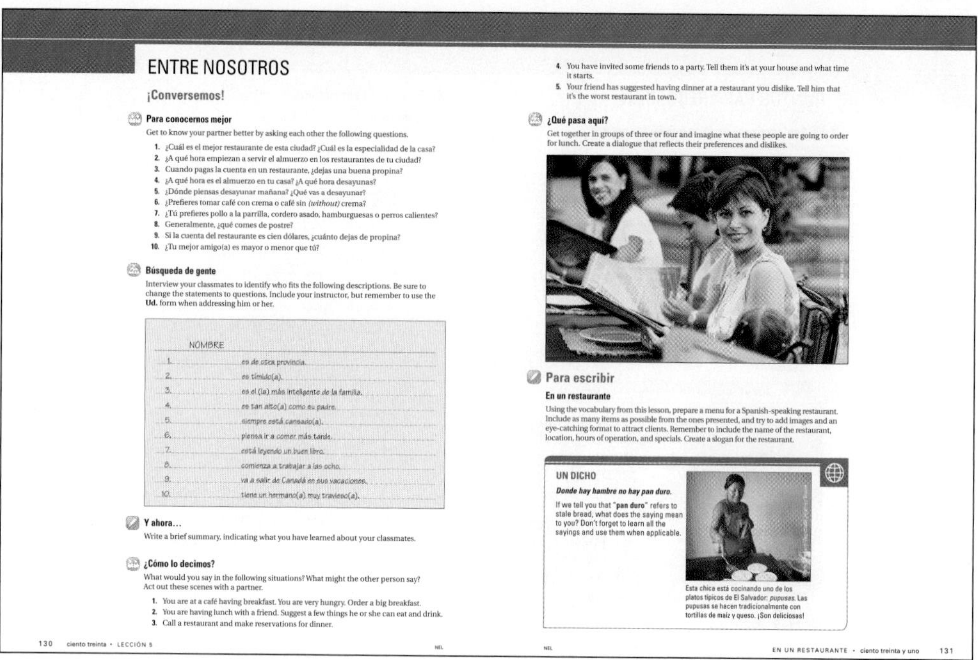

ENTRE NOSOTROS

¡Conversemos!

Para conocernos mejor

Get to know your partner better by asking each other the following questions.

1. ¿Cuál es el mejor restaurante de esta ciudad? ¿Cuál es la especialidad de la casa?
2. ¿A qué hora empiezan a servir el almuerzo en los restaurantes de tu ciudad?
3. Cuando pagas la cuenta en un restaurante, ¿dejas una buena propina?
4. ¿A qué hora es el almuerzo en tu casa? ¿A qué hora desayunas?
5. ¿Dónde piensas desayunar mañana? ¿Qué vas a desayunar?
6. ¿Prefieres tomar café con crema o café sin *(without)* crema?
7. ¿Tú prefieres pollo a la parrilla, cordero asado, hamburguesas o perros calientes?
8. Generalmente, ¿qué comes de postre?
9. Si la cuenta del restaurante es cien dólares, ¿cuánto dejas de propina?
10. ¿Tu mejor amigo(a) es mayor o menor que tú?

Búsqueda de gente

Interview your classmates to identify who fits the following descriptions. Be sure to change the statements to questions. Include your instructor, but remember to use the **Ud.** form when addressing him or her.

NOMBRE	
1.	es de otra provincia.
2.	es tímido(a).
3.	es el (la) más inteligente de la familia.
4.	es tan alto(a) como su padre.
5.	siempre está cansado(a).
6.	piensa ir a comer más tarde.
7.	está leyendo un buen libro.
8.	comienza a trabajar a las ocho.
9.	va a salir de Canadá en sus vacaciones.
10.	tiene un hermano(a) muy travieso(a).

Y ahora...

Write a brief summary, indicating what you have learned about your classmates.

¿Cómo lo decimos?

What would you say in the following situations? What might the other person say? Act out these scenes with a partner.

1. You are at a café having breakfast. You are very hungry. Order a big breakfast.
2. You are having lunch with a friend. Suggest a few things he or she can eat and drink.
3. Call a restaurant and make reservations for dinner.
4. You have invited some friends to a party. Tell them it's at your house and what time it starts.
5. Your friend has suggested having dinner at a restaurant you dislike. Tell him that it's the worst restaurant in town.

¿Qué pasa aquí?

Get together in groups of three or four and imagine what these people are going to order for lunch. Create a dialogue that reflects their preferences and dislikes.

Para escribir

En un restaurante

Using the vocabulary from this lesson, prepare a menu for a Spanish-speaking restaurant. Include as many items as possible from the ones presented, and try to add images and an eye-catching format to attract clients. Remember to include the name of the restaurant, location, hours of operation, and specials. Create a slogan for the restaurant.

UN DICHO

Donde hay hambre no hay pan duro.

If we tell you that "**pan duro**" refers to stale bread, what does the saying mean to you? Don't forget to learn all the sayings and use them when applicable.

Esta chica está cocinando uno de los platos típicos de El Salvador: *pupusas*. Las pupusas se hacen tradicionalmente con tortillas de maíz y queso. ¡Son deliciosas!

130 ciento treinta • LECCIÓN 5 NEL

NEL EN UN RESTAURANTE • ciento treinta y uno 131

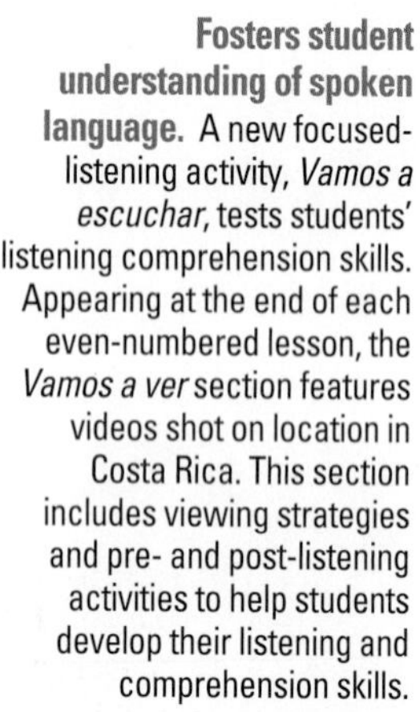

Fosters student understanding of spoken language. A new focused-listening activity, *Vamos a escuchar*, tests students' listening comprehension skills. Appearing at the end of each even-numbered lesson, the *Vamos a ver* section features videos shot on location in Costa Rica. This section includes viewing strategies and pre- and post-listening activities to help students develop their listening and comprehension skills.

Promotes the development of students' reading skills. Appearing at the end of each odd-numbered lesson, *Vamos a leer* develops reading comprehension while reinforcing the structures and vocabulary introduced in the preceding lessons. *Estrategias* text boxes offer strategies that help students make meaning of the reading selections. Pre-reading questions focus students' attention on detail, and open-ended post-reading questions explore how the themes presented in the reading relate to their personal experience.

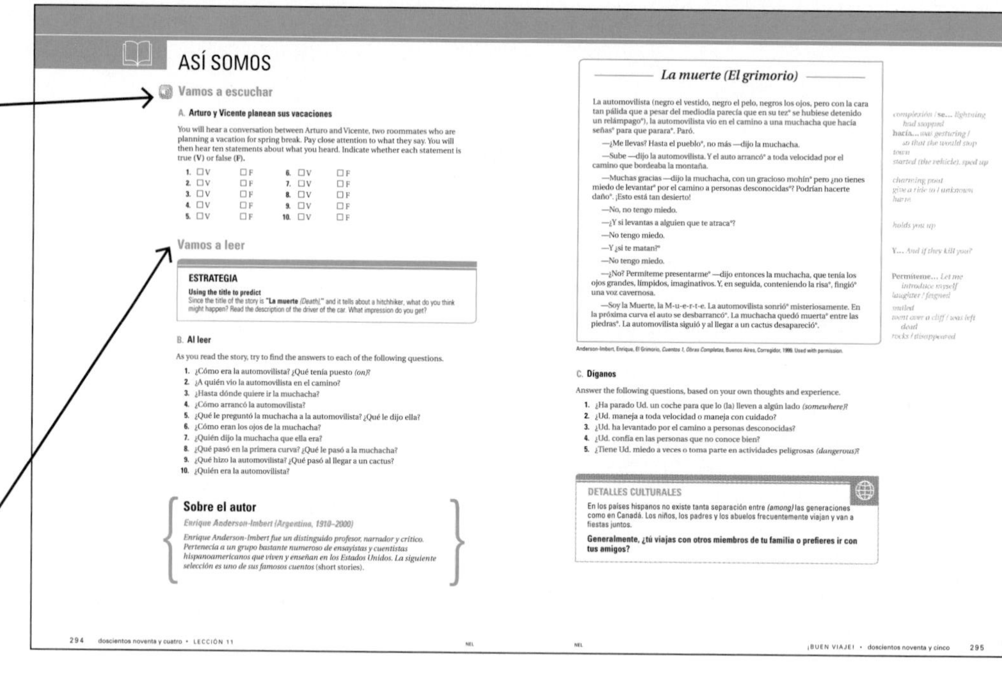

ASÍ SOMOS

Vamos a escuchar

A. **Arturo y Vicente planean sus vacaciones**

You will hear a conversation between Arturo and Vicente, two roommates who are planning a vacation for spring break. Pay close attention to what they say. You will then hear ten statements about what you heard. Indicate whether each statement is true (**V**) or false (**F**).

1.	☐ V	☐ F	6.	☐ V	☐ F
2.	☐ V	☐ F	7.	☐ V	☐ F
3.	☐ V	☐ F	8.	☐ V	☐ F
4.	☐ V	☐ F	9.	☐ V	☐ F
5.	☐ V	☐ F	10.	☐ V	☐ F

Vamos a leer

ESTRATEGIA

Using the title to predict
Since the title of the story is "**La muerte** *(Death)*," and it tells about a hitchhiker, what do you think might happen? Read the description of the driver of the car. What impression do you get?

B. **Al leer**

As you read the story, try to find the answers to each of the following questions.

1. ¿Cómo era la automovilista? ¿Qué tenía puesto *(on)*?
2. ¿A quién vio la automovilista en el camino?
3. ¿Hasta dónde quiere ir la muchacha?
4. ¿Cómo arrancó la automovilista?
5. ¿Qué le preguntó la muchacha a la automovilista? ¿Qué le dijo ella?
6. ¿Cómo eran los ojos de la muchacha?
7. ¿Quién dijo la muchacha que ella era?
8. ¿Qué pasó en la primera curva? ¿Qué le pasó a la muchacha?
9. ¿Qué hizo la automovilista? ¿Qué pasó al llegar a un cactus?
10. ¿Quién era la automovilista?

Sobre el autor

Enrique Anderson-Imbert (Argentina, 1910–2000)

Enrique Anderson-Imbert fue un distinguido profesor, narrador y crítico. Pertenecía a un grupo bastante numeroso de ensayistas y cuentistas hispanoamericanos que viven y enseñan en los Estados Unidos. La siguiente selección es uno de sus famosos cuentos (short stories).

La muerte (El grimorio)

La automovilista (negro el vestido, negro el pelo, negros los ojos, pero con la cara tan pálida que a pesar del mediodía parecía que en su tez° se hubiese detenido un relámpago°), la automovilista vio en el camino a una muchacha que hacía señas° para que parara°. Paró.

—¿Me llevas? Hasta el pueblo°, no más —dijo la muchacha.

—Sube —dijo la automovilista. Y el auto arrancó° a toda velocidad por el camino que bordeaba la montaña.

—Muchas gracias —dijo la muchacha, con un gracioso mohín° pero ¿no tienes miedo de levantar° por el camino a personas desconocidas°? Podrían hacerte daño°. ¡Esto está tan desierto!

—No, no tengo miedo.

—¿Y si levantas a alguien que te atraca°?

—No tengo miedo.

—Y ¿si te matan?°

—No tengo miedo.

—¿No? Permíteme presentarme° —dijo entonces la muchacha, que tenía los ojos grandes, límpidos, imaginativos. Y, en seguida, conteniendo la risa°, fingió° una voz cavernosa.

—Soy la Muerte, la M-u-e-r-t-e. La automovilista sonrió° misteriosamente. En la próxima curva el auto se desbarrancó°. La muchacha quedó muerta° entre las piedras°. La automovilista siguió y al llegar a un cactus desapareció°.

complexión / **se...** *lightning had stopped*
hacía... *was gesturing* / *so that she would stop*
town
started (the vehicle), sped up
charming pout
give a ride to / *unknown*
harm
holds you up
Y... *And if they kill you?*
Permíteme... *Let me introduce myself*
laughter / *feigned*
smiled
went over a cliff / *was left dead*
rocks / *disappeared*

Anderson-Imbert, Enrique, El Grimorio, *Cuentos 1, Obras Completas*, Buenos Aires, Corregidor, 1999. Used with permission.

C. **Díganos**

Answer the following questions, based on your own thoughts and experience.

1. ¿Ha parado Ud. un coche para que lo (la) lleven a algún lado *(somewhere)*?
2. ¿Ud. maneja a toda velocidad o maneja con cuidado?
3. ¿Ud. ha levantado por el camino a personas desconocidas?
4. ¿Ud. confía en las personas que no conoce bien?
5. ¿Tiene Ud. miedo a veces o toma parte en actividades peligrosas *(dangerous)*?

DETALLES CULTURALES

En los países hispanos no existe tanta separación entre *(among)* las generaciones como en Canadá. Los niños, los padres y los abuelos frecuentemente viajan y van a fiestas juntos.

Generalmente, ¿tú viajas con otros miembros de tu familia o prefieres ir con tus amigos?

294 doscientos noventa y cuatro • LECCIÓN 11 NEL

NEL ¡BUEN VIAJE! • doscientos noventa y cinco 295

CURRENT CULTURAL CONTENT

EL MUNDO HISPÁNICO

ECUADOR PERÚ BOLIVIA PARAGUAY

1. Los pájaros bobos con patas azules son una de las especies que Charles Darwin estudió en las Islas Galápagos.

2. Machu Picchu fue una ciudad inca construida a mediados del siglo XV. La ciudad se construyó, fue habitada y fue abandonada en cien años.

3. Una mujer aymara, conocida como "cholita", caminando con su ropa tradicional. La cumbre nevada de la montaña Huayna Potosí aparece al fondo de la ciudad El Alto, Bolivia. Esta ciudad es el centro de la cultura aymara.

4. Las cataratas de Iguazú son una de las siete maravillas del mundo. Su belleza es espectacular. Cuenta con 275 saltos de hasta 70 metros de altura y es uno de los lugares naturales más maravillosos. El punto más alto se llama La Garganta del Diablo.

ECUADOR

- Ecuador es uno de los países con la mayor diversidad ecológica. Por eso la constitución de 2008 de Ecuador asegura los Derechos de la Naturaleza, algo que es único en el mundo.
- Las islas Galápagos, que son parte de Ecuador y están situadas frente a las costas del país, son una de las zonas ecológicas mejor conservadas del mundo. Charles Darwin hizo la mayor parte de sus estudios sobre la evolución de las especies en las islas Galápagos. Estas islas atraen a muchos turistas.
- A 35,4 kilómetros de Quito, la capital de Ecuador, está el monumento La Mitad del Mundo, que marca el sitio exacto por donde pasa la línea del ecuador.
- Quito está situada en las laderas *(hillsides)* del volcán Pichincha, a más de 2.743 metros de altura sobre el nivel del mar. Por eso, aunque la ciudad está muy cerca de la línea del ecuador, su clima es templado *(mild)* y agradable. Quito es la capital más antigua de Sudamérica, y todavía mantiene su aspecto colonial, con sus calles estrechas *(narrow)* y sus viejas iglesias.

PERÚ

- Perú es el tercer país más grande de Sudamérica. Su territorio es un poco más grande que la provincia de Ontario, y su población es de unos 28 millones de habitantes.
- Las principales atracciones turísticas del país son Cuzco, la antigua capital de los Incas, y las impresionantes ruinas de Machu Picchu, situadas en las montañas cerca de Cuzco a una altura de 2.350 metros. Machu Picchu fue una fortaleza incaica que después de la conquista quedó perdida hasta 1911, cuando fue descubierta por el arqueólogo estadounidense Hiram Bingham.
- Tal vez *(Perhaps)* la mayor contribución peruana a la alimentación del mundo fue la papa. Se dice que hay más de 4.000 tipos de papas y en Perú se encuentran muchos tipos que no existen en otros lugares.
- En 2010 el escritor peruano, Mario Vargas Llosa, ganó el Premio Nobel de Literatura.

BOLIVIA

- Bolivia, llamada así en honor del Libertador Simón Bolívar, es un país de superlativos. Tiene la capital (La Paz), el aeropuerto y el lago navegable (el lago Titicaca) más altos del mundo, y unas de las ruinas más antiguas. En realidad, La Paz es una de las dos capitales de Bolivia; la otra es Sucre.
- Los indios quechua y aymara, que constituyen más de la mitad de su población, mantienen su cultura y sus lenguas tradicionales.
- Bolivia es uno de los destinos turísticos más atractivos por sus bellísimos paisajes andinos, que le han valido el nombre de "el Tibet de América", y por las ruinas milenarias de Tiahuanaco.

PARAGUAY

- Asunción, la capital de Paraguay, es una ciudad de más de dos millones de habitantes en la que se mezclan los edificios coloniales con modernas construcciones.
- La mayoría de los paraguayos hablan dos idiomas: el español y el guaraní.
- En la frontera de Paraguay, Argentina y Brasil están las famosas cataratas de Iguazú, nombre guaraní que significa "agua grande".

El mundo hispano y tú

With a partner, discuss the following questions.

1. ¿Por qué piensas que las islas Galápagos son tan populares con los turistas?
2. Machu Picchu es un lugar muy especial. ¿Qué función cumplió en el pasado y por qué mucha gente visita este lugar en el presente? ¿La población indígena de algunos países mantiene ciertos aspectos de sus costumbres? ¿Cuáles son esos aspectos y por qué son importantes?
3. ¿Qué idiomas se hablan *(are spoken)* en Paraguay? ¿Es importante que en un país se hable más de una lengua? ¿Por qué?
4. ¿Piensas que es peligroso *(dangerous)* tener una ciudad cerca *(near)* de un volcán? ¿Por qué?
5. ¿Qué quiere decir que una ciudad tiene un aspecto colonial?

264 doscientos sesenta y cuatro • UNIDAD 5 NEL

NEL EL MUNDO HISPÁNICO • doscientos sesenta y cinco 265

Introduces the rich variety of cultures in the Spanish-speaking world. *El mundo hispánico* offers new and updated information on Spanish-speaking countries and the people who live there. Video clips available on the premium website will pique students' interest in the featured countries. Questions in *El mundo hispano y tú* encourage students to explore how the places, customs, and ideas of other cultures relate to their own experiences.

INTEGRATED SELF-ASSESSMENT

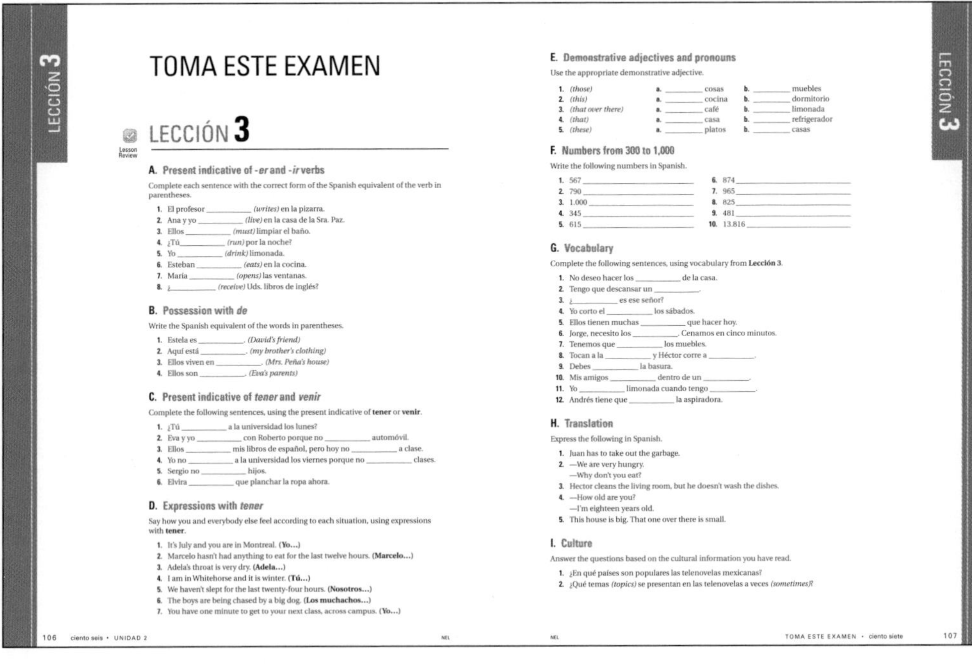

LECCIÓN 3

TOMA ESTE EXAMEN

LECCIÓN 3

Lesson Review

A. Present indicative of *-er* and *-ir* verbs

Complete each sentence with the correct form of the Spanish equivalent of the verb in parentheses.

1. El profesor ______ *(writes)* en la pizarra.
2. Ana y yo ______ *(live)* en la casa de la Sra. Paz.
3. Ellos ______ *(must)* limpiar el baño.
4. ¿Tú______ *(run)* por la noche?
5. Yo ______ *(drink)* limonada.
6. Esteban ______ *(eats)* en la cocina.
7. María ______ *(opens)* las ventanas.
8. ¿______ *(receive)* Uds. libros de inglés?

B. Possession with *de*

Write the Spanish equivalent of the words in parentheses.

1. Estela es ______. *(David's friend)*
2. Aquí está ______. *(my brother's clothing)*
3. Ellos viven en ______. *(Mrs. Peña's house)*
4. Ellos son ______. *(Eva's parents)*

C. Present indicative of *tener* and *venir*

Complete the following sentences, using the present indicative of **tener** or **venir**.

1. ¿Tú ______ a la universidad los lunes?
2. Eva y yo ______ con Roberto porque no ______ automóvil.
3. Ellos ______ mis libros de español, pero hoy no ______ a clase.
4. Yo no ______ a la universidad los viernes porque no ______ clases.
5. Sergio no ______ hijos.
6. Elvira ______ que planchar la ropa ahora.

D. Expressions with *tener*

Say how you and everybody else feel according to each situation, using expressions with **tener**.

1. It's July and you are in Montreal. **(Yo...)**
2. Marcelo hasn't had anything to eat for the last twelve hours. **(Marcelo...)**
3. Adela's throat is very dry. **(Adela...)**
4. I am in Whitehorse and it is winter. **(Tú...)**
5. We haven't slept for the last twenty-four hours. **(Nosotros...)**
6. The boys are being chased by a big dog. **(Los muchachos...)**
7. You have one minute to get to your next class, across campus. **(Yo...)**

E. Demonstrative adjectives and pronouns

Use the appropriate demonstrative adjective.

1. *(those)* a. ______ cosas b. ______ muebles
2. *(this)* a. ______ cocina b. ______ dormitorio
3. *(that over there)* a. ______ café b. ______ limonada
4. *(that)* a. ______ casa b. ______ refrigerador
5. *(these)* a. ______ platos b. ______ casas

F. Numbers from 300 to 1,000

Write the following numbers in Spanish.

1. 567 ______
2. 790 ______
3. 1.000 ______
4. 345 ______
5. 615 ______
6. 874 ______
7. 965 ______
8. 825 ______
9. 481 ______
10. 13.816 ______

G. Vocabulary

Complete the following sentences, using vocabulary from **Lección 3**.

1. No deseo hacer los ______ de la casa.
2. Tengo que descansar un ______.
3. ¿______ es ese señor?
4. Yo corto el ______ los sábados.
5. Ellos tienen muchas ______ que hacer hoy.
6. Jorge, necesito los ______. Cenamos en cinco minutos.
7. Tenemos que ______ los muebles.
8. Tocan a la ______ y Héctor corre a ______.
9. Debes ______ la basura.
10. Mis amigos ______ dentro de un ______.
11. Yo ______ limonada cuando tengo ______.
12. Andrés tiene que ______ la aspiradora.

H. Translation

Express the following in Spanish.

1. Juan has to take out the garbage.
2. —We are very hungry.
   —Why don't you eat?
3. Hector cleans the living room, but he doesn't wash the dishes.
4. —How old are you?
   —I'm eighteen years old.
5. This house is big. That one over there is small.

I. Culture

Answer the questions based on the cultural information you have read.

1. ¿En qué países son populares las telenovelas mexicanas?
2. ¿Qué temas *(topics)* se presentan en las telenovelas a veces *(sometimes)*?

106 ciento seis • UNIDAD 2 NEL

NEL TOMA ESTE EXAMEN • ciento siete 107

LECCIÓN 3

Encourages self-assessment of learning objectives. At the end of each unit, the *Toma este examen* section offers students the opportunity to practise the vocabulary and grammar structures presented in the unit before proceeding to the next lesson. Answers to these exercises appear in Appendix D at the back of the book.

LETTER TO STUDENTS

Embarking on a Learning Journey

Welcome to *¡Hola, amigos!*, Third Canadian Edition

Learning a language is like starting a journey of discovery. In the process, you will explore the language itself, with its nuances and rules; the culture, with all its regional characteristics, sounds, and flavours; and, of course, literature and artistic representations. All these components come together in ***¡Hola, amigos!,*** Third Canadian Edition. Throughout the textbook, ancillary materials, and online components, you will learn about the lives of Hispanic people around the world and in Canada.

Learning a new language is a process. You need to be flexible and open to the many opportunities that each exercise presents. Consider this course as a trip through the Spanish-speaking world with all its beauty and mesmerizing culture. You will explore different countries and learn about them. Next time you visit a Spanish-speaking country, you will be able to communicate with the locals and make connections with cultural elements presented in ***¡Hola, amigos!*** You may encounter a few challenges and difficulties along the way. You will make some errors, but people will value your effort, and it will be compensated with many smiles and useful hints to help you improve your language skills.

The material in ***¡Hola, amigos!*** will be your exploration guide and your learning tool. The content of each unit has been thought out carefully to offer you the opportunity to apply the material to real-life situations. Even if you have never studied Spanish before, you will easily learn words like ***fantástico, excelente, clase de español, profesora...*** and many more. You recognize them because they are **cognates**—words that are similar in both English and Spanish. Pay attention to their spelling and pronunciation and you will build your vocabulary repertoire in no time!

The colour-coded sections of each lesson make the book easy to navigate. Look at the variety of exercises and sections in each lesson. Some are to be completed individually, and others offer you the opportunity to work with a classmate or in a group. Initial exercises on a topic are easier; then you'll move on to more complex learning activities. All are tailored to offer a rewarding teaching and learning experience. As you progress, you will build knowledge and self-confidence.

Learning Suggestions[1]

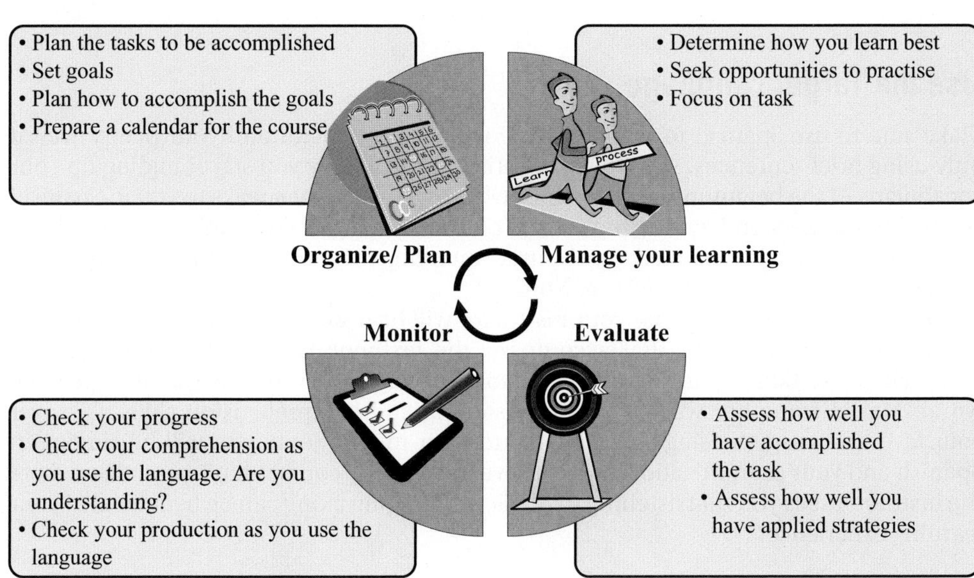

• Plan the tasks to be accomplished
• Set goals
• Plan how to accomplish the goals
• Prepare a calendar for the course
• Determine how you learn best
• Seek opportunities to practise
• Focus on task
process
Organize/ Plan
Manage your learning
Monitor
Evaluate
• Check your progress
• Check your comprehension as you use the language. Are you understanding?
• Check your production as you use the language
• Assess how well you have accomplished the task
• Assess how well you have applied strategies

[1] Material from "Defining and Organizing Language Learning Strategies." http://www.nclrc.org/guides/HED/chapter2.html.

Task-Based Strategies: Use Your Imagination[2]

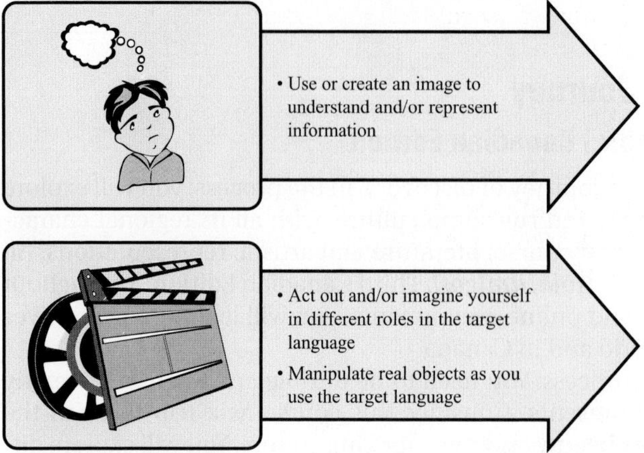

• Use or create an image to understand and/or represent information
• Act out and/or imagine yourself in different roles in the target language
• Manipulate real objects as you use the target language

Task-Based Strategies: Use Your Organizational Skills[3]

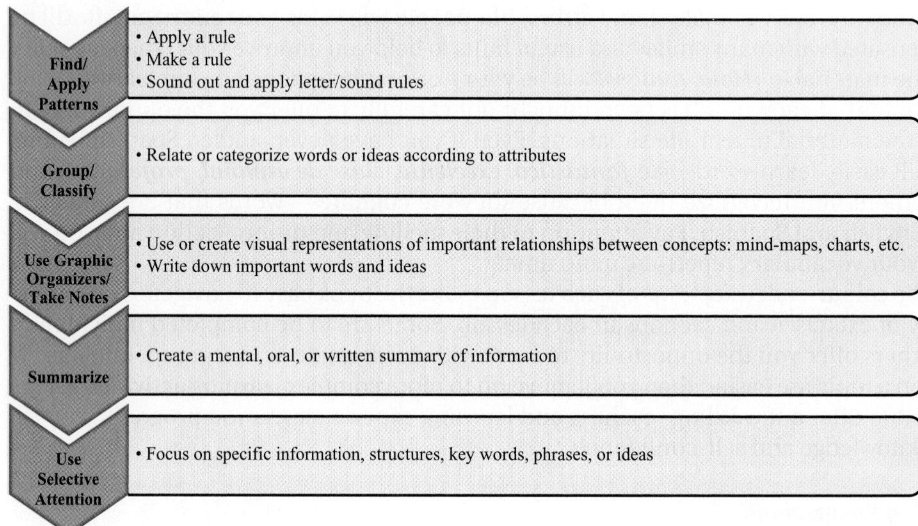

Find/ Apply Patterns
• Apply a rule
• Make a rule
• Sound out and apply letter/sound rules
Group/ Classify
• Relate or categorize words or ideas according to attributes
Use Graphic Organizers/ Take Notes
• Use or create visual representations of important relationships between concepts: mind-maps, charts, etc.
• Write down important words and ideas
Summarize
• Create a mental, oral, or written summary of information
Use Selective Attention
• Focus on specific information, structures, key words, phrases, or ideas

Use the Target Language

Make sure to use Spanish to communicate with the instructor and your peers, even if only using brief sentences. You will be surprised how quickly you start building up your vocabulary. At the beginning of the course, when the instructor speaks to you in Spanish, you will not understand everything that he or she is saying. If you don't understand, ask for the statement to be repeated. Concentrate on trying to understand the meaning of the message, rather than each individual word.

There is a good chance that your instructor will have an accent from a specific area. The audio files and videos that accompany the textbook will develop your listening comprehension skills by introducing you to other accents from the Spanish-speaking world. Music is another way to develop listening and comprehension skills. Discover your favourite Hispanic singers and listen to their music. Soon, you will be singing in Spanish and your pronunciation will improve. How many courses have you taken where the instructor tells you that listening to music and singing along can be beneficial to your learning experience?

---

[2] Material from "Defining and Organizing Language Learning Strategies." http://www.nclrc.org/guides/HED/chapter2.html.

[3] Material from "Defining and Organizing Language Learning Strategies." http://www.nclrc.org/guides/HED/chapter2.html.

Organize Your Time

You will need to dedicate time and effort to learning a new language. We suggest that you create your own Spanish corner in your study space. Make it fun and inviting. Give the space a Hispanic flavour by posting pictures, words, and colours that appeal to you. Anytime that you sit down to study Spanish, you will feel that learning a language is not only exciting, it can be fun and exhilarating, too. Repetition of the vocabulary and memorization of the grammatical rules are essential to help you move forward to the next lesson, so make sure that you understand each concept before your next class. If you have questions about the material presented, ask your instructor. ***¡Hola, amigos!*** offers a wide variety of learning tools that will support your learning.

Practise, Practise, Practise

Practice is essential to learning. The more you write and speak in Spanish, the more at ease you will feel expressing your ideas in this new language. One of the best ways to learn vocabulary is to take advantage of the audio flashcards and games available on the ***¡Hola, amigos!*** Premium Website. The Flashback feature will help you to make connections between concepts. The *Toma este examen* section at the end of each unit will help you to review the concepts you've studied. If you have doubts about a concept, or you have forgotten a word, you can always go back and look for the answer. Remember, practice makes perfect, so you need to invest time and effort in processing the information presented in the course.

Your Professor Is Your Best Ally

Never miss an opportunity to ask your instructor questions, in or outside of class. As professors, we are here to help you succeed; we don't expect you to be fluent right away. Your professor is very familiar with ***¡Hola, amigos!*** and can give you tips on using the book successfully. Make sure you get to know your professor well and ask for assistance whenever it is needed.

The third Canadian edition of ***¡Hola, amigos!*** was designed with you in mind. Best of luck on your learning journey! **¡Buen viaje!**

PREFACE

¡Hola, amigos!, Third Canadian Edition, offers a thorough presentation of grammar, vocabulary, and cultural content while keeping the Canadian context in the forefront. It is a complete, flexible program that presents the basics of Spanish grammar using a balanced, interactive approach, stressing all four skills—listening, speaking, reading, and writing. The program emphasizes the active, practical use of Spanish for communication in high-frequency situations, while gradually offering opportunities for improving the student's self-confidence. In the third Canadian edition, a special effort has been made to create exercises that build on the concepts learned, while at the same time increasing the level of difficulty in the application process. The program's goal is not only to help students achieve linguistic proficiency and cultural awareness, but also to motivate them to continue studying Spanish.

Objectives of the Program

¡Hola, amigos! is a balanced four-skills introduction to Spanish that endeavours to prepare students to use the language in a natural way for communication in a variety of situations. The basic structures of Spanish are presented as the tools without which communication ultimately breaks down, and they are practised in a range of activities designed to prepare students to express themselves effectively in Spanish. Because our teaching experience has led us to conclude that no single method works as well in practice as variety, we have chosen an eclectic approach that draws upon strategies associated with many methodological trends. A prime consideration in making this decision was the need to use varied presentation strategies and provide an array of content formats to maintain students' interest in the language-learning process. The implementation of this program will vary with the goals of the course and the individual instructor's preferences. The following goals can be achieved in a 26-week or two-semester program:

Speaking

- Pronunciation of all of the sounds of Spanish with sufficient accuracy to be understood by a native speaker of the language.
- Expression of ideas with the vocabulary covered in simple sentences, demonstrating control of the past, present, and future tenses, and the most common subjunctive forms.
- Occasional use of subordinate clauses in spontaneous speech.

Listening

- Perception of all Spanish sounds and their distinction from one another.
- Comprehension of ideas expressed within the framework of the vocabulary and grammatical structures presented.

Reading

- Understanding of simple non-literary Spanish prose on nontechnical, high-frequency topics. Understanding of the main ideas in short literary Spanish poetry and prose selections.
- Intelligent guessing at new vocabulary items based on context.
- Ability to demonstrate comprehension by answering questions on reading passages.

Writing

- Creating in class, without a dictionary, a paragraph in Spanish on topics covered by the textbook with sufficient clarity to be understood without difficulty by a native speaker. (Some errors like verb or adjective agreement may appear.)

Culture

- Elementary knowledge of important aspects of culture in the Spanish-speaking world, such as climate and geography, family life, school and university life, rural and urban life.
- Elementary knowledge of cultural customs such as mealtimes, family life, and shades of formality.
- The ability to discuss the home culture's values and compare them with the target culture's values. The development of an enhanced appreciation of cultural differences and similarities.

New to the Third Canadian Edition

Building on strengths of the ***¡Hola, amigos!*** program, in the third Canadian edition we have fine-tuned the presentation of the grammar and vocabulary; created new dialogues and updated others; changed the order of presentation of some grammatical concepts; updated the cultural content; and enhanced the overall visual presentation of the textbook. Below is a brief overview of the changes to this edition.

- **A new Preliminary Lesson (*Conversaciones breves*).** The preliminary lesson introduces students to a few simple phrases for greetings and introductions, as well as the numbers from zero to ten so they can begin using Spanish immediately.
- ***Así somos*** is a new section that concludes each unit.
- **Interrogative words are grouped together and presented in the first two lessons of the book.** Presenting interrogative words together can greatly improve students' comprehension and facilitates practice through improvised question-and-answer exercises.
- In response to reviewers' suggestions, we have **improved the sequencing of grammatical concepts in Lessons 10 and 11.** In order to facilitate students' understanding of these concepts, **the formal and informal commands are now presented *after* the present subjunctive.**
- Themes and vocabulary were updated throughout this edition to reflect changes in our world and social contexts.
    - **Lesson 4** (***Una celebración***) includes **expanded vocabulary to describe the rich variety of social relationships**, including the addition of vocabulary for blended families.
    - Theme and vocabulary of **Lesson 10** (***¡A trabajar!***) have been updated to include **vocabulary of the workplace and technology.**
- **Careful attention has been paid to the students' learning path** to ensure that grammatical concepts and vocabulary are presented before they are used, and that students have ample opportunities to reinforce their learning once a concept or vocabulary has been presented.
- **New photographs in each lesson** present opportunities for further conversational practice or writing activities.
- **Reference material** in each lesson, such as verb conjugations, is presented in contrasting colours that makes it easier to find this information.
- **New exercises** are designed to encourage students to **access higher-order learning.** Students have the opportunity to make connections between the content presented and their own lives and experiences.
- While maintaining the book's strong focus on grammar, **more conversational exercises** have been added.
- In response to our reviewers' suggestions, we have included more exercises that test students' comprehension of what they have read, listened to, and watched. In response to our readers' suggestions, we've **reduced the number of role-playing exercises** and replaced them with **more task-based activities**.

About the *¡Hola, amigos!* Program

In ***¡Hola, amigos!,*** Third Canadian Edition, our intention has been to provide a complete, adaptable introductory Spanish program that responds to the requirements of both the student and the instructor. Familiarizing yourself with the features of the textbook will allow you to get the most out of your learning experience.

Unit-Opener Spread

Each unit begins with a list of communicative objectives for the two lessons included in that unit. This list serves to focus attention on important linguistic functions and vocabulary. The redesigned **unit-opener spread** introduces the theme of the unit and includes a question designed to stimulate classroom discussion. Captioned photos and maps provide a brief introduction to the countries presented in each unit.

Diálogos

To develop communicative competence, vocabulary and grammatical structures are first presented within the context of everyday conversations that reflect the lesson's central themes. Audio recordings of each conversation may be accessed online on the premium website for ***¡Hola, amigos!*** and in the iLrn: Heinle Learning Center. An audio icon directs readers to access the material online.

- **NEW!** *Hablemos* exercises encourage students to interact with the content of the lesson-opening dialogues. The true-or-false exercises found in previous editions have been replaced with new exercises, ***Sobre el diálogo***, that provide students with opportunities to interact with classmates and discuss the content of the dialogues. ***Entrevista a un(a) compañero(a)*** is a new feature that uses open-ended conversational exercises to encourage students to make connections between the dialogue and their own lives.
- *Detalles culturales* These short cultural notes, written in easy-to-read Spanish, are found throughout the unit. These text boxes help integrate the learning of language with the learning of culture.

Vocabulario

All of the new words and expressions introduced in the dialogues are listed in the *Vocabulario* section, organized by grammatical function. The *Amplía tu vocabulario* section that follows expands on the thematic vocabulary introduced in the dialogues.

- **NEW! Vocabulary illustrations** have been redrawn in a contemporary style.

Para practicar el vocabulario

This practice section immediately follows the vocabulary presentation and encourages the use of expressions just learned in a meaningful way.

- *Pronunciación* Each lesson contains pronunciation exercises designed to acquaint students with basic Spanish sounds, paying special attention to sounds that pose problems for English speakers. An audio icon is a reminder to go online to listen to these recordings on the premium website or in the iLrn Learning Center.

Puntos para recordar

This section presents the grammatical topics of the lesson clearly and concisely in English. Charts and diagrams are used wherever possible to provide visual summaries of the structures presented. English explanations and Spanish examples define and illustrate the formation of the new structure and its communicative value. When appropriate, new structures are compared and contrasted with previously learned structures in Spanish, or with their English equivalents. All explanations include examples of practical use in Spanish.

- *Práctica* and *Práctica y conversación* After each grammar explanation, these exercises offer immediate reinforcement through a variety of structured and communicative exercises. These activities are flexible in format so they can be done in class or the instructor can assign them as written practice. Answers to these exercises are available to the instructor.
    - **Translation exercises** have been revised to more effectively focus on the lesson's vocabulary and structures, with less opportunity for alternative answers.
- *¡Atención!* boxes help students focus their attention on specific aspects of the concept presented.
- *Flashback* text boxes encourage students to go back and review previously presented grammatical concepts in order to build on prior learning and make connections between concepts.
- *Rodeo* These boxed sections in Lessons 7 and 12 and *Un poco más* summarize major grammatical topics such as pronouns, commands, and the indicative and subjunctive moods.

Entre nosotros

This section of the lesson encourages the recombination and synthesis of vocabulary and grammatical structures presented in that lesson through a series of communicative activities. Open-ended activities encourage students to apply what has been learned to communicate in Spanish, both orally and in writing. Because language is best learned through interpersonal communication, the *¡Conversemos!* exercises are designed to be done orally and require interactions between classmates.

- *¡Conversemos!* features personalized activities such as pair interviews and class surveys that require students to answer questions related to the lesson theme and structures, as well as to relate the material presented in the lesson to their own experience. Also included in this section are activities that involve interpreting photos, realia, or illustrations, providing additional communicative practice based on authentic materials.
- *Para escribir* guides students to express themselves in writing in a variety of formats, such as e-mails, lists, and descriptions.
- *Un dicho,* a thematically related popular saying or proverb, provides cultural enrichment.

Así somos—New to this edition

- ***Vamos a escuchar***, a new focused-listening activity related to the theme of the lesson, has been added to odd-numbered lessons, followed by comprehension exercises. This section offers students the opportunity to reinforce the material covered in the lesson.
- ***Vamos a leer***, following odd-numbered lessons, features readings that have been carefully selected to reflect the vocabulary and grammatical concepts presented in the lesson. The level of difficulty gradually increases with each reading. We've also added additional learning supports for readings. ***Estrategia*** presents students with strategies that will help them understand the reading selections. The questions in ***Al leer*** serve to focus attention on the main points of the reading. A post-reading activity, ***Díganos***, offers students the opportunity to connect the reading to their own lives.
- ***Vamos a ver***, following even-numbered lessons, features situational videos shot on location in Costa Rica. The ***Estrategia*** text box highlights grammar structures that students should pay attention to in the situational video. Pre-viewing and post-viewing activities test students' comprehension and personalize their viewing experience.

El mundo hispánico

The *El mundo hispánico* section, written in easy-to-read Spanish, provides an integrated cultural presentation of the countries presented in the unit opener and throughout the

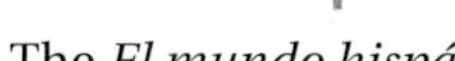

lessons. It offers an overview of the locale in which the introductory dialogues were set, with attention to such details as climate, points of interest, customs, economy, and inhabitants. Striking photos of each country bring the material to life. *El mundo hispánico* videos may be accessed online on the premium website for ***¡Hola, amigos!*** and in the iLrn Learning Center. A video icon will remind students to access the videos for each country on the premium website or the iLrn Learning Center.

- Eye-catching photographs present dynamic, contemporary images of Hispanic culture and insightful captions that will allow students to further their knowledge of the countries featured in each Unit. *El mundo hispano y tú* questions provide a springboard for further discussion.

Toma este examen

Organized by lesson, the self-tests at the end of each unit enable students to quickly determine what material they have already mastered and which concepts they need to target for further review. An answer key is provided in Appendix D for immediate verification.

Reference Materials

The following sections provide students and instructors with useful reference tools throughout the course.

- **Maps.** Up-to-date maps of the Hispanic world and Canada appear on the inside front and back covers of the textbook for quick reference.
- **Appendices.** Appendix A summarizes the sounds and key pronunciation features of the Spanish language, with abundant examples. Appendix B is a handy reference of the conjugations of high-frequency Spanish verbs, including regular, stem-changing, and irregular verbs. Appendix C is a glossary of all grammatical terms used in the textbook, with examples. Appendix D is the answer key to the *Toma este examen* self-tests.
- **Vocabularies.** Spanish–English and English–Spanish glossaries list all active vocabulary introduced in the dialogues and the *Amplía tu vocabulario* and grammar sections, as well as the passive vocabulary employed in the readings and the *El mundo hispánico* sections. The number following each entry indicates the lesson or unit in which the term was defined.
- **Index.** An index provides ready access to all grammatical structures presented in the text.

Supplementary Materials for the Student

In-Text Audio Program (www.NELSONbrain.com)

The In-Text Audio program, containing recordings of all the lesson-opening dialogues, *Pronunciación* activities, and *Vamos a escuchar* exercises are available on the premium website in MP3 format. These recordings are designed to maximize exposure to the sounds of natural spoken Spanish and to help improve pronunciation.

Student Activities Manual (SAM)

Each lesson of the Student Edition is correlated to the corresponding lesson in the *Student Activities Manual (SAM)* (ISBN: 978-0-17-655812-3).

The Workbook section offers a variety of writing activities—sentence completion, matching, sentence transformation, and illustration-based exercises—that provide further practice and reinforcement of concepts presented in the textbook.

The Laboratory Manual section opens with an Introduction to Spanish Sounds designed to make learners aware of the differences between Spanish and English pronunciation. Each lesson of the Laboratory Manual includes pronunciation, structure, listening and speaking practice, illustration-based listening comprehension, and dictation exercises to be used in conjunction with the audio program.

Laboratory Activities Audio Program (www.NELSONbrain.com)

The audio program for the laboratory activities in the Student Activities Manual is available on the premium website in MP3 format for an additional charge. The audio files for the laboratory activities are designed to maximize exposure to natural spoken Spanish and to help improve pronunciation.

Premium Website (www.NELSONbrain.com)

The ***¡Hola, amigos!*** Premium Website brings course concepts to life with interactive learning, study, and exam preparation tools that support the printed textbook. The premium website includes the following components:

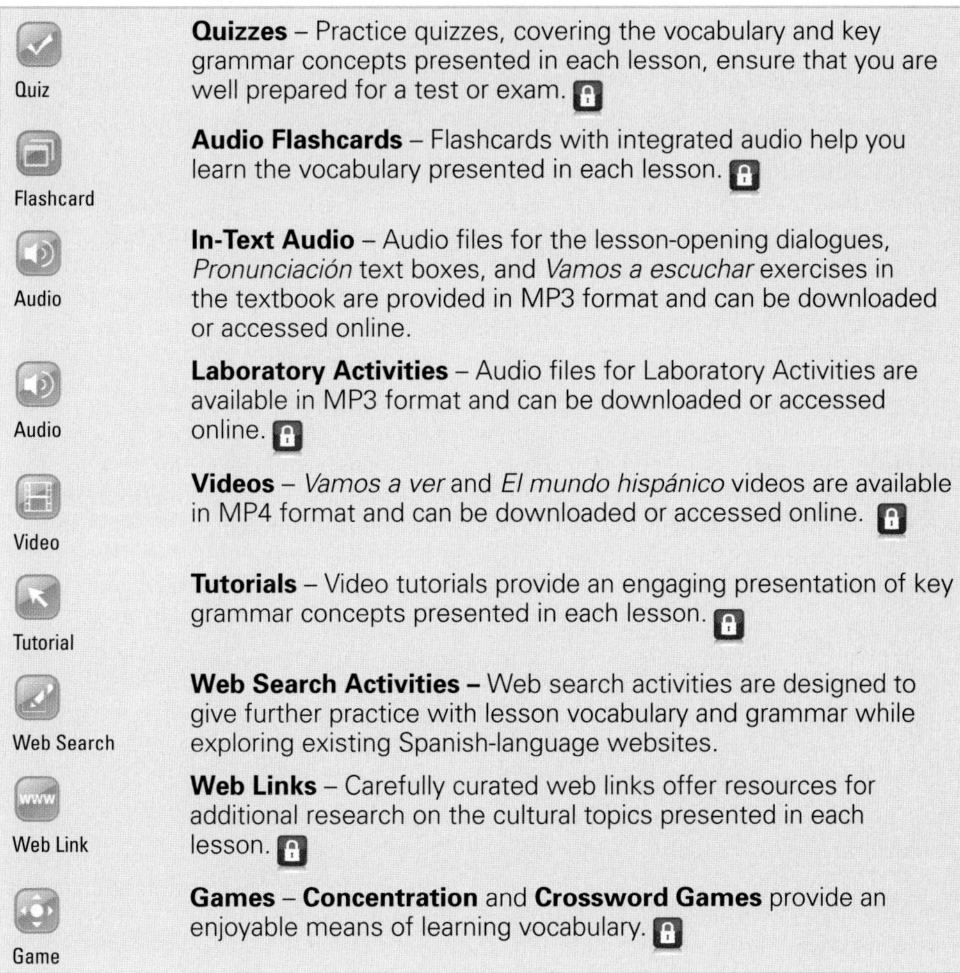

Quiz	**Quizzes** – Practice quizzes, covering the vocabulary and key grammar concepts presented in each lesson, ensure that you are well prepared for a test or exam.
Flashcard	**Audio Flashcards** – Flashcards with integrated audio help you learn the vocabulary presented in each lesson.
Audio	**In-Text Audio** – Audio files for the lesson-opening dialogues, *Pronunciación* text boxes, and *Vamos a escuchar* exercises in the textbook are provided in MP3 format and can be downloaded or accessed online.
Audio	**Laboratory Activities** – Audio files for Laboratory Activities are available in MP3 format and can be downloaded or accessed online.
Video	**Videos** – *Vamos a ver* and *El mundo hispánico* videos are available in MP4 format and can be downloaded or accessed online.
Tutorial	**Tutorials** – Video tutorials provide an engaging presentation of key grammar concepts presented in each lesson.
Web Search	**Web Search Activities –** Web search activities are designed to give further practice with lesson vocabulary and grammar while exploring existing Spanish-language websites.
Web Link	**Web Links** – Carefully curated web links offer resources for additional research on the cultural topics presented in each lesson.
Game	**Games** – **Concentration** and **Crossword Games** provide an enjoyable means of learning vocabulary.

Other resources available on the premium website include audio files to introduce students to Spanish sounds, a full glossary, Heinle's Spanish Verb Conjugator, and podcasts. An additional cost will apply to access the premium assets indicated by the lock symbol in the chart above.

iLrn™: Heinle Learning Center

iLrn HEINLE LEARNING CENTER

With iLrn™: Heinle Learning Center, everything needed to master the skills and contents of the course is built right in this dynamic audio- and video-enhanced learning environment. Available for an additional charge, it offers a rich set of resources, including an interactive diagnostic study tool to help prepare for exams and an online workbook and lab manual with audio that provides immediate feedback. iLrn™: Heinle Learning Center also provides access to an audio- and video-enhanced eBook; integrated textbook activities; partnered, voice-recorded activities; and companion videos with pre- and post-viewing activities. (Instant Access ISBN: 978-0-17-668769-4)

Quia eSAM

The Quia *Electronic Student Activities Manual (eSAM)* (Instant Access ISBN: 978-0-17-668772-4) provides the convenience of having the pronunciation and listening comprehension activities and the SAM audio files online in one place, for an additional charge.

Supplementary Materials for Instructors

About the Nelson Education Teaching Advantage (NETA)

The **Nelson Education Teaching Advantage (NETA)** program delivers research-based instructor resources that promote student engagement and higher-order thinking to enable the success of Canadian students and educators. To ensure the high quality of these materials, all Nelson ancillaries have been professionally copyedited.

Be sure to visit Nelson Education's **Inspired Instruction** website at http://www.nelson.com/inspired to find out more about NETA. Don't miss the testimonials of instructors who have used NETA supplements and seen student engagement increase!

Instructor Resources

All of the teaching and learning resources that accompany ***¡Hola, amigos!,*** with the exception of the audio and video programs, can be found on the new Instructor's Resource Centre at www.nelson.com/hola3Ce. In this easy-to-navigate resource centre, you will find all the resources listed below as well as additional in-class activities, maps, handouts, games, technology correlation guides, teaching suggestions, and much more. Please contact your local Nelson representative to gain access to this site.

NETA Assessment

With over 20 audio files and 2000 questions in a variety of formats (sentence completion, short answer, composition, fill-in-the-blank, and multiple-choice), the ***¡Hola, amigos!*** assessment program is flexible enough to accommodate a range of scheduling factors, contact hours, and ability levels, without sacrificing coverage of the key grammatical structures essential to communication in Spanish.

NETA PowerPoint

Microsoft® PowerPoint® lecture slides for every chapter include many key figures, tables, and photographs from ***¡Hola, amigos!*** NETA principles of clear design and engaging content have been incorporated throughout, making it simple for instructors to customize the deck for their courses.

Image Library

This resource consists of digital copies of illustrations, photographs, and tables that appear in the textbook. Instructors may use these jpegs to customize the NETA PowerPoint or create their own PowerPoint presentations.

NETA Instructor's Manual

This manual offers instructors advice on how to create positive classroom environments that foster student-centred learning, deep learning, and active learning. Drawing on their extensive experience as instructors, the authors offer advice on how to increase student motivation, overcome barriers to learning, develop engagement strategies, and tailor assessment tools to your pedagogical goals. The Enriched Instructor's Manual is intended to be used as a toolbox from which instructors may select the tactics and strategies that are most appropriate for their classroom.

Answer Keys

The answer keys for the exercises contained in the textbook, the workbook activities, the laboratory activities, and the testing program have been independently checked for accuracy.

Additional teaching resources found on the Instructor's Resource Centre include

- a complete set of 120 **Situation Cards**, each of which focuses on a clearly defined, realistic communicative task, providing instructors with opportunities to evaluate their students' oral skills
- **video worksheets** with approximately 30 questions per chapter, along with corresponding answer keys
- a **Media Integration Guide**, **Transition Guide**, **Sample Lesson Plans, active learning activities, sample lesson plans, suggested classroom activities,** and a **resource integration guide,** as well as additional handouts
- **transcriptions** for the audio files for the laboratory exercises, the videos associated with the textbook, and the Grammar Tutorials available on the premium website

Day One

Day One—Prof InClass is a PowerPoint presentation that instructors can customize to orient students to the class and their text at the beginning of the course.

In-Text Audio Program / Lab Audio Program

The audio files for the pronunciation and listening practice exercises in the Laboratory Activities section of the *Student Activities Manual* are designed to maximize the student's exposure to natural spoken Spanish and to help improve pronunciation. Pronunciation exercises at the beginning of each exercise create opportunities to practise isolated sounds; subsequent exercises take a more global approach to pronunciation practice. Each lesson also includes lesson-opener dialogues followed by comprehension questions, structured grammar exercises that correspond with each of the concepts presented in the *Puntos para recordar* section of that lesson, a listening comprehension activity, and a dictation. Answers to all exercises, except the dictation, are provided within the lab audio files. The audio files for the *Student Activities Manual* are available

- on the ***¡Hola, amigos!*** Premium Website,
- in the iLrn Learning Center, and
- as a set of lab audio CDs (ISBN: 978-0-17-658964-6).

Please note that an additional charge may apply for online access to audio files.

Videos

The video program for ***¡Hola, amigos!*** is designed to develop listening skills and cultural awareness as you view diverse images of the Hispanic world. *Vamos a ver* videos are situational dialogues featuring recurring characters in conversations that reflect everyday life. *El mundo hispánico* videos allow you to experience the culture and geography of the countries featured in each unit.

- online on the ***¡Hola, amigos!*** Premium Website,
- online in the iLrn Learning Center, or
- on DVD (ISBN: 978-0-17-658963-9).

Please note that an additional charge may apply for online access to the video program.

Acknowledgments

We wish to express appreciation to all the users of ***¡Hola, amigos!*** who have provided feedback on their experience with the program through many editions and to the following colleagues for the many valuable suggestions they offered in their reviews of this and previous editions of ***¡Hola, amigos!***

Amparo Font, Saddleback College
Pilar Hernández, Arizona Western College
Channing Horner, Northeast Missouri State University

Harriet Hutchinson, Bunker Hill Community College
Stephen Richman, Mercer County College
Dr. Tomás Ruiz-Fábrega, Albuquerque Technical Vocational Institute
Dr. Kristin Shoaf, Bridgewater State College
Vincent Spina, Clarion University of Pennsylvania
Susanna Williams, Macomb Community College
Lydia Bernstein, Bridgewater State College
Linda Burk, Manchester Community Technical College
Dimitrios Karayiannis, Southern Illinois University
David Korn, Anderson College
Barbara Kruger, Finger Lakes Community College
Stephen Richman, Mercer County Community College
Virginia Vigil, Austin Community College at Rio Grande
Clementina Adams, Clemson University
Peter Alfieri, Salve Regina College
Jane Harrington Bethune, Salve Regina College
Joseph DiPaola, Macomb Community College
Rosita Marcella, Manhattan College
Joel B. Pouwels, University of Central Arkansas
Barbara Ross, Eastern Kentucky University

We wish to thank the Canadian users of ***¡Hola, amigos!*** for their many valuable suggestions on how to adapt the program for Canadian students and instructors.

Susan Bauman-Fenicky, Seneca College
Stacey Collins, Langara College
Claudia Cubillos, Dalhousie University
Ana Maria Donat, Vancouver Island University
Christine Forster, University of Victoria
Dolores Gambroudes, Langara College
Charlotte Jones, Okanagan College
Margarita López, Thompson Rivers University
Enrique Manchón, University of British Columbia
Maritza Mark, McEwan University
Isabel Mayo-Harp, Simon Fraser University
Ranka Minic-Vidovic, University of Regina
Denise Mohan, University of Guelph
Luis Ochoa, Concordia University
Donna Rogers, Dalhousie University
Christina Santos, Brock University
Pedro Serrano, University of New Brunswick, Saint John
Adriana Spahr, McEwan University
Adam Spires, St. Mary's University
Christina Torres de la Hoz, University of Regina
Julio Torres-Recinos, University of Saskatchewan
Carlos Valdez, Carleton University
Lillian Zuccolo, Simon Fraser University

Also, Rosa Stewart would like to thank the most important "amigos" in her life—Ken, Ben, Alex, Ellie, Andrew, and Minga—for their support while working on this third Canadian edition of ***¡Hola, amigos!*** Mercedes Rowinsky-Geurts would like to thank her students, who continue to inspire her, and Evan, Theo, and Mateo, who bring her laughter, hope, and inspiration.

Ana C. Jarvis
Raquel Lebredo
Francisco Mena-Ayllón
Mercedes Rowinsky-Geurts
Rosa L. Stewart

LECCIÓN PRELIMINAR

CONVERSACIONES BREVES

(Brief Conversations)

Saludos y despedidas

Monkey Business Images/ Shutterstock.com

—Buenos días, señora Vega.

—Buenos días, doctor.

Hero Images/Getty Images

—Carlos Montoya. Mucho gusto.

—El gusto es mío, señor Montoya.

AVTG/Getty Images

—Buenas tardes, profesora.

—Buenas tardes, señorita.

Monkey Business Images/ iStockphoto

—Buenas noches, señora. ¿Cómo está usted?

—Bien, gracias. ¿Y usted?

—Muy bien, gracias.

Juice Images/Getty Images

—Hola, Luis. ¿Qué tal?

—Bien, gracias. ¿Y tú?

—Muy bien.

Dmitry Kalinovsky/Shutterstock.com

—¿Cómo te llamas?

—Me llamo Gustavo. ¿Y tú?

—Yo me llamo Laura.

—¿Cómo estás, Laura?

—Muy bien, gracias.

Steve Debenport/Getty Images

—¿Cuál es su número de teléfono, señor Paz?

—Ocho-cuatro-cero-dos-uno-tres-seis.

ONOKY - Fabrice LEROUGE/ Getty Images

—Hasta mañana, Eva.

—Chau, Julio. Nos vemos.

Quiz

Vocabulario

Audio Flashcards

SALUDOS *(Greetings)*

Buenas noches.	*Good evening.*
Buenas tardes.	*Good afternoon.*
Buenos días.	*Good morning.*
Hola.	*Hello.*
Mucho gusto.*	*Nice to meet you.*

TÍTULOS *(Titles)*

doctor (Dr.)	*doctor (m.)*
doctora (Dra.)	*doctor (f.)*
profesor(a)	*professor*
señor (Sr.)	*Mr., mister, sir*
señora (Sra.)	*Mrs., ma'am*
señorita (Srta.)	*Miss, young lady*

PREGUNTAS *(Questions)*

¿Cómo está usted?	*How are you? (formal)*
¿Cómo están ustedes?	*How are you? (when addressing two or more people)*
¿Cómo estás?	*How are you? (informal)*
¿Cómo se llama usted?	*What's your name? (formal)*
¿Cómo te llamas?	*What's your name? (informal)*
¿Cuál es su número de teléfono?	*What's your telephone number? (formal)*

DETALLES CULTURALES

Se usa **hola** con personas conocidas *(known)*, no con extraños *(strangers)*.

¿Cómo saludas tú *(do you greet)* al profesor/a la profesora?

*Spanish is spoken in more than 20 countries, and different countries may use different words to refer to the same thing. The section **De país a país** includes variations corresponding to words marked with asterisks in the vocabularies throughout the book.

¿Cuál es tu número de teléfono?	*What's your telephone number? (informal)*
¿Qué tal?*	*How is it going?*
¿Y tú?	*And you? (informal)*
¿Y usted?	*And you? (formal)*

RESPUESTAS *(Answers)*

Bien, gracias.	*Fine, thank you.*
(Yo) me llamo...	*My name is ...*
Muy bien.	*Very well.*
Regular. / Más o menos.	*So-so.*

DESPEDIDAS *(Farewells)*

Chau.	*Bye.*
Hasta mañana.	*(I'll) see you tomorrow.*
Nos vemos.	*(I'll) see you.*

NÚMEROS *(Numbers)*

0	*cero*
1	*uno*
2	*dos*
3	*tres*
4	*cuatro*
5	*cinco*
6	*seis*
7	*siete*
8	*ocho*
9	*nueve*
10	*diez*

DE PAÍS A PAÍS

Mucho gusto.
Encantado(a). *(Argentina, Cuba);* Un placer. *(Centroamérica)*
Response: Igualmente.
¿Qué tal? *(informal)*
¿Qué hubo? *(Colombia, México);* ¿Qué pasa? *(España)*

¡Vamos a conversar!

A. Saludos y despedidas

Read the opening dialogues (p. 2) out loud with a classmate.

B. La clase de español *(The Spanish class)*

What would you say in the following situations? What would the other person say?

1. It's morning. Greet two of your classmates and ask them how it's going.
2. It's 4 P.M. Greet your instructor and ask how he/she is.
3. It's 8 P.M. Greet three of your classmates and ask them what their names are. Also, ask them for their phone numbers.
4. Introduce yourself to three of your classmates using your full name.
5. Say good-bye to three of your classmates, whom you'll see tomorrow.

Svetikd/Getty Images

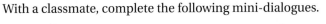

C. Minidiálogos

With a classmate, complete the following mini-dialogues.

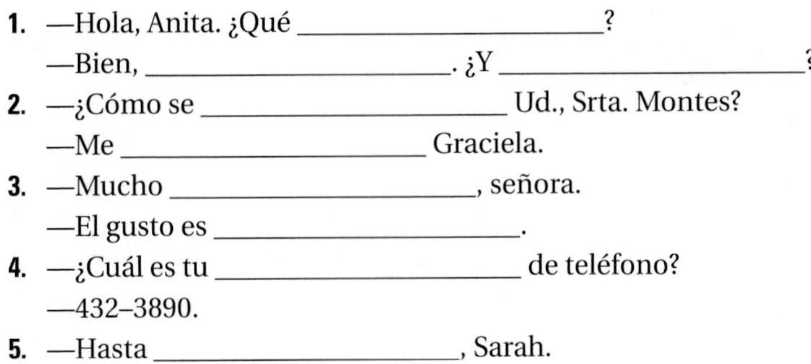

1. —Hola, Anita. ¿Qué ____________________?
   —Bien, ____________________. ¿Y ____________________?
2. —¿Cómo se ____________________ Ud., Srta. Montes?
   —Me ____________________ Graciela.
3. —Mucho ____________________, señora.
   —El gusto es ____________________.
4. —¿Cuál es tu ____________________ de teléfono?
   —432–3890.
5. —Hasta ____________________, Sarah.
   —Nos ____________________.

UNIDAD 1

LOS ESTUDIANTES UNIVERSITARIOS

LECCIÓN 1
¡EN LA UNIVERSIDAD!

OBJETIVOS

- Introduce yourself
- Greet and say good-bye to others
- Name colours
- Describe your classroom
- Describe people
- Request and give telephone numbers
- Give and request information regarding nationality and place of origin

LECCIÓN 2
ESTUDIANTES Y PROFESORES

OBJETIVOS

- Discuss the courses you and your classmates are taking
- Order beverages
- Request and give the correct time
- Name the days of the week, months, and seasons
- Talk about your activities and what you have to do

Aurora Photos / Alamy

David C Tomlinson/Getty Images

Toño Labra/Age fotostock

Courtesy of McGill University

LAS UNIVERSIDADES HISPANAS

Estudiar español en un país hispano es una idea excelente para practicar la lengua. ¡Hay *(There are)* muchas opciones! **¿Adónde quieres viajar para estudiar español?** *(Where would you like to travel to study Spanish?)*

1. Estudiantes en la Universidad McGill, Montreal.

2. La Pontificia Universidad Católica de Chile es una de las mejores *(best)* universidades en América del Sur (2013 QS University Rankings).

3. Fundada en 1218 CE, la Universidad de Salamanca (España) es una de las más antiguas *(one of the oldest)* en Europa.

4. La Facultad de Medicina en la Universidad Autónoma de México tiene muchos *(many)* murales creados por *(created by)* Francisco Eppens. El mural representa entre otras cosas *(among other things)* la eternidad.

LECCIÓN 1 ¡EN LA UNIVERSIDAD!

Jean Glueck/Getty Images

En la Universidad de Toronto
David, un chico canadiense, habla con Lupe, una chica mexicana.

David: ¡Hola, Lupe! ¿Cómo estás?
Lupe: Muy bien, gracias. ¿Qué hay de nuevo?
David: No mucho. Oye, ¿cómo es la profesora de español?
Lupe: Ella es muy interesante.
David: ¿Y los estudiantes?
Lupe: Ellos son muy inteligentes.
David: ¡Fantástico!
Lupe: Bueno, hasta luego.

Nora habla con el profesor.

Nora: Permiso, profesor Acosta.
Profesor: Por favor, pase. ¿Cómo se llama usted?
Nora: Me llamo Nora Ballester.
Profesor: Mucho gusto, señorita.
Nora: El gusto es mío, profesor.
Profesor: ¿De dónde es usted?
Nora: Soy de Toronto, Ontario.

Sergio habla con Teresa en la biblioteca.

Sergio: Hola, Teresa, ¿qué tal?
Teresa: Excelente, Sergio, ¿y tú?
Sergio: Regular. Oye, ¿cuál es tu número de teléfono?
Teresa: Nueve-cero-cinco-nueve-quince-veintidós-treinta y cinco.
Sergio: Más despacio, por favor.
Teresa: No hay problema. *[Teresa repite el número.]*
Sergio: Muchas gracias, Teresa.
Teresa: De nada, Sergio.

Clerkenwell/Getty Images

La profesora Rivas habla con los estudiantes en la clase de español.

Profesora: Buenos días. ¿Cómo están ustedes?
Estudiantes: Muy bien, gracias.
David: Profesora, ¿cómo se dice "*North American*" en español?
Profesora: Se dice **"norteamericano"**.
David: Yo soy norteamericano.
Profesora: Muy bien, David, buena pronunciación.

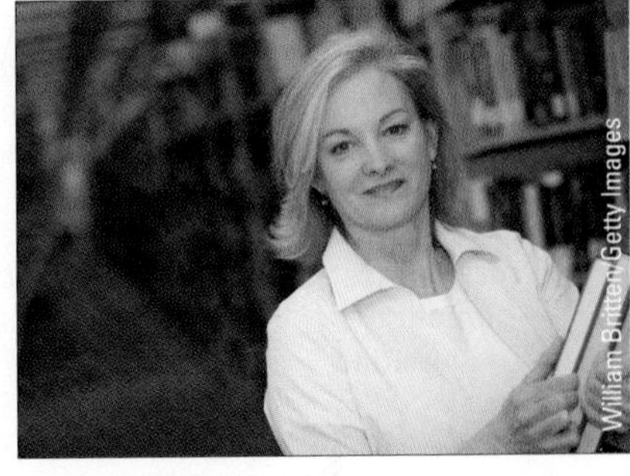

William Britten/Getty Images

Hablemos *(Let's talk)*

Sobre el diálogo

With a classmate, take turns asking and answering the following questions. Base your answers on the dialogues.

1. ¿David es canadiense? ¿Y Lupe?
2. ¿Qué estudia Lupe?
3. ¿Cómo son los estudiantes?
4. ¿La profesora Acosta habla con un profesor o con una estudiante?
5. ¿Cómo se dice "*North American*" en español?
6. ¿Cuál es el número de teléfono de Teresa?
7. ¿Es David norteamericano?
8. ¿Dónde habla la profesora con los estudiantes?
9. ¿Cómo está Teresa?
10. ¿Quién es la profesora de español?

DETALLES CULTURALES

En español algunas *(some)* palabras se dicen en inglés. Por ejemplo, en lugar de decir "**dirección electrónica**" o "**correo electrónico**", se dice: **e-mail.** Para decir "@", se dice "**arroba**" y para "**.com**" se dice "**punto com**".

¿Cuál es tu e-mail? Ahora a practicar con tus amigos.

VOCABULARIO
(Vocabulary)

SUSTANTIVOS *(Nouns)*

Audio Flashcards

la biblioteca	*library*
la cafetería	*cafeteria*
la calle	*street*
la chica, la muchacha	*young woman*
el chico, el muchacho	*young man*
la clase	*class*
el (la) compañero(a)	*companion, mate*
— de clase	*classmate*
— de cuarto	*roommate*
la dirección*	*address*
el español	*Spanish (language)*
el (la) estudiante, el (la) alumno(a)	*student*
el libro	*book*
la pizarra*	*blackboard*
— blanca	*whiteboard*
la universidad	*university*

ADJETIVOS *(Adjectives)*

alto(a)	*tall*
antipático(a)	*unpleasant*
bajo(a)	*short*
bonito(a), lindo(a)	*pretty*
canadiense	*Canadian*
delgado(a)	*slender*
difícil	*difficult*
estadounidense	*American*
fácil	*easy*
fantástico(a)	*fantastic*
feo(a)	*ugly*
gordo(a)	*fat*
grande	*big*
guapo(a)	*handsome (when referring to a male), beautiful (when referring to a female)*
horrible	*horrible*
inteligente	*intelligent*
interesante	*interesting*
joven	*young*
mal	*poorly*
mexicano(a)	*Mexican*
norteamericano(a)	*North American*
pequeño(a)	*small*
perfecto(a)	*perfect*
pobre	*poor*
rico(a)	*rich*
simpático(a)	*charming, nice, fun to be with*
terrible	*terrible*
tonto(a)	*dumb*
universitario(a)	*(related to) university*
viejo(a)	*old*

DESPEDIDAS *(Farewells)*

Adiós.	*Good-bye.*
Hasta la vista.	*(I'll) see you around.*
Hasta luego.	*(I'll) see you later.*

EXPRESIONES DE CORTESÍA *(Polite expressions)*

De nada.*	*You're welcome.*
El gusto es mío.	*The pleasure is mine.*
Encantado(a).	*The pleasure is mine.*
Muchas gracias.	*Thank you very much.*
Lo siento.	*I'm sorry.*
Más despacio, por favor.	*More slowly, please.*
Pase.	*Come in.*
Perdón.	*Sorry. Pardon me.*
Permiso. Con permiso.	*Excuse me. (e.g., when going through a crowded room)*
Por favor.	*Please.*
Saludos a...	*Say hi to ...*
Tome asiento.	*Have a seat.*

PREGUNTAS Y RESPUESTAS ÚTILES *(Useful questions and answers)*

¿Cómo?	*How? Excuse me? (when one doesn't hear or understand what is being said)*
¿Cómo se dice...?	*How do you say ... ?*
Se dice...	*You say ...*
¿Cuál?	*Which one?*
¿Cuál es...?	*What is ... ? / Which one is ... ?*
¿Cuál es tu dirección?	*What's your (street) address?*
Calle... número...	*Street name / number*
¿Dónde?	*Where?*
¿De dónde eres?	*Where are you from? (informal)*
¿De dónde es usted?	*Where are you from? (formal)*
Soy de...	*I am from ...*
¿Qué?	*What?*
¿Qué es...?	*What is ... ?*
¿Qué hay de nuevo?	*What's new?*
No mucho.	*Not much*
¿Quién?	*Who?*

*Recall from **Lección preliminar** that words marked with an asterisk appear in the **De país a país** section.

OTRAS PALABRAS Y EXPRESIONES *(Other words and expressions)*

bueno...	*well ..., okay*
con	*with*
en	*at, in, on*
esta noche	*tonight*
habla	*he/she speaks*
hay	*there is, there are*
más o menos	*more or less*
muy	*very*
no	*no, not*
oye	*listen*
ser	*to be*
sí	*yes*
tu	*your*
y	*and*

Amplía tu vocabulario *(Expand your vocabulary)*

Colores *(Colours)*

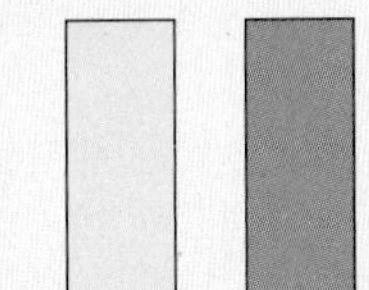

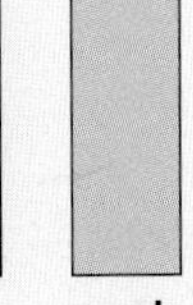
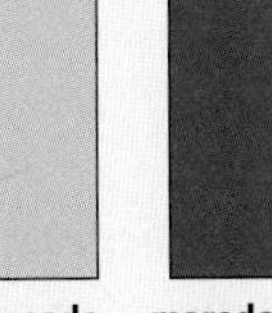

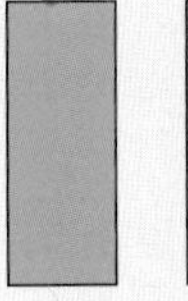
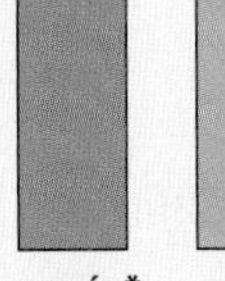
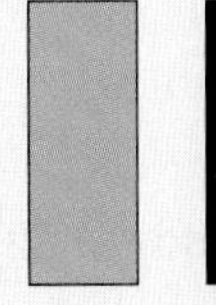

blanco **amarillo** **anaranjado** **rojo** **rosado** **morado / violeta** **azul** **verde** **marrón*** **gris** **negro**

DE PAÍS A PAÍS

la dirección el domicilio *(Méx.)*

la pizarra el pizarrón *(Cono Sur)*

de nada por nada *(Méx.)*

marrón café *(Méx.)*; carmelita *(Cuba)*

la computadora el ordenador *(Esp.)*

Vocabulario para la clase *(Vocabulary for the class)*

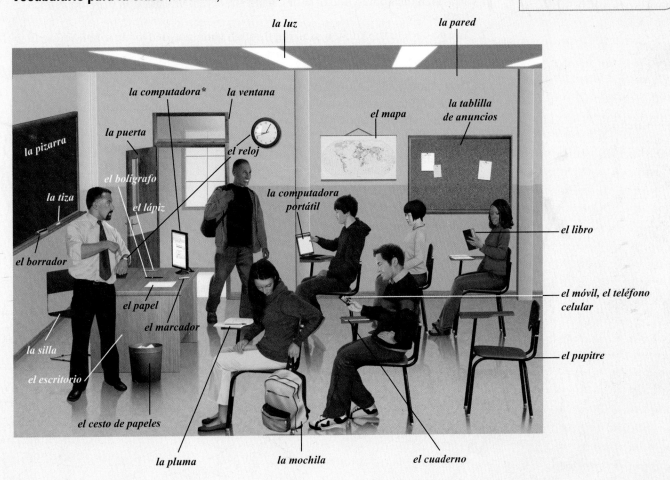

la luz
la pared
*la computadora**
la ventana
la tablilla de anuncios
el mapa
la puerta
la pizarra
el reloj
el bolígrafo
la tiza
el lápiz
la computadora portátil
el libro
el borrador
el papel
el móvil, el teléfono celular
el marcador
la silla
el pupitre
el escritorio
el cesto de papeles
la pluma
la mochila
el cuaderno

Para practicar el vocabulario
(To practise vocabulary)

A. Los estudiantes

Quiz

Complete each sentence, using vocabulary from **Lección 1.**

1. ¿Cómo te __________ tú? ¿María?
2. ¿Cómo se __________ *"window"* en español?
3. El __________ es mío, profesora.
4. La profesora Rivas __________ con los alumnos en español.
5. ¿De dónde __________ usted? ¿De México?
6. ¿Cómo __________ usted? ¿Bien?
7. En la clase hay un profesor y veinte __________.
8. Viviana es una __________ bonita, inteligente y __________. ¡Y es rica! ¡Es __________!
9. ¿Fernando es tu __________ de cuarto?
10. Adiós. __________ a Norma.

B. Yo soy el anfitrión (la anfitriona) *(I'm the host/hostess)*

You are having a party in the evening. What are you going to say to the following people in each situation?

1. You open the door to one of your guests. Greet him and ask him to come in and have a seat.
2. You go back to the kitchen, walking through your crowded living room. You accidentally push someone.
3. You didn't understand a word that one of your guests said. She is talking very fast.
4. One of your guests introduces you to his or her friend.
5. Three of your guests are leaving: your best friend, an acquaintance whom you'll probably see again, and a woman who will be returning to the party.

C. ¡Somos pintores! *(We are painters!)*

Working with a partner, say what colour is produced by mixing the following colours:

1. rojo y amarillo
2. blanco y negro
3. rojo y blanco
4. azul y rojo

Now, find three objects in the classroom that are the same colour as the mixed colours. Point out the objects to your partner by saying: **"¡Esto es…** *(nombre del color)***!"** *(This is … [name of colour]!)*

D. ¿Qué necesitamos? *(What do we need?)*

Which object(s) do you and your classmates need? Begin each sentence with **"Necesitamos** *(We need)...*"

1. to write on
2. to carry your books and notebooks
3. to tell the time
4. to write with
5. to communicate with your friends
6. to listen to music
7. to sit in class
8. to send an e-mail
9. to enter or exit the classroom
10. to be able to see when it is dark

E. ¿Qué necesitas?

With a partner, turn to pp. 8–9 and, using indefinite articles, take turns indicating what you need for class. Name twelve items.

- **MODELO:** *Necesito una silla.*

Pronunciación *(Pronunciation)*

Las vocales *(vowels)* *a, e, i, o, u*[1]

Spanish vowels are constant, clear, and short. To practise the sound of each vowel, listen to the correct pronunciation. Then repeat the following words out loud.

a	mapa	sábado	hasta mañana
	hablar	trabajar	de nada
e	mes	leche	estudiante
	este	Pepe	semestre
i	silla	libro	universidad
	tiza	lápiz	señorita
o	doctor	Soto	los profesores
	dónde	borrador	domingo
u	mujer	alumno	universidad
	gusto	lunes	computadora

[1]See Appendix A for a complete introduction to Spanish pronunciation.

PUNTOS PARA RECORDAR

Grammar Tutorial

1 Gender and number of nouns
(Género y número de los sustantivos)

Gender, part I

- In Spanish, all nouns—including those denoting nonliving things—are either masculine or feminine in gender.[2]

Masculine	Feminine
el profesor	la profesora
el cuaderno	la tiza
el lápiz	la ventana

- Most nouns that end in -**o** or denote males are masculine: **cuaderno**, **hombre** *(man)*.
- Most nouns that end in -**a** or denote females are feminine: **ventana**, **mujer** *(woman)*.

¡ATENCIÓN!

Some common exceptions include the words **día** *(day)* and **mapa** *(map)*, which end in **-a** but are masculine, and **mano** *(hand)*, which ends in **-o** but is feminine.

DETALLES CULTURALES

En muchos países hispanos, los abogados *(lawyers)* y otros profesionales que tienen el equivalente de un *Ph.D.* tienen el título de **doctor** o **doctora.**

¿Qué títulos usas con el apellido *(last name)* en Canadá?

Here are some helpful rules to remember about gender.

- Some masculine nouns ending in **-o** have a corresponding feminine form ending in **-a: el secretario / la secretaria.**
- When a masculine noun ends in a consonant, you often add **-a** to obtain its corresponding feminine form: **el doctor / la doctora.**
- Some nouns have the same form for both genders: **el estudiante / la estudiante**. In such cases, gender is indicated by the article **el** (masculine) or **la** (feminine).
- Pay attention to the agreement in gender and number. In order to do this, always look at the noun first: **chicas** (feminine/plural) / **las** (feminine/plural) **chicas.**

Quiz

Práctica *(Practice)*

¿Masculino o femenino?

Place **el** or **la** before each noun.

1. el mapa
2. la tiza
3. el escritorio
4. la secretaria
5. la silla
6. la profesora

[2]See Appendix C for a Glossary of Grammatical terms.

7. la pizarra
8. el libro
9. la mujer
10. la puerta
11. la ventana
12. el bolígrafo
13. el hombre
14. el día
15. el secretario
16. la mano
17. la computadora
18. el profesor

Plural forms of nouns

Spanish singular nouns are made plural by adding **-s** to words ending in a vowel and **-es** to words ending in a consonant. When a noun ends in **-z**, change the **z** to **c** and add **-es.**

Singular	Plural
silla	sillas
estudiante	estudiantes
profesor	profesores
borrador	borradores
lápiz	lápices

¡ATENCIÓN!

When an accent mark falls on the *last* syllable of a word that ends in a consonant, it is omitted in the plural form:

lección → lecc**iones**[3]

Práctica

¿Cuál es el plural?

Give the plural of the following nouns.

1. mapa mapas
2. profesor profesores
3. tiza tizas
4. lápiz lápices
5. ventana ventanas
6. mochila mochilas
7. lección lecciones
8. escritorio escritorios
9. borrador borradores
10. día días
11. luz luzs
12. papel papels

Grammar Tutorial

2 Definite and indefinite articles
(Artículos determinados e indeterminados)

The definite article

Spanish has four forms that are equivalent to the English definite article *the.*

	Singular	Plural
Masculine	**el**	**los**
Feminine	**la**	**las**

[3]For an explanation of written accent marks, refer to Appendix A.

el	profesor	**la**	profesora
el	lápiz	**la**	pluma
los	profesores	**las**	profesoras
los	lápices	**las**	plumas

¡ATENCIÓN!

Always learn new nouns with their corresponding definite articles. This will help you remember their gender. The definite and indefinite articles have to agree in gender and number with the noun.

la profesor**a** — **las** profesor**as**
un profesor — **unos** profesor**es**

The indefinite article

The Spanish equivalents of *a (an)* and *some* are as follows:

	Singular		Plural	
Masculine	**un**	*a, an*	**unos**	*some*
Feminine	**una**	*a, an*	**unas**	*some*

un	libro	**unos**	libros
un	profesor	**unos**	profesores
una	silla	**unas**	sillas
una	ventana	**unas**	ventanas

Práctica

Quiz

A. ¿Qué es?

For each of the following illustrations, identify the noun and its corresponding definite and indefinite articles.

1. ____________ 2. ____________ 3. ____________

4. 

5. ______________

6. ______________

7. ______________

8. 

9. ______________

10. ______________

B. ¿Necesitas algo? *(Do you need anything?)*

Ask a partner whether he or she needs any of the objects below. Be careful to use the appropriate definite article: either **el** or **la.** If your partner doesn't need a particular object, he or she must select another one. Then, switch roles. Each of you should select at least five objects.

- **MODELO:** —*¿Necesitas el teléfono celular?* (Do you need the cellphone?)
  —*Sí, necesito el teléfono celular.* (Yes, I need the cellphone.)
  —*No, necesito la mochila.* (No, I need the backpack.)

FLASHBACK 

Flashback will call your attention to material it would be helpful to review.

Review the vocabulary on pp. 8 and 9.

Grammar Tutorial

Subject pronouns
(Pronombres personales usados como sujetos)

Singular		Plural	
yo	*I*	**nosotros**	*we (m.)*
		nosotras	*we (f.)*
tú	*you (familiar)*	**vosotros**	*you (m., familiar)*
		vosotras	*you (f., familiar)*
usted	*you (formal)*	**ustedes**	*you (formal, familiar)*
él	*he*	**ellos**	*they (m.)*
ella	*she*	**ellas**	*they (f.)*

- Use the **tú** form as the equivalent of *you* when addressing a close friend, a relative, or a child. Use the **usted** form in *all* other instances. In most Spanish-speaking countries, young people tend to call each other **tú,** even if they have just met.
- In Latin America, **ustedes** (abbreviated **Uds.**) is used as the plural form of both **tú** and **usted** (abbreviated **Ud.**). In Spain, however, the plural form of **tú** is **vosotros(as).**
- The masculine plural forms **nosotros, vosotros,** and **ellos** can refer to the masculine gender alone or to both genders together:

  Juan y Roberto → **ellos** Juan y María → **ellos**

- Unlike English, Spanish does not generally express *it* or *they* as separate words when the subject of the sentence is a thing.

  Es una mesa. *It is a table.*

Práctica

Quiz

A. ¿Quiénes son?

What subject pronouns do the following pictures suggest to you?

1. yo *(I)* 2. tú *(you, familiar)* 3. nosotros *(we, masculine)*

4. _____ *(we, feminine)* nosotras
5. _____ *(they, masculine)* ellos
6. _____ *(you, formal)* ustedes

7. él *(he)*
8. ella *(she)*
9. usted *(you, formal)*

B. ¿Tú, Ud. o Uds.?

What pronoun would you use to address the following people?

1. the president of the university usted
2. two strangers
3. your best friend tú
4. your mother tú
5. a new classmate
6. your neighbour's children

Grammar Tutorial

4 Present indicative of *ser*
(Presente de indicativo del verbo ser*)*

The verb **ser** *(to be)* is irregular. Its forms must therefore be memorized.

ser		
yo	**soy**	*I am*
tú	**eres**	*you (fam.) are*
Ud.		*you (form.) are*
él	**es**	*he is*
ella		*she is*
nosotros(as)	**somos**	*we are*
vosotros(as)	**sois**	*you (fam.) are*
Uds.		*you are*
ellos	**son**	*they (m.) are*
ellas		*they (f.) are*

—Ud. **es** el doctor Rivas, ¿no?	"*You are Dr. Rivas, right?*"
—No, **soy** el profesor Diaz.	"*No, I'm professor Diaz.*"
—¿De dónde **son** Uds.?	"*Where **are you** (all) from?*"
—**Somos** de Calgary.	"***We are** from Calgary.*"
—¿De dónde eres tú?	"*Where **are you** from?*"
—Yo **soy** de Terranova.	"***I am** from Newfoundland.*"
—¿Y Silvia?	"*And Silvia?*"
—Ella **es** de Quebec.	"***She is** from Quebec.*"

Práctica y conversación

Quiz

A. ¿De dónde son?

Miss Soto works in the Admissions Office and these students are telling her where they are from. Using the verb **ser**, complete what they are saying.

1. David / Columbia Británica
2. Yo / Terranova
3. Ana y Eva / Alberta
4. Guadalupe / Saskatchewan
5. Nosotros / Nueva Escocia
6. Raúl y Ángel / Nuevo Brunswick

Now indicate what Miss Soto would say to a girl, an older gentleman, and two young men to ask them where they are from.

B. Compañeros de clase *(Classmates)*

FLASHBACK

See pp. 8–9 for classroom vocabulary.

Form groups of three or four students and ask each other the following questions.

¿Cómo te llamas?
¿De dónde eres?
¿Cuál es tu color favorito?
¿Quién es el profesor (la profesora) de español?
¿Qué hay en la clase?

Grammar Tutorial

5 *¿Qué?* and *¿cuál?* used with *ser*

(¿Qué? *y* ¿cuál? *usados con el verbo* ser)

- *What?* translates as **¿qué?** when it is used as the subject of the verb and asks for a definition.

—**¿Qué** es una paella?	"***What** is a paella?*"
—Es un plato español.	"*It's a Spanish dish.*"

- *What?* translates as **¿cuál?** when it is used as the subject of a verb and asks for a choice. **Cuál** conveys the idea of selection from among several or many available objects, ideas, and so on.

—**¿Cuál** es tu color favorito?	"***What** is your favourite colour?*"
—Es azul.	"*It's blue.*"

Práctica y conversación

Quiz

Habla con tu compañero de clase

Write the questions you should ask in order to find out the following information. Use **qué** o **cuál,** as appropriate.

1. **Ana:** —¿Cuál es tú nombre?
   Miguel: —Mi nombre es Miguel.
2. **Ana:** —¿Cuáles tú dirección?
   Miguel: —Calle San Sebastián, número 2611.
3. **Ana:** —¿Cuál es tu número de teléfono?
   Miguel: —Mi número de teléfono es 839–2192.
4. **Mercedes:** —¿Quiere un pisco?
   Jorge: —¿Qué es un pisco?
5. **Mercedes:** —Es una bebida chilena. ¿Quiere comer una empanada?
   Jorge: —¿Qué es una bebida Chilena?
   Mercedes: —Es una comida *(food)* típica latinoamericana.

Grammar Tutorial

6 Forms of adjectives and agreement of articles, nouns, and adjectives

(La formación de adjetivos y la concordancia de artículos, nombres y adjetivos)

Forms of adjectives

- Most adjectives in Spanish have two basic forms: the masculine form ending in **-o** and the feminine form ending in **-a.** Their corresponding plural forms end in **-os** and **-as**, respectively.

profesor mexican**o**	profesores mexican**os**
profesora mexican**a**	profesoras mexican**as**
chico simpátic**o**	chicos simpátic**os**
chica simpátic**a**	chicas simpátic**as**

- When an adjective ends in **-e** or a consonant, the same form is normally used with both masculine and feminine nouns.

muchacho inteligent**e**	muchacha inteligent**e**
libro difíci**l**	clase difíci**l**

- The only exceptions are as follows:
    - Adjectives of nationality that end in a consonant have feminine forms ending in **-a.**

señor españo**l** *(Spanish)*	señora españo**la**
señor inglé**s** *(English)*	señora ingle**sa**

- Adjectives that end in **-ista** do not reflect gender.

  un chico optimista

  una chica optimista

  un hombre pesimista

  una mujer pesimista

- In forming the plural, adjectives follow the same rules as nouns.

mexican**o**	→	mexican**os**
feli**z** *(happy)*	→	feli**ces**
difíci**l**	→	difíci**les**

Grammar Tutorial

Position of adjectives

- In Spanish, adjectives that describe qualities (*pretty, smart,* and so on) generally *follow* nouns, while adjectives of quantity precede them:

  Hay **dos** chicas **bonitas**.

Agreement of articles, nouns, and adjectives

- In Spanish, the article, the noun, and the adjective agree in gender and number.

El muchach**o** es simpátic**o**.	**Los** muchach**os** son simpátic**os**.
La muchach**a** es simpátic**a**.	**Las** muchach**as** son simpátic**as**.

Quiz

Práctica y conversación

A. ¿Cómo son...?

FLASHBACK

Review adjectives on p. 8.

With a partner, take turns asking and answering the following questions. In your answers, contradict what is stated.

- **MODELO:** —¿Eva es tonta?
  —*¡Al contrario* (On the contrary)*! Es muy inteligente.*

1. ¿Los chicos son bajos?
2. ¿Elena es joven?
3. ¿Eva y Gloria son antipáticas?
4. ¿Luis y Francisco son feos?
5. ¿Elsa es gorda?
6. ¿Las lecciones son fáciles?
7. ¿Las casas *(houses)* son grandes?
8. ¿Ellos son canadienses?

B. Para conversar *(To talk)*

With a partner, take turns asking each other what these people are like. Ask: **¿Cómo es...?** *(What is ... like?)*

1. Sofia Vergara
2. Ryan Gosling
3. Shakira
4. Antonio Banderas
5. Sandra Oh
6. Drake
7. Margaret Atwood
8. David Suzuki
9. Avril Lavigne
10. Marc Anthony

C. ¡A describir!

With a classmate, take turns asking each other questions about the people in the photo.

- **MODELO 1:** Estudiante 1: *—¿Federico es alto o bajo?*
  Estudiante 2: *—Federico es alto.*

Mateo, Carlos *Susana* *Pedro* *Teresa* *Luis* *Paquito* *Federico* *David* *Lolita* *Ana*

7 The alphabet *(El alfabeto)*[4]

¡ATENCIÓN!

All letters are feminine: **la *a*, la *b*,** and so on.

Letter	Name	Letter	Name	Letter	Name
a	a	j	jota	r	ere
b	be	k	ca	s	ese
c	ce	l	ele	t	te
d	de	m	eme	u	u
e	e	n	ene	v	ve
f	efe	ñ	eñe	w	doble ve
g	ge	o	o	x	equis
h	hache	p	pe	y	i griega
i	i	q	cu	z	zeta

[4]In 1994 the Real Academia decided that **ch** and **ll** are no longer to be considered separate letters of the alphabet. For a complete introduction to Spanish sounds, see Appendix A, p. 341.

Photos (L to R): Creatas/Thinkstock; Ljupco Smokovski/Shutterstock.com; Michael Jung/Shutterstock.com; Stockyimages/Shutterstock.com; Stockyimages/Shutterstock.com; Stock Foundry/Design Pics/Thinkstock; Andresr/Shutterstock.com; Stocklite/Shutterstock.com; Jeka/Shutterstock.com

Práctica y conversación

Quiz

A. Siglas *(Acronyms)*

With a partner, take turns reading the following acronyms in Spanish.

1. CSIS
2. NHL
3. PEI
4. NAFTA
5. RCMP
6. CFL

B. Apellidos *(Last names)*

In groups of three or four, ask each person in the group what his or her last name is and how to spell it.

- **MODELO:** *¿Cuál es tu apellido? ¿Cómo se deletrea?* (How is it spelled?)

8 Numbers 11 to 39 *(Números de 11 a 39)*

Grammar Tutorial

Learn the Spanish numbers from 11 to 39.

FLASHBACK

See p. 3 for vocabulary for numbers 0 to 10.

11	once	**26**	veintiséis
12	doce	**27**	veintisiete
13	trece	**28**	veintiocho
14	catorce	**29**	veintinueve
15	quince	**30**	treinta
16	dieciséis[5]	**31**	treinta y uno
17	diecisiete	**32**	treinta y dos
18	dieciocho	**33**	treinta y tres
19	diecinueve	**34**	treinta y cuatro
20	veinte	**35**	treinta y cinco
21	veintiuno	**36**	treinta y seis
22	veintidós	**37**	treinta y siete
23	veintitrés	**38**	treinta y ocho
24	veinticuatro	**39**	treinta y nueve
25	veinticinco		

¡ATENCIÓN!

Uno changes to **un** before a masculine singular noun: **un libro** *(one book)*. **Uno** changes to **una** before a feminine singular noun: **una silla** *(one chair)*. The final **-o** is also dropped when **uno** is added to higher numbers before a masculine noun.

***veintiún* hombres** ***veintiuna* mujeres**

[5]The numbers sixteen to nineteen and twenty-one to twenty-nine can also be spelled with a **y** *(and)*: **diez y seis, diez y siete... veinte y uno, veinte y dos**, and so on. The pronunciation of each group of words, however, is identical to the corresponding words spelled with **i**.

Práctica y conversación

Quiz

A. Números de teléfono

Say the telephone number of each of the people shown on the phone screen.

8:52 AM
74%
Contacts
Nombres
Teléfonos
Maria Luisa Pagán 325-4270
José Maria Pereyra 476-0389
Teresita Peña 721-4693
Amanda Pidal 396-7548
Ángel Pardo 482-3957
Benito Paredes 396-1598
Raquel Parra 476-8539
Tito Paz 721-0653
David Pizarro 482-7986
Maria Inés Pinto 396-8510

Vasabil/Thinkstock

B. ¿Cuál es tu número de teléfono?

Ask three or four of your classmates for their names and phone numbers. Write down each response and show it to that person, asking, **¿Es correcto?** *(Is that correct?)* He or she will say **"sí"** or **"no"** and will correct any mistakes.

C. Sumas y restas *(Additions and subtractions)*

Learn the following mathematical terms; then, with a partner, take turns adding and subtracting.

+ más **– menos** **= son**

- **MODELO:** 7 + 4 = 11 *(Siete más cuatro son once.)*
  20 – 6 = 14 (*Veinte menos seis son catorce.*)

1. 20 + 15 = _____
2. 16 – 11 = _____
3. 17 – 13 = _____
4. 11 + 16 = _____
5. 19 + 11 = _____
6. 13 – 8 = _____
7. 30 – 12 = _____
8. 18 + 18 = _____
9. 23 – 14 = _____
10. 17 + 13 = _____

Práctica y traducción

Based on the vocabulary and grammatical concepts presented in **Lección 1,** you will be able to translate the following sentences without any problems. **¡Buena suerte!** *(Good luck!)*

1. Ana is a student. She is intelligent and nice.
2. The Spanish class is interesting.
3. John is Canadian. He is from St. John's.
4. —Good morning, Dr. Suárez.
   —Good morning, Miss Smith. How are you?
   —Very well, thank you.

ENTRE NOSOTROS *(Among us)*

¡Conversemos!

Para conocernos mejor *(To get to know each other better)*

Get to know your partner better by asking each other the following questions.

1. ¿Cómo te llamas?
2. ¿Cómo estás?
3. ¿Eres canadiense?
4. ¿De dónde eres?
5. ¿Cuál es tu número de teléfono?
6. ¿Tu pluma es azul o negra?
7. ¿Quién es tu profesor(a) favorito(a)?
8. ¿Cómo es tu mejor amigo(a) *(best friend)*?

Búsqueda de gente *(People search)*

The goal of this exercise is, as quickly as possible, to find ten classmates who each match one of the following descriptions. When approaching a classmate, you may ask: **"¿Eres...?",** adding the appropriate adjective, for instance, **"¿Eres paciente?"** If your classmate agrees that he or she matches the description, the person will sign his or her name on the line next to the description.

NOMBRE	
1.	es muy paciente.
2.	es inteligente.
3.	es muy liberal.
4.	es conservador(a).
5.	es popular.
6.	es eficiente.
7.	es perfeccionista.
8.	es atlético(a).
9.	es optimista.
10.	es pesimista.

Escucha y contesta *(Listen and answer)*

Form groups of three. Taking turns, each member of the group will introduce himself/herself by saying at least three sentences. For instance:

1. Me llamo...
2. Soy de...
3. Soy...

After each person in the group has introduced himself or herself, each person will then say something about another group member.

Y ahora...

Write a brief summary, indicating what you have learned about your classmates.

¿Cómo lo decimos? *(How do we say it?)*

What would you say in the following situations? What might the other person say? Act out these scenes with a partner.

1. You meet Mrs. García in the evening and you ask her how she is.
2. You ask Professor Vega how to say "I'm sorry" in Spanish.
3. You ask a young girl what her name is.
4. You ask a classmate what her roommate is like.
5. You ask a classmate where he or she is from.
6. You say good-bye to someone you expect to see at some point in the future.
7. You ask a friend how he or she is and what is new with him or her.
8. You offer Miss Suárez a seat and then ask her what her address is.
9. You didn't understand what someone said. He or she is speaking too fast.
10. You are going through a crowded room. You stepped on someone's foot.
11. Someone is introduced to you.
12. You ask a classmate what his or her phone number is.

¿Qué pasa aquí? *(What's going on here?)*

With a partner, look at the photograph and create a dialogue between the people in the photo. They should greet each other, introduce themselves, and tell each other where they're from.

Kristian Sekulic/Getty Images

Para escribir *(To write)*

Un mensaje electrónico

You met someone online and your new friend wants to know what you are like. Write him or her an e-mail, describing yourself with as much detail as you can. Begin the e-mail by saying: "**Estimado(a)** (your friend's name)**...**" At the end, ask your new friend for a description and end with "**Un abrazo** *(A hug)*, (your name)."

Situaciones *(Situations)*

You and a friend decide to go to your professor's office to clarify some grammatical concepts. Using the vocabulary from this lesson, write a dialogue between you, your friend, and the professor. Remember to use the new expressions you've learned! Each person in the dialogue must have at least three interactions with others.

UN DICHO

Saber es poder.

This is a popular saying in Spanish. Find out what it means. Does it have an equivalent in English?

La Universidad Autónoma de México

ASÍ SOMOS

Vamos a escuchar

A. María Luisa Rojas y Enrique Vera Acosta

You will hear María Luisa Rojas and Enrique Vera Acosta talking about themselves. Pay close attention to what they say. You will then hear six statements about what you have heard. Indicate whether each statement is true **(V, Verdadero)** or false **(F, Falso)**.

1. María Luisa es mexicana. ☐ V ☐ F
2. María Luisa es estudiante. ☐ V ☐ F
3. María Luisa es alta y gorda. ☐ V ☐ F
4. Enrique es de Chile. ☐ V ☐ F
5. Enrique es estudiante. ☐ V ☐ F
6. Enrique es viejo. ☐ V ☐ F

Vamos a leer

ESTRATEGIA

Cognados

When you read, it is very useful to be aware of cognates. *Cognates* are words that are similar in spelling and meaning in two languages. Some Spanish cognates are identical to English words. In other instances, the words vary only in minor or predictable ways. As you scan the information about these four students, find the cognates used.

B. Al leer

As you read the information about these Hispanic students, try to find the answer to each of the following questions.

1. ¿De dónde es María Isabel? ¿Cómo es ella?
2. ¿Cuál es su *(her)* especialización? ¿Qué planea estudiar?
3. ¿De dónde es Gustavo Serrano?
4. ¿Qué dicen de Gustavo las chicas?
5. ¿Cuál es su *(his)* especialización? ¿Qué planea ser?
6. Según él, ¿cómo es?
7. ¿De dónde es Ana Luisa? ¿Cómo es?
8. ¿Cuál es su especialización? ¿Qué planea hacer *(to do)*?
9. ¿Quién es su novelista favorita?
10. ¿De dónde es Isabel Allende?
11. ¿Juan Carlos Calvo es un estudiante graduado?
12. ¿Dónde trabaja Juan Carlos?

Estudiantes hispanos en la Universidad de Calgary

Andresr/Shutterstock.com

María Isabel Fuentes, de Toronto, Ontario, es una chica inteligente y, según° ella, muy optimista. Su especialización° es biología y planea estudiar° medicina.

according to
major
planea... *plans to study*

wavebreakermedia/Shutterstock.com

Gustavo Serrano es de Victoria, Columbia Británica. Las chicas dicen° que Gustavo es guapo y muy simpático. Su especialización es matemáticas y planea ser ingeniero. Según él, es perfeccionista, pero no es muy paciente.

say

Minerva/Shutterstock.com

Ana Luisa Carreras, de Montreal, Quebec, es estudiosa y muy eficiente. Su especialización es español y planea enseñar°. Su novelista favorita es Isabel Allende, de Chile.

to teach

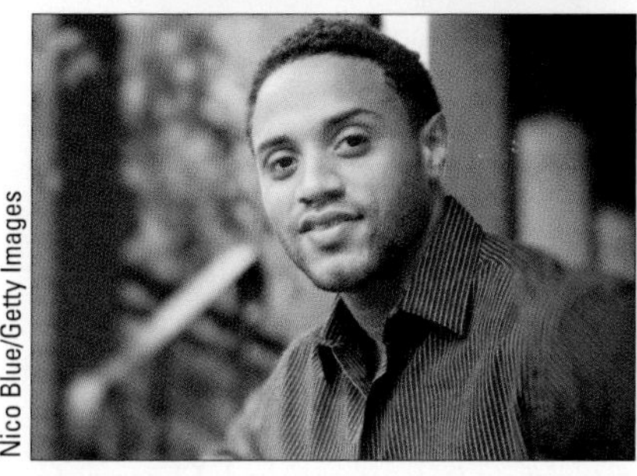

Nico Blue/Getty Images

Juan Carlos Calvo es un estudiante graduado y planea ser abogado°. Es de Halifax, Nueva Escocia. Trabaja° en la biblioteca.

lawyer
He works

C. ¿Y tú?

Write a brief essay about yourself. You will need a dictionary. Include the following phrases.

1. Yo soy de... *(your birthplace)*
2. Soy... *(two or three personal characteristics)*
3. Mi especialización es... *(your field of study)*
4. Planeo ser... *(your career goal)*
5. Mi asignatura favorita es... *(My favourite subject)*
6. Mi novelista favorito(a) es... *(your favourite novelist)*
7. Yo vivo *(live)* en... *(the city where you live)*

LECCIÓN 2 ESTUDIANTES Y PROFESORES

Skynesher/Getty Images

Por la mañana, Lisa, una chica canadiense, habla con Alina, su nueva compañera de cuarto, que es hispanocanadiense. Las dos estudian en la Universidad de Alberta, en Edmonton.

Lisa: Alina, ¿cuántas clases tomas este semestre?

Alina: Tomo cinco clases: inglés, matemáticas, física, psicología y biología. ¿Y tú? ¿Qué clases tomas?

Lisa: Yo tomo historia, literatura, química, ciencias políticas y español.

Alina: No son clases fáciles.

Lisa: No, las dos tomamos clases difíciles. ¿Tú trabajas, Alina?

Alina: Sí, pero trabajo en el verano, de julio a septiembre.

Lisa: Yo trabajo los sábados y los domingos por la tarde, porque necesito dinero.

Alina: Necesitamos descansar, ¿verdad?

Lisa: Sí, ¿vamos a bailar esta noche?

Alina: Sí, es una idea excelente. Ya es tarde, Lisa. Me voy a clase. ¿Hablamos por la tarde?

Lisa: Sí, hasta luego.

Ana Sandoval y José Santos conversan en la cafetería de la universidad. Él es profesor de contabilidad y ella trabaja en la oficina de administración.

José: ¿Deseas tomar café?

Ana: No, gracias. Yo no tomo café.

José: ¿Deseas una taza de té?

Ana: Sí, muchas gracias. Oye, ¿tú enseñas solamente por la mañana?

José: No, también enseño los martes y jueves por la noche, y los lunes por la tarde.

Ana: Trabajas mucho…

José: ¡Necesito el dinero! Por eso trabajo horas extras. Oye… ¿qué hora es?

Ana: Es la una y media. ¿Por qué?

José: Porque a las dos hay un programa muy importante en la tele.

Ana: ¿El partido de fútbol entre Argentina y Brasil?

José: ¡Sí! ¡Me voy! Nos vemos.

Noel Hendrickson/Getty Images

David Curtis/Age fotostock

Hablemos

Sobre el diálogo

With a classmate, take turns asking and answering the following questions. Base your answers on the dialogues.

1. ¿ Es Alina hispanocanadiense? ¿Y Lisa?
2. ¿Dónde estudian las dos chicas?
3. ¿Qué clases toma Alina este semestre? ¿Y Lisa?
4. ¿Toman clases fáciles o difíciles?
5. ¿Quién trabaja en el verano?
6. ¿Dónde conversan Ana y José?
7. ¿Qué enseña José?
8. ¿Dónde trabaja Ana?
9. ¿Ana desea tomar café o no desea tomar café?
10. ¿Por qué José trabaja horas extras?

Entrevista a tu compañero(a)

Take turns asking and answering these questions.

1. ¿Dónde estudias tú? (Yo estudio…)
2. ¿Qué clases tomas este semestre? (Yo tomo…)
3. ¿A qué hora terminan tus clases? (Mis clases…)
4. ¿Tú estudias después de *(after)* tus clases? (Sí, …)
5. ¿Con quién cenas tú? (Yo ceno…)
6. ¿Con quién conversas tú? (Yo converso…)
7. ¿Dónde trabajas tú? (Yo trabajo…)
8. ¿Tú deseas tomar café o agua *(water)*? (Yo deseo…)

DETALLES CULTURALES

En los países de habla hispana, muchos estudiantes estudian con un(a) compañero(a) o en grupos. Generalmente viven con su familia. Hay muy pocas residencias universitarias *(dormitories)*.

¿Cómo estudian los estudiantes en Canadá?

VOCABULARIO

COGNADOS

Audio Flashcards

la administración
la biología
el dólar
la física - physics
el (la) hispanocanadiense
la historia
la idea
importante
imposible
internacional
julio - july
la literatura
las matemáticas
el programa
la psicología - psych
el semestre
septiembre
la tele, la televisión

SUSTANTIVOS

el (la) amigo(a) *friend*
el (la) mejor amigo(a) *best friend*
la asignatura* *course, subject*
el aula (*f.*) *classroom*
el dinero* *money*
la hora *hour, time*
el horario de clases[1] *class schedule*
el lunes *Monday*
la mañana *tomorrow, morning*
el miércoles *Wednesday*
la noche *night*
la oficina *office*
— de administración *administration office*
el partido, el juego *game*
el requisito *requirement*
la tarde *afternoon*
la tarea *homework*
el verano *summer*
la vida *life*
el viernes *Friday*

VERBOS

bailar *to dance*
cenar *to have dinner*
comprar *to buy*
conversar* *to talk, converse*
desear *to wish, want*
enseñar *to teach*
escuchar *to listen to*
estudiar *to study*
hablar *to speak*
necesitar *to need*
terminar *to end, to finish, to get through*
tomar *to take (a class); to drink*
trabajar *to work*

ADJETIVOS

aburrido(a) *boring*
bueno(a) *good*
horas extras *extra hours*
juntos(as) *together*
nuestro(a) *our*
nuevo(a) *new*
todos(as) *all*

PREGUNTAS Y RESPUESTAS

¿A qué hora…? *(At) What time … ?*
¿Cuándo? *When?*
¿Cuántos(as)? *How many?*
hoy *today*
por la mañana, por la tarde, por la noche *in the morning, in the afternoon, in the evening*
¿Por qué? *Why?*
porque *because*
¿Qué hora es? *What time is it?*
¿verdad? *right?, true?*
ya es tarde *it's already late*

OTRAS PALABRAS Y EXPRESIONES

a *at (with time of day); to*
a veces *sometimes*
de *of*
entonces *then*
este semestre *this semester / this term*
fin de semana *weekend*
los (las) dos *both*
Me voy. *I'm leaving.*
no vamos *we are not going*
pero *but*
pues *then, well*
que *who, that*
solamente, sólo[2] *only*
también *also, too*
y media *half past*

[1]Spanish uses prepositional phrases that correspond to the English adjectival use of nouns: **horario de clases** *(class schedule)*.
[2]The RA notes that the accent on **sólo** meaning *only* needs to be used only in the case of ambiguity, for example: **Yo voy a estar solo dos días en Madrid.** *I will be alone two days in Madrid.* versus **Yo voy a estar sólo dos días en Madrid.** *I will be in Madrid only two days.* You will see both versions in current printed materials because the rule is fairly new.

Amplía tu vocabulario

Más asignaturas

la administración de empresas	*business administration*
la antropología	*anthropology*
el arte	*art*
las ciencias políticas	*political science*
la contabilidad	*accounting*
la educación física	*physical education*
la geografía	*geography*
la geología	*geology*
la informática	*computer science*
el inglés	*English (language)*
la música	*music*
la química	*chemistry*
la sociología	*sociology*

Para pedir bebidas *(Ordering drinks)*

Deseo  una taza de

- café. — *coffee*
- té. — *tea*
- chocolate caliente. — *hot chocolate*
- café con leche. — *coffee with milk*

Deseo 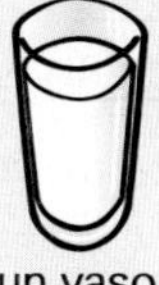 un vaso de

- agua (con hielo). — *water (with ice)*
- leche. — *milk*
- cerveza. — *beer*
- té helado, té frío. — *iced tea*

Deseo  un jugo* de

- manzana. — *apple*
- naranja*. — *orange*
- tomate. — *tomato*
- toronja. — *grapefruit*
- uvas. — *grapes*

Deseo  una copa de

- vino blanco. — *white wine*
- vino rosado. — *rosé*
- vino tinto. — *red wine*

Deseo 

una botella de agua mineral. — *mineral water*

DE PAÍS A PAÍS

la asignatura la materia *(Arg., Esp.)*
el dinero la plata *(Cono Sur, Cuba)*
conversar platicar *(Méx.)*
el jugo el zumo *(Esp.)*
la naranja la china *(Puerto Rico)*

Para practicar el vocabulario

A. Palabras y más palabras

Quiz

What word or phrase from **Lección 2** corresponds to the following?

1. opuesto *(opposite)* de día
2. asignatura donde estudiamos novelas y poemas
3. clases que necesitamos tomar
4. un día de la semana
5. en preparación para tomar un examen, necesitamos...
6. una bebida que tomamos con leche
7. sólo
8. *Sleeman* o *Moosehead,* por ejemplo
9. idioma de Shakespeare
10. opuesto de caliente

B. En la universidad

Circle the word or phrase that best completes each sentence.

1. Yo (trabajo / enseño) contabilidad.
2. La clase de geología es (imposible / aburrida).
3. Él necesita (vida / dinero); por eso trabaja.
4. La antropología es una asignatura muy (difícil / amiga).
5. Carlos y yo cenamos en la cafetería (por la mañana / por la noche).
6. ¿A qué hora (necesitan / terminan) tus clases?
7. Nosotros (terminamos / conversamos) en la cafetería.
8. El (vaso / partido) de fútbol es entre Argentina y Perú.
9. ¿Tú deseas (tomar / estudiar) jugo de naranja?
10. La (manzana / cerveza) es una bebida.

C. ¿Qué deciden?

With a classmate, take turns offering each other something to drink. Choose what you will have to drink according to the circumstances described in each case. Then indicate your choice, using **Deseo tomar...**

1. *You are allergic to citrus fruit.*
   - **a.** un vaso de jugo de toronja
   - **b.** un vaso de jugo de manzana
   - **c.** un vaso de jugo de naranja
2. *You are very hot and thirsty.*
   - **a.** una taza de chocolate caliente
   - **b.** un vaso de té helado
   - **c.** una taza de café
3. *You don't drink alcohol.*
   - **a.** una botella de agua mineral
   - **b.** una botella de cerveza
   - **c.** una copa de vino tinto
4. *You're having breakfast in Madrid.*
   - **a.** una copa de vino rosado
   - **b.** un vaso de agua con hielo
   - **c.** una taza de café con leche

5. *It's a cold winter night.*
   a. un vaso de jugo de uvas
   b. una taza de chocolate caliente
   c. un vaso de leche fría

D. ¿Qué clases necesito?

With a partner, take turns saying what class(es) you need according to the following situations. Start by saying **Necesito tomar...**

1. You want to learn more about famous painters.
2. You would like to get a job in the business world.
3. You need two humanities classes.
4. You need three science classes.
5. You know very little about other countries.
6. You need to learn about computers.
7. You would like to help with your family's business.

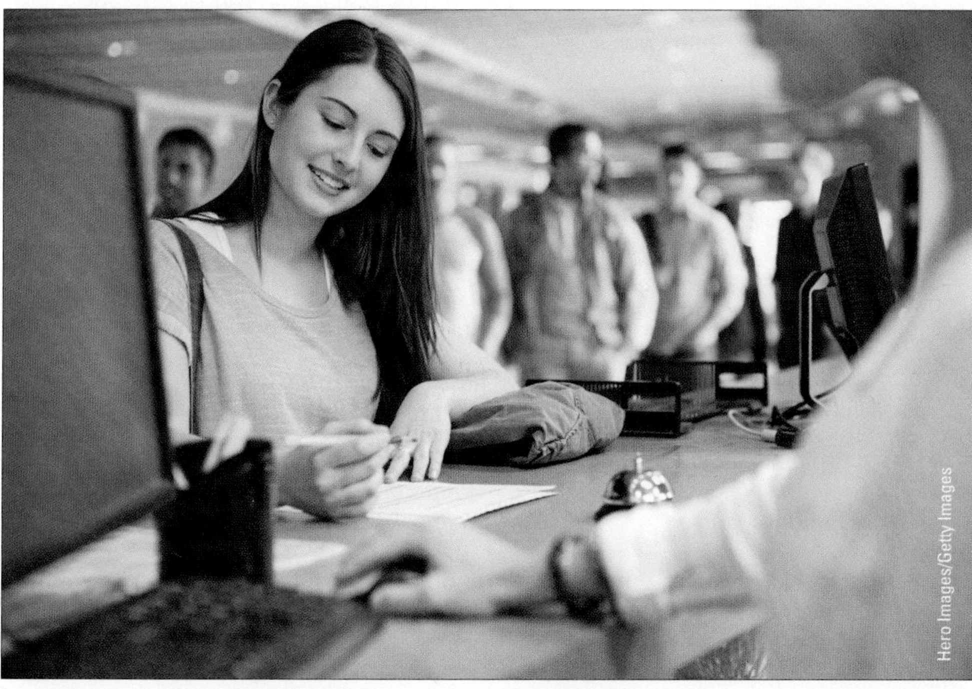

Hero Images/Getty Images

¿Qué clases crees que esta estudiante va a tomar? Escribe *(Write)* por lo menos *(at least)* tres oraciones *(sentences)*.

Pronunciación *(Pronunciation)*

Linking[3]

To practise linking, listen to the correct pronunciation. Then say the following sentences out loud.

1. Habla en la universidad.
2. Juan habla con Norma Acosta.
3. Termino a la una.
4. ¿A qué hora es su clase de español?
5. Deseo un vaso de agua.

[3]See Appendix A for an explanation of linking.

PUNTOS PARA RECORDAR

Grammar Tutorial

1 Present indicative of *-ar* verbs

(Presente de indicativo de los verbos terminados en -ar)

- Spanish verbs are classified according to their endings. There are three conjugations: **-ar, -er,** and **-ir.**[4]

hablar *(to speak)*		
Singular		
	Stem Ending	
yo	habl- **o**	Yo **hablo** español.
tú	habl- **as**	Tú **hablas** español.
Ud.	habl- **a**	Ud. **habla** español.
él	habl- **a**	Juan **habla** español. Él **habla** español.
ella	habl- **a**	Ana **habla** español. Ella **habla** español.
Plural		
nosotros(as)	habl- **amos**	Nosotros(as) **hablamos** español.
vosotros(as)	habl- **áis**	Vosotros(as) **habláis** español.
Uds.	habl- **an**	Uds. **hablan** español.
ellos	habl- **an**	Ellos **hablan** español.
ellas	habl- **an**	Ellas **hablan** español.

— Rosa, tú **hablas** inglés, ¿no? — *"Rosa, you **speak** English, don't you?"*
— Sí, **hablo** inglés y español. — *"Yes, **I speak** English and Spanish."*

— ¿Qué idioma **hablan** Uds. con el profesor? — *"What language **do you speak** with the professor?"*
— **Hablamos** español. — *"**We speak** Spanish."*

DETALLES CULTURALES

Español y **castellano** son sinónimos. En muchos países de habla hispana para referirse al idioma no usan el término **español;** usan **castellano.** Este término también se usa para referirse al español como una asignatura en las escuelas *(schools).*

En tu universidad, ¿cuál de los dos términos usan?

- Native speakers usually omit subject pronouns in conversation because the ending of each verb form indicates who is performing the action described by the verb. The context of the conversation also provides clues as to whom the verb refers. However, the forms **habla** and **hablan** are sometimes ambiguous even in context. Therefore, the subject pronouns **usted, él, ella, ustedes, ellos,** and **ellas** are used in speech with greater frequency than the other pronouns.

- Regular verbs ending in **-ar** are conjugated like **hablar.** Other verbs conjugated like **hablar** are: **bailar, cenar, comprar, conversar, desear, enseñar, escuchar, estudiar, necesitar, terminar, tomar,** and **trabajar.**

— ¿A qué hora **terminan** Uds. hoy? — *"What time **do you finish** today?"*
— **Terminamos** a las tres. — *"**We finish** at three o'clock."*

— ¿Qué **necesitas**? — *"What **do you need**?"*
— **Necesito** el horario de clases. — *"**I need** the class schedule."*

— Deseo **hablar** con Roberto. — *"I want **to speak** with Roberto."*

[4]The infinitive (unconjugated form) of a Spanish verb consists of a stem and an ending. The stem is what remains after the ending (**-ar, -er,** or **-ir**) is removed from the infinitive.

- The Spanish present tense has three equivalents in English.

Yo hablo. { *I speak.* / *I am speaking.* / *I do speak.* }

¡ATENCIÓN!

In Spanish, as in English, when two verbs are used together, the second verb remains in the infinitive.

Deseo **hablar** con Roberto. — *I want **to speak** with Roberto.*

Práctica y conversación

Quiz

A. Olga habla con Sergio

Complete the following conversation between two students. Use the present indicative of the verbs in the list. The number in parentheses beside some of the verbs indicates the number of times they will be used in the exercise.

desear **necesitar** **tomar (2)** **estudiar (2)** **trabajar (2)** **terminar (2)**

Olga: ¿Cuántas clases (1) tomas tú este semestre?

Sergio: (2) tomo cuatro clases.

Olga: Tú y Álvaro (3) trabajáis en la cafetería, ¿no?

Sergio: Sí, nosotros (4) trabajamos los lunes y miércoles. Oye, ¿tú (5) deseas tomar un vaso de agua?

Olga: Sí, gracias. ¿A qué hora (6) terminas tú hoy?

Sergio: Mis clases (7) terminan a las cuatro de la tarde.

Olga: ¿Tú y Álvaro (8) estudiamos juntos en la biblioteca para el examen?

Sergio: Sí, (9) estudiamos por la noche. Ah, (yo) (10) necesito tu número de teléfono.

Olga: Es siete-treinta-veinticinco-doce.

B. Entrevista a tu compañero(a) *(Interview your partner)*

Interview your partner, using the following questions.

1. ¿Cuántas clases tomas este semestre?
2. ¿Qué asignaturas tomas? ¿Son fáciles o difíciles?
3. ¿Estudias en la biblioteca o en tu casa *(house)*?
4. ¿Trabajas en la universidad?
5. ¿Cuántas horas *(hours)* trabajas?
6. ¿Trabajas en el verano?
7. ¿Deseas un vaso de jugo o una botella de agua mineral?
8. ¿Tú tomas café o chocolate caliente? ¿Tú tomas vino?

 C. **Observa, recuerda y escribe** *(Observe, remember, and write)*

With a partner, observe the following pictures and write three sentences using the **-ar** verbs: **bailar, cenar, estudiar,** and **trabajar.** Write complete sentences, making sure there is agreement between the subject and the verb. Share the sentences with another group and correct each other's work, if necessary.

- **MODELO:** (hablar)
  ***Ellos hablan** en la cafetería en la mañana.*

 Grammar Tutorial

2 Interrogative and negative sentences *(Oraciones interrogativas y negativas)*

Interrogative sentences

- In Spanish, there are three ways of asking a question to elicit a *yes/no* response.

¿**Elena** habla español?
¿Habla **Elena** español? } Sí, Elena habla español.
¿Habla español **Elena**?

- All three questions ask for the same information and have the same meaning. The subject may be placed at the beginning of the sentence, after the verb, or at the end of the sentence. Note that written questions in Spanish begin with an inverted question mark.

— ¿**Trabajan Uds.** en la biblioteca? — No, trabajamos en la cafetería.	*"**Do you work** in the library?"* *"No, we work in the cafeteria."*
— ¿**Habla** español **la profesora**? — Sí, y también habla inglés.	*"**Does the professor speak** Spanish?"* *"Yes, and she also speaks English."*
— ¿**Carmen es** bonita? — Sí, y muy simpática.	*"**Is Carmen** pretty?"* *"Yes, and very nice."*

¡ATENCIÓN!

Spanish does not use an auxiliary verb, such as *do* or *does,* in an interrogative sentence.

¿**Habla** Ud. inglés?	***Do you speak*** *English?*
¿**Necesita** Luis el horario de clase?	***Does Luis need*** *the class schedule?*

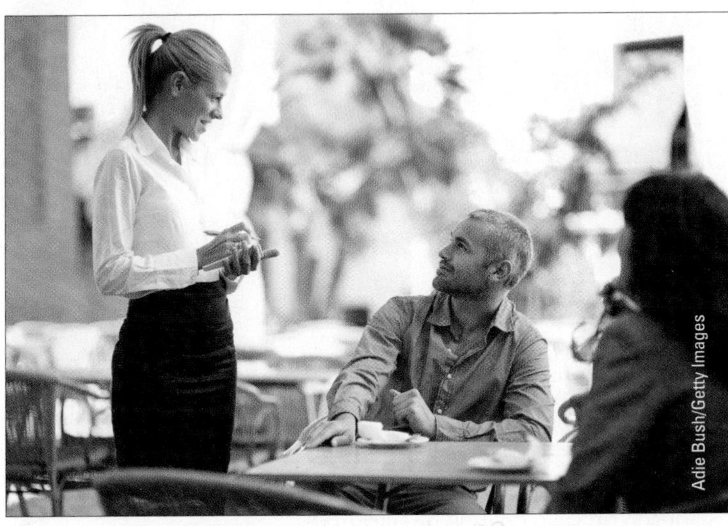

¡Buenos días! ¿Qué desean tomar?

Negative sentences

- To make a sentence negative in Spanish, simply place the word **no** in front of the verb.

Yo tomo café.	*I drink coffee.*
Yo **no** tomo café.	*I **don't** drink coffee.*

If the answer to a question is negative, the word **no** appears twice: once at the beginning of the sentence followed by a comma, as in English, and again before the verb.

— ¿Trabajan Uds. en la cafetería?	*"Do you work in the cafeteria?"*
— **No,** nosotros **no** trabajamos en la cafetería.	*"**No**, we **don't** work in the cafeteria."*

¡ATENCIÓN!

Spanish does not use an auxiliary verb, such as the English *do* or *does,* in a negative sentence.

Ella no estudia inglés.	***She does not study*** English.
Yo no estudio hoy.	***I do not study*** today.

—¿Deseas un sándwich de jamón (*ham*)?
—No, gracias, soy vegetariana.

Masloo Group Production Studio/Shutterstock.com

Práctica y conversación

Quiz

A. ¿Qué preguntó? *(What did he ask?)*

Complete the following dialogues by supplying the questions that would elicit the responses given.

- **MODELO:** —*¿Deseas un jugo de naranja?*
  —Sí, deseo un vaso de jugo de naranja.

1. —¿ ____?
   —Sí, estudiamos en la biblioteca.
2. —¿ ____?
   —No, este semestre tomo sociología.
3. —¿ ____?
   —No, deseamos agua mineral.
4. —¿ ____?
   —Sí, ellos trabajan en el verano.
5. —¿ ____?
   —No, tomo jugo.
6. —¿ ____?
   —No, deseo una taza de chocolate caliente.

B. ¿Quiere saber?

This person wants to know many things. Use the cues provided to give him the information.

- **MODELO:** —¿Usted es de Halifax? (Regina)
  —*No, no soy de Halifax, soy de Regina.*

1. ¿Tú necesitas el libro? (el horario de clases)
2. ¿Tú tomas café? (té frío)
3. ¿Necesitamos muchos libros? (dos)
4. ¿Rebeca es colombiana? (hispanocanadiense)
5. ¿Elsa termina a las ocho? (a las siete)
6. ¿Ellos hablan español? (inglés)
7. ¿Es difícil la clase de geografía? (fácil)
8. ¿Tu nueva compañera de cuarto es baja? (alta)

C. ¿Cuál es la pregunta?

Complete the following sentences with an appropriate interrogative word or phrase.

1. —¿ Cómo se llama la profesora? —Se llama profesora Salinas.
2. —¿ Cuál es tu libro? —Mi libro es el azul.
3. —¿ De dónde es Marisa? —Es de España.
4. —¿ __________ deseas tomar? —Deseo un café con leche.
5. —¿ __________ sillas hay en la clase? —Hay treinta y cinco sillas.
6. —¿ __________ estudias español? —Porque es interesante.
7. —¿ __________ es la fiesta? —Es en la casa de Pablo.
8. —¿ __________ termina la clase? —Termina muy tarde.

FLASHBACK 

Remember that interrogative words or phrases can be used to form questions: **¿cómo?**, **¿cuándo?**, and **¿cuál?** See p. 8.

D. ¿Cómo eres tú?

Using *yes/no* questions or interrogative words or phrases, ask a partner about the following things. Be sure to compare each other's answers.

- **MODELO:** si *(if)* estudia inglés

  Estudiante 1: —*¿Estudias inglés?*

  Estudiante 2: —*No, no estudio inglés, estudio español. ¿Y tú?*

1. si es de Canadá
2. si toma siete clases este semestre
3. las clases que toma
4. estudia en la biblioteca o en casa
5. necesita trabajar

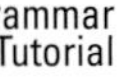
rammar Tutorial

3 Possessive adjectives *(Adjetivos posesivos)*

Forms of the Possessive Adjectives		
Singular	*Plural*	
mi	**mis**	*my*
tu	**tus**	*your (fam.)*
su	**sus**	*your (form.)*, *his*, *her*, *its*, *their*
nuestro(a)	**nuestros(as)**	*our*
vuestro(a)	**vuestros(as)**	*your (fam., pl.)*

- Possessive adjectives always precede the nouns they introduce. They agree in number (singular or plural) with the nouns they modify.

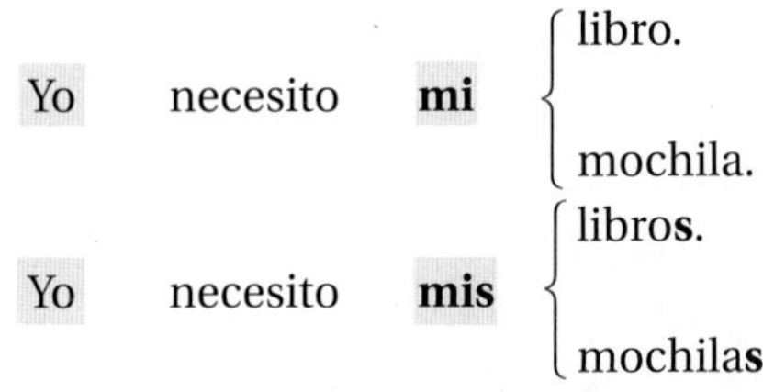

Yo necesito **mi** { libro. / mochila. }

Yo necesito **mis** { libro**s**. / mochila**s**. }

- **Nuestro** and **vuestro** are the only possessive adjectives that have the feminine endings **-a** and **-as.** The others take the same endings for both genders.

Nosotros	necesitamos	**nuestro**	libro.
		nuestra	computadora.
Nosotros	necesitamos	**nuestros**	libros.
		nuestras	computadoras.

- Possessive adjectives agree with the thing possessed and *not* with the owner. For instance, two male students would refer to their female professor as **nuestra profesora,** because **profesora** is feminine.

- Because **su** and **sus** have several possible meanings, the forms **de él, de ella, de ellos, de ellas, de Ud.,** or **de Uds.** can be substituted to avoid confusion. Use this pattern: *article* + *noun* + **de** + *pronoun.*

— ¿Es **la amiga de él**?	*"Is she **his** friend?"*
— Sí, es **su** amiga.	*"Yes, she is **his** friend."*

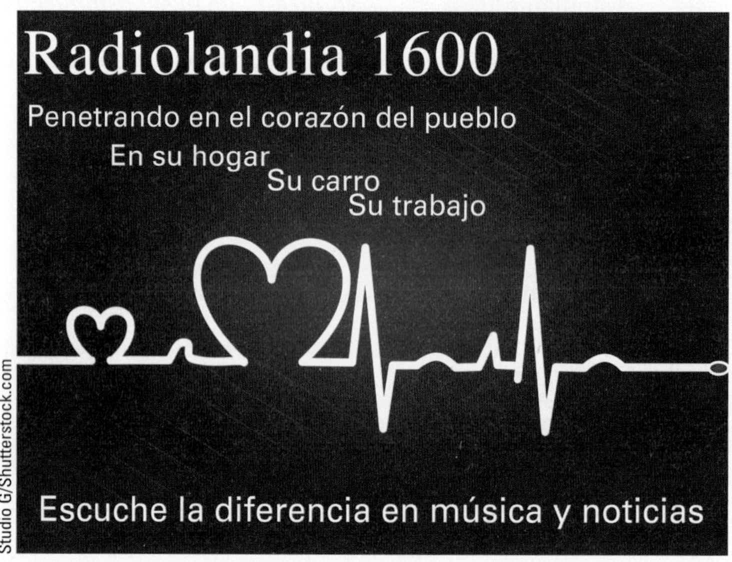

Práctica y conversación

Quiz

A. En la clase

Complete the following exchanges using the appropriate possessive adjectives that correspond to each subject.

1. —¿Tú necesitas ________________ bolígrafo rojo?
   —Sí, necesito ________________ bolígrafo rojo y ______________ lápices negros.
2. —¿De dónde es la profesora de Uds.?
   — ________________ profesora es de Ottawa.
3. —¿Qué necesita Roberto?
   —Necesita ________________ cuadernos y ________________ libro de español.
4. —Los alumnos de Uds., ¿son mexicanos?
   —No, ________________ alumnos son argentinos.
5. —¿Qué necesita Ana? ¿Ella necesita ________________ mochila?
   —No, necesita ________________ reloj.

B. Entrevista a tu compañero(a)

Interview your partner, using the following questions.

1. ¿De dónde es tu mejor amigo(a)?
2. ¿Tus padres *(parents)* son de Edmonton?
3. ¿Necesitas tus libros hoy?
4. ¿Son interesantes tus clases?
5. ¿Es simpático(a) tu compañero(a) de cuarto?
6. ¿Tú y tus amigos estudian juntos?
7. ¿Dónde estudian?
8. ¿Estudias por la mañana o por la tarde?

ammar
utorial

4 Gender of nouns, part II *(Género de los nombres, parte II)*

Here are practical rules to help you determine the gender of those nouns that do not end in **-o** or **-a.** There are also a few important exceptions.

- Nouns ending in **-ción, -sión, -tad,** and **-dad** are feminine.

la lec**ción**	*lesson*	**la** ciu**dad**	*city*
la televi**sión**	*television*	**la** universi**dad**	*university*

- Many words that end in **-ma** are masculine.

el progra**ma**	*program*	**el** cli**ma**	*climate*
el siste**ma**	*system*	**el** proble**ma**	*problem*
el te**ma**	*theme*	**el** poe**ma**	*poem*
el idio**ma**	*language*		

- The gender of nouns that have other endings and that do not refer to males or females must be learned. Remember that it is helpful to memorize a noun with its corresponding article.

el español	**el** borrador	**la** noche	**la** clase
el inglés	**el** reloj	**la** tarde	**la** leche
el café	**el** té	**la** luz	**la** calle

Quiz

Práctica

¿Masculino o femenino?

Add **el, la, los,** or **las** before each noun.

1. __la__ universidad
2. __los__ programas
3. __la__ televisión
4. __la__ libertad
5. __los__ relojes
6. __el__ poema
7. __la__ leche
8. __las__ ciudades
9. __el__ borrador
10. __los__ idiomas
11. __el__ clima
12. __los__ lecciones
13. __el__ inglés
14. __las__ luces
15. __las__ ilusiones
16. __los__ problemas

Grammar Tutorial

5 Numbers 40 to 200 *(Números de 40 a 200)*

FLASHBACK

Review numbers from 0 to 39 on pp. 3 and 22.

40	cuarenta	**90**	noventa
41	cuarenta y uno	**100**	cien
45	cuarenta y cinco	**101**	ciento uno
50	cincuenta	**115**	ciento quince
60	sesenta	**175**	ciento setenta y cinco
70	setenta	**180**	ciento ochenta
80	ochenta	**200**	doscientos

Práctica

Quiz

A. Sumas y restas

With a partner, take turns solving the problems.

+ más **– menos** **= son**

1. 27 + 13 = ___
2. 37 + 12 = ___
3. 90 + 15 = ___
4. 75 + 23 = ___
5. 52 – 20 = ___
6. 200 – 30 = ___
7. 65 – 35 = ___
8. 80 – 35 = ___
9. 200 – 100 = ___
10. 190 – 10 = ___

B. Números de teléfono

In many Spanish speaking countries, it's common to give a telephone number by saying the first number alone and the rest in pairs. With a partner, take turns reading the telephone number that each person requires from the advertisements on the next page, using the pattern a Spanish-speaking person would use.

- **MODELO:** Sara wants to buy a necklace.

  —¿Cuál es el número de teléfono de la joyería?

  —Es ocho-sesenta y cuatro-noventa-quince.

1. Carlos wants to have his picture taken.
2. Sergio wants to send flowers to his wife.
3. Elena is having car trouble.
4. Lupe needs to have a prescription filled.
5. Alicia and Esteban want to buy a necklace for their mother's birthday.
6. Fernando needs to make a dinner reservation.
7. Eva and Luis need an apartment.
8. Antonio wants to know if a bookstore is open on Sundays.

Fotosearch/Age fotosearch

Monkey Business Images/Shutterstock.com

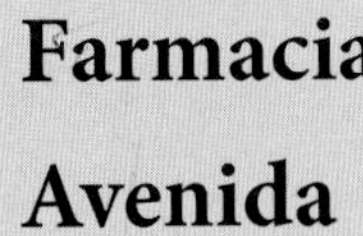

Andresr/Shutterstock.com

Fuse/Thinkstock

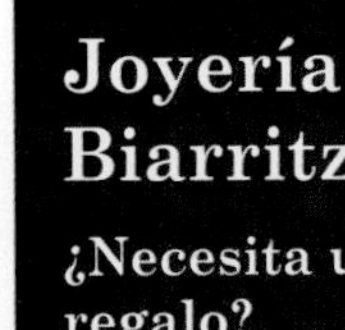

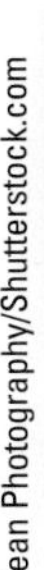

Syda Productions/Shutterstock.com

Denis Ponkratov/Shutterstock.com

Andy Dean Photography/Shutterstock.com

LIBRERÍA EL OBELISCO
1-866-478-5709

ajt/Age fotostock

6 Telling time *(La hora)*

- The following word order is used for telling time in Spanish:

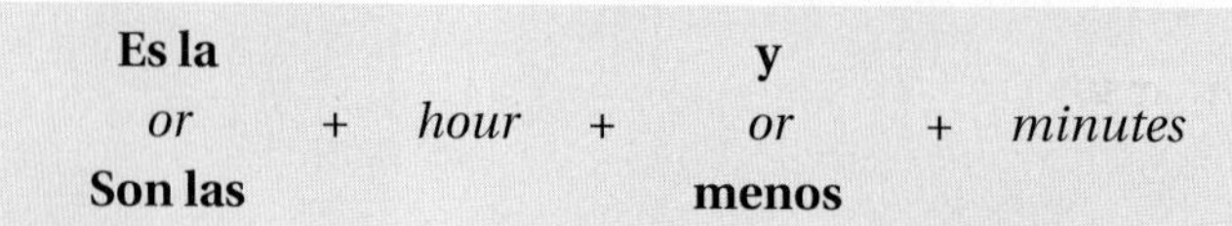

Es la *or* **Son las**	+	*hour*	+	**y** *or* **menos**	+	*minutes*

Arcady/Shutterstock.com

Es la una y veinte.

Son las seis menos diez.

- **Es** is used only with **una.**

Es la una y cuarto. — ***It is** a quarter after one.*

- **Son** is used with all the other hours.

Son las dos y cuarto. — ***It is** a quarter after two.*

Son las cinco y diez. — ***It is** ten after five.*

Programación de Telecaribe			
VIERNES			
6:00	Telecaribe	**9:00**	Noticiero Televisa
6:50	Noticiero Cartagena T.V.	**9:30**	Las amazonas
7:00	Champagne	**10:00**	Amor gitano
7:30	Esta sí es la costa	**11:00**	Noticiero Cartagena T.V.
8:00	Coralito	**11:10**	Cierre

- The feminine definite article is always used before the hour, since it refers to **la hora.**

Es **la** una menos veinticinco. — *It is twenty-five to one.*

Son **las** cuatro y media. — *It is four-thirty.*

- The hour is given first, then the minutes.

Son las **cuatro** y **diez.** — *It is **ten** after **four**.* (literally, "four and ten")

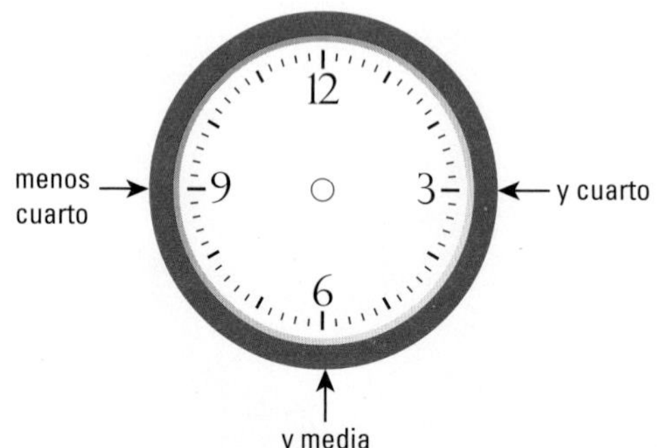

Arcady/Shutterstock.com

- The equivalent of *past* or *after* is **y.**

  Son las doce **y** cinco. — *It is five **after** twelve.*

- The equivalent of *to* or *till* is **menos.** It is used with fractions of time up to a half hour.

  Son las ocho **menos** veinte. — *It is twenty **to** eight.* (literally, "eight minus twenty")

¡ATENCIÓN!

To ask for the time, say: **¿Qué hora es?** To find out at what time an event will take place, use **¿A qué hora...?** as shown below. Observe that in the responses the equivalent of *at* + *time* is **a** + **la(s)** + *time.*

—¿**A qué** hora es la clase de arte? —**A la** una.	*"**What time** is art class?"* *"**At** one o'clock."*
—¿**A qué hora** termina Julio hoy? —**A las** cinco y media.	*"**What time** does Julio finish today?"* *"**At** five-thirty."*
—¿**Qué** hora es? —**Es** la una y cuarto.	*"**What** time is it?"* *"It **is** a quarter after one.*
—**Son** las cinco y media.	*"It **is** five-thirty."*

- Note the difference between **de la** and **por la** in expressions of time.
  - When a specific time is mentioned, **de la (mañana, tarde, noche)** should be used. This is the equivalent to the English A.M. and P.M.

    Estudiamos a las cuatro **de la tarde**. — *We study at 4 P.M.*

  - When no specific time is mentioned, **por la (mañana, tarde, noche)** should be used.

    Yo trabajo **por la mañana** y ella trabaja **por la noche**. — *I work **in the morning** and she works **at night**.*

- Midday and midnight are expressed with **el mediodía** and **la medianoche.**

DETALLES CULTURALES

Para los horarios de aviones *(planes)*, trenes *(trains)*, autobuses y algunas *(some)* invitaciones, se usa el sistema de veinticuatro horas. Por ejemplo, las cuatro de la tarde son las dieciséis horas.

¿Hay un sistema similar en Canadá?

Práctica y conversación

Quiz

A. ¿Qué hora es?

Give the time indicated on the following clocks, writing out the numerals in Spanish. Start with clock number one; then read the times aloud.

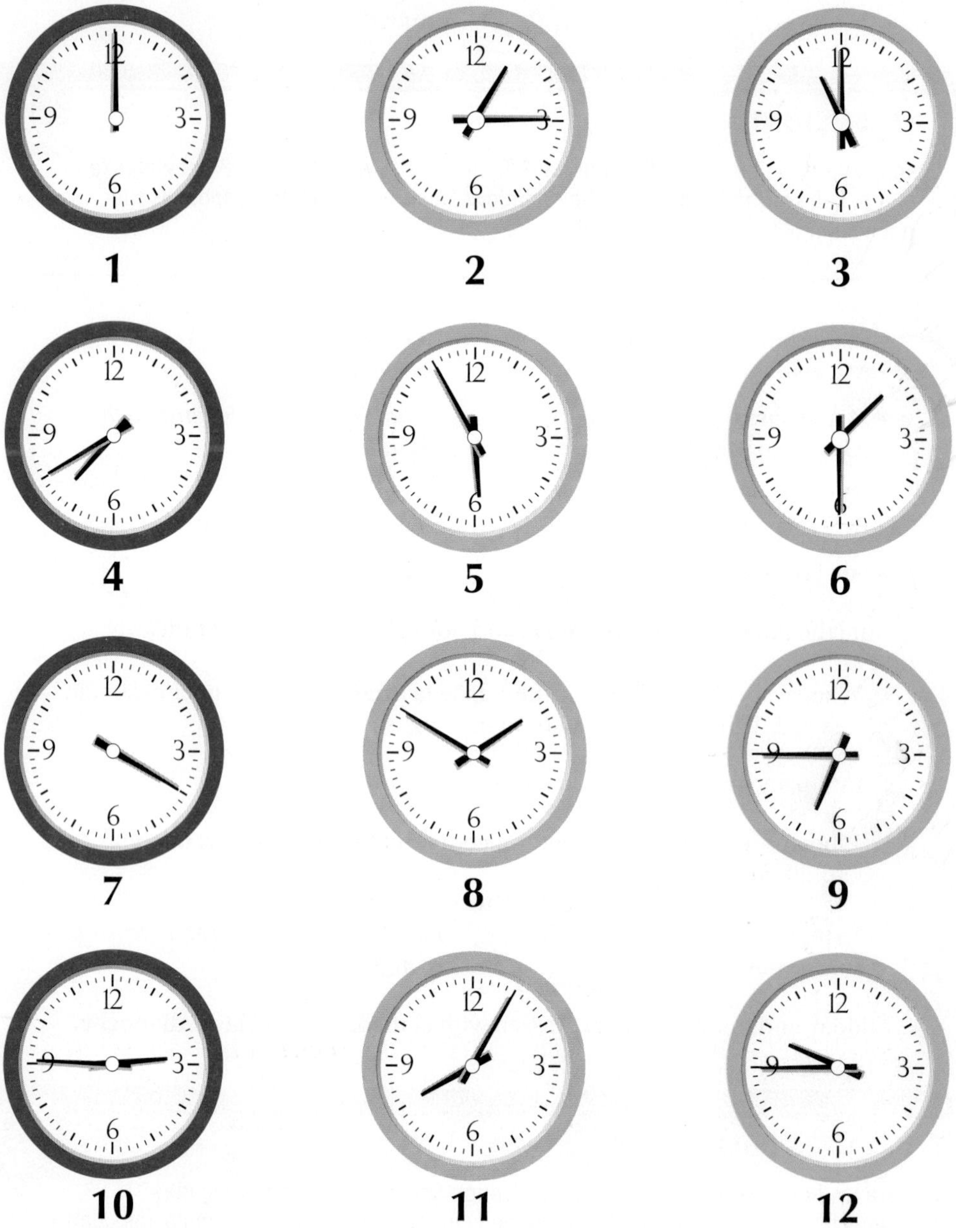

1 2 3

4 5 6

7 8 9

10 11 12

Arcady/Shutterstock.com

B. Entrevista a tu compañero(a)

Interview your partner, asking the following questions.

1. ¿A qué hora es tu primera *(first)* clase?
2. ¿A qué hora termina?
3. ¿A qué hora termina tu última *(last)* clase?
4. ¿Estudias por la mañana, por la tarde o por la noche?
5. ¿Mañana estudiamos juntos(as)? ¿A qué hora deseas estudiar?
6. ¿A qué hora trabajas?
7. ¿A qué hora terminas de trabajar?
8. ¿A qué hora es tu programa de televisión favorito?

 C. **Nuestros horarios**

With a partner, talk about your class schedule. Indicate whether your classes are in the morning, afternoon, or evening.

7 Days of the week and months and seasons of the year

(Los días de la semana, los meses y las estaciones del año)

Days of the week *(Los días de la semana)*

MARZO						
lunes	martes	miércoles	jueves	viernes	sábado	domingo
			1	Estudiar con Ana 2	¡Fiesta! 3	4
Examen de arte 5	6	7	8	9	10	11
12	Clase de tenis 13	14	Conferencia 15	16	17	Cena con la familia 18
19	20	21	22	23	24	25
26	27	Examen de inglés 28	29	Clase de yoga 30	31	

- In Spanish-speaking countries, the week begins on Monday.
- Note that the days of the week are not capitalized in Spanish.
- The days of the week are masculine in Spanish. The masculine definite articles **el** and **los** are used with them to express *on:* **el lunes, los martes,** etc.
- To ask: "What day is today?" say: **"¿Qué día es hoy?"**

Months of the year *(Los meses del año)*

enero	*January*	**mayo**	*May*	**septiembre**	*September*
febrero	*February*	**junio**	*June*	**octubre**	*October*
marzo	*March*	**julio**	*July*	**noviembre**	*November*
abril	*April*	**agosto**	*August*	**diciembre**	*December*

¡ATENCIÓN!

In Spanish, months are not capitalized.

- To ask for the date, say:

  ¿Qué fecha es hoy? — ***What's the date today?***

- When telling the date, always begin with the words **Hoy es…**

  Hoy es el 20 de mayo. — ***Today is** May 20th.*

- Note that the number is followed by the preposition **de** *(of)*, and then the month.

el 15 de mayo	*May 15th*
el 10 de septiembre	*September 10th*
el 12 de octubre	*October 12th*

- The ordinal number **primero** *(first)* is used when referring to the first day of the month.[5]

el primero de febrero	***February 1st***
—¿Qué fecha es hoy, **el primero de octubre**? —No, hoy es **el 2 de octubre.**	*"What's the date today,* ***October 1st****?"* *"No, today is* ***October 2nd.****"*

Seasons of the year (*Las estaciones del año*)

la **primavera**

el **verano**

el **otoño**

el **invierno**

- Note that all the seasons are masculine except **la primavera.**

Práctica

Quiz

A. Mi calendario

With a partner, look at the calendar on p. 47 and take turns asking each other on which day each event takes place.

- **MODELO:** *—¿Cuándo estudio con Ana?*
  —El viernes 2.

B. Fechas importantes

On what dates do the following annual events take place?

1. Canada Day
2. Halloween
3. St. Patrick's Day
4. Boxing Day
5. Christmas
6. the first day of spring
7. Valentine's Day
8. Remembrance Day

DETALLES CULTURALES

Las estaciones ocurren en épocas opuestas en los dos hemisferios. Por ejemplo, cuando en Canadá y en los Estados Unidos (hemisferio norte) es verano, en Chile y Argentina (hemisferio sur) es invierno. En Chile y Argentina la Navidad *(Christmas)* es siempre en verano.

¿Cuál es tu estación favorita?

[5]In Spanish today, some people say **el uno de: el uno de febrero.**

C. Las estaciones del año

In which season does each of these months fall in the Northern Hemisphere?

1. febrero
2. agosto
3. mayo
4. enero
5. octubre
6. julio
7. abril
8. noviembre

D. ¿Cuándo es?

On what dates do the following events occur?

1. your mother's birthday
2. your father's birthday
3. your best friend's birthday
4. your birthday
5. the first day of classes this semester
6. the end of classes

E. Feliz cumpleaños

Divide a piece of paper into two columns: 1) months and 2) names. Ask each of your classmates **¿Cuándo es tu cumpleaños?** When you find out the answer, ask them to write their name beside the month in which they were born. The person who has a name beside each month first, wins! Share the names of your classmates who have their birthdays in the current month.

Práctica y traducción

Review the vocabulary and grammatical concepts studied in **Lección 2,** as you translate the following sentences.

1. —Sara, what's the date today?
   —It's October 14th.
2. There are thirty days in April.
3. On Monday, Roberto works in the cafeteria.
4. We want a cup of coffee and a glass of apple juice.
5. —At what time is your biology class, Olivia?
   —It's at four-thirty.

DETALLES CULTURALES

Debido a *(Due to)* los cambios de estaciones, el lugar de las comidas en las fechas importantes cambia de acuerdo al hemisferio. Para la Navidad, por ejemplo, en Canadá, se come en el comedor *(dining room)* de la casa. En los países del hemisferio sur, se come generalmente al aire libre. Los tipos de comida son diferentes también.

¿Te gusta celebrar fechas importantes? ¿Qué fechas celebra tu familia?

ENTRE NOSOTROS

¡Conversemos!

Para conocernos mejor

Get to know your partner better by asking each other the following questions.

1. ¿Qué asignaturas tomas este semestre?
2. ¿Cuál es tu clase favorita?
3. ¿Conversas con tus amigos en la cafetería? ¿Tomas café con ellos?
4. ¿Cuántas horas estudias? ¿Cuántas horas trabajas?
5. ¿Tú trabajas los sábados? ¿Y los domingos?
6. En el verano, ¿tomas clases o trabajas?
7. ¿Qué clases deseas tomar el próximo *(next)* semestre?
8. ¿Qué estación te gusta?
9. ¿Deseas tomar café, leche o té?
10. ¿Deseas agua con hielo o jugo de naranja?

Búsqueda de gente

Interview your classmates to identify who does the following activities. Be sure to change the statements to questions. Include your instructor, but remember to use the **Ud.** form when addressing him or her.

- **MODELO:** *Trabaja los domingos.*
  ¿Trabaja usted los domingos?

NOMBRE	
1.	trabaja por la noche.
2.	trabaja cuatro horas al día *(a day)*.
3.	toma clases en el verano.
4.	toma mucho café.
5.	toma cerveza o vino.
6.	estudia los domingos.
7.	estudia en la biblioteca.
8.	toma una clase de yoga.
9.	toma una clase de psicología.
10.	desea tomar una clase de música.

Y ahora...

Write a brief summary, indicating what you have learned about your classmates.

¿Cómo lo decimos?

What would you say in the following situations? What might the other person say? Act out these scenes with a partner.

1. You want to ask a friend what subjects he or she is taking this semester.
2. You want to tell someone what subjects you are taking.

3. You want to ask someone where he or she works.
4. You want to order something to drink.
5. You want to know the time.
6. You want to ask a classmate if his or her classes are easy or difficult.

¿Qué dice aquí?

With a classmate, study Virginia's schedule and take turns asking each other the following questions.

1. ¿Qué días tiene *(has)* Virginia la clase de historia? ¿A qué hora?
2. ¿Cuántas clases tiene Virginia por la noche? ¿Qué clase es?
3. ¿Qué clases tiene ella los *(on)* lunes, miércoles y viernes a las ocho?
4. ¿Qué idioma estudia Virginia? ¿Qué días?
5. ¿Cuándo estudia con el grupo?
6. ¿A qué hora almuerza *(has lunch)* Virginia? ¿Dónde?
7. ¿Dónde trabaja Virginia?
8. ¿Cuántas horas trabaja por semana *(per week)*?
9. ¿Qué clases incluyen laboratorio?
10. ¿Qué estudia Virginia los sábados?

Search

Horario de Virgina

	lunes	martes	miércoles	jueves	viernes	sábado
8:00	Biología		Biología		Biología	
9:00	Japonés	Japonés	Japonés	Japonés		
10:00	Estudiar con el grupo		Estudiar con el grupo		Estudiar con el grupo	Informática
11:00		Educación fisica		Educación fisica		
12:00	Cafetería	Cafetería	Cafetería	Cafetería	Cafetería	
1:00		Biología (Laboratorio)		Japonés (Laboratorio)		
2:00	Trabajar en la biblioteca					
3:00						
4:00						
5:00						
6:00						
7:00	Historia		Historia			
8:00						

Para escribir

Tu horario

With a partner, create a schedule for both of you. Use the following questions to ask information about each other's schedule. When you finish, compare your schedules and find out which days you may meet, have dinner together, or study Spanish.

¿Qué clases tomas?
¿Qué días es la clase de…? ¿A qué hora?
¿Trabajas? ¿Qué días? ¿A qué hora?
¿Cuándo estudias? ¿A qué hora? ¿Dónde? ¿Con quién?

UN DICHO

El saber no ocupa lugar.

This is a popular saying in Spanish; find out what it means. It doesn't have an equivalent in English. **Can you make one up?**

Estudiantes en la Universidad de Salamanca, España

ASÍ SOMOS

Vamos a ver

Dos amigos

ESTRATEGIA

Anticipating new vocabulary

Before doing the first activity with a classmate, read over the definitions provided for new vocabulary.

Antes de ver el video (*Before watching the video*)

A. **Preparación**

Take turns with a partner asking and answering the following questions.

1. ¿En qué universidad estudias tú?
2. ¿Estudias para enfermero(a) *(nurse)*?
3. ¿Tú estudias para abogado(a) *(lawyer)*?
4. ¿Conversas con tus amigos(as) por teléfono?
5. ¿Tú necesitas libros o bolígrafos?
6. ¿Tú tomas una clase de biología?
7. ¿Cuántos libros necesitas para *(for)* tus clases?
8. ¿A qué hora estudias tú?
9. ¿Estudias con un(a) amigo(a) a veces?
10. ¿Hasta *(Until)* qué hora trabajas?
11. ¿Tu número de teléfono aparece *(appears)* en la guía telefónica *(telephone directory)*?
12. ¿Cómo son tus amigos?

El video

Avance *(Preview)*
Pablo y Marisa, estudiantes de la Universidad de Costa Rica, estudian juntos y son buenos amigos. Cuando Marisa conoce a *(meets)* Fernando y Pablo conoce a Victoria, los dos amigos están un poco celosos *(jealous)*.

Después de ver el video (*After watching the video*)

B. **¿Quién lo dice?** *(Who says it?)*

Who said the following sentences? Take turns with a partner asnwering.

Marisa **Pablo** **Victoria** **Fernando**

1. Necesito comprar los libros para mi clase de biología.
2. ¡Hola! Marisa, este es Fernando Rivas.
3. Oye, ¡Pablo es muy guapo! ¿Tienes *(Do you have)* su número de teléfono?

4. Pablo…, Marisa es muy bonita.… ¿Tienes su número de teléfono?
5. Oye, Pablo… Victoria es muy bonita… ¿verdad?
6. Bueno, no es mi tipo.

C. ¿Qué pasa? *(What happens?)*

Take turns with a partner asking and answering the following questions. Base your answers on the video.

1. ¿Pablo y Marisa son estudiantes?
2. ¿En qué universidad estudian?
3. ¿Son amigos?
4. ¿Estudian juntos a veces?
5. ¿Pablo estudia para abogado o para profesor?
6. ¿Marisa estudia para enfermera o para profesora?
7. ¿Hoy conversan en la clase o por teléfono?
8. ¿Qué necesita comprar Marisa?
9. ¿Qué clase toma Marisa?
10. ¿Los libros cuestan mucho dinero?
11. Esta noche, ¿estudian en la universidad o en el apartamento de Marisa?
12. ¿A qué hora estudian?
13. ¿Hasta qué hora trabaja Marisa?
14. ¿Pablo es guapo? ¿Marisa es bonita?
15. El número de teléfono de Marisa, ¿figura o no figura en la guía?

D. Más tarde

The following exchanges took place after the scenes depicted in the video. With a partner, supply the questions that elicited the answers below.

Fernando y Pablo

Fernando: ______________________________

Pablo: Sí, Marisa y yo somos muy buenos amigos.

Fernando: ______________________________

Pablo: Sí, estudiamos juntos.

Victoria y Marisa

Victoria: ______________________________

Marisa: Sí, Pablo estudia para abogado.

Victoria: ______________________________

Marisa: No, Pablo no es mi novio.

Pablo y Marisa

Pablo: ______________________________

Marisa: No, yo no trabajo mañana.

Pablo: ______________________________

Marisa: No, no necesito más libros.

Pablo: ______________________________

Marisa: Sí, nos vemos mañana. ¡Chau!

EL MUNDO HISPÁNICO

Courtesy of the Hispanic Arts Society of Calgary

Courtesy of Harbourfront Centre

Courtesy of Eliana Cuevas

EXPLORANDO LA CULTURA HISPANA EN CANADÁ

1. Carmen Gálvez baila flamenco en Expo Latino en Calgary.

2. Celebran el Día de los Muertos *(Day of the Dead)* en Vancouver, Montreal, y en Harbourfront Centre en Toronto.

3. Eliana Cuevas, de Venezuela, es conocida como "la reina *(the queen)*" de la música latina en Canadá.

4. Muchas familias celebran fiestas importantes en restaurantes donde comen deliciosos platos típicos.

5. Cada domingo en el club Lula Lounge en Toronto, se puede comer comida cubana y aprender a bailar salsa.

6. El músico Alex Cuba es originalmente de Artemisa, Cuba. Ahora *(Now)*, él vive en Columbia Británica.

LOS HISPANOS EN CANADÁ

En contraste con los Estados Unidos, donde la mayoría de los hispanos son originariamente de México (65%), en Canadá hay casi *(there are almost)* un millón de hispanos de todas partes del mundo: México (19%), Colombia (16%), El Salvador (12%), Perú (7%), Chile (7%) y de muchos otros países. Las ciudades con más hispanos son Toronto, Montreal y Vancouver.

MÚSICA

La música latina es muy popular, no sólo para escuchar *(to listen)*, pero también *(but also)* para bailar. De Latinoamérica vienen el tango, la salsa y el merengue que se bailan en muchas ciudades canadienses. Hay clases para aprender estos bailes *(dances)* y varios clubes nocturnos ahora tienen noches de música latina. En Canadá se puede escuchar música hispana tradicional, pero también hay músicos de *jazz*, *hip-hop* y otros estilos que cantan *(sing)* en español.

4
Caroline Aksich

5
Tracy Jenkins, Lula Lounge

6
Christina Woerns

TURISMO

Los países hispanos son muy visitados por canadienses durante sus vacaciones. Los destinos hispanos más visitados son México, Cuba, la República Dominicana y España. A los canadienses les gustan *(Canadians like)* las playas, los deportes acuáticos *(aquatic sports)* y tomar el sol *(to sunbathe)* en los lugares calurosos *(warm)*. También les interesa la cultura hispana. A causa del *(Because of)* turismo a países hispanos, el estudio del español ha crecido *(has grown)* no sólo en las universidades sino *(but)* también en las comunidades de muchas ciudades canadienses.

COMIDA

La comida *(food)* hispana es muy popular en todas partes de Canadá. De St. John's en Terranova hasta Victoria en Columbia Británica, se pueden encontrar *(find)* restaurantes que sirven comida hispana. Tal vez *(Perhaps)* la comida más conocida es la mexicana. En muchos restaurantes hay tacos, enchiladas y guacamole. También hay nachos, burritos y chimichangas, que aunque *(even though)* no son comidas tradicionales, son muy pedidas por los norteamericanos.

El mundo hispano y tú 

With a partner, answer these questions about Hispanic culture in Canada.

1. ¿Cuáles son algunas palabras del español que usamos *(we use)* en inglés?
2. ¿Cuáles son los bailes latinos más populares en Canadá?
3. ¿La comida hispana es común en Canadá? ¿Hay un restaurante hispano en tu ciudad? ¿Cuál es tu plato *(dish)* favorito?
4. ¿Cuál es el país hispano que más visitan los canadienses?

LECCIÓN 1

TOMA ESTE EXAMEN

LECCIÓN PRELIMINAR Y LECCIÓN 1

Lesson Review

A. Gender and number of nouns; Definite and indefinite articles

Place the corresponding definite and indefinite article before each noun.

	Definite	Indefinite	Noun
1.	________	________	lápices
2.	________	________	días
3.	________	________	hombre
4.	________	________	mujeres
5.	________	________	mano
6.	________	________	silla
7.	________	________	borradores
8.	________	________	mapas

B. Subject pronouns

Indicate which pronoun would be used to talk about the following people.

pg. 16

1. Ana y yo (*f.*) nosotras
2. Jorge y Rafael ellos
3. la Dra. García ellas
4. usted y el Sr. López ustedes
5. Amalia y Teresa ellas
6. el doctor Torres él

Now give the pronouns used to address the following people.

7. your professor usted
8. your best friend tú

C. Present indicative of *ser*

Complete the following sentences, using the present indicative of the verb **ser**.

1. Yo soy mexicana y John es canadiense.
2. ¿Uds. ustedes de Thunder Bay?
3. Teresa y yo somos estudiantes.
4. Las plumas son rojas.
5. ¿Tú eres de Windsor?
6. ¿De dónde es Ud.?

D. Forms of adjectives and agreement of articles, nouns, and adjectives

pg. 19

Change each sentence according to each new element.

1. Las alumnas son canadienses. (alumno) el alumno es canadienses
2. Las tizas son verdes. (lápices)
los lápices son verdes

3. El escritorio es blanco. (mesas) las mesas son blancas
4. Es una mujer española. (hombre) es un hombre español
5. El profesor es inglés. (profesoras) las profesoras son inglés
6. La chica es rica. (muchachos) los muchachos son ricos
7. Es un hombre inteligente. (mujer) Es una mujer inteligente
8. La señora es muy simpática. (señores) Los señores son muy simpático

E. The alphabet

Spell the following last names in Spanish.

1. Díaz
2. Jiménez
3. Vargas
4. Parra
5. Feliú
6. Acuña

F. Numbers 0 to 39 pg. 22

Write the following numbers in Spanish.

1. 8 ________________
2. 14 ________________
3. 26 ________________
4. 11 ________________
5. 35 ________________
6. 10 ________________
7. 13 ________________
8. 0 ________________
9. 28 ________________
10. 17 ________________
11. 39 ________________
12. 15 ________________

G. Vocabulary

Complete the following sentences, using vocabulary from **Lección preliminar** and **Lección 1.** pg 8

1. ¿Cómo se llama Ud.? ¿Teresa? ¿De dondé es Ud.?
2. Mucho gusto, señor Vargas.
3. ¿Cómo se di "*desk*" en español?
4. Mi compañera de ________________ es ________________ bonita.
5. Hay una profesora y diez ________________ en la clase.
6. Rosa ________________ con el profesor.
7. Buenos días. ¿Cómo ________________ usted? ¿Bien?
8. Adiós. ________________ a Marisa.
9. ¿Cómo es Sergio? ¿Guapo?
10. —Muchas gracias.
    —De ________________.

H. Translation

Express the following in Spanish.

1. Good morning, Miss Moreno. How are you?
2. Sergio speaks with Ana in class.
3. What is your phone number, Anita?
4. Lupe is intelligent and nice.
5. What is Viviana like?

I. Culture

Circle the correct answer, based on the cultural notes you have read.

1. El nombre "María" (no es / es) muy popular en los países hispanos.
2. El título "señorita" se usa solamente para mujeres (casadas / solteras *[single]*).

Lesson Review

LECCIÓN 2

A. Present indicative of *-ar* verbs

Complete each sentence with the correct form of the verb in parentheses.

1. ¿Tú ______________ leche? *(drink)*
2. La señora Paz ______________ con los alumnos. *(talks)*
3. Nosotros ______________ inglés con la doctora Torres. *(speak)*
4. Yo ______________ tomar café. *(wish)*
5. ¿Ud. ______________ matemáticas o biología? *(study)*
6. Ana y Paco______________ en la biblioteca. *(work)*
7. Ernesto ______________ la pluma roja. *(needs)*
8. Eva y yo ______________ en agosto. *(finish)*

B. Interrogative and negative sentences

Convert the following statements first into questions and then into negative statements.

1. Ellos hablan inglés con los estudiantes.
   a. ¿______________
   b. No ellos______________
2. Ella es de México.
   a. ______________
   b. ______________
3. Ustedes terminan hoy.
   a. ______________
   b. ______________

C. Possessive adjectives

Complete these sentences, using the Spanish equivalent of the word in parentheses.

1. ¿Tú necesitas ___tu___ libro? *(your)*
2. Yo hablo con ___su___ profesor. *(her)*
3. Nosotros necesitamos hablar con ___nuestras___ profesora. *(our)*
4. Trabajo con ___mis___ compañeros de clase. *(my)*
5. ¿Ud. desea hablar con ___sus___ amigos? *(your)*
6. Carlos habla con ___nuestros___ profesores. *(our)*
7. Los estudiantes necesitan hablar con ___sus___ profesor. *(their)*
8. Necesito ___su___ número de teléfono. *(his)*

D. Gender of nouns (part II)

Write **el, la, los,** or **las** before each of the following nouns.

1. ___los___ lecciones
2. ___los___ relojes
3. ___el___ idioma
4. ___las___ unidades
5. ___los___ problemas
6. ___el___ café
7. ___la___ ciudad
8. ___la___ televisión

E. Numbers 40 to 200

Write the following phrases in Spanish. (Write the numbers in words.)

1. 80 ballpoint pens
2. 46 backpacks
3. 72 clocks
4. 33 windows
5. 200 chairs
6. 115 notebooks
7. 68 students
8. 50 maps
9. 95 computers

F. Telling time

Write the Spanish equivalent of the words in parentheses.

[pg 44]

1. Oye, ¿qué hora es? Es la una___? *(Is it one o'clock?)*
2. Luis toma química a las nueva y media de la mañana. *(at nine-thirty in the morning)*
3. Estudiamos español por la tarde. *(in the afternoon)*
4. sono___ las ocho. *(It's)*
5. La clase es a las treis menos. *(at a quarter to three)*

G. Days of the week and months and seasons of the year

[pg 47]

Write the names of the missing days.

lunes, ___, ___, jueves, ___, ___, domingo

Give the following dates in Spanish.

1. March 1 ___
2. June 10 ___
3. August 13 ___
4. December 26 ___
5. September 3 ___
6. October 28 ___
7. July 17 ___
8. April 4 ___
9. January 2 ___
10. February 5 ___

During what seasons do these months fall in the Northern Hemisphere?

1. febrero ___
2. abril ___
3. octubre ___
4. julio ___

H. Vocabulary [pg 30]

Complete the following sentences, using vocabulary from **Lección 2.**

1. ¿Qué ___ es? ¿Las dos?
2. Necesito el ___ de clases. ¡Ah! ___ está!
3. Yo tomo ___ dos clases.
4. Deseo una ___ de café y un ___ de agua.
5. ¿Ellos ___ café en la cafetería?
6. Este ___ tomo tres clases.
7. Marzo, abril y mayo son los meses de la ___.
8. ¿Qué ___ estudias? ¿Historia?
9. Él toma una ___ de vino.
10. Deseo tomar ___ de manzana.

I. Translation

Express the following in Spanish.

1. —Clara, what classes are you taking?
   —I'm taking English, History, and Spanish.
2. Professor Salinas is from Mexico. He is our biology professor.
3. Martina wants to study, but Jorge wants a cup of coffee.
4. —What time is it?
   —It's ten thirty.
5. July 1st is Canada Day.

el profesor Salinas es de mexico. El es nuestro profesor de biología.

J. Culture

Circle the correct answer, based on the cultural notes you have read.

1. Hay un(os) (1.000.000 / 10.000.000) de hispanos en Canadá.
2. La mayor parte de los habitantes hispanos son de (El Salvador / México).
3. La ciudad con más hispanos en Canadá es (Halifax / Toronto).

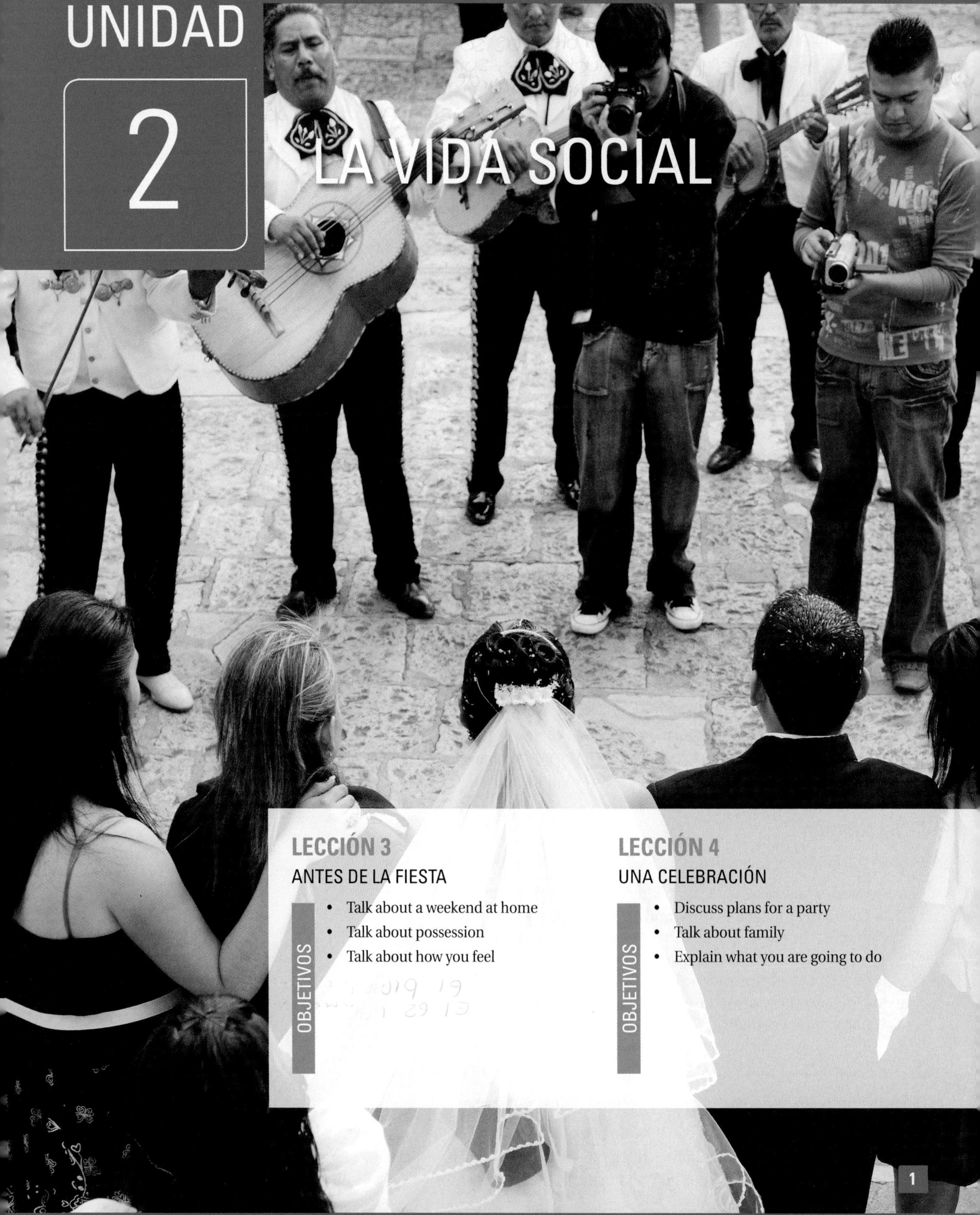

UNIDAD 2 LA VIDA SOCIAL

LECCIÓN 3
ANTES DE LA FIESTA

OBJETIVOS

- Talk about a weekend at home
- Talk about possession
- Talk about how you feel

LECCIÓN 4
UNA CELEBRACIÓN

OBJETIVOS

- Discuss plans for a party
- Talk about family
- Explain what you are going to do

Jeremy Woodhouse/Getty Images

Michael McCann Photography/Getty Images

Jan Sochor/Age fotostock

Jeremy Woodhouse/Getty Images

Map courtesy of Patricia Isaacs, Parrot Graphics

¿CÓMO CELEBRAS TÚ?

En el mundo hispano las celebraciones son muy importantes. Hay celebraciones nacionales, como "El Día de Independencia", celebraciones religiosas, como "El Día de los Muertos", o celebraciones familiares, como cumpleaños o bodas. **Y tú, ¿cuáles son las celebraciones más importantes en tu vida?**

1. Una boda *(wedding)* en San Miguel de Allende, México: Un mariachi toca para la pareja *(couple)*.

2. El Día de los Muertos (2 de noviembre) en Todos Santos, Cuchumatán, Guatemala: Las personas escuchan música en el cementerio.

3. Esta niña hondureña baila en una celebración tradicional.

4. La Fiesta de las Flores y Palmas (el primer domingo de mayo), en Panchimalco, El Salvador: Es una celebración religiosa muy importante.

LECCIÓN 3

ANTES DE LA FIESTA

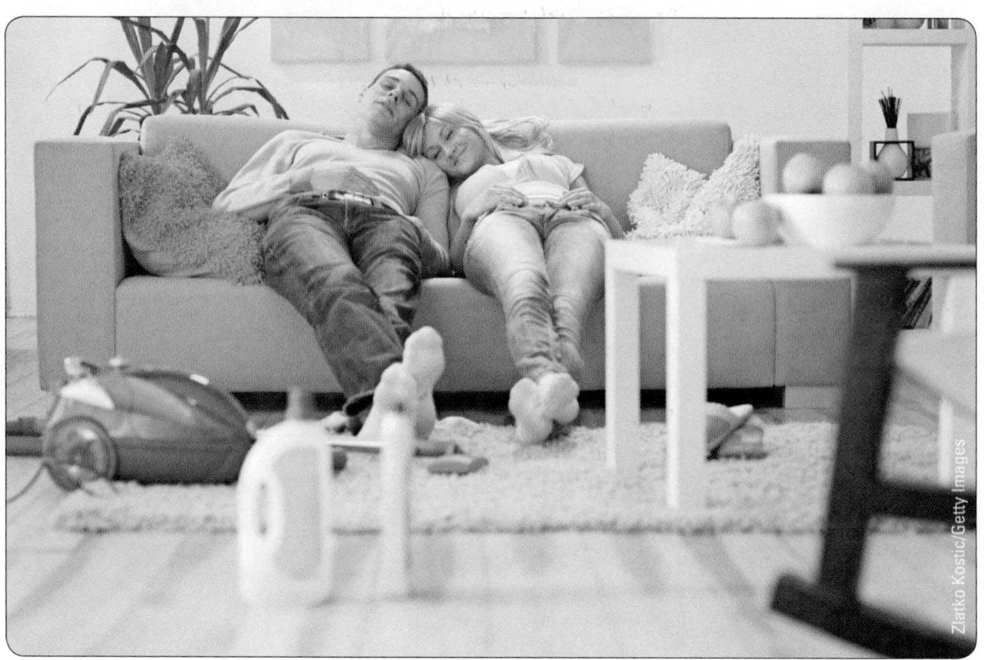
Zlatko Kostic/Getty Images

Hoy es un día muy ocupado para Alicia, Diego y Susana; tres hermanos que viven en la Ciudad de México. Sus padres viven en Puebla, pero ellos son estudiantes y tienen un apartamento juntos.

Alicia: ¿Cómo es posible? Esta noche es la fiesta de cumpleaños de Susana y todavía no limpiamos la casa.

Diego: Bueno, yo no tengo que trabajar hoy. ¡Juntos es posible hacer todas las preparaciones!

Alicia: Muy bien, gracias, Diego. Tú pasas la aspiradora y yo limpio el cuarto de baño.

Diego: Sí, pero antes saco la basura y barro el comedor y la sala.

Alicia: Dividir el trabajo es una idea excelente. Especialmente cuando tenemos seis horas y media para hacer todo.

Diego: ¡Excelente! Yo pongo música.

Alicia: Ahora, ¡a trabajar!

Esa tarde Susana regresa a casa.

Susana: ¡Alicia y Diego la casa está perfecta! Ustedes son unos hermanos fantásticos.

Alicia: Gracias, Susana. Es tu cumpleaños y nosotros deseamos celebrar en una casa limpia.

Diego: ¿Por qué no descansamos un rato y bebemos una limonada? Yo tengo mucha sed.

Susana: Tienes razón. Hay limonada en el refrigerador.

Alicia: Bueno, descansamos un momento, pero después debo preparar la comida.

Diego: Y yo necesito preparar las bebidas.

Susana: ¿Cuándo llegan todos?

Alicia: Marcos y sus hermanas llegan a las ocho y tus amigos vienen a las ocho y media.

Diego: ¡Ay! ¡Son las ocho ahora!
Alicia: Diego, tocan a la puerta.
Susana: Debe ser Marcos. *[Corre a abrir.]*

Esa noche, cuando llegan todos los amigos, cenan y conversan en el comedor. Después de comer escuchan música y bailan hasta muy tarde. Para Susana, es un cumpleaños maravilloso.

Diego Cervo/Shutterstock.com

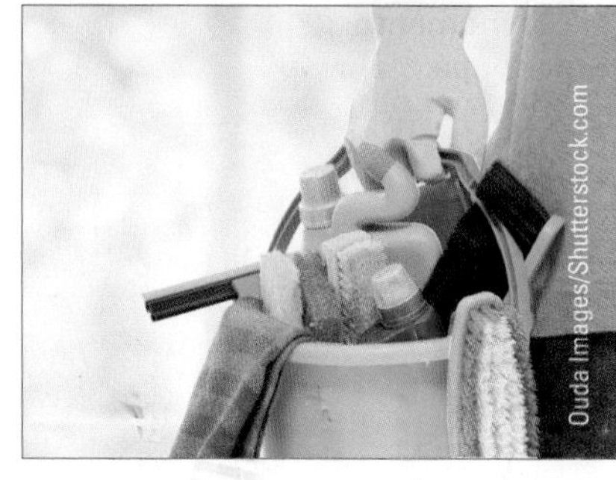
Ouda Images/Shutterstock.com

Hablemos

Sobre el diálogo

With a classmate, take turns asking and answering the following questions. Base your answers on the dialogue.

1. ¿Dónde viven Alicia, Diego y Susana?
2. ¿Viven solos *(alone)* o con sus padres?
3. ¿Qué celebran por la noche?
4. ¿Qué hace Diego? Y, ¿qué hace Alicia?
5. ¿Quién saca la basura?
6. Mientras *(While)* trabajan, ¿qué escuchan?
7. ¿Cuándo llega Susana?
8. ¿Dónde hay limonada?
9. ¿Dónde cenan todos?
10. ¿Qué hacen ellos después de comer?

Entrevista a tu compañero(a)

With a classmate, take turns asking and answering the following questions.

1. ¿Tú tienes hermanos? (Hint: **Yo tengo...**) ¿Cómo son (es)?
2. En tu casa, ¿quién cocina?
3. ¿Qué trabajos de la casa haces? ¿Qué trabajos no deseas hacer?
4. ¿Qué dos trabajos de la casa tienes que hacer hoy. (Hint: **Tengo que...**)
5. ¿Tu cuarto está limpio o es un desastre?
6. En tu casa, ¿quién saca la basura? ¿Quién limpia el baño?
7. ¿A qué hora cenan?
8. ¿Tú vives con un(a) compañero(a) de casa?

DETALLES CULTURALES

En muchos países hispánicos los jóvenes viven en la casa de sus padres cuando son estudiantes. Si tienen que estudiar en otra ciudad, viven en un apartamento con parientes *(relatives)* o amigos. Pero en los fines de semana, a veces *(sometimes)* regresan a casa para pasar tiempo con la familia.

¿En general, los estudiantes canadienses viven con sus padres o en residencias universitarias? ¿Tú tienes un apartamento con amigos o vives con tus padres? ¿Por qué?

VOCABULARIO

Audio Flashcards

COGNADOS

el desastre
la ensalada
la excusa
la familia[1]
favorito(a)
el garaje
la limonada
la mamá
el momento
el papá

SUSTANTIVOS

el baño, el cuarto de baño	*bathroom*
la basura	*garbage*
la casa	*house*
el césped*	*lawn*
la ciudad	*city*
la cocina	*kitchen, stove*
el comedor	*dining room*
la comida	*meal, food*
el correo electrónico	*e-mail*
la cosa	*thing*
el cuarto	*room*
el dormitorio*	*bedroom*
la hermana	*sister*
el hermano	*brother*
la hija	*daughter*
el hijo	*son*
los muebles	*furniture*
los padres	*parents*
el plato	*plate, dish*
el plumero	*duster*
la receta	*recipe*
la ropa	*clothes*
la sala, la sala de estar	*living room*
la sartén	*frying pan*
la telenovela	*soap opera*
el tiempo	*time*
el trabajo	*work*
los trabajos de la casa, los quehaceres	*housework, household chores*

VERBOS

abrir	*to open*
aprender	*to learn*
arreglar	*to tidy; to arrange*
ayudar	*to help*
barrer	*to sweep*
beber	*to drink*
comer	*to eat*
compartir	*to share*
correr	*to run*
cortar	*to cut; to mow*
creer	*to believe*
deber	*must, should*
descansar	*to rest*
dividir	*to divide*
escribir	*to write*
hacer (yo hago)	*to do; to make*
lavar	*to wash*
leer	*to read*
limpiar	*to clean*
llegar	*to arrive*
mirar	*to watch, to look at*
planchar	*to iron*
preparar	*to prepare*
recibir	*to receive*
sacar	*to take out*
sacudir*	*to dust*
secar	*to dry*
tener (e > ie)	*to have*
venir (e > ie)	*to come*
vivir	*to live*

ADJETIVOS

este(a)	*this*
limpio(a)	*clean*
mandón(ona)	*bossy*
ocupado(a)	*busy*
sucio(a)	*dirty*

OTRAS PALABRAS Y EXPRESIONES

antes (de)	*before*
conmigo	*with me*
cortar el césped	*to mow the lawn*
cosas que hacer	*things to do*
cuando	*when*
después	*afterwards*
eso	*that*
especialmente	*especially*
mil	*a thousand*
para	*for, in order to*
pasar la aspiradora	*to vacuum*
¿Quién (es)?	*Who (is it)?*
rápidamente	*quickly*
siempre	*always*
tener que + *inf.*	*to have to*
tocar (llamar) a la puerta	*to knock at the door*
todavía	*still*
un rato	*a while*

[1]Verbs used with **la familia** are conjugated in the third-person singular: **Mi familia es pequeña.**

Amplía tu vocabulario

Aparatos electrodomésticos y batería de cocina *(Home appliances and kitchen utensils)*

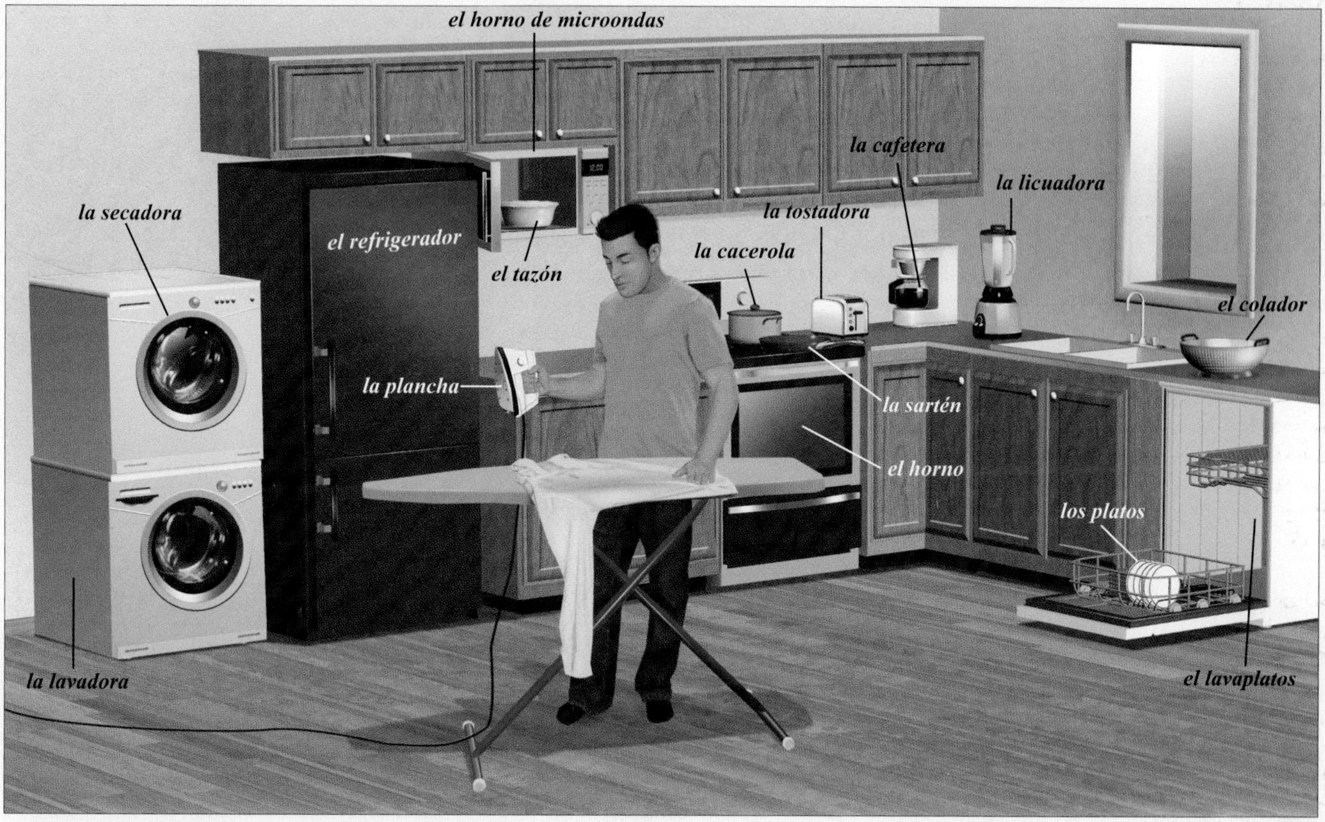

el horno de microondas
la secadora
el refrigerador
el tazón
la cafetera
la licuadora
la tostadora
la cacerola
el colador
la plancha
la sartén
el horno
los platos
la lavadora
el lavaplatos

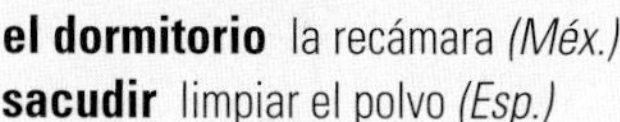

DE PAÍS A PAÍS

el refrigerador la heladera, la refrigeradora *(Méx., Cono Sur)*; la nevera *(Esp.)*

el césped el zacate *(Méx.)*; el pasto *(Cono Sur)*

el dormitorio la recámara *(Méx.)*

sacudir limpiar el polvo *(Esp.)*

DETALLES CULTURALES

Las telenovelas en español se ven *(are seen)* no solamente en el mundo hispano, sino que también son populares en países como Rusia, Japón y Canadá. Muchos temas *(topics)* sociales importantes, como el abuso de las drogas, se presentan frecuentemente en las telenovelas para informar a la gente de su peligro *(danger)*.

¿Qué telenovelas son populares en Canadá? ¿Qué temas sociales presentan?

Para practicar el vocabulario

A. En casa *(At home)*

Quiz

Select the word or phrase that best completes each sentence.

1. Raúl no (ayuda / llega) con los trabajos de la casa. (Siempre / Después) tiene una excusa.
2. El dormitorio de Aurora es un (desastre / tiempo).
3. Tú tienes que limpiar el cuarto de (baño / sala).
4. Mi mamá mira su (sartén / telenovela) favorita.
5. La ensalada está en el (césped / refrigerador).
6. (Tocan / Abren) a la puerta. ¿Quién es?
7. Todavía tenemos muchas (cosas / tablas de planchar) que hacer.
8. Elisa no come porque no tiene (comida / sala de estar).
9. Este es un día muy (mandón / ocupado).
10. Mi hermana (vive / prepara) conmigo.

B. ¡Hay mil cosas que hacer!

Complete these exchanges, using vocabulary from **Lección 3.**

1. —¿Qué ____________________ (nosotros) que hacer hoy?

   —Tenemos que ____________________ los muebles, y ____________________ los platos.

2. —Tengo que ____________________ la aspiradora y ____________________ la comida.

   —Yo tengo que ____________________ el garaje, ____________________ el césped y ____________________ la basura.

3. —Oye, Sara, tienes que planchar la ____________________ y ____________________ la sala.

   —Un ____________________ mamá. Deseo ____________________ una limonada.

C. ¿Qué necesitas?

With a partner, look at the following list and take turns asking each other whether you need certain items.

- **MODELO:** lavar la ropa
  —¿Necesitas la lavadora?
  —Sí, porque tengo que lavar la ropa.

1. secar la ropa
2. preparar el café
3. planchar
4. lavar los platos
5. hacer los espaguetis
6. preparar un batido *(shake)*
7. sacudir los muebles
8. preparar una ensalada

D. Los trabajos de la casa

You're planning to have some friends over and your house is a disaster. Working with a classmate, each of you should select three parts of the house you will clean, but don't show each other your choices. After you have completed your list, see which chores each of you picked. Tell each other the jobs that need doing in one area. Are there tasks that neither selected? Why?

E. ¡Mucho trabajo!

Imagine what is taking place in this kitchen. With a classmate, create a dialogue of at least ten sentences among the four young people, expressing what each person will do to prepare the meal.

Roberto, Clara, Jorge y Susana

Pronunciación

Las consonantes *(consonants)* *b, v*

In Spanish, **b** and **v** have the same bilabial sound. To practise this sound, listen to the correct pronunciation. Then say the following words out loud, paying particular attention to the sound of **b** and **v.**

b	**b**asura	**b**arrer	**be**b**er	**b**año	a**b**rir	**B**enavente
v	di**v**idir	**v**iene	**v**i**v**ir	la**v**ar	fa**v**orito	

PUNTOS PARA RECORDAR

Grammar Tutorial

1 Present indicative of *-er* and *-ir* verbs

(Presente de indicativo de los verbos terminados en -er *y en* -ir*)*

comer *(to eat)*		**vivir** *(to live)*	
yo	com**o**	yo	viv**o**
tú	com**es**	tú	viv**es**
Ud. / él / ella	com**e**	Ud. / él / ella	viv**e**
nosotros(as)	com**emos**	nosotros(as)	viv**imos**
vosotros(as)	com**éis**	vosotros(as)	viv**ís**
Uds. / ellos / ellas	com**en**	Uds. / ellos / ellas	viv**en**

Regular verbs ending in **-er** are conjugated like **comer.** Other regular **-er** verbs are: **aprender, barrer, beber, correr, creer, deber,** and **leer.**

—Uds. **beben** café, ¿no? —No, **bebemos** limonada.	*"**You drink** coffee, don't you?"* *"No, **we drink** lemonade."*
—¿Nosotros debemos limpiar la sala? —No, **Uds. deben** preparar la comida.	***"Should we clean the living room?"*** *"No, **you should** prepare the food."*

Regular verbs ending in **-ir** are conjugated like **vivir.** Other regular **-ir** verbs are: **abrir, dividir, escribir, recibir,** and **sacudir.**

—**Tú escribes** en inglés, ¿no? —No, **escribo** en español.	*"**You write** in English, don't you?"* *"No, **I write** in Spanish."*
—¿**Uds. viven** en Monterrey? —No, **nosotros vivimos** en Guadalajara.	*"**Do you live** in Monterrey?"* *"No, **we live** in Guadalajara."*
—¿Qué **sacudes tú**? —**Yo sacudo** los muebles de la sala.	*"What do **you dust**?"* *"**I dust** the living room furniture."*

Elisa lee el diario y bebe café. Julio pasa la aspiradora.

Maskot/Getty Images

 **Práctica y conversación**

Quiz

A. Minidiálogos

Complete the following exchanges appropriately, using the present indicative of the verbs in each one.

1. vivir
   —¿Dónde vive Uds.?
   —Nosotros vivimos en Guanajuato.
   —¿Y Pablo?
   —Él vive en Puebla.
2. comer
   —¿A qué hora comes tú?
   —Yo como a las dos.
3. leer
   —¿Qué libro leen Uds.?
   —Nosotros leemos *El Quijote.*[2]
4. beber
   —¿Ud. bebe vino tinto?
   —No, yo bebo vino blanco.
5. correr
   —¿Uds. corro por la mañana?
   —Sí, nosotros corremos por la mañana, pero Carlos corre por la tarde.
6. sacudir
   —¿Tú sacudes los muebles de la sala?
   —No, yo sacudo los muebles del dormitorio.
7. deber
   —¿Qué deben limpiar Uds.?
   —Yo debo limpiar el baño y Alicia debe limpiar la cocina.
8. barrer
   —¿Quién barres el garaje? ¿Tú?
   —No, Teresa y yo barremos la sala.
9. recibir
   —¿Uds. reciben cartas *(letters)*?
   —No, nosotros recibimos mensajes electrónicos.
10. escribir
    —¿Ud. escribe con lápiz?
    —No, yo escribo con pluma.

[2] *El ingenioso hidalgo don Quijote de la Mancha,* Miguel de Cervantes's famous novel

B. Entrevista a tu compañero(a)

Interview a partner, using the following questions.

1. ¿Tú vives cerca de *(near)* la universidad? ¿Dónde vives?
2. ¿Bebes café por la mañana? Y por la tarde, ¿bebes té?
3. ¿Comes en la cafetería de la universidad? ¿A qué hora comes?
4. ¿Tú corres por la mañana?
5. ¿Tú escribes en inglés o en español? ¿Lees mucho?
6. ¿Tú abres la ventana de tu dormitorio por la noche?
7. ¿Qué días sacudes los muebles? ¿Qué días barres la cocina?
8. ¿Tú debes cortar el césped hoy? ¿Debes sacar la basura?

C. Piensa *(Think)* y escribe

Create sentences expressing the activities that different people will be doing at a specific time of the day using the following verbs: **aprender, barrer, beber, comer, correr, escribir, leer,** and **sacudir**.

2 Possession with *de* *(El caso posesivo)*

Grammar Tutorial

The **de** + *noun* construction is used to express possession or relationship. Unlike English, Spanish does not use the apostrophe.

Raúl	**'s**	*parents*
los padres	**de**	Raúl
(the parents	*of*	*Raúl)*

—¿Ellos son **los** hermanos **de** Rafael?	*"Are they Rafael's brothers?"*
—No, son **los** hijos **de** Oscar.	*"No, they are Oscar's children."*
—¿Dónde viven Uds.?	*"Where do you live?"*
—En **la** casa **de** Pedro.	*"At Pedro's house."*

> **¡ATENCIÓN!**
>
> Note the use of the definite article before the words **casa, hermanos,** and **hijos.**

Estas chicas son las hermanas de Carlos. Ellas no viven en la casa de sus padres; viven en un apartamento. Hoy limpian la casa. ¿Qué debe hacer cada una *(each one)*?

Práctica y conversación

Quiz

A. ¿Posesión o relación?

Express the relationship of the people and/or objects in each illustration, using **de +** *noun* (i.e., the Spanish equivalent of *Marta's son*).

1. el hijo de marta

2. el número de teléfono de la señorita martínez

3. Los libros de Elena

4. el escritorio de la profesora

B. ¿Quiénes son?

You and a classmate are trying to figure out how guests at a party know each other. Ask each other who the other guests are, and what relationships exist among them.

- **MODELO:** La señora López tiene *(has)* dos estudiantes: Eva y Ana.
  —¿Quiénes son Eva y Ana?
  —Eva y Ana son las estudiantes de la señora López.

1. Elena tiene un hermano: Roberto.
2. La profesora Fernández tiene tres alumnos: Sergio, Daniel y Luis.
3. Jorge tiene una hermana: Marisa.
4. La señora Gutiérrez tiene una secretaria: Alicia.
5. Diana tiene un amigo: Fernando.
6. Eva tiene dos profesoras: la doctora Vélez y la doctora Mena.
7. José Luis tiene un compañero de clase: David.
8. Marta tiene dos compañeras de cuarto: Silvia y Mónica.

C. ¿De quién es?

Think about five objects you have borrowed from someone. Write sentences that state what you've borrowed and from whom. Share your sentences with a classmate.

Grammar Tutorial

3 Present indicative of *tener* and *venir*

(Presente de indicativo de tener *y* venir*)*

The verb **tener** means *to have* or *to own.*

Yo **tengo** diez libros.	*I **have** ten books.*
Ella **tiene** una tostadora.	*She **has** a toaster.*

tener *(to have)*		**venir** *(to come)*	
yo	**tengo**	yo	**vengo**
tú	**tienes**	tú	**vienes**
Ud. / él / ella	**tiene**	Ud. / él / ella	**viene**
nosotros(as)	**tenemos**	nosotros(as)	**venimos**
vosotros(as)	**tenéis**	vosotros(as)	**venís**
Uds. / ellos / ellas	**tienen**	Uds. / ellos / ellas	**vienen**

—¿**Tienes** la sartén? —Sí, **tengo** la sartén y la cacerola.	*"**Do you have** the frying pan?"* *"Yes, **I have** the frying pan and the saucepan."*
—¿**Vienes** mañana por la mañana? —No, **vengo** el jueves.	*"**Are you coming** tomorrow morning?"* *"No, **I'm coming** on Thursday."*
—¿Cuántos platos **tienen Uds.**? —**Tenemos** ocho platos.	*"How many dishes **do you have**?"* *"**We have** eight dishes."*
—¿**Uds. vienen** a la universidad los martes y jueves?	*"**Do you come** to the university on Tuesdays and Thursdays?"*
—No, **nosotros venimos** los lunes, miércoles y viernes.	*"No, **we come** on Mondays, Wednesdays, and Fridays."*

¡ATENCIÓN!

Tener que means *to have to,* and it is followed by an infinitive.

—¿**Tienes que** limpiar la casa hoy? —No, hoy no **tengo que** limpiar.	*"**Do you have to** clean the house today?"* *"No, I don't **have to** clean today."*

Práctica y conversación

Quiz

A. Minidiálogos

Supply the missing forms of **tener** and **venir** to complete the dialogues.

1. —¿Cuándo ______ Uds.?

   —Pedro ______ el sábado y yo ______ el domingo.

   —¿Con quién ______ tú?

   —Yo ______ con la Srta. Aranda.

2. —¿Tú ______________ a mi casa mañana?

—No, yo ______________ el viernes.

3. —¿Uds. ______________ una licuadora?

—Sí, y también una cafetera.

4. —¿Cuándo ______________ tú de Guadalajara?

—______________ el jueves.

5. —¿Tú ______________ que lavar la ropa hoy?

—No, yo no ______________ que lavar la ropa hoy.

B. Preguntas para ti *(Questions for you)*

With a classmate, take turns answering the following questions, using the cues provided.

- **MODELO:** —¿Qué días vienes tú a la universidad? (los lunes y miércoles)
  —Yo vengo a la universidad los lunes y miércoles.

1. ¿Cuántas clases tienes tú? (cinco)
2. ¿Tú y tus amigos vienen a la universidad los sábados? (no)
3. ¿Qué días tienen clases ustedes? (los martes y jueves)
4. ¿Tú tienes que trabajar los domingos? (no)
5. ¿Qué tienes que hacer hoy? (estudiar)
6. ¿Uds. tienen que limpiar la casa? (sí)

C. ¿Qué tienen que hacer? *(What do you have to do?)*

You and your partner take turns saying what everyone has to do. Use the elements given in your answers and include an appropriate verb.

- **MODELO:** Elsa / la ensalada
  Elsa tiene que preparar la ensalada.

1. yo / los muebles
2. Ana y Eva / los platos
3. nosotros / la ropa
4. Marta / la aspiradora
5. Roberto / la basura
6. Sergio / el césped

D. ¿Hay mucho trabajo?

With a partner, ask each other five questions about what you have to do at different times and on different days. Follow the model.

- **MODELO:** *—¿Qué tienes que hacer el sábado?*
  —Tengo que barrer el garaje.

FLASHBACK

Review the days of the week on p. 47.

Grammar Tutorial

4 Expressions with *tener* (*Expresiones con* tener)

The following idiomatic expressions are formed with **tener.**

tener (mucho) calor	*to be (very) hot*
tener (mucho) frío	*to be (very) cold*
tener (mucha) sed	*to be (very) thirsty*
tener (mucha) hambre	*to be (very) hungry*
tener (mucho) sueño	*to be (very) sleepy*
tener prisa	*to be in a hurry*
tener suerte	*to be lucky*
tener cuidado	*to be careful*
tener éxito	*to be successful*
tener ganas de + *inf.*	*to feel like*
tener miedo	*to be afraid, scared*
tener razón	*to be right*
no tener razón	*to be wrong*
tener … años (de edad)	*to be … years old*

—**¿Tienes hambre?**
—No, pero **tengo** mucha **sed.**

"Are you hungry?"
*"No, but **I am** very **thirsty.**"*

—¿Cuántos **años tiene** Eva?
—**Tiene** veinte **años.**

*"How **old is** Eva?"*
*"**She is** twenty **years old.**"*

Quiz

Práctica y conversación

A. ¿Qué tienen?

Describe the following people according to the illustrations below, using an expression with **tener.**

1. Elena ______________.
2. Yo ______________.
3. Nosotros ______________.

4. Él tiene mucho calor. **5.** Ellos tienen prisa. **6.** Tú tienes frío

B. ¿Cómo se sienten? *(How do these people feel?)*

Answer, using expressions with **tener,** according to the information given.

1. Carlos and Daniel are in the middle of the Sahara desert at 11 A.M.
2. Luis hasn't had a bite to eat for fifteen hours.
3. Marta sees a snake near her feet.
4. Darío and Eva have to get to the airport in a few minutes.
5. Rosa is in northern Alberta in February.

1.) Carlos y Daniel tienen miedos/mucho calor
2.) Luis tiene mucho hambre
3.) Marta tiene miedo
4.) Dano y Eva tienen prisa
5.) Rosa tiene mucho frío

C. ¿Por qué...?

With a partner, take turns indicating why you are or are not doing the following, using an expression with **tener.**

1. ¿Por qué no abres las ventanas?
2. ¿Por qué corres?
3. ¿Por qué no comes ensalada?
4. ¿Por qué no tomas un vaso de limonada?
5. ¿Por qué cierras *(close)* la puerta?

D. ¿Qué tiene(n)?

Discuss with a partner how these people are feeling according to the situation. Use expressions with **tener.**

- **MODELO:** Elisa y Ana miran una película de horror *(horror movie).*
  Ellas tienen miedo.

1. Inés lava la ropa a las tres de la mañana.
2. La mamá de Alicia tiene que preparar comida para treinta personas. La fiesta es en seis horas.
3. Es enero en Manitoba. Tú no tienes abrigo *(coat).*
4. Los estudiantes tienen un examen de matemáticas en media hora.
5. La profesora tiene clase en cinco minutos y necesito hablar con ella.

1.) Inés tiene mucho sueño
2.) Ella tiene prisa
3.) Yo tengo frío
4.) Nosotros tenemos miedos/los estudiantes tienen
5.) Ella tiene prisa

 E. **Entrevista a tu compañero(a)**

Interview a classmate, using the following questions.

1. ¿Cuántos años tienes?
2. ¿Qué comes cuando tienes hambre?
3. ¿Qué bebes cuando tienes frío? ¿Y cuando tienes calor?
4. ¿Tienes sueño en este momento?
5. ¿Tú tienes miedo a veces?
6. ¿Tú siempre tienes razón?
7. Cuando tienes sed, ¿bebes agua o limonada?
8. ¿A veces tienes prisa cuando vienes a la universidad?

↳ sometimes

Grammar Tutorial

5 Demonstrative adjectives and pronouns

(Adjetivos y pronombres demostrativos)

Demonstrative adjectives

- Demonstrative adjectives point out persons and things. Like all other adjectives, they agree in gender and number with the nouns they modify. The forms of the demonstrative adjectives are as follows.

Masculine		Feminine		English Equivalent	
Sing.	*Pl.*	*Sing.*	*Pl.*	*Sing.*	*Pl.*
este	**estos**	**esta**	**estas**	*this*	*these*
ese	**esos**	**esa**	**esas**	*that*	*those*
aquel	**aquellos**	**aquella**	**aquellas**	*that (over there)*	*those (at a distance)*

—¿Qué necesitas?
—**Estos** vasos y **aquellas** tazas.

"What do you need?"
*"**These** glasses and **those** cups (over there)."*

Demonstrative pronouns

- The forms of the demonstrative pronouns are as follows.

Masculine		Feminine		Neuter	English Equivalent	
Sing.	*Pl.*	*Sing.*	*Pl.*	*Sing.*	*Sing.*	*Pl.*
este	**estos**	**esta**	**estas**	**esto**	*this (one)*	*these*
ese	**esos**	**esa**	**esas**	**eso**	*that (one)*	*those*
aquel	**aquellos**	**aquella**	**aquellas**	**aquello**	*that (over there)*	*those (at a distance)*

- The masculine and feminine demonstrative pronouns are the same as the demonstrative adjectives.[3]

- Each demonstrative pronoun has a neuter form. The neuter forms have no gender and refer to unspecified situations, ideas, or things: *this, this matter; that, that business.*

- Note that the demonstrative pronouns replace a noun.

—¿Qué libro quiere Ud., **este** o **ese**? —Quiero **aquel.**	*"Which book do you want,* ***this one*** *or* ***that one****?"* *"I want* ***that one over there.****"*
—¿Qué es **eso**? —Es una plancha.	*"What is* ***that****?"* *"It's an iron."*

Práctica y conversación

Quiz

A. *Este, ese* y *aquel*

Describe in Spanish the following illustrations, using the suggested demonstrative adjectives.

1. *this, these*:

a. estas tostadora

b. ese reloj

c. esta chica

d. estas tazas

[3] In the past, the demonstrative pronouns had accents; however, according to the Real Academia Española, which sets Spanish language standards, the accent on the demonstrative pronouns should be used only in cases where there might be ambiguity.

2. *that, those*:

a. esta casa

b. esas tazas

c. ese mapa

d. ______________________

3. *that (over there); those (over there)*:

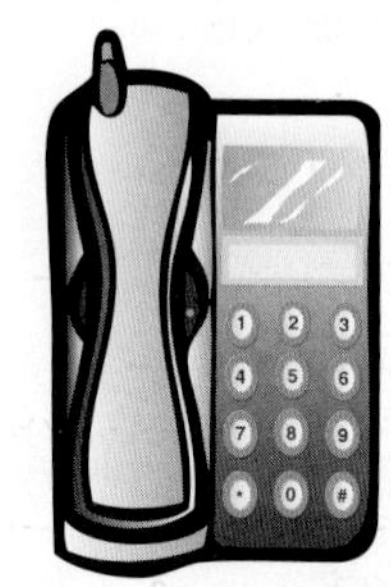

a. ______________________

b. ______________________

c. ______________________

d. ______________________

B. Tú estás aquí

Say what you need according to the objects in the illustration, using the corresponding demonstrative adjectives. **Necesito...**

a. Necesito esa basura

b. Necesito esos libros

C. Minidiálogos

Complete the following exchanges with the Spanish equivalent of the demonstrative pronouns in parentheses.

1. —¿Necesitas estos platos?
   —No, necesito eso. *(those)*
2. —¿Cuál de las mesas necesitan Uds.?
   —esto. *(This one)*
3. —¿Cuáles son tus tazas? ¿estas o aquellas? *(These / those over there)*
   —__________. *(Those)*
4. —¿Cuál es tu casa? ¿esta o esa? *(This one / that one)*
   —aquella. *(That one over there)*

1.) Ella es en prisa por que ella tiene comprar estos coladors y esos rojos
2.) Nosotros tenemos estas sillas verdes y esos sucio platos
3.) ¿Qué es aquello?
-Estos mi dormitorio. Pero, tú tienes vacío tú dormitorio, esta un desastre

D. Nuestros compañeros

You and your partner take turns asking each other who the people in your class are according to the relative distance. Use the appropriate demonstrative adjectives.

- **MODELO:** —*¿Quién es John?*
  —***Ese** muchacho cerca de* (near) *la pizarra.*

6 Numbers from 300 to 1,000 *(Números de 300 a 1.000)*

Grammar Tutorial

300	trescientos	**600**	seiscientos	**900**	novecientos
400	cuatrocientos	**700**	setecientos	**1.000**	mil
500	quinientos	**800**	ochocientos		

- In Spanish, one does not count in hundreds beyond one thousand; thus 1,100 is expressed as **mil cien.** Note that Spanish uses a comma where English uses a decimal point to indicate values below one: 1.095,99 (Spanish) = 1,095.99 (English).

545 chairs
- quinientas cuarenta y cinco sillas
319 blackboards
- trescientas diecisnueve pizarras
801 girls
- ochocientas una chicas

- When a number from 200 to 900 is used before a feminine noun, it takes a feminine ending: **doscient*as* mes*as*.**[4]
- In Spanish you do not need the equivalent of "a" before one thousand:

Necesito mil dólares. *I need a thousand dollars.*

Práctica

Quiz

A. Sumas y restas

With a partner, solve the following mathematical problems in Spanish.

1. 308 + 70 = ____________
2. 500 – 112 = ____________
3. 653 + 347 = ____________
4. 892 – 163 = ____________
5. 216 + 284 = ____________
6. 1.000 – 350 = ____________
7. 700 + 280 = ____________
8. 125 + 275 = ____________
9. 900 – 620 = ____________
10. 230 + 725 = ____________

B. ¿Cuánto cuesta?

With a partner, take turns asking each other how much everything costs.

- **MODELO:** —¿Cuánto cuesta el refrigerador? ($1650)
  —*Cuesta mil seiscientos cincuenta dólares.*

1. ¿Cuánto cuesta la pluma?
2. ¿Cuánto cuesta el vino?
3. ¿Cuánto cuesta la silla?
4. ¿Cuánto cuesta la computadora portátil?
5. ¿Cuánto cuesta el iPod?
6. ¿Cuánto cuesta la mesa?
7. ¿Cuánto cuesta el escritorio?
8. ¿Cuánto cuesta el libro?

[4] This is also true for higher numbers that incorporate the numbers 200–900: **mil doscient*as* treinta sill*as*, dos mil ochocient*as* plum*as*.**

1.) Hoy yo tengo que limpiar
2.) mi familia come en el comedor
3.) ellos preparan la comida y Susana lava los platos
4.) Cuando tenemos cosas que para hacer, nosotros en prisa
5.) Esta cacerola es verde y aquella es roja

Práctica y traducción

Review the vocabulary and grammatical concepts studied in **Lección 3** as you translate the following sentences.

1. Today I have to clean my bedroom.
2. My family eats in the dining room.
3. Juan and Pablo prepare the meal and Susana washes the dishes.
4. When we have things to do, we are always in a hurry.
5. This pot is green, and that one (over there) is red.

ENTRE NOSOTROS

¡Conversemos!

Para conocernos mejor

Get to know your partner better by asking each other the following questions.

1. ¿En qué ciudad vives tú? ¿Y tus padres?
2. ¿Cuántos años tienes? ¿Y tu mejor amigo(a)?
3. ¿Qué días limpias tu casa?
4. ¿Quién prepara la comida en tu casa?
5. ¿Con quién divides los trabajos de la casa? ¿Qué haces tú?
6. ¿Tú trabajas todos los días?
7. ¿Quién lava y plancha tu ropa?
8. ¿Qué aparatos electrodomésticos tienes en tu cocina?
9. ¿Qué bebes cuando tienes sed?
10. ¿Qué tienes que hacer mañana?
11. ¿Tu casa es un desastre a veces?
12. ¿Qué trabajo de la casa no haces?

Búsqueda de gente

Interview your classmates to identify who fits the following descriptions. Include your instructor, but remember to use the **Ud.** form when addressing him or her.

NOMBRE	
1.	lava su ropa los fines de semana.
2.	corta el césped los domingos.
3.	vive con sus padres.
4.	limpia su casa los sábados.
5.	llega a clase temprano *(early)*.
6.	tiene veinte años.
7.	siempre tiene sueño.
8.	necesita descansar.
9.	siempre tiene prisa.
10.	es muy mandón (mandona).

Y ahora...

Write a brief summary, indicating what you have learned about your classmates.

¿Cómo lo decimos?

What would you say in the following situations? What might the other person say? Act out these scenes with a partner.

1. You and a friend have invited guests for dinner and must decide what each of you has to do to prepare for the party.
2. You tell your roommate that there is a knock at the door.
3. You go shopping for things you need for your kitchen.
4. You complain that there are a thousand things to do.

¿Qué pasa aquí?

Get together in groups of three or four and create a story about the people in the illustration. Say who they are, what their relationship is to one another, what they are doing, and what they might be getting ready for.

Para escribir

Para dividir el trabajo

You are in charge of organising all the chores that must be done on a certain day. Indicate what you and everyone else has to do. Some of the chores must be done in pairs. To start out, create a mind map about all kinds of household chores. Then decide who is going to do what.

UN DICHO

Hogar, dulce hogar

This is a saying about home life. Can you guess the meaning?

David Bank/Getty Images

La casa de los artistas mexicanos Diego Rivera y Frida Kahlo que ahora es el Museo Frida Kahlo.

ASÍ SOMOS

Vamos a escuchar

A. ¿Qué hacemos hoy?

You will hear a conversation between Amelia and her husband, Jorge, about what they have to do today. Pay close attention to what they say. You will then hear ten statements about what you heard. Whether each statement is true **(V)** or false **(F)**.

1. ☐ V ☐ F
2. ☐ V ☐ F
3. ☐ V ☐ F
4. ☐ V ☐ F
5. ☐ V ☐ F
6. ☐ V ☐ F
7. ☐ V ☐ F
8. ☐ V ☐ F
9. ☐ V ☐ F
10. ☐ V ☐ F

Vamos a leer

ESTRATEGIA

Buscar vocabulario nuevo
The following is a note that a mother writes to her daughter, Nora, about things she and her brother have to do around the house. Think about all the vocabulary you have learned about this topic and, as you scan the note, look for additional words or expressions that are new to you.

B. Al leer

As you read the note, try to find the answer to each of the following questions.

1. ¿Dónde deja *(leave)* la Sra. Peña la nota?
2. ¿Hasta qué hora tiene que trabajar la Sra. Peña?
3. ¿Adónde tiene que ir después? ¿Para qué?
4. ¿A qué hora llega a su casa?
5. ¿Quién tiene que ayudar a Nora?
6. ¿Dónde tienen que lavar los platos sucios?
7. ¿Dónde tienen que secar la ropa que está en la lavadora?
8. ¿Qué tienen que limpiar?
9. ¿Qué tienen que sacudir?
10. ¿Qué tienen que preparar?
11. ¿Tienen que llevar a caminar al gato *(cat)* o al perro?
12. ¿Qué hay en el refrigerador?
13. ¿La mamá de Nora tiene mucho que hacer en la oficina?

Sobre la nota

Esta es una nota que la Sra. Peña, la mamá de Nora, deja para su hija en la mesa de la cocina.

Datacraft Co Ltd

Una nota de mamá

Nora,
Hoy tengo que trabajar hasta° las seis de la tarde y después tengo que ir a la tienda° para comprar un regalo° para tu papá. Llego a casa a eso de° las siete. ¡Necesito ayuda! Tú y tu hermano tienen que hacer lo siguiente°:

1. Lavar los platos sucios° en el lavaplatos.
2. Secar la ropa que está en la lavadora en la secadora.
3. Colgar° las camisas° de tu papá.
4. Sacudir los muebles y barrer la cocina.
5. Pasar la aspiradora y limpiar los baños.
6. Preparar una ensalada para la cena°.
7. Cortar el césped.
8. Llevar a caminar al perro°.

Si tienen hambre, hay pollo° en el refrigerador. Me voy porque tengo mil cosas que hacer en la oficina.
¡Gracias!
Mamá

until
store / present / **a...** *at about*
lo... *the following*
dirty
hang / shirts
dinner
caminar... *walk the dog*
chicken

C. ¿Y tú?

Write a brief essay explaining what chores you usually do and when. Do you do them alone or does anybody help you? Include the following subjects.

1. los platos sucios
2. la ropa
3. los baños
4. los muebles
5. la cocina
6. la cena
7. el césped
8. el perro
9. la mesa
10. tu cuarto

LECCIÓN 4 UNA CELEBRACIÓN

Silvia y Esteban deciden dar una fiesta para celebrar el cumpleaños de Mónica, una chica guatemalteca que ahora vive en San Salvador con la familia de Silvia.

Esteban: Tenemos que mandar las invitaciones. ¿A quiénes vamos a invitar?

Silvia: A todos nuestros amigos, a mis primos, al novio de Mónica y a Yolanda.

Esteban: Yo no conozco a Yolanda. ¿Quién es?

Silvia: Es la hermana del novio de Mónica.

Esteban: ¿Ah, sí? ¿Es bonita? ¿Es rubia, morena o pelirroja? No es casada, ¿verdad?

Silvia: Es morena, de ojos castaños, delgada, de estatura mediana… encantadora… y es soltera.

Esteban: Bueno, si baila bien, ya estoy enamorado.

Silvia: Oye, tenemos que planear la fiesta. Va a ser en el club, ¿no?

Esteban: No, va a ser en la casa de mis abuelos. Ellos están en Costa Rica con mi madrina y yo tengo la llave de la casa.

Silvia: ¡Perfecto! Yo traigo los entremeses y la torta de cumpleaños.

Esteban: Yo traigo las bebidas, la música y el reproductor de MP3. Yo sé que mis abuelos no tienen música para bailar.

En la fiesta, cuando Mónica, su novio y Yolanda llegan a la casa, todos gritan: ¡Feliz cumpleaños!

Mónica: *[Contenta]* ¡Qué sorpresa!

Silvia: ¿Qué deseas tomar? ¿Champán, cerveza…? ¿O deseas comer algo?

Mónica: Una copa de champán para brindar con todos mis amigos.

Silvia: *[Levanta su copa.]* ¡Un brindis! ¡Por Mónica! ¡Salud!

Todos: ¡Salud!

Esteban: *[A Yolanda]* Hola, soy Esteban Campos. Tú eres Yolanda, ¿verdad?

Yolanda: Sí, mucho gusto.

Esteban: ¿Bailamos? ¿Te gusta bailar salsa?

Yolanda: Sí, me gusta, aunque no sé bailar muy bien.

Esteban y Yolanda bailan y conversan. Todos los invitados lo pasan muy bien.

© Jamie Grill/Iconica/Getty Images

Silvia: *[A Mónica]* Veo que Yolanda y Esteban están muy animados.

Mónica: Sí, hacen una buena pareja. Oye, Silvia, la fiesta es todo un éxito. ¡Muchas gracias!

Después de la fiesta, Esteban lleva a Silvia y a Mónica a su casa. Las chicas están cansadas, pero contentas.

© foobean01/Stock.Xchng

Hablemos

Sobre el diálogo

With a classmate, take turns asking and answering the following questions. Base your answers on the dialogue.

1. ¿Quiénes van a dar una fiesta? ¿Para quién es la fiesta?
2. ¿Qué celebra Mónica? ¿Dónde vive ella ahora?
3. ¿A quiénes van a invitar Silvia y Esteban?
4. ¿Quién es Yolanda? ¿Cómo es ella?
5. ¿Dónde va a ser la fiesta?
6. ¿Dónde están los abuelos de Esteban?
7. ¿Qué va a traer Silvia para la fiesta? ¿Y Esteban?
8. ¿Con quiénes llega Mónica a la fiesta? ¿Qué gritan todos?
9. ¿Con qué va a brindar Mónica?
10. ¿Yolanda desea bailar salsa? ¿Ella sabe bailar bien?

Entrevista a tu compañero(a)

With a classmate, take turns asking and answering the following questions.

1. ¿Tú vas a muchas fiestas?
2. ¿Estás cansado(a) hoy?
3. ¿Tienes hermanos? ¿Cuántos? ¿Cómo son?
4. ¿Dónde viven tus abuelos? ¿Viven cerca de tu casa?
5. ¿Cuándo es tu cumpleaños? ¿Celebras tu cumpleaños en tu casa o en un club?
6. ¿Das muchas fiestas? ¿A quiénes invitas?
7. Cuando hay una fiesta en casa de un amigo(a), ¿qué llevas tú?
8. En una fiesta, ¿bailas o conversas con tus amigos(as)?
9. ¿Sabes bailar bien? ¿Sabes bailar salsa?
10. ¿Qué tipo de música tienes en tu reproductor MP3?

DETALLES CULTURALES

La palabra **salsa** *(sauce* o *spice)* se usa para referirse a la música caribeña, basada en la música afrocubana. En Canadá hay muchos grupos musicales hispanos que tocan merengue, tango, jazz y más.

¿Cuáles son los ritmos típicos de Canadá? ¿Conoces un grupo musical hispanocanadiense?

VOCABULARIO

COGNADOS

Audio Flashcards

el champán
el club
guatemalteco(a)
la invitación
la sorpresa

SUSTANTIVOS

el brindis *toast (i.e., at a celebration)*
el cine *movies, movie theatre*
el coche* *car*
el cumpleaños *birthday*
los entremeses *appetizers, finger food*
el éxito *success*
la fiesta *party*
el (la) invitado(a) *guest*
la llave *key*
los ojos *eyes*
la pareja *couple*
la película *movie*
el reproductor de MP3 *MP3 player*
la torta* *cake*

VERBOS

brindar *to toast*
caber (yo quepo) *to fit*
caminar *to walk*
celebrar *to celebrate*
conducir (yo conduzco), manejar *to drive*
conocer (yo conozco) *to know, to be acquainted*
dar *to give*
decidir *to decide*
estar *to be*
gritar *to shout*
invitar *to invite*
levantar *to raise*
llamar *to call*
llevar *to take (someone or something somewhere)*
mandar, enviar[1] *to send*
planear *to plan*
poner (yo pongo) *to put, place*
saber (yo sé) *to know*
salir (yo salgo) *to go out, to leave*
traducir (yo traduzco) *to translate*
traer (yo traigo) *to bring*
ver (yo veo) *to see*

ADJETIVOS

animado(a) *in good spirits*
cansado(a) *tired*
casado(a) *married*
castaño(a) *brown (eyes, hair)*
contento(a) *happy, content*
enamorado(a) *in love*
encantador(a) *charming*
enfermo(a) *sick*
feliz *happy*
moreno(a)* *dark, brunet(te)*
pelirrojo(a) *red-haired*
próximo(a) *next*
rubio(a) *blond(e)*
soltero(a) *single*
triste *sad*

OTRAS PALABRAS Y EXPRESIONES

¿A quién(es)? *Who?*
ahora *now*
aunque *although*
¿Bailamos? *Shall we dance?*
cerca (de) *near*
comer algo *to have something to eat*
de estatura mediana *of medium height*
de ojos castaños *with brown eyes*
don *title of respect, used with a man's first name*
doña *title of respect, used with a woman's first name*
lejos (de) *far*
pasarlo bien *to have a good time*
¡Qué sorpresa! *What a surprise!*
¡Salud! *Cheers!*
todo un éxito *quite a success*
ya *already*

DE PAÍS A PAÍS

el coche el carro *(LAm)*; el auto *(ConoSur)*
la torta la tarta *(Esp.)*; el pastel *(Méx.)*
moreno(a) trigueño(a) *(Cuba, Par.)*

[1]Note conjugation of **enviar: envío, envías, envía, enviamos, enviáis, envían.**

Amplía tu vocabulario

Todos nosotros

Doña Elsa — *Don Luis*

los abuelos

la abuela
la suegra
la esposa

el abuelo
el suegro
el esposo

Eva — *Carlos* — *Sergio* — *Marta*

la hija
la tía
la hermana
la madre
la mamá

el yerno
el cuñado

el hijo
el tío
el hermano
el padre
el papá

la nuera
la cuñada

los hijos

Ana — *Miguel* — *Zara* — *Marcos* — *Elena*

la sobrina

el sobrino
el nieto

la prima

el primo

la nieta

DETALLES CULTURALES

Cuando los hispanos hablan de su "familia", incluyen a sus tíos, primos, etc. Generalmente, tienen muy buena relación entre ellos. Las celebraciones familiares son muy importantes.

¿Cómo es tu familia? ¿Qué celebra tu familia y quién viene a esas fiestas?

el bisabuelo(a)	*great-grandfather/ great-grandmother*
el hermanastro(a)	*stepbrother/stepsister*
el hijastro(a)	*stepson/stepdaughter*
la madrastra	*stepmother*
la madrina	*godmother*
el medio hermano(a)	*half-brother/half-sister*
la novia	*girlfriend, bride*
el novio	*boyfriend, bridegroom*
el padrastro	*stepfather*
el padrino	*godfather*
el pariente	*relative*

Para practicar el vocabulario

A. Preguntas y respuestas

Quiz

Match the questions in column A with the answers in column B.

A	B
1. ¿Bailamos?	a. Champán.
2. ¿Es casada?	b. Las invitaciones.
3. ¿Es rubia o morena?	c. No, es soltera.
4. ¿Qué bebida tienen?	d. Ahora no; estoy cansada.
5. ¿Qué celebran hoy?	e. Mi cumpleaños.
6. ¿Qué vas a mandar?	f. Es pelirroja.

B. Planes para la fiesta

Complete the following exchanges with vocabulary from **Lección 4**.

1. —¿Qué vas a traer para comer?
   —Los ____________________ y la ____________________ de cumpleaños.
2. —¿Los invitados lo ____________________ bien?
   —Sí, la fiesta es todo un ____________________.
3. —¿Vamos a brindar?
   —Sí. (____________________ su copa.) ¡Un ____________________!
   ¡Salud!
4. —¿Uds. ____________________ una fiesta el sábado?
   —Sí, y vamos a ____________________ a todos nuestros amigos.

C. Una fiesta de cumpleaños

Hoy es el cumpleaños de don Rafael, ¿cómo está su familia hoy? ¿Qué hacen para celebrar el cumpleaños del abuelo, don Rafael? ¿Dónde es la fiesta? ¿Quiénes están allí? ¿Qué van a comer y beber?

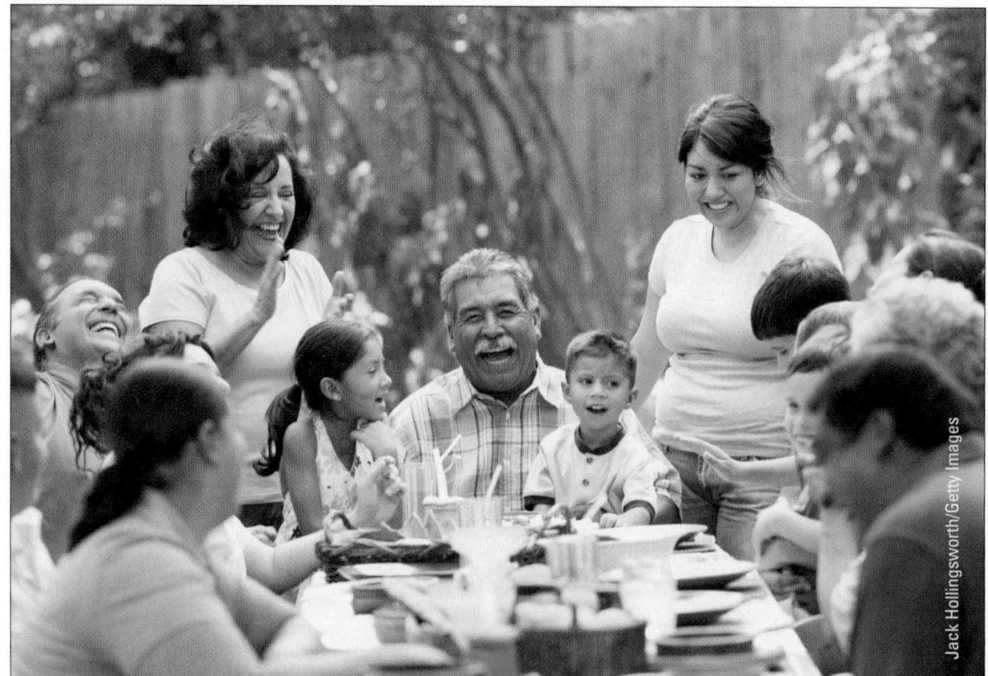

Jack Hollingsworth/Getty Images

Now write one or two paragraphs about don Rafael's birthday.

D. Los parientes

With a partner, take turns saying what the relationship of one person to another is in the family tree. Mention eight to ten relationships.

- **MODELO:** *—Doña Elsa es la mamá de Eva.*

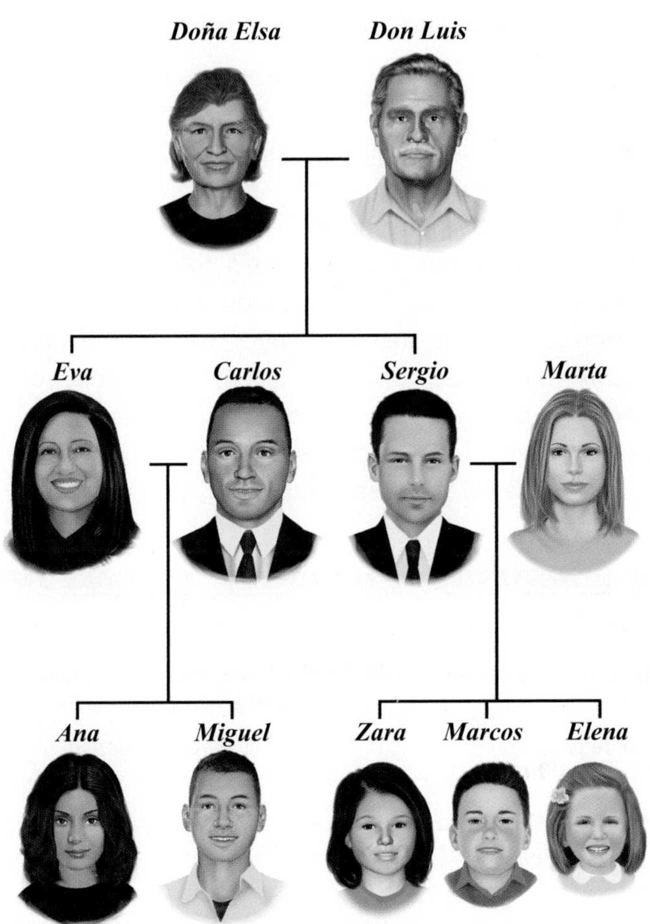

E. De mi álbum de fotos

Bring photos of family members. Share information about your family photos in small groups.

Pronunciación

La consonante *c*

In Spanish, **c** has two different sounds: [*s*] and [*k*]. The [*s*] sound occurs in **ce** and **ci,** the [*k*] sound in **ca, co, cu, cl,** and **cr.** Listen to the correct pronunciation; then say the following words out loud.

[*s*]		[*k*]	
cerveza	**ci**en**ci**as	**Ca**rmen	**cu**ándo
gra**ci**as	ne**ce**sito	**ca**nsado	**cl**ub
invita**ci**ón	**ce**lebrar	**có**mo	**cr**eo

PUNTOS PARA RECORDAR

1 Verbs with irregular first-person forms

Grammar Tutorial

(Verbos irregulares en la primera persona)

- The following verbs are irregular in the first-person singular of the present tense.

Verb	**yo** form	Regular Forms
salir *(to go out, to leave)*	**salgo**	sales, sale, salimos, salís, salen
hacer *(to do, to make)*	**hago**	haces, hace, hacemos, hacéis, hacen
poner *(to put, place)*	**pongo**	pones, pone, ponemos, ponéis, ponen
traer *(to bring)*	**traigo**	traes, trae, traemos, traéis, traen
conducir *(to drive, to conduct)*	**conduzco**	conduces, conduce, conducimos, conducís, conducen
traducir *(to translate)*	**traduzco**	traduces, traduce, traducimos, traducís, traducen
conocer *(to know)*	**conozco**	conoces, conoce, conocemos, conocéis, conocen
caber *(to fit)*	**quepo**	cabes, cabe, cabemos, cabéis, caben
ver *(to see)*	**veo**	ves, ve, vemos, veis, ven
saber *(to know)*	**sé**	sabes, sabe, sabemos, sabéis, saben

¡ATENCIÓN!

The verb **salir** must be followed by the preposition **de** when talking about leaving a place.

Ellos salen **de** la casa. — *They leave the house.*

Práctica y conversación

Quiz

A. Olga y yo…

With a partner, take turns comparing what Olga does to what you do.

- **MODELO:** Olga traduce los sustantivos.
  Yo traduzco los verbos.

1. Olga sale de su casa a las ocho de la mañana.
2. Olga pone su dinero en el Banco de Montreal.
3. Olga conoce Guatemala.
4. Olga sabe bailar salsa.
5. Olga trae las bebidas a la fiesta.
6. Olga conduce un Honda.
7. Olga ve la película.
8. Olga hace ejercicio *(exercises)* por la mañana.

B. ¿Qué haces tú?

With a partner, take turns asking each other about some of your daily activities.

1. ¿A qué hora sales de casa por la mañana?
2. ¿Qué pones en tu mochila?

3. ¿Traes un sándwich para comer o comes en la cafetería?
4. ¿Conduces a la universidad?
5. ¿Cuántas personas caben en tu coche?
6. ¿Ves muchas películas los sábados por la noche?
7. ¿Cuándo haces la tarea?
8. ¿Sabes bailar salsa, merengue o tango?

ammar
utorial

2 *Saber* vs. *conocer*

The verb *to know* has two Spanish equivalents, **saber** and **conocer,** which are used to express distinct types of knowledge.

- **Saber** means *to know something by heart, to know how to do something* (a learned skill), or *to know a fact* (information).

—¿**Sabes** el poema "In Flanders Fields" de memoria? —No.	*"**Do you know** the poem 'In Flanders Fields' by heart?"* *"No."*
—¿Ana **sabe** bailar salsa? —No muy bien...	*"**Does** Ana **know how** to dance salsa?"* *"Not very well . . . "*
—¿Ud. **sabe** el número de teléfono de David? —Sí, es 8–26–49–30.	*"**Do you know** David's phone number?"* *"Yes, it's 8–26–49–30."*

- **Conocer** means *to be familiar or acquainted with a person, a thing, or a place.*

—¿**Conocen** Uds. todas las novelas de Cervantes? —No, no todas.	*"**Are you familiar with** all of Cervantes's novels?"* *"No, not all of them."*
—¿**Conoces** San Salvador? — Sí, es una ciudad muy bonita.	*"**Do you know** (Have you been to) San Salvador?"* *"Yes, it is a very pretty city."*

Quiz

Práctica y conversación

A. ¿*Saber* o *conocer*?

Fill in the blanks with the correct form of **saber** or **conocer.**

1. —Marisa, ¿__________ tú la dirección de Antonio?
2. —No, yo no __________ su dirección.
3. —Tu amiga Rebeca __________ a Antonio, ¿verdad?
4. —Sí, ella __________ su número de teléfono también.
5. —Nosotros deseamos comida mexicana; ¿tú __________ un buen restaurante mexicano en la ciudad?
6. —No, pero hay un restaurante argentino muy bueno. Mis padres __________ a los dueños *(owners).*
7. —Gracias. Nosotros __________ que en Argentina es muy popular el tango.
8. —¿Ustedes __________ bailar tango?
9. —No, pero yo __________ a un chico argentino muy guapo, y deseo aprender a bailar tango.

B. ¿Qué sabes y qué conoces?

With a partner, take turns interviewing each other, using the **tú** form. Ask if your partner *knows* the following. You'll have to decide whether to use **saber** or **conocer.**

- **MODELO:** bailar rumba
  —*¿Sabes bailar rumba?*
  —*Sí, yo sé bailar rumba.*
  —*No, no sé bailar rumba.*

1. el número de teléfono de una buena pizzería
2. Guatemala
3. las novelas de Isabel Allende
4. hablar italiano
5. a los padres de tu mejor amigo(a)
6. el poema "In Flanders Fields" de memoria
7. dónde vive el/la presidente de la universidad
8. preparar entremeses

C. Queremos saber...

With a partner, use **saber** and **conocer** to prepare five or six questions to ask your instructor.

Grammar Tutorial

3 Personal *a* (*La* a *personal*)

- The preposition **a** is used in Spanish before a direct object (recipient of the action expressed by the verb) referring to a specific person or persons or a pet. When the preposition **a** is used in this way, it is called the *personal* **a** and has no English equivalent.

		Direct object
Yo conozco	**a**	Roberto.
I know		*Robert.*

—¿Tú conoces **a** Carmen? *"Do you know Carmen?"*
—Sí, conozco **a** Carmen. *"Yes, I know Carmen."*

¡ATENCIÓN!

When there is a series of direct object nouns referring to people, the personal **a** is repeated.

¿Tú conoces *a* Lucía y *a* Héctor?

- The personal **a** is *not* used when the direct object is a thing or place.

Yo conozco Kingston. *I know Kingston.*

- The personal **a** is seldom used following the verb **tener** even if the direct object is a person or persons.

Tengo dos hermanas. *I have two sisters.*

- The personal **a** is also used when referring to pets.

Yo llevo **a** mi perro a la veterinaria. *I take my dog to the vet.*

- The personal **a** is used when asking a question with **quién(es)**.

—¿**A** quién llamas?	*"Who(m) are you calling?"*
—Llamo **a** mi amiga Graciela.	*"I'm calling my friend Graciela."*

Quiz

Práctica y conversación

A. Minidiálogos

Complete the following exchanges, using the personal **a** when appropriate. Leave the space blank if **a** is not needed.

1. —¿Tú conoces ______ Silvia y ______ Mónica?

   —Conozco ______ Mónica, pero no conozco ______ Silvia.
2. —¿______ quién llevas a la fiesta?

   —Llevo ______ mi amiga Clara y ______ mi prima.
3. —¿Tienes ______ hermanos?

   —Sí, tengo ______ un hermano y ______ dos hermanas.
4. —¿Qué tienes que hacer?

   —Tengo que llevar ______ mi perro a caminar *(for a walk)*.

B. Los sábados

With a partner, take turns asking whom you call, visit **(visitar)**, or see on Saturdays.

- **MODELO:** —¿A quién llamas todos los sábados?

  —Yo llamo a mi abuela.

ammar Tutorial

4 Contractions: *al* and *del*

(Contracciones: al *y* del*)*

- The preposition **a** and the definite article **el** contract to form **al.**

Llevamos	**a**	+	**el**	profesor.
Llevamos		**al**		profesor.

- Similarly, the preposition **de** and the definite article **el** contract to form **del.**

Tiene los libros	**de**	+	**el**	profesor.
Tiene los libros		**del**		profesor.

¡ATENCIÓN!

A + **el** and **de** + **el** must *always* be contracted to **al** and **del.**

—¿Vienes **del** club?	*"Are you coming* ***from the*** *club?"*
—No, vengo **de la** biblioteca.	*"No, I'm coming* ***from the*** *library."*
—¿Vamos **al** cine?	*"Shall we go* ***to the*** *movies?"*
—Sí, vamos.	*"Yes, let's go."*

- None of the other combinations of prepositions and definite articles **(de la, de los, de las, a la, a los, a las)** is contracted.

  El esposo **de la** profesora viene **a la** clase de español.

Victoria y Felipe van al cine. ¿Cuándo vas al cine tú? ¿Vas solo (alone)? ¿Cuáles son tus películas favoritas: las de acción, de horror, de ciencia ficción o las románticas?

Andres Rodriguez/Getty Images

Práctica y conversación

Quiz

A. *Venir* y *llamar*

Using the words provided, you and your partner will take turns saying where everyone is coming from and whom they are calling.

- **MODELO:** Teresa / cine / Sr. López

  *Teresa viene **del** cine. Llama **al** señor López.*

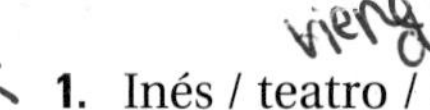

1. Inés / teatro / Sra. Vigo

2. El doctor Rojas / fiesta / profesor Vega
3. Fernando / club / Srta. Acosta
4. Paloma / zoológico / niños
5. Ramiro / parque / el muchacho

6. Sara / biblioteca / estudiantes

B. Entrevista a tu compañero(a)

With a partner, take turns asking each other the following questions.

1. ¿Tú conoces a todos los estudiantes del profesor (de la profesora)?
2. ¿Tú vienes a la universidad antes de las ocho de la mañana?
3. ¿Tú llamas al profesor (a la profesora) a veces?
4. ¿Tú tienes el libro del profesor (de la profesora)?
5. ¿Tú vienes a la universidad los domingos?
6. ¿Tú ves al profesor (a la profesora) los sábados?

mmar
torial

5 Present indicative of *ir, dar,* and *estar*

(Presente de indicativo de ir, dar *y* estar*)*

	ir *(to go)*	**dar** *(to give)*	**estar** *(to be)*
yo	**voy**	**doy**	**estoy**
tú	**vas**	**das**	**estás**
Ud. / él / ella	**va**	**da**	**está**
nosotros(as)	**vamos**	**damos**	**estamos**
vosotros(as)	**vais**	**dais**	**estáis**
Uds. / ellos / ellas	**van**	**dan**	**están**

— ¿Dónde **está** Aurora? *"Where **is** Aurora?"*
— **Está** en el teatro. *"**She is** at the theatre."*
— ¿No **da** una fiesta hoy? *"Isn't **she giving** a party today?"*
— No, **yo doy** una fiesta. *"No, **I'm giving** a party."*

— ¿Adónde **vas**? *"Where **are you going** (to)?"*
— **Voy** al cine. *"**I'm going** to the movies."*
— ¿**No estás** cansada? *"**Aren't you** tired?"*
— No, no **estoy** cansada. *"No, **I am** not tired."*

¡ATENCIÓN!

The verb **estar** is used to indicate location and to describe conditions at a given moment in time. **Estar** and **ser** are not interchangeable.

Location: Aurora **está** en el club. — *Aurora **is** at the club.*

Current condition: **Estoy** cansada. — *I **am** tired.*

Quiz

Práctica y conversación

A. Fiestas y más fiestas

Complete the following statements about Mónica's birthday party, using the appropriate forms of **dar, ir,** and **estar.**

1. Todos los amigos de Silvia ________ a la fiesta que ella y Esteban ________ para Mónica. Esteban ________ dinero para la fiesta.
2. La abuela de Esteban no ________ a la fiesta; ella ________ en Costa Rica.
3. En la fiesta, Mónica ________ muy contenta y los invitados ________ muy animados.
4. Las bebidas y los entremeses ________ en la mesa.
5. Yo no ________ a la fiesta porque no ________ invitado.
6. Yo no ________ muchas fiestas en mi casa, pero mis amigos y yo ________ a fiestas en el club.

 **B. Entrevista a tu compañero(a)**

You and your partner take turns interviewing each other, using the following questions.

1. ¿Adónde vas los viernes?
2. ¿Vas al cine los sábados? ¿Con quién?
3. ¿Vas al trabajo los domingos?
4. ¿Tú y tus amigos van a muchas fiestas?
5. ¿Estás invitado(a) a una fiesta esta noche?
6. ¿Das muchas fiestas en tu casa?
7. ¿Estás cansado(a) hoy?
8. ¿Dónde están tus amigos ahora?

Now, you and your partner will interview Miss Muñoz. How will you ask her the same questions? Use the **Ud.** form.

 **C. ¿Adónde van?**

With a classmate, look at the photo and answer the following questions, using your imagination. Pretend you are one of the people in the picture.

1. ¿Adónde van ustedes?
2. ¿Cómo estás tú ahora? Y, ¿cómo están tus amigos?
3. ¿Dónde desean comer ustedes por la tarde?
4. ¿Adónde van por la noche?

Fuse/Getty Images

6 *Ir a* + infinitive (*Ir a + el infinitivo*)

Grammar Tutorial

The **ir a** + *infinitive* construction is used in Spanish to express future time, in the same way English uses the expression *to be going to* + *infinitive*.

ir *(conjugated)*	+	**a**	+	*infinitive*
Voy		**a**		**estudiar**.
I am going				*to study*

— ¿**Tú vas a bailar** con Jorge? — *"**Are you going to dance** with Jorge?"*
— No, **voy a bailar** con Carlos. — *"No, **I'm going to dance** with Carlos."*

Práctica y conversación

Quiz

A. ¿Qué vamos a hacer?

What will be the result of each of the following situations? Indicate what *is going to happen.*

- **MODELO:** Yo tengo hambre.
  Voy a comer algo.

1. Ud. tiene un examen mañana.
2. Ud. y yo tenemos sed.
3. Tus amigos vienen a tu casa.
4. Raquel y Luis dan una fiesta.
5. Anita está cansada.
6. Marcelo desea celebrar su cumpleaños.

B. Entrevista a tu compañero(a)

You and your partner take turns interviewing each other, using the following questions.

1. ¿Cuándo vas a estudiar? ¿Dónde estudias?
2. ¿Cuántas horas vas a estudiar?
3. ¿Qué vas a hacer mañana?
4. ¿Dónde vas a comer mañana?
5. ¿Adónde van a ir tú y tus amigos el viernes?
6. ¿Vas a dar una fiesta el sábado?
7. ¿A quiénes vas a invitar a tu próxima fiesta?
8. ¿Qué bebidas vas a servir *(serve)* en tu fiesta?

C. Un fin de semana *(weekend)*

In groups of three, use your imagination to answer these questions about the four young people pictured here.

1. ¿Qué planes tienen estos estudiantes para el fin de semana?
2. ¿Adónde van a ir?
3. ¿Van a estar siempre juntos?
4. ¿Van a trabajar?
5. ¿Qué va a comer y beber cada uno de ellos?
6. ¿Quién va a estudiar?
7. ¿Quién va a dar una fiesta?
8. ¿A quiénes va a ver Arturo el sábado?

Estos son Sandra, Sergio, Arturo y Patricia.

Now write a group composition based on what you discussed. Each of you should write two sentences. Be careful: the story needs to flow.

Práctica y traducción

Review the vocabulary and grammatical concepts studied in **Lección 4** as you translate the following sentences.

1. My brother is going to work in Guatemala in January.
2. —Marisa, do you know Professor Salinas?
   —Yes, she is my mathematics professor.
3. I bring my Spanish book to class.
4. We're tired and are not going to the club tonight.
5. Her aunt celebrates her birthday with a party.

ENTRE NOSOTROS

¡Conversemos!

Para conocernos mejor

Get to know your partner better by asking each other the following questions.

1. ¿Cuándo vas a dar una fiesta?
2. ¿Tu reproductor MP3 tiene música para bailar?
3. ¿Sabes cantar *(to sing)* "*Happy Birthday*" en español?
4. ¿Qué haces los sábados por la tarde? ¿Y por la noche?
5. ¿A qué hora sales de tu casa?
6. ¿Cuántos hermanos tienes?
7. ¿Tú conduces bien?
8. ¿Ves a tus abuelos los fines de semana?
9. ¿Conoces un restaurante mexicano bueno?
10. ¿Cuál es tu película favorita?

Búsqueda de gente

Interview your classmates to identify who fits the following descriptions. Include your instructor, but remember to use the **Ud.** form when addressing him or her.

NOMBRE	
1.	tiene amigos en un país hispano.
2.	es la nieta (el nieto) favorita(o) de su abuela.
3.	visita a sus tíos frecuentemente.
4.	da muchas fiestas en su casa.
5.	va a muchas celebraciones familiares.
6.	sabe bailar salsa, merengue o tango.
7.	conoce México, Cuba o España.
8.	va a comer en la cafetería mañana.
9.	está cansado hoy.
10.	sabe hacer tortas.

Y ahora...

Write a brief summary, indicating what you have learned about your classmates. Include three of the most interesting aspects about them.

¿Cómo lo decimos?

What would you say in the following situations? What might the other person say? Act out these scenes with a partner.

1. You and a friend are planning a party. You ask him or her what beverages he or she is going to bring.
2. You ask a friend what he or she is going to do on Saturday and with whom.
3. You talk to a friend about some members of your family.

¿Qué pasa aquí?

Get together in groups of three or four and create a conversation among the people in the picture. You might have them introduce one another and discuss their friends, their activities, the occasion, or the party itself.

Para escribir

Un mensaje electrónico

You are sending an e-mail to a friend, inviting him or her to a birthday party you are giving for someone.

Brainstorm about the place, the day, and the time, whom you are going to invite, what you are going to serve, and what you are going to do. Now make a list of all the details and then organize the e-mail.

UN DICHO

Come y bebe, porque la vida es breve.

This piece of advice reminds us of a similar one in English. Do you know what it is? Is it good advice?

Comida típica en un restaurante nicaragüense

ASÍ SOMOS

Vamos a ver

¡Qué sorpresa!

ESTRATEGIA

Thinking ahead
Before doing the first activity with a classmate, remember to check the translations provided for new vocabulary. Then read the **Avance** *(preview)*, to know what the video is about, and try to anticipate what is going to happen.

Antes de ver el video

 A. **Preparación**

Take turns with a partner asking and answering the following questions.

1. ¿Tú estudias en la biblioteca?
2. ¿A qué hora vienes a la universidad?
3. ¿Tú tienes mil cosas que hacer?
4. ¿Tú vas a lavar los platos, vas a limpiar el baño o vas a pasar la aspiradora?
5. ¿Tú tienes hambre? ¿Hay algo para comer *(Is there something to eat)* en tu refrigerador?
6. ¿Qué bebes tú cuando tienes sed?
7. Cuando limpias tu casa o apartamento, ¿sacudes los muebles?
8. ¿Tú vas a trabajar después de la clase o estás cansado(a)?
9. ¿Tú eres un poco *(a little)* mandón (mandona) a veces?
10. Cuando tú das una fiesta, ¿tienes muchos invitados?
11. ¿Qué tomas cuando tienes dolor de cabeza *(headache)*: aspirinas o Tylenol?
12. ¿Tú necesitas dormir *(to sleep)* más?

El video

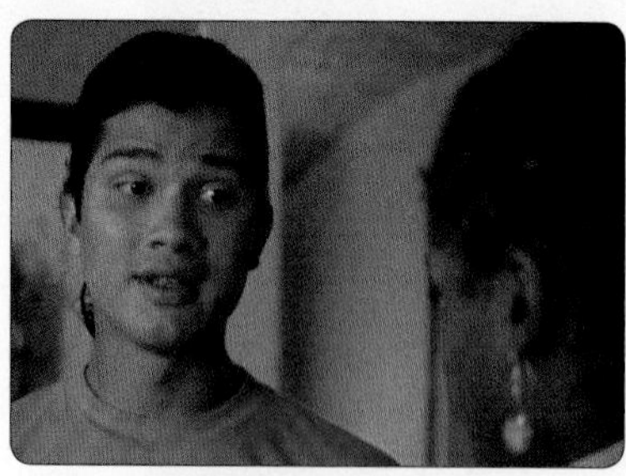

Avance
Los amigos de Marisa están en el apartamento de la muchacha, muy ocupados preparando una fiesta sorpresa para celebrar su cumpleaños. Cuando Marisa regresa más tarde y ellos se esconden *(they hide)*, la sorpresa de Marisa es realmente grande...

Después de ver el video

B. ¿Quién lo dice?

Who said the following sentences? Take turns with a partner answering.

Marisa **Teresa** **Pablo** **Victoria**

1. ¡Ay, no, ¡qué horrible! ¿Dónde están las aspirinas...?
2. En el cuarto de Marisa. Son de ella. ¡Pablo! ¡Apúrate! Después de pasar la aspiradora, tienes que sacudir los muebles...
3. Pero estoy un poco cansado... Victoria es muy mandona...
4. ¡Sorpresa! ¡Feliz cumpleaños!
5. ¡Tenemos mil cosas que hacer! Yo voy a limpiar el baño.
6. Sí... ¡Qué sorpresa! ¡Que me trague la tierra!

C. ¿Qué pasa?

Take turns with a partner asking and answering the following questions. Base your answers on the video.

1. ¿Dónde está Marisa? ¿A qué hora viene?
2. ¿Qué va a limpiar Teresa? ¿Qué tiene que hacer Pablo?
3. ¿Dónde está la aspiradora?
4. ¿Qué problema tiene Pablo?
5. ¿Para qué son los bocadillos *(sandwiches)* que están en el refrigerador?
6. ¿Dónde debe poner Pablo los libros?
7. ¿Qué tiene que hacer Pablo después de pasar la aspiradora?
8. ¿Qué piensa *(thinks)* Pablo de Victoria?
9. ¿Qué va a buscar Teresa?
10. ¿Qué problemas tiene Marisa?

D. Más tarde

The following exchanges took place after the scenes depicted in the video. With a partner, supply the questions that elicited the answers below.

Pablo y Marisa

Pablo: ¿_______________________________________?
Marisa: Son las once.
Pablo: ¿_______________________________________?
Marisa: No, no necesito dormir. Estoy bien.

Teresa y Victoria

Teresa: ¿_______________________________________?
Victoria: Sí, yo voy a lavar los platos.
Teresa: ¿_______________________________________?
Victoria: Sí, Teresa. Es necesario pasar la aspiradora.
Teresa: ¿_______________________________________?
Victoria: No sé... creo que está en el cuarto de Marisa.

DETALLES CULTURALES

Las guaguas (que en quechua, un idioma indígena de los Andes, significa **bebés**) de pan son muy tradicionales para celebrar el Día de los Muertos en Ecuador. El pan es dulce *(sweet)* y a veces dentro del pan hay mermelada. Normalmente las guaguas se sirven con colada morada, que es una bebida muy rica de frutas.

¿Qué comida tradicional se sirve en tu casa? ¿Cuándo se sirve?

EL MUNDO HISPÁNICO

© Lightworks Media/Alamy

Michael Fischer/image/Age fotostock

1. El mural *La historia de México* de Diego Rivera está en el Palacio Nacional de la Ciudad de México.

2. El quetzal resplandeciente es un símbolo de la República de Guatemala.

3. Las Flores es uno de los mejores lugares *(one of the best places)* para hacer surf en El Salvador.

4. Una escultura *(sculpture)* del dios maya de la ciencia y de la medicina que está en las ruinas de Copán, Honduras.

MÉXICO 

- México, con más de cien millones de habitantes, ocupa por su población, el primer lugar entre los países del mundo hispano, y tiene casi el área de Nunavut. Su capital, la Ciudad de México, D.F. (Distrito Federal), con unos veinticuatro millones de habitantes, es uno de los centros urbanos más grandes del mundo.
- La importancia del turismo se debe a *(is due to)* playas famosas como Acapulco, Cancún y Puerto Vallarta y ruinas arqueológicas como Teotihuacán, Chichén Itzá y Tulum. En México, D.F., coexisten restos arqueológicos de la capital azteca, Tenochtitlán, fundada en 1325, edificios coloniales y estructuras modernas.
- Otras ciudades de gran interés turístico son Guadalajara, la segunda ciudad más grande del país, origen del mariachi y del tequila; Guanajuato, famosa por sus momias; y San Miguel de Allende, residencia de artistas de todo el mundo.
- En el mundo del arte, se destacan *(stand out)* pintores como Diego Rivera, José Clemente Orozco, David Alfaro Siqueiros y Frida Kahlo.

GUATEMALA 

- Guatemala es uno de los países centroamericanos que fue *(was)* parte del imperio maya. Aunque el español es el idioma oficial, sólo lo habla el 60 por ciento de la población; el resto habla alguna lengua maya.
- En Guatemala encontramos innumerables centros arqueológicos. Uno de los más famosos es la ciudad maya de Tikal, que por su valor arqueológico fue declarada Patrimonio de la Humanidad por la UNESCO.
- Guatemala es un país de volcanes, montañas y bellos paisajes. Su clima es muy agradable y por eso se conoce como "el país de la eterna primavera". En sus bosques hay numerosos pájaros *(birds)*, entre ellos el quetzal, que le da nombre a la moneda del país y es el símbolo nacional de Guatemala.

MÉXICO

GUATEMALA

EL SALVADOR

HONDURAS

3

Paul Kennedy/Getty Images

4

Craig Lovell/Mira.com

EL SALVADOR

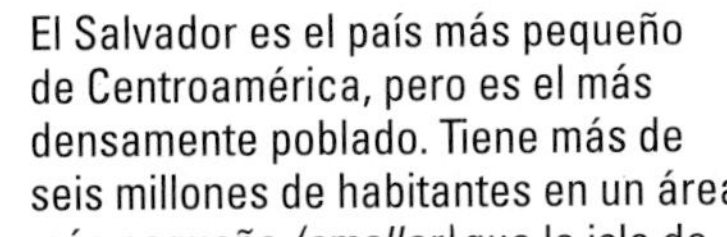

- El Salvador es el país más pequeño de Centroamérica, pero es el más densamente poblado. Tiene más de seis millones de habitantes en un área más pequeña *(smaller)* que la isla de Vancouver.
- En El Salvador hay más de 200 volcanes y por eso lo llaman "la tierra *(land)* de los volcanes". El país tiene unos 300 kilómetros de costa, y sus playas están entre las más hermosas de América. El surf es el deporte *(sport)* que más se practica en las playas.
- El clima del país es tropical, con dos estaciones: la estación de las lluvias (de mayo a octubre) y la estación de la sequía *(dry season)* (de noviembre a abril).
- La capital de El Salvador es San Salvador, la ciudad más industrializada de Centroamérica.

HONDURAS 

- Cuando Cristóbal Colón llegó a la costa de Honduras, vio la profundidad *(depth)* de las aguas y por eso llamó al lugar: Honduras. Aquí floreció el imperio maya unos 500 años antes de la llegada de los conquistadores.
- La capital de Honduras es Tegucigalpa, que significa "colina de plata" *(silver hill)*. La mayor atracción turística del país es Copán, una ciudad maya que existió hace unos dos mil años y de la cual solo quedan ruinas.
- Hoy Honduras, un país pequeño, tiene casi seis millones de habitantes, en su mayoría mestizos.
- Honduras es el único país centroamericano que no tiene volcanes, pero esto no es favorable para el país, pues las tierras volcánicas son, por lo general, fértiles y buenas para la agricultura. Como la economía del país se basa en la agricultura, Honduras es hoy uno de los países más pobres de América.

El mundo hispano y tú 

With a partner, discuss the following questions.

1. ¿Cuántos habitantes tiene la Ciudad de México? ¿Cuántos habitantes tiene tu ciudad?
2. ¿Qué hay en México de interés turístico? ¿Tu ciudad tiene lugares *(places)* de interés para turistas?
3. ¿Cómo es Guatemala? ¿Cómo es su clima? ¿Cómo es el clima de tu ciudad?
4. ¿Qué hay en El Salvador? En Canadá, ¿es posible practicar surf?
5. ¿Son muy fértiles las tierras de Honduras? ¿Por qué? ¿La agricultura es importante donde vives tú?
6. ¿Deseas visitar uno de estos países en el futuro? ¿Cuál? ¿Por qué?

TOMA ESTE EXAMEN

Lesson Review

LECCIÓN 3

A. Present indicative of *-er* and *-ir* verbs

Complete each sentence with the correct form of the Spanish equivalent of the verb in parentheses.

1. El profesor ____________ *(writes)* en la pizarra.
2. Ana y yo ____________ *(live)* en la casa de la Sra. Paz.
3. Ellos ____________ *(must)* limpiar el baño.
4. ¿Tú____________ *(run)* por la noche?
5. Yo ____________ *(drink)* limonada.
6. Esteban ____________ *(eats)* en la cocina.
7. María ____________ *(opens)* las ventanas.
8. ¿____________ *(receive)* Uds. libros de inglés?

B. Possession with *de*

Write the Spanish equivalent of the words in parentheses.

1. Estela es ____________. *(David's friend)*
2. Aquí está ____________. *(my brother's clothing)*
3. Ellos viven en ____________. *(Mrs. Peña's house)*
4. Ellos son ____________. *(Eva's parents)*

C. Present indicative of *tener* and *venir*

Complete the following sentences, using the present indicative of **tener** or **venir**.

1. ¿Tú ____________ a la universidad los lunes?
2. Eva y yo ____________ con Roberto porque no ____________ automóvil.
3. Ellos ____________ mis libros de español, pero hoy no ____________ a clase.
4. Yo no ____________ a la universidad los viernes porque no ____________ clases.
5. Sergio no ____________ hijos.
6. Elvira ____________ que planchar la ropa ahora.

D. Expressions with *tener*

Say how you and everybody else feel according to each situation, using expressions with **tener**.

1. It's July and you are in Montreal. **(Yo...)**
2. Marcelo hasn't had anything to eat for the last twelve hours. **(Marcelo...)**
3. Adela's throat is very dry. **(Adela...)**
4. I am in Whitehorse and it is winter. **(Tú...)**
5. We haven't slept for the last twenty-four hours. **(Nosotros...)**
6. The boys are being chased by a big dog. **(Los muchachos...)**
7. You have one minute to get to your next class, across campus. **(Yo...)**

LECCIÓN 3

E. Demonstrative adjectives and pronouns

Use the appropriate demonstrative adjective.

1. *(those)* **a.** __________ cosas **b.** __________ muebles
2. *(this)* **a.** __________ cocina **b.** __________ dormitorio
3. *(that over there)* **a.** __________ café **b.** __________ limonada
4. *(that)* **a.** __________ casa **b.** __________ refrigerador
5. *(these)* **a.** __________ platos **b.** __________ casas

F. Numbers from 300 to 1,000

Write the following numbers in Spanish.

1. 567 ____________________
2. 790 ____________________
3. 1.000 ____________________
4. 345 ____________________
5. 615 ____________________
6. 874 ____________________
7. 965 ____________________
8. 825 ____________________
9. 481 ____________________
10. 13.816 ____________________

G. Vocabulary

Complete the following sentences, using vocabulary from **Lección 3**.

1. No deseo hacer los __________ de la casa.
2. Tengo que descansar un __________.
3. ¿__________ es ese señor?
4. Yo corto el __________ los sábados.
5. Ellos tienen muchas __________ que hacer hoy.
6. Jorge, necesito los __________. Cenamos en cinco minutos.
7. Tenemos que __________ los muebles.
8. Tocan a la __________ y Héctor corre a __________.
9. Debes __________ la basura.
10. Mis amigos __________ dentro de un __________.
11. Yo __________ limonada cuando tengo __________.
12. Andrés tiene que __________ la aspiradora.

H. Translation

Express the following in Spanish.

1. Juan has to take out the garbage.
2. —We are very hungry.
   —Why don't you eat?
3. Hector cleans the living room, but he doesn't wash the dishes.
4. —How old are you?
   —I'm eighteen years old.
5. This house is big. That one over there is small.

I. Culture

Answer the questions based on the cultural information you have read.

1. ¿En qué países son populares las telenovelas mexicanas?
2. ¿Qué temas *(topics)* se presentan en las telenovelas a veces *(sometimes)*?

LECCIÓN 4

Lesson Review

LECCIÓN 4

A. Verbs with irregular first-person forms

Answer the following questions in complete sentences.

1. ¿A qué hora sales de tu clase de español?
2. ¿Qué coche conduces?
3. ¿Siempre traes todos los libros a la clase?
4. En la clase, ¿traduces del inglés al español?
5. ¿Haces la tarea *(homework)* todos los días?
6. ¿Conoces México?
7. ¿Sabes bailar salsa?
8. ¿Ves a tus padres todos los días?
9. ¿En qué banco *(bank)* pones tu dinero?

B. *Saber* vs. *conocer*

Complete the following sentences, using the present indicative of **saber** or **conocer**.

1. ¿Tú _______________ México? ¿_______________ hablar español?
2. Yo no _______________ el número de teléfono de Ana.
3. Nosotros _______________ las novelas de Cervantes.
4. ¿Uds. _______________ a Frida Kahlo?
5. ¿Olga _______________ bailar?

C. Personal *a*

Write a sentence with each group of words, adding any necessary words.

1. Yo / conocer / la tía / Julio
2. Luis / tener / tres tíos / dos tías
3. Ana / llevar / su prima / fiesta
4. Uds. / conocer / San Salvador
5. el profesor / tener / veinte estudiantes
6. Aurora / conocer / Rita / Carlos y / María
7. nosotros / invitar / Teresa / y su familia
8. ellas / llamar / un taxi

D. Contractions: *al* and *del*

Rewrite the following sentences, replacing the words in italics with the words in parentheses. Make all necessary changes.

1. No conocemos a la *señora* Vega. (señor)
2. Es la hermana de la *profesora.* (profesor)
3. Venimos de la *fiesta.* (club)
4. Voy a la *clase.* (laboratorio)
5. Vengo del *aula.* (playa)

E. Present indicative of *ir*, *dar*, and *estar*

Complete the following exchanges, using the present indicative of **ir**, **dar**, and **estar**.

1. —¿Tú _____________ una fiesta el sábado?
   —No, yo no _____________ una fiesta. Elena _____________ una fiesta el sábado.

2. —¿Adónde ______________ Uds. hoy?
   —Yo ______________ a la universidad y mi novio ______________ a trabajar.
3. —¿Cómo estás?
   —______________ bien, gracias.
4. —¿Cuánto dinero ______________ Uds. para la fiesta?
   —Nosotros ______________ 50 dólares.
5. —¿Uds. ______________ cansados?
   —No, nosotros no ______________ cansados.
6. —¿Con quién ______________ tú al club?
   —Yo ______________ con Ricardo. ¿Y ustedes?
   —Nosotros ______________ con Elsa.

F. *Ir a* + infinitive

Write the question that originated each response, using the cues in italics.

1. Yo voy a estudiar *en el laboratorio.* (tú)
2. Nosotros vamos a comer *sándwiches.*
3. Roberto va a ir *con Teresa.*
4. Yo voy a terminar *a las cuatro.* (Ud.)
5. Ellos van a trabajar *el sábado.*

G. Vocabulary

Complete the following sentences, using vocabulary from **Lección 4**.

1. Tenemos un ______________ de MP3.
2. Vamos a comer ______________.
3. Mi madrina es morena de ojos ______________.
4. ¿Es rubia, morena o ______________?
5. Es de ______________ mediana.
6. Dan una fiesta de ______________ para Ana hoy.
7. Elena no es casada; es ______________.
8. Paco y Rosa hacen una buena ______________.
9. Ellos traen los ______________ para comer en la fiesta.
10. La orquesta toca *(is playing)* una salsa. ¿Quieres ______________?
11. Todos ______________ su copa y brindan: ¡______________!
12. La fiesta es todo un ______________.

H. Translation

Express the following in Spanish.

1. My cousin's boyfriend has green eyes.
2. I go out a lot in the evening, but I don't drive.
3. —Tina, do you know Roberto?
   —Yes, and I know where he lives, too.
4. Mr. Rivera's children are going to the club.
5. We are going to have a party tomorrow because it's my birthday.

I. Culture

Circle the correct answer based on the cultural information you have read.

1. (Tenochtitlán / Teotihuacán) es ahora México D.F.
2. Guanajuato es famosa por sus (momias / mariachis).
3. Guatemala es conocido como el país de la eterna (selva / primavera).
4. El país más pequeño de Centroamérica es (El Salvador / Guatemala).
5. Honduras (tiene / no tiene) volcanes.

UNIDAD 3

¿QUÉ COMEMOS HOY?

LECCIÓN 5
EN UN RESTAURANTE

OBJETIVOS

- Order meals at cafes and restaurants
- Request and pay your bill
- Talk about what is going on
- Describe people and things
- Make comparisons

LECCIÓN 6
EN EL MERCADO

OBJETIVOS

- Shop for groceries in supermarkets and specialty stores
- Avoid repetition by using pronouns
- Contradict what someone else is saying
- Talk about how long something has been going on

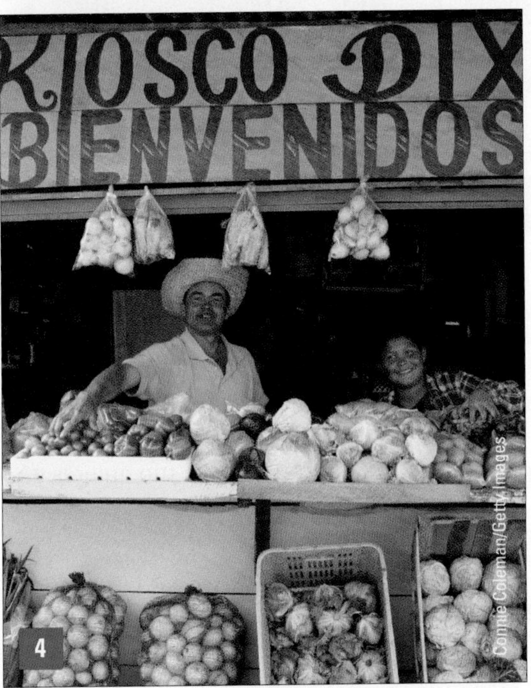

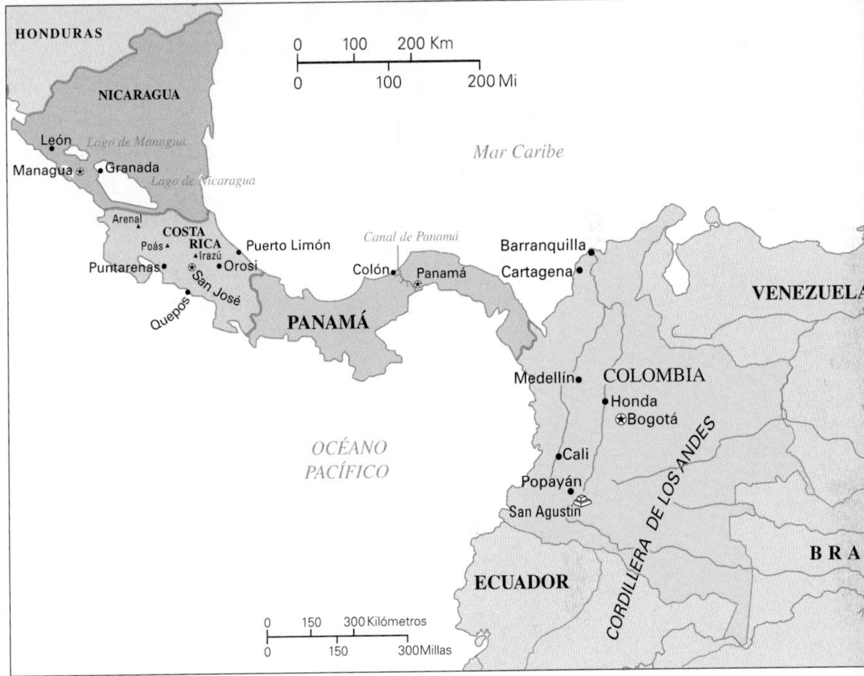

LA COMIDA EN EL MUNDO HISPANO

La comida es un aspecto muy importante de la vida en los países hispanos. Cada país tiene sus platos típicos. Algunos son muy simples y otros son más complicados *(complicated)*, pero todos son muy sabrosos. **¿Conoces algunos platos típicos de países hispanos?**

1. Las Palenqueras (mujeres de la ciudad de San Basilio de Palenque) venden frutas en Cartagena, Colombia.

2. El carro de bueyes *(ox cart)* para transportar café es una de las piezas artesanales típicas de Costa Rica.

3. Un joven que pesca *(fishes)* en el lago de Managua con el volcán Momotombo al fondo *(background)*.

4. Aquí vemos un puesto de vegetales *(vegetable stand)* en la Isla Colón, en Panamá.

LECCIÓN 5 EN UN RESTAURANTE

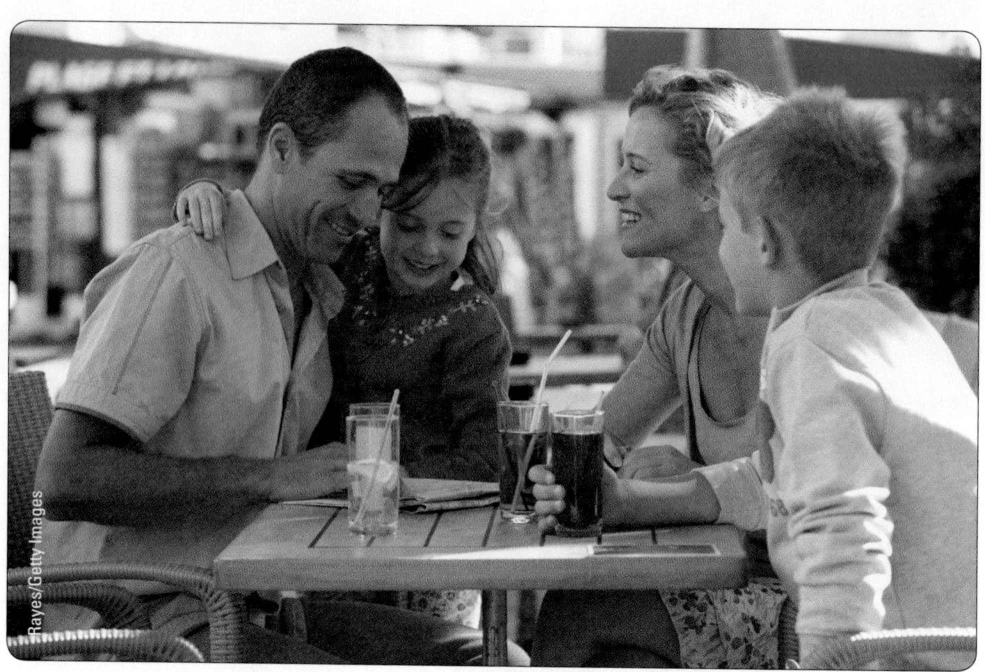
Rayes/Getty Images

La familia Carreras, de Panamá, está de vacaciones en Costa Rica. Esta noche Andrea y Javier están en uno de los mejores restaurantes de San José, celebrando su aniversario de bodas. Ahora están conversando y esperando al camarero.

Andrea: *[Leyendo el menú]* ¡Ay, no sé qué comer! Pollo a la parrilla, langosta, pescado asado…

Javier: Yo quiero bistec con puré de papas y verduras. ¡Oye!, ¿no quieres un coctel de camarones para empezar?

Andrea: ¡Buena idea! Ah, aquí viene el camarero.

Camarero: ¡Buenas noches! La especialidad de hoy es cordero asado y bistec con langosta; ¿qué desean tomar?

Javier: Cerveza, por favor.

Andrea: Una copa de vino tinto, gracias.

Camarero: ¿Y para comer?

Andrea: Para mí, sopa de cebolla, cordero asado y arroz.

Javier: Yo deseo bistec con puré de papas y… una ensalada de tomates.

Más tarde.

Javier: *[Lee la lista de postres.]* Flan, torta, helado, arroz con leche, pastel…

Andrea: Yo quiero helado de vainilla.

Javier: Yo voy a comer flan con crema y después tomamos un café.

Javier paga la cuenta y deja una buena propina.

Al día siguiente Andrea y Javier llevan a sus hijos a desayunar. Anita es una niña muy bonita y un poco tímida. Es mayor que Luisito, pero él es más alto que ella. El niño es simpático y travieso.

Javier: *[Al mozo]* Buenos días. Deseo jugo de naranja, huevos con jamón y pan tostado con mantequilla y mermelada.

Andrea: Yo prefiero una ensalada de frutas y un café con leche. *[A Anita]* ¿Qué quieres tú?

Anita: Yo quiero panqueques y un vaso de leche.

Luisito: Yo quiero un perro caliente y una Coca-Cola.

Javier: ¡No, no, no! Tienes que comer algo mejor.

Luisito: Bueno... una hamburguesa y una taza de chocolate.

Andrea: Está bien, pero en el almuerzo vas a comer pollo y verduras.

Luisito: No me gusta el pollo. No es tan sabroso como la pizza.

Cuando terminan de desayunar son las diez de la mañana.

DO Photo/Shutterstock.com

Margouillat Photo/Shutterstock.com

Hablemos

Sobre el diálogo

With a classmate, take turns asking and answering the following questions. Base your answers on the dialogue.

1. ¿Qué celebran Andrea y Javier?
2. ¿Dónde están?
3. ¿Qué beben ellos?
4. ¿Qué quiere Andrea de postre? ¿Y Javier?
5. ¿Cómo es Anita? ¿Cómo es Luisito?
6. ¿Anita quiere panqueques o pan tostado?
7. ¿Qué bebe Luisito en el desayuno?
8. ¿Qué come Luisito en el desayuno?
9. ¿Quién come más fruta por la mañana?
10. ¿A qué hora terminan el desayuno?

Entrevista a tu compañero(a)

With a classmate, take turns asking and answering the following questions.

1. ¿Cuál es tu restaurante favorito?
2. ¿Tú prefieres ensalada o sopa de verduras? (*Hint:* **Yo prefiero...**)
3. ¿Deseas puré de papas o papas fritas con un bistec?
4. ¿Prefieres comer arroz con pollo o cordero asado?
5. ¿Qué postre deseas?
6. Si tú y un(a) amigo(a) van a un restaurante, ¿quién paga la cuenta? ¿Quién deja la propina?
7. ¿Cuál es tu comida favorita?
8. ¿Qué comes en el desayuno?
9. ¿Comes verduras y frutas todos los días?
10. ¿Caminas o corres frecuentemente?

DETALLES CULTURALES

En los países de habla hispana, el café se sirve después del postre, nunca durante la comida. Generalmente es café tipo espreso, y se sirve en tazas muy pequeñas. También es muy popular el café con leche. En España una persona consume un promedio de 4,5 kilos de café por año. México produce mucho café, pero el promedio de consumo por persona es de 1,2 kilos por año.

¿Bebes mucho café en Canadá? ¿Qué tipo de café bebes?

VOCABULARIO

COGNADOS

Audio Flashcards

el aniversario
el coctel / cóctel
la crema
delicioso(a)
la fruta
la hamburguesa
la lista
el menú
el panqueque
el restaurante
la sopa
la vainilla

SUSTANTIVOS

el almuerzo	*lunch*
el arroz	*rice*
— con leche	*rice pudding*
el bistec	*steak*
la boda	*wedding*
el (la) camarero(a)*	*waiter, waitress*
los camarones*	*shrimp*
la cebolla	*onion*
la cena	*dinner*
el cordero	*lamb*
la cuenta	*check, bill*
el desayuno	*breakfast*
el flan	*caramel custard*
la galleta	*cookie*
el helado*	*ice cream*
el huevo	*egg*
el jamón	*ham*
la langosta	*lobster*
la mantequilla*	*butter*
la mermelada	*jam*
el (la) niño(a)	*child*
el pan	*bread*
— tostado	*toast*
la papa*	*potato*
el pastel	*pie*
el perro caliente	*hot dog*
el pescado	*fish*
el plato hondo	*soup plate, bowl*
el pollo	*chicken*
el postre	*dessert*
la propina	*tip*
el puré de papas	*mashed potatoes*
las vacaciones[1]	*holidays*
la verdura, el vegetal	*vegetable*

VERBOS

cerrar (e > ie)	*to close*
dejar	*to leave (behind)*
desayunar	*to have breakfast*
empezar (e > ie), comenzar (e > ie)	*to begin, to start*
entender (e > ie)	*to understand*
esperar	*to wait*
pagar	*to pay*
pensar (e > ie)	*to think*
preferir (e > ie)	*to prefer*
querer (e > ie)	*to want, to wish*
tocar	*to touch, to play an instrument, to play music*

ADJETIVOS

asado(a)	*baked, roasted*
mayor	*older, oldest*
mejor	*better, best*
menor	*younger*
mismo(a)	*same*
sabroso(a)	*tasty*
tímido(a)	*shy*
travieso(a)	*mischievous*

OTRAS PALABRAS Y EXPRESIONES

a la parrilla	*grilled*
al día siguiente	*next day*
algo	*something*
allí	*there*
aquí	*here*
de postre	*for dessert*
de vacaciones	*on vacation*
la especialidad	*specialty*
— de la casa	*house specialty*
más tarde	*later*
siguiente	*next*
tráigame / tráiganos	*bring me / bring us*

[1] The word for *vacation* in Spanish is always plural, so it must be used with a plural form of the verb, and all adjectives associated with it must also be in the plural form. **Sus vacaciones son en julio.** *Her vacation is in July.*

Amplía tu vocabulario

Para poner la mesa *(To set the table)*

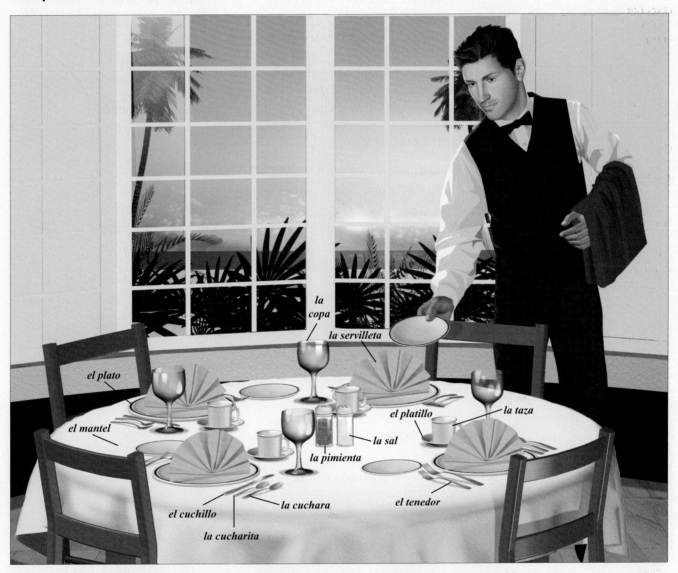

la copa
la servilleta
el plato
el platillo
la taza
el mantel
la sal
la pimienta
la cuchara
el tenedor
el cuchillo
la cucharita

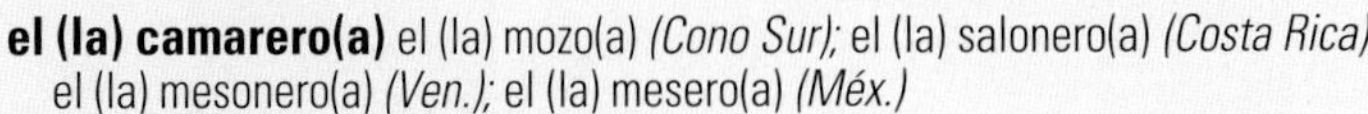

DE PAÍS A PAÍS

el (la) camarero(a) el (la) mozo(a) *(Cono Sur)*; el (la) salonero(a) *(Costa Rica)*; el (la) mesonero(a) *(Ven.)*; el (la) mesero(a) *(Méx.)*
los camarones las gambas *(Esp.)*
el helado la nieve *(Méx.)*
la mantequilla la manteca *(Cono Sur)*
la papa la patata *(Esp.)*

Para practicar el vocabulario

A. En el restaurante

Quiz Choose the word or phrase that best completes each sentence.

1. Quiero una ensalada de (camareros / camarones / cuentas).
2. La especialidad de hoy es bistec con (langosta / pastel / mantequilla).
3. De postre quiero (cordero / pollo / helado).
4. No quiero salmón. No deseo el (jamón / huevo / pescado) hoy.
5. Quiero puré de (gambas / papas / arroz).
6. Quiero (almuerzo / pollo / mermelada) a la parrilla.
7. Voy a pagar la (cuenta / cebolla / idea).
8. Javier deja una buena (boda / propina / verdura) para el camarero.

B. Preguntas y respuestas

Match the questions in column A with the answers in column B.

A	B
1. ¿Qué quieres beber?	a. No, comen perros calientes.
2. ¿Quieres langosta?	b. Sí, quiero pollo a la parrilla.
3. ¿Quieres sopa?	c. Es a las once y media.
4. ¿Comen hamburguesas?	d. ¡Muy traviesos!
5. ¿Comes pan?	e. Sí, quiero sopa de cebolla.
6. ¿A qué hora es el almuerzo?	f. No, con helado.
7. ¿Quieres pollo?	g. Quiero beber cerveza.
8. ¿Comen flan con crema?	h. Quince dólares.
9. ¿Cómo son los niños?	i. Sí, como pan con mantequilla y mermelada.
10. ¿Cuánto dejas de propina?	j. No, no quiero langosta. Prefiero camarones.

C. Para poner la mesa

With a partner, decide what items you are going to need to set the table for a meal that will include soup, salad, steak, dessert, water, wine, and coffee. Start out with a tablecloth and napkins.

FLASHBACK

See "**Para poner la mesa**" on p. 115.

James Steidl / SuperFusion / SuperStock

D. Deseo...

With a partner, play the roles of two dining companions looking at the menu and talking about what they are going to order. Start by saying: "**Deseo...**"

Menú
TAPAS
Camarones con ajo (*garlic*)
Quesadilla: pollo o carne
ENSALADAS
Ensalada mixta
Ensalada de tomate
SOPAS
Gazpacho
Sopa de vegetales
Sopa de pollo
PRIMER PLATO
Hamburguesa
Pollo asado
Langosta
POSTRES
Helado de chocolate
Helado de vainilla
Flan
BEBIDAS
Agua mineral
Vino tinto
Vino blanco
Cerveza

OT Vinta/Shutterstock.com

FLASHBACK

See "**Para ordenar bebidas**" on p. 29.

Pronunciación

Las consonantes *g, j, h*

A. Practise the sound of Spanish **g** in the following words.

pa**g**ar	**g**racias
gambas	**g**uapo
lan**g**osta	trái**g**anos

B. Practise the sound of Spanish **j** (or **g** before **e** and **i**) in the following words.

ba**j**o	pare**j**a	**J**ulio
giro	anaran**j**ado	**J**avier
Gerardo	me**j**or	ve**g**etales

C. Repeat the following words. Remember that the Spanish **h** is silent.

a**h**ora	**h**asta	**h**elado
hoy	**h**ola	**h**amburguesas
hora	**h**istoria	**h**uevo

PUNTOS PARA RECORDAR

Grammar Tutorial

1 Present progressive (Estar + *gerundio)*

The present progressive describes an action that is in progress. It is formed with the present tense of **estar** and the **gerundio** (equivalent to the English *-ing* form) of the verb. Study the formation of the **gerundio** in the following chart.

Infinitivo	habl**ar**	com**er**	escrib**ir**
Gerundio	habl- **ando**	com- **iendo**	escrib- **iendo**

Yo	**estoy**	**comiendo.**
I	***am***	***eating.***

— **¿Estás estudiando?** — ***"Are you studying?"***
— No, **estoy escribiendo.** — *"No, **I am writing.**"*

- The following forms are irregular. Note the change in their stems.

decir	→	**d*i*ciendo**	*saying*
dormir	→	**d*u*rmiendo**	*sleeping*
leer	→	**le*y*endo**	*reading*
pedir	→	**p*i*diendo**	*asking for*
servir	→	**s*i*rviendo**	*serving*
traer	→	**tra*y*endo**	*bringing*

- Some verbs, such as **ser**, **estar**, **ir**, and **venir,** are *rarely* used in the progressive construction.

¡ATENCIÓN!

In Spanish, the present progressive should *never* be used to indicate a future action. The present tense is used in future expressions that would require the present participle in English.

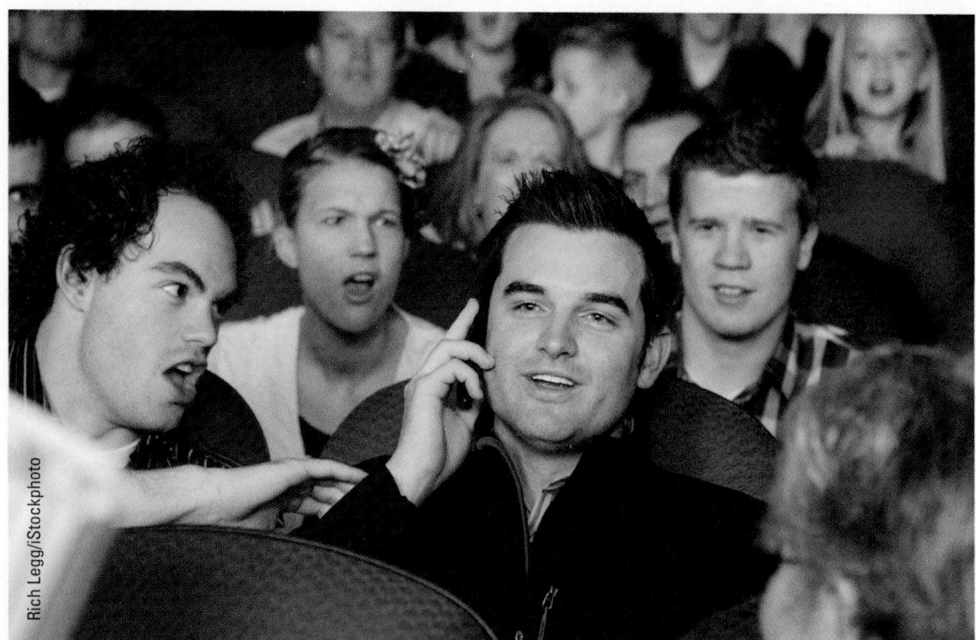

Rich Legg/iStockphoto

Enrique está hablando por teléfono en el cine.

Práctica

Quiz

A. En casa de los Carreras

With a partner, say what is happening, using the cues provided.

1. Tú / preparar / una ensalada
2. Javier / traer / los manteles
3. Luisito y Anita / pedir / dinero
4. Yo / decir / que es tarde
5. Andrea y yo / desayunar / en la cocina

B. ¿Qué están haciendo?

Describe what the following people are doing.

1. Tú...

2. Yo...

3. Ellos...

4. Eva...

5. La profesora...

6. Nosotros... y el chico...

C. En una fiesta

With a partner, take turns asking and answering what everybody is doing at Andrea's party. Use the cues provided and the present progressive to formulate the questions. Use your imagination when responding.

	Persona	Pregunta
1.	Javier	qué / hacer
2.	Andrea	qué / servir
3.	Pablo	con quién / bailar
4.	Eva y Pablo	qué / beber
5.	Juan	qué / comer
6.	Olga y Estela	qué / desear
7.	La orquesta *(band)*	qué / tocar

Grammar Tutorial

2 Uses of *ser* and *estar* (*Usos de* ser *y* estar)

The English verb *to be* has two Spanish equivalents, **ser** and **estar**, which have distinct uses and are *not* interchangeable.

FLASHBACK

Review the verb **ser**, pp. 17–18, and the verb **estar**, p. 97.

Uses of ser

Ser expresses a fundamental quality and identifies the essence of a person or thing: *who* or *what* the subject is.

- It describes the basic nature or inherent characteristics of a person or thing. It is also used with expressions of age that do not refer to a specific number of years.

Anita **es** tímida.	*Anita* ***is*** *shy.*
Estela **es** joven.	*Estela* ***is*** *young.*

- It is used with **de** to indicate origin and with adjectives denoting nationality.

Carmen **es** cubana; **es** de La Habana.	*Carmen* ***is*** *Cuban; she* ***is*** *from Havana.*

- It is used to identify professions and jobs.

Yo **soy** profesor de francés.	*I* ***am*** *a French professor.*

- With **de**, it is used to indicate possession or relationship.

El vaso **es** de Ana.	*The glass* ***is*** *Ana's.*
Ellas **son** las hermanas de Javier.	*They* ***are*** *Javier's sisters.*

- With **de**, it describes the material that things are made of.

El teléfono **es** de plástico.	*The telephone* ***is*** *(made of) plastic.*
La mesa **es** de metal.	*The table* ***is*** *(made of) metal.*

- It is used with expressions of time and with dates.

Son las cuatro y media.	*It* ***is*** *four-thirty.*
Hoy **es** jueves, primero de julio.	*Today* ***is*** *Thursday, July 1st.*

- It is used with events as the equivalent of "taking place."

La fiesta **es** en mi casa.	*The party* ***is*** *(taking place) at my house.*

Uses of estar

Estar is used to express more transitory qualities than **ser** and often implies the possibility of change.

- It indicates place or location.

Ana **está** en casa.	*Ana* ***is*** *at home.*

- It indicates a condition, often the result of an action, at a given moment in time.

Él **está** cansado.	*He's tired.*
La puerta **está** cerrada.	*The door* ***is*** *closed.*

- With personal reactions, it describes what is perceived through the senses—that is—how a subject tastes, feels, looks, or seems.

¡Estás muy bonita hoy!	***You look** very pretty today!*
La sopa **está** muy sabrosa.	*The soup **is** very tasty.*

- In present progressive constructions, it describes an action in progress.

Estoy desayunando.	***I am** having breakfast.*

Quiz

Práctica y conversación

A. Entrevista a tu compañero(a)

Interview a partner, using the following questions.

1. ¿Eres canadiense?
2. ¿De dónde eres?
3. ¿Tu mejor amigo es alto, bajo o de estatura mediana?
4. ¿Tu mejor amiga es rubia, morena o pelirroja?
5. ¿Dónde están tus padres ahora?
6. ¿Estás cansado(a)?
7. ¿Qué día es hoy?
8. ¿Qué hora es?

B. Carlos Alberto y Marisa

Complete the following story about Carlos Alberto and his girlfriend, Marisa, using the present indicative of **ser** or **estar,** as appropriate.

Carlos Alberto (1) ______ joven, alto y delgado. (2) ______ estudiante de la Universidad Central. Él (3) ______ de Panamá, pero ahora (4) ______ en Costa Rica. (5) ______ las nueve de la noche y Carlos Alberto decide ir a la casa de Marisa. Marisa (6) ______ su novia y (7) ______ una chica muy inteligente y simpática. —¡Qué bonita (8) ______ hoy, Marisa! —exclama Carlos Alberto cuando ella abre la puerta. Los dos van a una fiesta. La fiesta (9) ______ en la casa de Andrea y Javier. Andrea (10) ______ de El Salvador y Javier (11) ______ de Argentina. Los dos (12) ______ estudiantes de la Universidad de McGill. Los padres de Andrea (13) ______ en Toronto. La madre de Javier también (14) ______ en Toronto, pero su esposo (15) ______ en Buenos Aires porque tiene que trabajar. Carlos Alberto y Marisa (16) ______ muy contentos porque (17) ______ muy buenos amigos de Andrea y Javier. Los cuatro (18) ______ planeando un viaje *(a trip)* a Honduras.

C. *¿Ser* o *estar*?

With a partner, take turns making statements about each illustration, using **ser** or **estar** as needed.

- **MODELO:** Pedro _____ y Luis_____.
  Pedro ***es alto*** *y Luis* ***es bajo.***

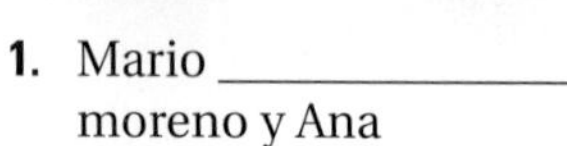

1. Mario _______________ moreno y Ana _______________ rubia.
2. Eva _______________.
3. El doctor Torres _______________.

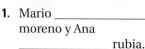

4. Yo _______________.
5. Hoy _______________.
6. Los estudiantes _______________.

7. _______________ la una.
8. Nosotros _______________.

D. En la clase

In groups of three or four, imagine an ideal place that you would like to visit and prepare a mind map that includes the following information:

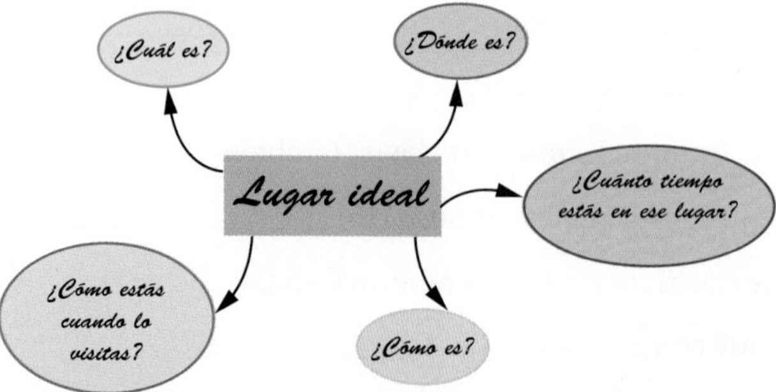

After completing the mind map, each member of the group will create five sentences using **ser** and **estar** to describe the destination. Share them with each other.

ammar
utorial

3 Stem-changing verbs: *e > ie*

(Verbos que cambian en la raíz: e > ie*)*

As you have already seen, Spanish verbs have two parts: a stem and an ending (**-ar, -er,** or **-ir**). Some Spanish verbs undergo a change in the stem in the present indicative tense. When **e** is the last stem vowel and it is stressed, it changes to **ie** as shown below.

preferir *(to prefer)*			
yo	pref**ie**ro	nosotros(as)	preferimos
tú	pref**ie**res	vosotros(as)	preferís
Ud. / él / ella	pref**ie**re	Uds. / ellos / ellas	pref**ie**ren

- Note that the stem vowel is not stressed in the verb forms used with **nosotros(as)** and **vosotros(as)**; therefore, the **e** does not change to **ie**.
- Stem-changing verbs have the same endings as regular **-ar, -er,** and **-ir** verbs.
- Other verbs that also change from **e** to **ie**[2] are: **cerrar, comenzar, empezar, entender, pensar**[3], and **querer**.

—¿**Quieres** bistec? — *"**Do you want** steak?"*
—No, **prefiero** pollo. — *"No, **I prefer** chicken."*

—¿A qué hora **comienzan** Uds. a trabajar? — *"At what time **do you begin** to work?"*
—**Comenzamos** a las diez. — *"**We begin** at ten."*

¡ATENCIÓN!

Comenzar and **empezar** are followed by an **a** before another verb in the infinitive.

Yo comienzo **a** trabajar — *I start to work.*
Yo empiezo **a** estudiar. — *I start to study.*

Práctica y conversación

Quiz

A. No están de acuerdo

Alicia and Sergio cannot agree on anything. Supply the correct form for each verb.

Alicia: ¿Tú (1) ________________ (pensar) ir a la fiesta de Olga?
Sergio: Yo no (2) ________________ (querer) ir a fiestas;
(3) ________________ (preferir) ir a un restaurante con los muchachos.
Alicia: ¡Ellos también (4) ________________ (querer) ir a la fiesta!
Sergio: ¿A qué hora (5) ________________ (empezar) la fiesta?

(continued)

[2]For a complete list of stem-changing verbs, see Appendix B: Verbs.
[3]When followed by an infinitive, **pensar** means *to plan*: **Pienso estudiar hoy.**

Alicia: (6) ______________ (Comenzar) a las nueve, pero Beatriz y yo (7) ______________ (querer) estar allí *(there)* a las ocho porque tenemos que llevar las bebidas.

Sergio: Carlos y yo (8) ______________ (pensar) ir a la biblioteca.

Alicia: ¡¿Uds. (9) ______________ (pensar) ir a la biblioteca hoy?! Entonces yo voy a la fiesta con Roberto.

Sergio: ¡Magnífico! Yo voy al restaurante con Marisa.

B. Dime... *(Tell me ...)*

With a partner, take turns asking and answering the following questions with complete sentences, using the illustrations as cues.

1. ¿Qué quieres tomar?

2. ¿A qué hora empieza la clase?

3. ¿Adónde quieren ir Uds.?

4. ¿Qué prefiere comer Adela?

5. ¿Cuándo comienzan las clases?

6. ¿A qué hora cierran la biblioteca?

7. ¿Qué prefieren beber Uds.: ponche o vino?

8. ¿En qué mes empieza el invierno?

9. ¿Con quién piensas ir?

C. Quiero saber

You are preparing for an interview with the owner of a popular restaurant. Using **e > ie** stem-changing verbs, prepare at least five questions that will elicit answers that will help you to prepare an ad or a brochure to promote the establishment.

NEL

ammar
utorial

4 Comparative and superlative adjectives, adverbs, and nouns

(Comparativo y superlativo de adjetivos, adverbios y nombres)

Comparisons of inequality

- In Spanish, the comparative of inequality of most adjectives, adverbs, and nouns is formed by placing **más** *(more)* or **menos** *(less)* before the adjective, the adverb, or the noun and **que** *(than)* after it.

más *(more)* / **menos** *(less)*	+	*adjective* or *adverb* or *noun*	+	**que** *(than)*

—¿Tú eres **más alta que** Ana? — *"Are you **taller than** Ana?"*
—Sí, ella es mucho **más baja que** yo. — *"Yes, she is much **shorter than** I."*

¡ATENCIÓN!

De is used instead of **que** before a numerical expression of quantity or amount.

Luis tiene **más de** treinta años. — *Luis is **over** thirty years old.*
Hay **menos de** veinte estudiantes aquí. — *There are **fewer than** twenty students here.*

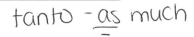

Comparisons of equality

- To form comparisons of equality with adjectives, adverbs, and nouns in Spanish, use the adjectives **tanto, -a, -os, -as**, or the adverb **tan ... como**.

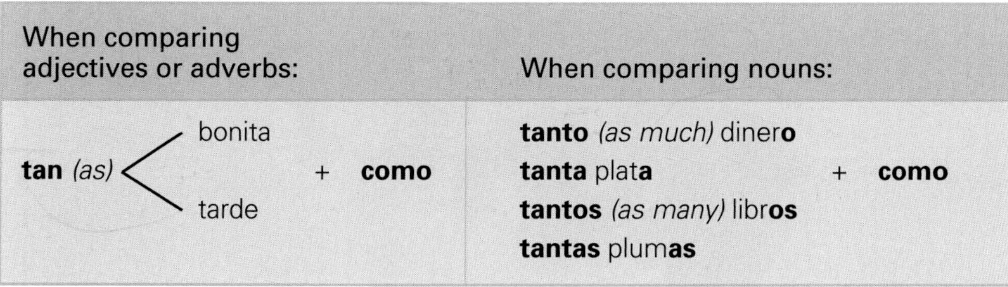

When comparing adjectives or adverbs:	When comparing nouns:
tan *(as)* bonita / tarde + **como**	**tanto** *(as much)* diner**o** / **tanta** plat**a** / **tantos** *(as many)* libr**os** / **tantas** plum**as** + **como**

—¿Tu hermana habla bien el español? — *"Does your sister speak Spanish well?"*
—Sí, habla español **tan bien como** nosotros. — *"Yes, she speaks Spanish **as well as** we do."*

—Tú das muchas fiestas. — *"You give many parties."*
—Sí, pero no doy **tantas fiestas como** Uds. — *"Yes, but I don't give **as many parties as** you do."*

¡ATENCIÓN!

When using the comparisons of equality and inequality with verbs, the verb needs to appear first.

Yo estudio **más que** ella.	*I study **more than** her.*
Arturo corre **menos que** Esteban.	*Arturo runs **less than** Esteban.*
Lisa habla por teléfono **tanto como** Pablo.	*Lisa speaks on the phone **as much as** Pablo.*

The superlative

- The superlative construction is similar to the comparative. It is formed by placing the definite article before the person or thing being compared.

definite article	+	*(noun)*	+	**más** or **menos**	+	*adjective*	+	**de**

¡ATENCIÓN!

Note that the Spanish **de** translates to the English *in* or *of* after a superlative.

—¿Quién es **el estudiante más inteligente** de la clase?	*"Who is **the most intelligent student** in the class?"*
—Mario es **el más inteligente** de todos.	*"Mario is **the most intelligent** of all."*
Ellos son los más altos **de** la clase.	*They are the tallest ones **in** the class.*

Veloz, el perro de Luis, es más grande que Pequeñito, el perro de Ana.

Irregular comparative forms

- The following adjectives and adverbs have irregular comparative and superlative forms in Spanish.

que- than

Adjective	Adverb	Comparative	Superlative
bueno *(good)*	bien *(well)*	**mejor** - best	**el (la) mejor**
malo *(bad)*	mal *(badly)*	**peor** *(worse)*	**el (la) peor**
grande *(big)*		**mayor** -- older	**el (la) mayor**
pequeño *(small)*		**menor** *(younger)*	**el (la) menor**

- When the adjectives **grande** and **pequeño** refer to size, the regular comparative forms are generally used.

Tu clase es **más grande que** la de Antonio. — *Your class is **bigger than** Antonio's.*

- When these adjectives refer to age, the irregular comparative forms **mayor** and **menor** are used.

—¿Felipe es **mayor que** tú? — *"Is Felipe **older** than you?"*
—No, es **menor que** yo. — *"No, he's **younger** than I (am)."*

- The irregular comparative forms must agree in number, not in gender.

Mis hermanas son **mayores que** yo. — *My sisters are **older than** me.*

Mis primos son **menores que** yo. — *My cousins are **younger than** me.*

- For the superlative form, the article must reflect gender.

Las langostas de la isla del Príncipe Eduardo son las **mejores**. — *The lobsters from Prince Edward Island are **the best.***

Práctica y conversación

Quiz

A. Más o menos...

Complete the following sentences, giving the Spanish equivalent of the words in parentheses.

1. ¿Tu esposo tiene ________________________ cuarenta años? *(less than)*
2. Mi primo baila ________________________ yo. *(as badly as)*
3. Mi amigo(a) es ________________________ tú. *(less intelligent than)*
4. Andrea es ________________________ su hermana. *(younger than)*
5. Tú eres ________________________ ella. *(much thinner than)*
6. Luis es ________________________ Ariel. *(as nice as)*
7. Yo no tengo ________________________ tú. *(as many books as)*
8. Nosotros damos ________________________ Uds. *(as many parties as)*
9. Este restaurante es ________________________ todos. *(the best of)*
10. La langosta es ________________________ el pollo. *(tastier than)*

B. Comparaciones

Establish comparisons between the following people and things, using the adjectives provided and adding any necessary words.

1. Hotel Hilton / Comfort Inn / mejor
2. Chris Hadfield / yo / inteligente
3. Penélope Cruz / Shakira / bonita
4. Terranova / Ontario / pequeña
5. Antonio Banderas / Elijah Wood / alto
6. Anita / Luisito / mayor
7. Brasil / Venezuela / grande
8. Serena Ryder / Gloria Estefan / menor

C. Ustedes y Sergio

With a partner, make comparisons between you and Sergio.

Sergio…

1. … mide *(measure)* un metro setenta *(1.70 metres).*
2. … baila muy bien.
3. … tiene dieciséis años.
4. … tiene diez dólares en el banco *(bank).*
5. … estudia un hora todos los días.
6. … tiene cinco hermanos.
7. … conduce muy mal.
8. … come ochos huevos en el desayuno.

D. En mi familia

With a partner, ask each other questions to find out how you compare to members of your family with respect to height, age, what you own, etc.

Grammar Tutorial

5 Pronouns as objects of prepositions

(Pronombres usados como complemento de preposición)

The object of a preposition is the noun or pronoun that immediately follows it.

La fiesta es para ***María (ella).*** Ellos van con ***nosotros.***

Singular		Plural	
mí	*me*	**nosotros(as)**	*us*
ti	*you (fam.)*	**vosotros(as)**	*you (fam.)*
Ud.	*you (form.)*	**Uds.**	*you (form. / fam.)*
él	*him*	**ellos**	*them (masc.)*
ella	*her*	**ellas**	*them (fem.)*

FLASHBACK

Review subject pronouns on p. 16.

- Only the first- and second-persons singular, **mí** and **ti**, are different from regular subject pronouns.
- When used with the preposition **con**, **mí** and **ti** become **conmigo** and **contigo**, respectively. The other forms do not combine: **con él, con ella, con ustedes,** and so on.

—¿El café es para **mí**?
—No, no es para **ti;** es para **él.**

*"Is the coffee for **me**?"*
*"No, it's not for **you;** it's for **him.**"*

—¿Vas a la fiesta **conmigo**?
—No, no voy **contigo;** voy con **ellos.**

*"Are you going **with me** to the party?"*
*"No, I'm not going **with you;** I'm going with **them.**"*

Práctica y conversación

Quiz

A. Entre amigos

Complete the following sentences with the correct forms of the pronouns and prepositions in parentheses.

1. Elena no va contigo, Anita. *(with you)*
2. Esas servilletas son para mi y el mantel es para ella. *(me / her)*
3. Teresa está hablando de nosotras. *(us)*
4. Elsa va a venir con ellos. *(them, masc.)*
5. Olga no va a ir al restaurante contigo; va a ir con migo. *(with you, pl. / with me)*
6. El vino no es para él, Paco; es para tí. *(him / you)*
7. El postre es para tí, señorita. *(you)*
8. El café es para ellas. *(them, fem.)*

B. Entrevista a tu compañero(a)

Interview a partner, using the following questions.

1. Cuando tú vas a un restaurante, ¿quién va contigo generalmente?
2. De postre, el camarero trae flan con crema; ¿es para ti?
3. Tú vas a preparar dos postres para tus padres: arroz con leche y pastel. ¿Cuál es para él y cuál es para ella?
4. ¿Qué idioma hablan tú y tu familia entre *(among)* Uds.?
5. Tú tienes un helado de chocolate. ¿Es para mí?
6. ¿Quieres ir al restaurante conmigo hoy?

Práctica y traducción

Review the vocabulary and grammatical concepts studied in **Lección 5** as you translate the following sentences.

1. Susana is eating at the restaurant.
2. For breakfast, Luis eats toast with butter and jam. He also drinks a glass of milk.
3. What do you prefer for lunch: fish, lamb, or lobster?
4. Professor Ortega's students are the best in the university.
5. Alicia buys one ice cream for her and one hot dog for me.

DETALLES CULTURALES

En la mayoría de los países de habla hispana, el desayuno generalmente es café con leche y pan dulce *(sweet)*. El almuerzo, que es la comida principal del día, se sirve entre la una y las dos de la tarde. La cena generalmente no se sirve antes de las ocho o las nueve de la noche. La mayoría de los restaurantes no empiezan a servir la cena antes de las nueve de la noche.

Generalmente, ¿qué desayunas? ¿Qué comes en el almuerzo? ¿A qué hora cenas tú?

ENTRE NOSOTROS

¡Conversemos!

Para conocernos mejor

Get to know your partner better by asking each other the following questions.

1. ¿Cuál es el mejor restaurante de esta ciudad? ¿Cuál es la especialidad de la casa?
2. ¿A qué hora empiezan a servir el almuerzo en los restaurantes de tu ciudad?
3. Cuando pagas la cuenta en un restaurante, ¿dejas una buena propina?
4. ¿A qué hora es el almuerzo en tu casa? ¿A qué hora desayunas?
5. ¿Dónde piensas desayunar mañana? ¿Qué vas a desayunar?
6. ¿Prefieres tomar café con crema o café sin *(without)* crema?
7. ¿Tú prefieres pollo a la parrilla, cordero asado, hamburguesas o perros calientes?
8. Generalmente, ¿qué comes de postre?
9. Si la cuenta del restaurante es cien dólares, ¿cuánto dejas de propina?
10. ¿Tu mejor amigo(a) es mayor o menor que tú?

Búsqueda de gente

Interview your classmates to identify who fits the following descriptions. Be sure to change the statements to questions. Include your instructor, but remember to use the **Ud.** form when addressing him or her.

NOMBRE	
1.	es de otra provincia.
2.	es tímido(a).
3.	es el (la) más inteligente de la familia.
4.	es tan alto(a) como su padre.
5.	siempre está cansado(a).
6.	piensa ir a comer más tarde.
7.	está leyendo un buen libro.
8.	comienza a trabajar a las ocho.
9.	va a salir de Canadá en sus vacaciones.
10.	tiene un hermano(a) muy travieso(a).

Y ahora...

Write a brief summary, indicating what you have learned about your classmates.

¿Cómo lo decimos?

What would you say in the following situations? What might the other person say? Act out these scenes with a partner.

1. You are at a café having breakfast. You are very hungry. Order a big breakfast.
2. You are having lunch with a friend. Suggest a few things he or she can eat and drink.
3. Call a restaurant and make reservations for dinner.

4. You have invited some friends to a party. Tell them it's at your house and what time it starts.
5. Your friend has suggested having dinner at a restaurant you dislike. Tell him that it's the worst restaurant in town.

¿Qué pasa aquí?

Get together in groups of three or four and imagine what these people are going to order for lunch. Create a dialogue that reflects their preferences and dislikes.

Para escribir

En un restaurante

Using the vocabulary from this lesson, prepare a menu for a Spanish-speaking restaurant. Include as many items as possible from the ones presented, and try to add images and an eye-catching format to attract clients. Remember to include the name of the restaurant, location, hours of operation, and specials. Create a slogan for the restaurant.

UN DICHO

Donde hay hambre no hay pan duro.

If we tell you that "**pan duro**" refers to stale bread, what does the saying mean to you? Don't forget to learn all the sayings and use them when applicable.

Esta chica está cocinando uno de los platos típicos de El Salvador: *pupusas*. Las pupusas se hacen tradicionalmente con tortillas de maíz y queso. ¡Son deliciosas!

ASÍ SOMOS

Vamos a escuchar

A. Teresa y Mario

You will hear a conversation between Teresa and Mario. Pay close attention to what they say. You will then hear ten statements about what you have heard. Indicate whether each statement is true **(V)** or false **(F)**.

1. ☐ V ☐ F
2. ☐ V ☐ F
3. ☐ V ☐ F
4. ☐ V ☐ F
5. ☐ V ☐ F
6. ☐ V ☐ F
7. ☐ V ☐ F
8. ☐ V ☐ F
9. ☐ V ☐ F
10. ☐ V ☐ F

Vamos a leer

ESTRATEGIA

Expanding your vocabulary through reading

One of the purposes of reading is to increase your vocabulary. Here you are going to read the menu of a restaurant. Look for the new words that you are going to find when you read it, and make them part of your vocabulary.

B. Al leer

After reading the menu, take turns with a partner asking and answering the following questions.

1. ¿Cuál es la especialidad del restaurante Miramar?
2. En el menú, ¿qué sopas hay?
3. ¿Qué tipos de ensaladas hay?
4. ¿Con qué se sirven todos los platos?
5. ¿Qué mariscos *(shellfish)* hay en el menú? ¿Cuál cuesta *(cost)* más?
6. ¿Qué tipos de pescado hay? ¿Cuál es el más caro?
7. En la sección de las carnes, ¿hay solamente pollo? ¿Qué más *(What else)* hay?
8. ¿Hay muchos o pocos *(few)* tipos de postres?
9. ¿Cuánto cuesta el cordero?
10. ¿Cuál es el postre que tiene menos calorías?
11. En el restaurante, ¿sirven *(serve)* bebidas alcohólicas *(alcoholic)*? ¿Cuáles son?
12. ¿Que es más caro, el vino blanco o el vino tinto?
13. ¿Qué más hay en el menú para beber?
14. ¿Cuál es la más cara de las bebidas? ¿Cuánto cuesta?

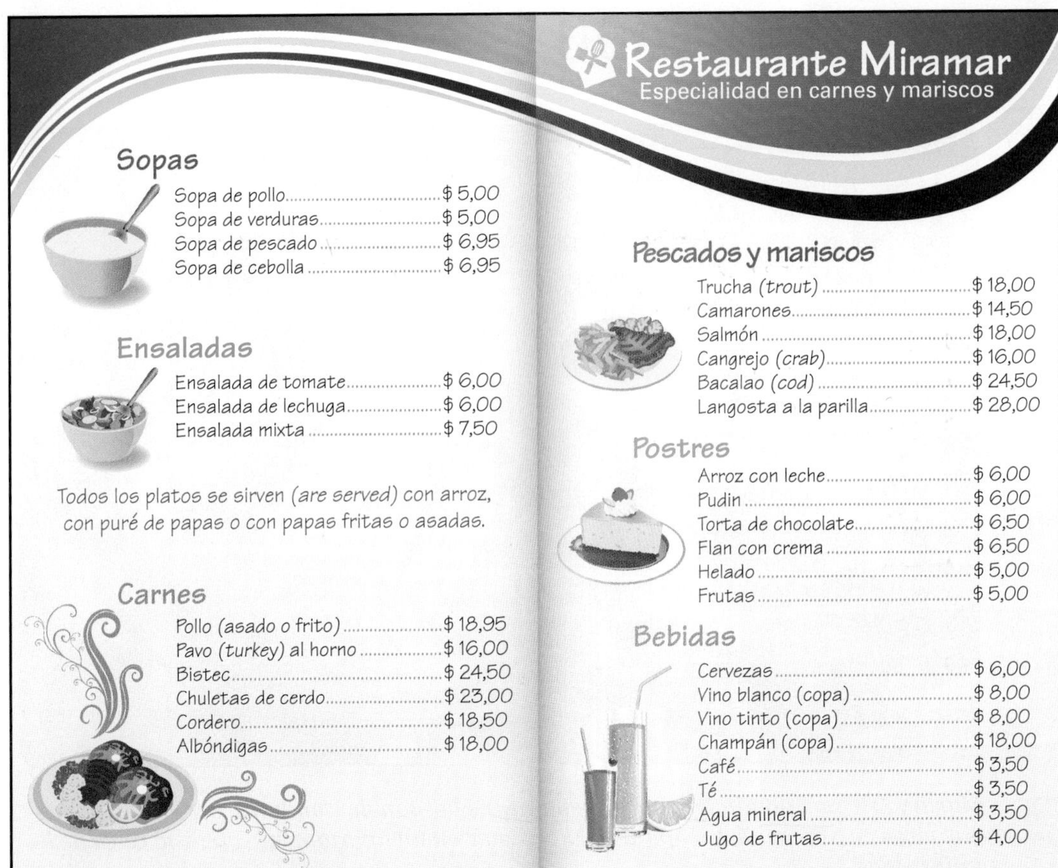

Restaurante Miramar
Especialidad en carnes y mariscos
Sopas
Sopa de pollo $ 5,00
Sopa de verduras $ 5,00
Sopa de pescado $ 6,95
Sopa de cebolla $ 6,95
Ensaladas
Ensalada de tomate $ 6,00
Ensalada de lechuga $ 6,00
Ensalada mixta $ 7,50
Todos los platos se sirven (are served) con arroz, con puré de papas o con papas fritas o asadas.
Carnes
Pollo (asado o frito) $ 18,95
Pavo (turkey) al horno $ 16,00
Bistec $ 24,50
Chuletas de cerdo $ 23,00
Cordero $ 18,50
Albóndigas $ 18,00
Pescados y mariscos
Trucha (trout) $ 18,00
Camarones $ 14,50
Salmón $ 18,00
Cangrejo (crab) $ 16,00
Bacalao (cod) $ 24,50
Langosta a la parilla $ 28,00
Postres
Arroz con leche $ 6,00
Pudin $ 6,00
Torta de chocolate $ 6,50
Flan con crema $ 6,50
Helado $ 5,00
Frutas $ 5,00
Bebidas
Cervezas $ 6,00
Vino blanco (copa) $ 8,00
Vino tinto (copa) $ 8,00
Champán (copa) $ 18,00
Café $ 3,50
Té $ 3,50
Agua mineral $ 3,50
Jugo de frutas $ 4,00

C. A comer con un(a) amigo(a)

Imagine that you and a classmate are dining at the Miramar restaurant. Select from the menu something to drink, something to eat, and a dessert. How much is each person going to pay? Decide how much you are going to leave as a tip.

D. ¿Y ustedes?

Take turns with a classmate asking and answering the following questions.

1. ¿Tú prefieres comer en tu casa o en un restaurante? ¿Cuál es tu comida favorita?
2. ¿Prefieres comer pollo, carne o pescado? ¿Comes mariscos? ¿Cuál prefieres?
3. ¿Comes postre después de las comidas? ¿Cuál es tu postre favorito?
4. En las comidas, ¿bebes café, té o refrescos *(soft drinks)*? ¿Prefieres tomar agua?

LECCIÓN 6 EN EL MERCADO

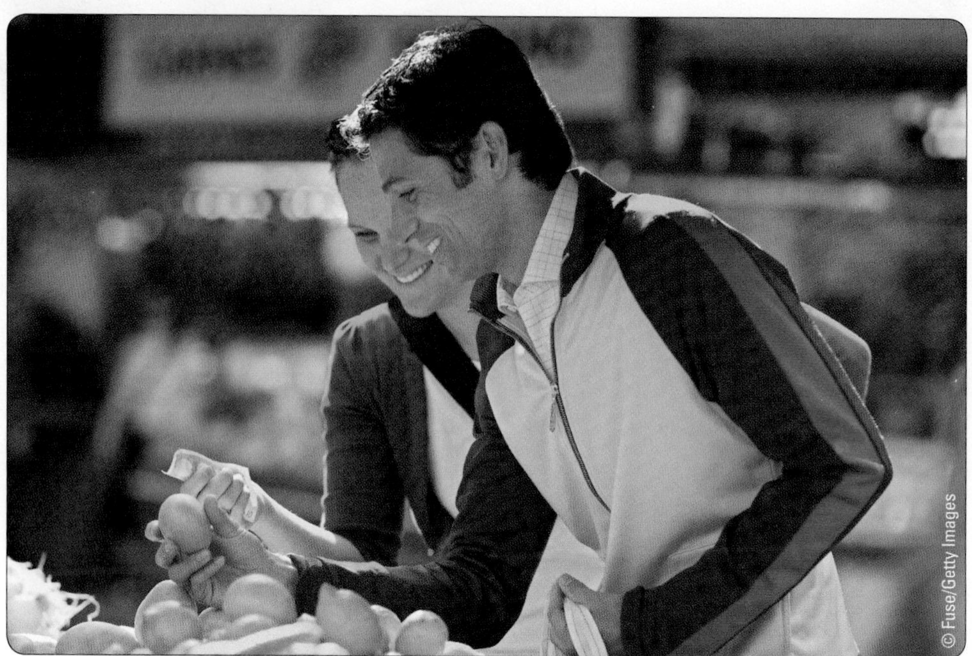
© Fuse/Getty Images

Marta y Ariel son dos amigos que viven juntos. Ellos son de Honduras, pero hace un mes que viven en Managua, la capital de Nicaragua, en un apartamento que está cerca de la universidad.

Marta: No hay nada en el refrigerador, excepto un poco de carne. Tenemos que ir al supermercado.

Ariel: ¿Podemos almorzar antes de ir? Yo estoy muerto de hambre.

Marta: Bueno, podemos ir a un restaurante antes...

Más tarde, en el supermercado...

Ariel: Necesitamos azúcar, una docena de huevos, mantequilla, papel higiénico, detergente... ¿qué más? ¿Dónde está la lista?

Marta: Yo la tengo. A ver... papas, zanahorias, brócoli, apio, pimientos...

Ariel: ¡Caramba! ¡Tantos vegetales! ¿Quién los va a comer?

Marta: ¡Tú y yo! Nosotros debemos comer de siete a ocho vegetales o frutas al día.

Don José y doña Ada, los padres de Ariel, están en un mercado al aire libre.

Don José: ¿Cuánto cuestan las chuletas de cerdo?

Doña Ada: Son un poco caras, pero podemos comprarlas, si tú quieres. ¿Quieres chuletas de cerdo o chuletas de ternera?

Don José: Las dos, y también chuletas de cordero.

Doña Ada: ¡No, no! Tienes que elegir una.

Don José: Está bien... elijo las chuletas de cerdo. Después tenemos que ir a la pescadería y a la panadería.

Doña Ada: Sí, pero antes voy a comprar pepinos, tomates y cebollas.

Don José: También necesitamos salsa de tomate porque quiero preparar mis famosos espaguetis con albóndigas.

Doña Ada: Buena idea. Tu hermana vuelve a las seis y puede cenar con nosotros.

Don José: ¡Perfecto! Tú tienes el día libre hoy, de modo que yo soy el cocinero.

Doña Ada: ¡Y tú cocinas muy bien!

Hablemos

Sobre el diálogo

With a classmate, take turns asking and answering the following questions. Base your answers on the dialogue.

1. ¿De dónde son Marta y Ariel y dónde viven ahora?
2. ¿Qué quiere hacer Ariel antes de ir al supermercado?
3. ¿Qué comida hay en el refrigerador?
4. ¿Qué van a comprar Ariel y Marta para lavar la ropa?
5. ¿Qué dice Marta de los vegetales y frutas?
6. ¿Quién tiene la lista?
7. ¿Dónde están los padres de Ariel?
8. ¿Las chuletas de cerdo son baratas o caras?
9. ¿Qué chuletas elige don José?
10. ¿Por qué va a cocinar don José hoy?

© Corbis RF/Alamy

© Bryan Busovicki/Shutterstock

Entrevista a tu compañero(a)

Take turns with a partner asking and answering the following questions.

1. ¿Qué días vas al supermercado? ¿Tú vas al supermercado cuando estás muerto(a) de hambre?
2. ¿Qué necesitas para lavar la ropa? ¿Llevas una lista cuando vas al supermercado?
3. ¿Qué vegetales necesitas comprar?
4. ¿Cuántos vegetales y cuántas frutas comes al día?
5. ¿Prefieres comer chuletas de cerdo o chuletas de ternera?
6. ¿Tú cocinas a veces? ¿Qué tipo de salsa usas para preparar espaguetis?
7. ¿Qué haces tú cuando tienes el día libre? ¿Sales con tus amigos?
8. ¿Tú conoces a una pareja de recién casados? ¿Viven cerca de tu casa?

DETALLES CULTURALES

En los países hispanos, la gente mayor *(elderly)*, generalmente vive en casa de un pariente *(relative)*. Los jóvenes, frecuentemente ayudan *(help)* a sus padres y a sus abuelos. Es una forma de mantener a la familia unida. En algunos países hispanos, a las personas mayores se les llama **don** o **doña** como forma de respeto, y se antepone a los nombres masculinos o femeninos. Antiguamente estaba reservado a determinadas personas de elevado rango social.[1]

En Canadá, ¿dónde viven, generalmente, los abuelos?

DETALLES CULTURALES

En los países hispanos, la mayor parte del trabajo de la casa lo hace la mujer aunque (*although*) ahora los hombres ayudan más. La mayoría de las familias almuerzan y cenan en su casa. Los fines de semana, a veces, salen a comer a un restaurante con la familia.

¿Sale a menudo *(often)* tu familia a comer a un restaurante? ¿Quién cocina en tu casa?

[1]Adapted from the definition of **don** and **doña** in the *Diccionario de la Real Academia Española.*

VOCABULARIO

Audio Flashcards

COGNADOS

el apartamento*
el brócoli
el detergente
la docena
los espaguetis
excepto
famoso(a)
vegetariano/a

SUSTANTIVOS

el aceite (de oliva)	*(olive) oil*
la albóndiga	*meatball*
el apio	*celery*
el azúcar	*sugar*
el bistec	*steak*
camarón(es)	*shrimp*
el cangrejo	*crab*
la carne	*meat*
la chuleta	*chop*
— de cerdo	*pork chop*
— de cordero	*lamb chops*
— de ternera	*veal chop*
el (la) cocinero(a)	*cook*
la ensalada mixta	*mixed salad*
la fruta	*fruit*
el jamón	*ham*
la langosta	*lobster*
los mariscos	*shellfish*
el mercado	*market*
— al aire libre	*outdoor market*
la panadería	*bakery*
el papel higiénico	*toilet paper*
el pepino	*cucumber*
la pescadería	*fish market*
pescado	*fish*
el pimiento, el ají	*pepper*
el pollo	*chicken*
el queso	*cheese*
la salsa	*sauce, salsa*
el supermercado	*supermarket*
el tomate*	*tomato*
el vinagre	*vinegar*
la zanahoria	*carrot*

VERBOS

almorzar (o > ue)	*to have lunch*
cocinar	*to cook*
conseguir (e > i)	*to get, to obtain*
costar (o > ue)	*to cost*
decir (e > i)	*to say, to tell*
dormir (o > ue)	*to sleep*
elegir (e > i), escoger[2]	*to choose*
encontrar (o > ue)	*to find*
pedir (e > i)	*to ask for*
poder (o > ue)	*to be able to, can*
recordar (o > ue)	*to remember*
seguir (e > i)	*to follow, to continue*
servir (e > i)	*to serve*
volver (o > ue)	*to return*

ADJETIVOS

barato(a)	*inexpensive*
caro(a)	*expensive*
tantos(as)	*so many*

OTRAS PALABRAS Y EXPRESIONES

a ver	*let's see*
al día	*per day*
cerca (de)	*near, close*
de modo (manera) que	*so*
después de	*after*
el día libre	*the day off*
está bien	*all right, o.k.*
estar muerto(a)(s) de hambre	*to be starving*
libre	*off, free (available)*
nada	*nothing*
¿Qué más?	*What else?*
los recién casados	*newlyweds*
un poco (de)	*little*

DE PAÍS A PAÍS

el apartamento el departamento *(Méx., Arg.)*; el piso *(Esp.)*
el tomate el jitomate *(Méx.)*
el aguacate la palta *(Cono Sur)*
el plátano la banana *(Cono Sur)*
la fresa la frutilla *(Cono Sur)*
el melocotón el durazno *(Méx., Cono Sur)*
la sandía el melón de agua *(Cuba, Puerto Rico)*; la patilla *(Col., Puerto Rico, R. Dom., Ven.)*

[2]Present indicative of the verb **elegir: eli*j*o, eliges, elige, elegimos, elegís, eligen.** Present indicative of the verb **escoger: esco*j*o, escoges, escoge, escogemos, escogéis, escogen.**

Amplía tu vocabulario

Más comestibles

Para practicar el vocabulario

A. ¿Qué es?

Quiz

Write the words or phrases from the vocabulary in **Lección 6** that correspond to the following.

1. lo usamos para lavar: ____________________
2. pimiento: ____________________
3. la usamos para hacer espaguetis: ____________________
4. lo ponemos en el café: ____________________
5. lugar donde compramos pan: ____________________
6. persona que cocina: ____________________
7. opuesto de después: ____________________
8. elegir: ____________________
9. de modo que: de ____________________ que
10. cangrejos, por ejemplo: ____________________

B. Preguntas y respuestas

Match the questions in column A with the corresponding responses in column B.

A	B
1. ¿Quieres comer algo?	**a.** Sí, necesito detergente.
2. ¿Son novios?	**b.** Al supermercado.
3. ¿Necesitas huevos?	**c.** En el baño.
4. ¿Vas a lavar la ropa?	**d.** El cocinero famoso.
5. ¿Quieres chuletas de cerdo?	**e.** Cerca de la universidad.
6. ¿Quién va a cocinar?	**f.** Sí, una docena.
7. ¿Adónde vamos?	**g.** No, yo no como carne.
8. ¿Tienes que trabajar?	**h.** Dice que vuelve a las dos.
9. ¿Dónde está el apartamento?	**i.** Sí, estoy muerto de hambre.
10. ¿Quieres albóndigas?	**j.** No, tengo el día libre.
11. ¿Dónde está el papel higiénico?	**k.** No, de ternera.
12. ¿Qué dice Ariel?	**l.** No, son recién casados.

C. Dime ...

Take turns with a partner interviewing each other, using the following questions.

1. ¿Vives en una casa o en un apartamento?
2. ¿Vives cerca de la universidad? ¿Vives solo(a)?
3. ¿Sabes cocinar?
4. En el desayuno, ¿tomas el café solo o con azúcar?
5. ¿Deseas comer carne o pescado?
6. ¿Comes mariscos? ¿Cuál prefieres?
7. ¿Qué frutas prefieres?
8. ¿Compras comida en un mercado al aire libre o en un supermercado? ¿Por qué?

D. ¿Qué quieren?

You and your partner have several guests. Discuss what they want based on their likes and dislikes.

- **MODELO:** Tina prefiere comer frutas.
  Quiere fresas.

1. Raúl come chuletas, pero no come carne de cerdo.
2. Sergio y Daniel prefieren la comida italiana.
3. Mirta y Silvia comen mariscos.
4. Raúl prefiere las frutas tropicales.
5. Mirta quiere comer pastel.
6. Alicia es vegetariana.
7. Luis está a dieta *(on a diet).*
8. Marisa solamente come vegetales.

E. En el supermercado

With a partner, play the roles of two friends who are shopping at a supermarket. Talk about all the groceries that you need to buy for the week.

F. La lista de Maribel

Discuss Maribel's shopping list with a partner.

Maribel está haciendo una lista. ¿Qué tiene que comprar para cocinar?

1. tres cosas para hacer una ensalada
2. tres cosas para hacer espaguetis
3. una cosa para beber
4. Y una cosa más...

¿Maribel va a elegir productos orgánicos? ¿Cuánto va a costar cada una de estas cosas? ¿Cuáles van a ser más caras? ¿Va a ir al supermercado antes o después de almorzar? ¿A qué hora va a volver a su casa?

Alija/Getty Images

Pronunciación

Las consonantes *ll, ñ*

A. Practise the sound of the Spanish **ll** in the following words.

llegar	cebo**ll**a	si**ll**a
llamar	A**ll**ende	a**ll**í
ca**ll**e	e**ll**os	mantequi**ll**a

B. Practise the sound of the Spanish **ñ** in the following words.

se**ñ**or	se**ñ**ora	ni**ñ**o
a**ñ**o	oto**ñ**o	Pe**ñ**a
espa**ñ**ol	ma**ñ**ana	Espa**ñ**a

DETALLES CULTURALES

Hoy los supermercados son muy populares en los países de habla hispana, pero todavía es costumbre *(custom)* comprar uno o dos productos en pequeñas tiendas especializadas: panaderías, pescaderías, fruterías, etc.

¿Hay tiendas especializadas en Canadá? ¿Qué tiendas especializadas visitas tú?

PUNTOS PARA RECORDAR

Grammar Tutorial

1 Stem-changing verbs: *o > ue*

(Verbos que cambian en la raíz: o > ue*)*

FLASHBACK

These new stem-changing verbs follow the same pattern as the **e > ie** verbs that were introduced in **Lección 5**, p. 123.

- As you learned in **Lección 5**, some Spanish verbs undergo a stem change in the present indicative tense. Some verbs that have **o** as the last stem vowel will change the **o** to **ue** as shown below.

poder *(to be able to)*			
yo	**pue**do	nosotros(as)	podemos
tú	**pue**des	vosotros(as)	podéis
Ud. / él / ella	**pue**de	Uds. / ellos / ellas	**pue**den

- Note that the stem vowel is not stressed in the verb forms used with **nosotros(as)** and **vosotros(as)**; therefore, the **o** does not change to **ue**.

- Some other verbs that undergo the **o > ue** changes are: **almorzar, costar, dormir, encontrar, recordar,** and **volver.**[3]

—¿A qué hora **pueden** ir Uds. a la panadería?	*"What time **can you** go to the bakery?"*
—**Podemos** ir a las dos.	*"**We can** go at two o'clock."*
—¿A qué hora **vuelves** tú del mercado?	*"At what time do you return from the market?"*
—**Vuelvo** a las tres.	*"**I return** at three o'clock."*

¿Qué puedes comprar en el mercado? ¿Cuánto cuesta la fruta? ¿Dónde compras tú la fruta fresca? ¿Cuál es tu fruta favorita?

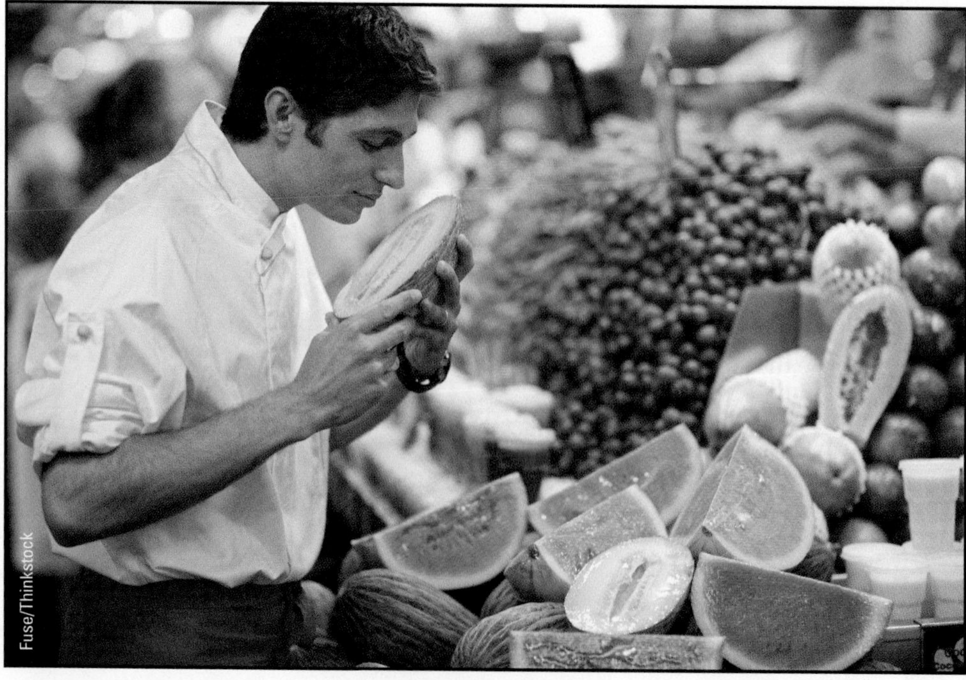

Fuse/Thinkstock

[3]For a complete list of stem-changing verbs, see Appendix B.

Práctica y conversación

Quiz

A. ¿Qué hacemos?

Create sentences using the components given.

- **MODELO:** Ella / encontrar / tomates
  Ella encuentra los tomates.

1. Yo / almorzar / cafetería
2. David / dormir / noche
3. Tú / encontrar / tus amigos
4. Nosotros / poder / estudiar / tarde
5. El libro / costar / $20
6. Ustedes / volver / Colombia

B. Minidiálogos

Complete the following exchanges appropriately, using the present indicative of the verbs given.

1. —¿A qué hora ____________________ (almorzar) Uds.?
   —Nosotros ____________________ (almorzar) a las dos y ____________________ (volver) a casa a las cuatro. ¿A qué hora ____________________ (volver) tú?
   —Yo ____________________ (volver) a las cinco.
2. —¿Ud. ____________________ (poder) ir conmigo al supermercado?
   —Sí, yo ____________________ (poder) ir contigo esta tarde.
   —¿Ud. sabe cuánto ____________________ (costar) el detergente?
   —No, no sé.
3. —Jorge no ____________________ (encontrar) el número de teléfono de Nora. ¿Tú sabes cuál es?
   —No, no ____________________ (recordar) el número de teléfono, pero ____________________ (poder) buscarlo *(look it up)*.
4. —¿Dónde ____________________ (dormir) los niños?
   —En mi cuarto; yo ____________________ (dormir) en el sofá de la sala.

C. Entrevista a tu compañero(a)

Interview a partner, using the following questions.

1. ¿Puedes ir al mercado conmigo? ¿Qué días puedes ir?
2. ¿Qué cuesta más, el pollo o el pescado? ¿Sabes cuánto cuestan los camarones?
3. ¿Sabes hacer una ensalada de fruta?
4. ¿Dónde puedo comprar frutas?
5. ¿A qué hora almuerzas tú? ¿Dónde?
6. ¿A qué hora vuelves a tu casa hoy?
7. ¿Recuerdas el número de teléfono de todos tus amigos?
8. Generalmente, ¿cuántas horas duermes? ¿Duermes bien?

D. Nosotros(as) tres ...

Get together in groups of three and talk about the following:

1. Whether or not you sometimes have lunch in the cafeteria, and how much lunch costs
2. Things that you want to do every day but cannot do, and why; give details
3. What time you return home on different days and what time you return when you go to a party
4. How many hours you generally sleep

Grammar Tutorial

2 Stem-changing verbs: *e > i* (*Verbos que cambian en la raíz:* e > i)

FLASHBACK

These new stem-changing verbs follow the same pattern as the **e > ie** verbs that were introduced in **Lección 5,** p. 123, and the ones we have just seen in this **lección** (p. 140).

- Some **-ir** verbs undergo a stem change in the present indicative. For these verbs, when **e** is the last stem vowel and it is stressed, it changes to **i** as shown below.

servir (*to serve*)			
yo	sirvo	nosotros(as)	servimos
tú	sirves	vosotros(as)	servís
Ud. / él / ella	sirve	Uds. / ellos / ellas	sirven

- Note that the stem vowel is not stressed in the verb forms used with **nosotros(as)** and **vosotros(as);** therefore, the **e** does not change to **i.**

- Some other verbs that undergo the **e > i** change are: **decir**[4], **elegir**, **conseguir**[5], **pedir**[6], and **seguir**.

— ¿A qué hora **sirven** Uds. el almuerzo?	*"What time* ***do you serve*** *lunch?"*
— **Servimos** el almuerzo a las doce.	*"****We serve*** *lunch at twelve o'clock."*
— ¿Dónde **consigues** libros en español?	*"Where* ***do you get*** *books in Spanish?"*
— **Consigo** libros en la biblioteca.	*"****I get*** *books at the library."*

Práctica y conversación

Quiz

A. Hoy hay cambios en la casa

There has been a change in the way things are done in the house. Change the verbs according to who is doing the action.

1. Elena siempre sirve la comida, pero hoy los hijos ponen las mesa y ________________ (servir) la comida.
2. La mamá consigue los vegetales en el mercado, pero hoy yo ________________ (conseguir) toda la comida en el supermercado.
3. Los chicos piden ensalada y la mamá ________________ (pedir) sopa.
4. Alicia dice que la comida es excelente, pero hoy Luis y Ana ________________ (decir) que no es buena.
5. Nosotros no seguimos las instrucciones, pero Juan ________________ (seguir) las instrucciones siempre.

[4]First person: **yo digo.**
[5]Verbs like **conseguir** drop the **u** before **a** or **o: yo consigo.**
[6]**Pedir** also means *to order (in a restaurant).*

B. Minidiálogos

Complete the following exchanges, using the present indicative of the appropriate verb from the list.

servir **pedir** **conseguir** **decir** **seguir**

1. —Yo nunca *(never)* ____________________ frutas buenas.
   —Mis padres ____________________ vegetales buenos en el Mercado Central.
2. —¿Marta y Ariel ____________________ viviendo en Managua?
   —Sí, ellos ____________________ que es una ciudad muy bonita.
3. —¿Qué ____________________ Uds. en sus fiestas?
   —Nosotros ____________________ hamburguesas y perros calientes.
4. —¿Qué ____________________ tú cuando vas a ese restaurante?
   —Yo ____________________ bistec con langosta.
   —Yo siempre ____________________ que en ese restaurante (ellos) ____________________ los mejores mariscos.

C. Entrevista a tu compañero(a)

Interview a partner, using the following questions.

1. Cuando vas a un restaurante mexicano, ¿qué pides para comer? ¿Qué pides para beber?
2. ¿La comida mexicana es mejor que la italiana? ¿Qué dices tú?
3. ¿Dónde consigues mariscos frescos *(fresh)*?
4. ¿Qué sirves tú en tus fiestas para comer? ¿Y para beber?
5. Cuando tú y tus amigos dan una fiesta, ¿sirven cerveza o refrescos?
6. ¿Tú consigues música en español? ¿Dónde?
7. ¿En qué librería *(bookstore)* consiguen los estudiantes libros en español?
8. ¿Prefieres escuchar música moderna o clásica? ¿Quién es tu cantante *(singer)* favorito?

'ammar Tutorial

3 Direct object pronouns

(Pronombres usados como complemento directo)

- In addition to a subject, most sentences have an object that directly receives the action of the verbs.

  Él compra **el café**. — *He buys **the coffee**.*
  S. V. D.O.

  In the preceding sentence, the subject **él** performs the action, while **el café,** the direct object, directly receives the action of the verb. The direct object of a sentence can be either a person or a thing.

- The direct object can be easily identified as the answer to the questions *whom?* and *what?*

  Él compra **el café.** — ***What** is he buying?*
  S. V. D.O.

  Alicia llama **a Luis.** — ***Whom** is she calling?*
  S. V. D.O.

- Direct object pronouns are used in place of direct objects. The forms of the direct object pronouns are as follows.

Singular		Plural	
me	*me*	**nos**	*us*
te	*you (fam.)*	**os**	*you (fam.)*
lo	*him, you (masc. form.), it (masc.)*	**los**	*them (masc.), you (masc. form. / fam.)*
la	*her, you (fem. form.), it (fem.)*	**las**	*them (fem.), you (fem. form. / fam.)*

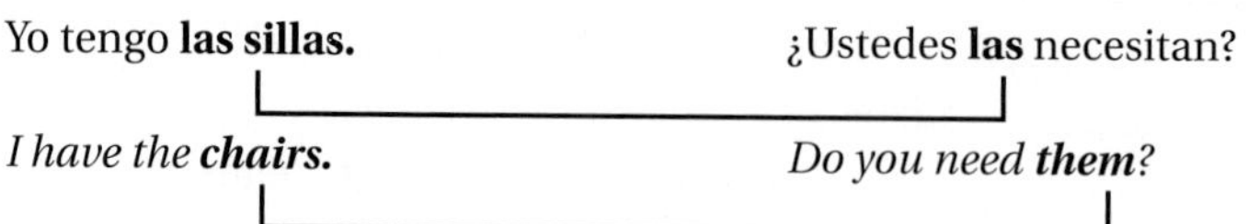

Yo tengo **las sillas.** ¿Ustedes **las** necesitan?

*I have the **chairs.*** *Do you need **them**?*

Position of direct object pronouns

- In Spanish, object pronouns are normally placed before a conjugated verb.

Yo compro **el café.**			*I buy **the coffee**.*
Yo	**lo**	compro.	*I buy **it**.*

- In a negative sentence, **no** must precede the object pronoun.

Yo compro **el café**.				*I buy **the coffee**.*
Yo		**lo**	compro.	*I buy **it**.*
Yo	**no**	**lo**	compro.	*I **don't** buy **it**.*

- When a conjugated verb and an infinitive appear together, the direct object pronoun is either placed before the conjugated verb or attached to the infinitive. This is also the case in a negative sentence.

La	voy a llamar. Voy a llamar**la.**	*I'm going to call **her**.*
No **la** No	voy a llamar. voy a llamar**la.**	*I'm not going to call **her**.*

- In the present progressive, the direct object pronoun can be placed either before the verb **estar** or after the gerund.

Lo	está leyendo. Está leyéndo**lo.**	*He's reading **it**.*

¡ATENCIÓN!

Note the use of the written accent on present participles (also called **"gerundio"** [**-ando** and **-iendo** forms in Spanish]) that have pronouns attached: **está leyéndolo, estamos mirándola.**

 Práctica y conversación

Quiz

A. Minidiálogos

Complete the following exchanges, supplying the missing direct object pronouns.

1. —¿Tú tienes la cebolla para *(for)* la ensalada?
   —No, yo no ________________ tengo. ¿Quién tiene el tomate?
   —Julián ________________ tiene.
2. —¿A qué hora cierran el supermercado?
   —________________ cierran a las diez. ¿Tú vas a comprar las frutas?
   —Sí, ________________ voy a comprar esta noche.
3. —Ariel, ¿Carlos ________________ va a llevar a ti o a mí al supermercado?
   —Él ________________ va a llevar a mí.
4. —¿Tú conoces a los hermanos de Marta?
   —No, yo no ________________ conozco.
5. —¿Ellos ________________ invitan a Uds. a sus fiestas?
   —Sí, siempre ________________ invitan.
6. —¿Uds. están leyendo el libro?
   —Sí, nosotros ________________ estamos leyendo.

B. A pensar...

With a classmate, find the appropriate direct object pronouns to say what we do with respect to the following people or things.

- **MODELO:** el café
  Lo bebemos.

1. los libros
2. las frutas
3. el pan
4. el coctel de camarones
5. la ensalada
6. el taxi
7. dos chicas (dos muchachos)

C. Susana dice que sí

Susana has a car and her teacher and her friends often need rides. Susana always says yes. What does she say to the following people?

1. Ana —¿Puedes llevarme a casa?
2. Raúl y Jorge —¿Puedes llevarnos a la biblioteca?
3. Profesora —¿Puedes llevarme a mi apartamento?
4. Teresa —¿Puedes llevar a Rosa y a Carmen a casa?
5. Sergio —¿Puedes llevar a Pedro y a Luis al restaurante?
6. Marta y Raquel —¿Puedes llevarnos al Mercado Central?

D. Planes

You and your friends Gustavo and Jaime are making plans to go out for the evening. Answer Gustavo's questions, using direct object pronouns and the cues provided.

1. ¿A qué hora me llamas? (a las cinco)
2. ¿Adónde nos llevas? (a un restaurante)
3. ¿Recuerdas el número de teléfono de Jaime? (no)
4. ¿Tienes tu licencia para conducir *(driver's licence)*? (sí)
5. ¿Cuándo vas a llamar a Teresa y a Susana? (más tarde)
6. ¿El novio de Teresa los conoce a Uds.? (no)

DETALLES CULTURALES

La mayoría de los pueblos hispanos tienen un mercado central, con pequeñas tiendas. Mucha gente compra en estos mercados donde los precios generalmente son más bajos y los clientes pueden regatear *(bargain)* con los vendedores *(merchants)*.

¿Es costumbre regatear en Canadá o los precios son fijos? ¿Cuáles son los mercados más importantes en tu ciudad?

E. Necesitamos información

With a partner, take turns answering the following questions, basing your answers on the illustrations. Use direct object pronouns in your responses.

1. ¿A qué hora llama Sara a Luis?
2. ¿Cuándo tiene que llamar Luis a Sara?

3. ¿Pepe puede llevar a los chicos a casa?
4. ¿Dónde tiene Pepe los libros?

5. ¿Quién sirve el café?

6. ¿Quién bebe el refresco?

7. ¿Quién tiene las cartas?

8. ¿Quién abre la puerta?

ammar
Tutorial

4 Affirmative and negative expressions
(Expresiones afirmativas y negativas)

Affirmative		Negative	
algo	*something, anything*	**nada**	*nothing*
alguien	*someone, anyone*	**nadie**	*nobody, no one*
algún / **alguno(a)** / **algunos(as)**	*any, some*	**ningún** / **ninguno(a)**	*none, not any; no one*
siempre	*always*	**nunca** / **jamás**	*never*
alguna vez	*ever*		
algunas veces, a veces	*sometimes*		
también	*also, too*	**tampoco**	*neither*
o ... o	*either ... or*	**ni ... ni**	*neither ... nor*

—¿Uds. **siempre** van a San José? — *"Do you **always** go to San José?"*
—No, **nunca** vamos. — *"No, we **never** go."*
—Nosotros **tampoco.** — *"**Neither** do we."*

—¿Conoces a **alguien** de Costa Rica? — *"Do you know **anyone** from Costa Rica?"*
—No, no conozco a **nadie** de Costa Rica. — *"No, I don't know **anyone** from Costa Rica."*

- **Alguno** and **ninguno** drop the final **-o** before a masculine singular noun and add an accent, but **alguna** and **ninguna** keep the final **-a.**

  —¿Hay **algún** libro o **alguna** pluma en la mesa? — *"Is there **any** book or pen on the table?"*
  —No, no hay **ningún** libro ni **ninguna** pluma. — *"No, there is **no** book or pen."*

- **Alguno(a)** can be used in the plural form, but **ninguno(a)** is used only in the singular.

  —¿Necesita mandar **algunas** cartas? — *"Do you need to send **some** letters?"*
  —No, no necesito mandar **ninguna** carta. — *"No, I don't need to send **any** letters."*

- **Algún** and **ningún** are adjectives and go before a masculine noun. **Alguno** and **ninguno** are pronouns and therefore replace a noun.

  —¿Tienes **algún** libro en español en tu casa?
  —No, no tengo **ninguno**.

- Spanish sentences frequently use a double negative. In this construction, **no** is placed before the verb. The second negative word either follows the verb or appears at the end of the sentence. **No** is never used, however, if the negative word precedes the verb.

—¿Habla Ud. francés siempre?	*"Do you always speak French?"*
—No, yo **no** hablo francés **nunca.**	*"No, I **never** speak French."*
or:	
—No, yo **nunca** hablo francés.	

—¿Compra Ud. **algo** aquí?	*"Do you buy **anything** here?"*
—No, no compro **nada nunca.**	*"No, I **never** buy **anything**."*
or:	
—No, yo **nunca** compro **nada.**	

- In fact, Spanish often uses several negatives in one sentence.

  Yo **nunca** pido **nada tampoco**. *I **never** ask for **anything either**.*

Práctica y conversación

Quiz

A. No estoy de acuerdo *(I don't agree)*

Contradict the following statements by saying that just the opposite is true.

- **MODELO:** Eva quiere comer algo.
  *Eva **no** quiere comer **nada**.*

1. Jorge siempre va a ese mercado al aire libre.
2. Ellos tienen algunas verduras.
3. Ana siempre come langosta o cangrejo.
4. Pedro siempre va a ese restaurante y Eva también va.
5. Ella quiere hablar con alguien.
6. Luis tiene algunas amigas españolas.
7. Paco siempre compra algo.
8. Ella nunca habla con nadie.

B. Entrevista a tu compañero(a)

Interview a partner, using the following questions.

1. ¿Vas al mercado por la mañana a veces?
2. En el mercado, ¿siempre compras mariscos?
3. ¿Siempre llevas dinero contigo?
4. ¿Necesitas comprar algo en la panadería?
5. Yo nunca voy a la pescadería los domingos. ¿Y tú?
6. ¿Comes algunas frutas tropicales? ¿Cuáles?
7. ¿Alguien va contigo al mercado?
8. ¿Tú comes pan tostado o panqueques por la mañana?
9. ¿Algunas veces vas a un mercado al aire libre?
10. Yo como melocotones, ¿y tú?

C. Queremos saber ...

With a partner, prepare five affirmative and five negative questions to ask your instructor.

D. Siempre ... a veces ... nunca ...

In groups of three, tell your classmates two things you always do, two things you sometimes do, and two things you never do.

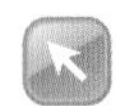

rammar Tutorial

5 *Hace ... que*

- To express how long something has been going on, Spanish uses the following formula.

Hace + *length of time* + **que** + *verb (in the present tense)*		
Hace dos años	**que**	vivo aquí.

I have been living here for two years.

—Oye, ¿dónde está Eva?	*"Listen, where is Eva?"*
—No sé. **Hace dos días que no viene** a clase.	*"I don't know.* ***She hasn't come*** *to class* ***for two days.****"*

- The following construction is used to ask how long something has been going on.

¿Cuánto tiempo hace que + *verb (present tense)*?[7]

—**¿Cuánto tiempo hace que ella trabaja** aquí?	***"How long has she been working*** *here?"*
—Hace una semana que trabaja aquí.	***"She has been working here*** *for* ***a week."***

[7]Note that English uses the present perfect progressive or the present perfect tense to express the same concept.

EL MUNDO HISPÁNICO

1. La iglesia Recolección (1786) en la ciudad de Léon, Nicaragua, es una representación de la arquitectura colonial.

2. En el Parque Nacional Corcovado, en Costa Rica, se puede ver una gran variedad de aves tropicales, entre ellos se encuentra el Guacamayo Rojo.

3. La ciudad de Panamá tiene una costa extensa y muy atractiva. Más del 59% de la población del país vive en esta ciudad.

4. Las esculturas de la Plaza Botero en Medellín, Colombia, son un regalo del famoso artista Fernando Botero en su ciudad natal.

NICARAGUA 

- Nicaragua es la tierra de los lagos y de los volcanes. Uno de los lagos, el Nicaragua, es el mayor lago de agua dulce de Centroamérica, y en él hay tiburones *(sharks)* y otros peces que sólo viven en agua salada en otras regiones.
- Las playas de Nicaragua son excelentes para hacer surf. Muchos jóvenes canadienses visitan San Juan del Sur para aprovechar las olas grandes. También se puede pescar y practicar otros deportes acuáticos allí.
- En Nicaragua los turistas pueden ver y visitar los volcanes o, si son muy valientes (brave), pueden practicar un deporte muy interesante. En Cerro Negro, se practica el "volcano-boarding". Es posible esquiar en tabla sobre la arena (*sand*) volcánica.

COSTA RICA 

- Costa Rica tiene el mayor ingreso *(income)* per cápita en Centroamérica y un gobierno democrático con muy pocos problemas políticos. La capital de Costa Rica es San José.
- La mayoría de los "ticos" (como se les llama a los costarricenses) son católicos y de origen español.
- Este país tiene excelentes programas para proteger la ecología, sobre todo *(especially)* la selva *(rainforest)*.
- En Costa Rica se le da una gran importancia a la educación, la cultura y las artes. De todos los países centroamericanos, Costa Rica es el que tiene el menor número de analfabetos *(illiterates)*. Se dice *(It is said)* que en Costa Rica "hay más maestros *(teachers)* que soldados".

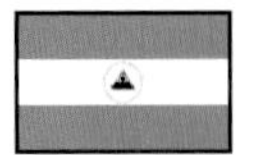
NICARAGUA

COSTA RICA

PANAMÁ

COLOMBIA

3 Nora Luo0018/Shutterstock.com

4 Robert Harding World Imagery/Alamy

PANAMÁ 

- Panamá está situado en el istmo *(isthmus)* que une *(joins)* Sudamérica con Norteamérica. El país está dividido por el Canal de Panamá. La principal fuente de ingresos *(source of income)* del país está asociada con las operaciones del Canal, que es administrado por Panamá desde el año 2000. La construcción del Canal por parte del gobierno de los Estados Unidos duró *(lasted)* diez años y fue terminada en 1914. El Canal mide 82,4 km y tiene tres esclusas *(locks)* a cada lado del istmo que cruza.
- La cultura panameña es una mezcla *(mixture)* de las tradiciones españolas, africanas, indígenas y estadounidenses. El idioma oficial del país es el español, pero también se usa mucho el inglés.

COLOMBIA 

- Colombia es la única nación nombrada en honor de Cristóbal Colón.
- El Museo del Oro en Bogotá, la capital de Colombia, tiene una de las mejores colecciones de la artesanía precolombina, incluidos unos 30.000 objetos de oro.
- La música típica de Colombia es muy variada. Incluye la cumbia y el vallenato, que han alcanzado fama internacional. Shakira, Juanes y Carlos Vives son cantantes colombianos populares en Canadá y en los Estados Unidos.
- Colombia contribuye a la literatura y al arte mundial con dos grandes personajes: Gabriel García Márquez, que ganó el Premio Nobel de Literatura, y Fernando Botero, pintor y escultor famoso en todo el mundo.

El mundo hispano y tú 

With a partner, discuss the following questions.

1. Si te gusta hacer surf, ¿qué país vas a visitar para hacer esta actividad? ¿Qué otro deporte piensas que se puede hacer en ese país?
2. ¿Piensas que tener el menor número de analfabetos en Costa Rica es importante? ¿Por qué?
3. ¿Qué mezcla de culturas hay en Panamá? ¿Es importante tener mezcla de culturas en un país? ¿Por qué?
4. Fernando Botero es un pintor famoso. ¿Conoces algunas de sus pinturas? ¿Cuáles son sus características?
5. ¿En qué país de los estudiados en esta lección hay menos soldados? ¿Es esta una característica importante para un país?

Lesson Review

LECCIÓN 6

A. Stem-changing verbs: *o > ue*

Complete each sentence, using one of the following verbs: **costar, dormir, encontrar, poder** (use twice), **recordar, volver.**

1. Yo no __________________ el número de teléfono de Raúl.
2. Jorge __________________ a casa a las cinco.
3. ¿Cuánto __________________ las chuletas?
4. ¿En qué __________________ (yo) servirle?
5. Nosotros no __________________ el dinero. ¿Dónde está?
6. Claudia y yo no __________________ ir a la pescadería hoy.
7. Él __________________ en su cuarto.

B. Stem-changing verbs: *e > i*

Complete these sentences, using the present indicative of the following verbs: **conseguir, decir, pedir, servir.** Use each verb twice.

1. Ellos __________________ trabajo en el hotel.
2. Nosotros __________________ ensalada y sándwiches en la fiesta.
3. ¿Dónde __________________ tú fresas?
4. Él __________________ que está cansado.
5. Ella me __________________ una taza de café.
6. Yo __________________ que van al mercado.
7. Mi esposo y yo siempre __________________ vino cuando comemos en ese restaurante.
8. ¿Dónde __________________ Ud. las postales *(postcards)* de México?

C. Direct object pronouns

Answer the following questions in the negative, replacing the italicized words with direct object pronouns.

1. ¿Vas a leer *estos libros*?
2. ¿Él *me* conoce? *(Use the **Ud.** form.)*
3. ¿*Te* llevan ellos al mercado?
4. ¿Ella *me* llama mañana? *(Use the **tú** form.)*
5. ¿Necesitas *el detergente*?
6. ¿Tienes *la fruta* aquí?
7. ¿Ellos *los* conocen a Uds.?
8. ¿Uds. consiguen *buenas frutas* en el supermercado?

D. Affirmative and negative expressions

Rewrite the following sentences, changing the negative expressions to the affirmative.

1. No tengo nada aquí.
2. ¿No quiere nada más?
3. Nunca vamos al supermercado.
4. No quiero ni la pluma roja ni la pluma verde.
5. Nunca llamo a nadie.

E. *Hace ... que*

Write the following sentences in Spanish.

1. I have been living in Honduras for five years.
2. How long have you been studying Spanish, Mr. Smith?
3. They have been writing for two hours.
4. She hasn't eaten for two days.

F. Vocabulary

Complete the following sentences, using vocabulary from **Lección 6.**

1. Yo le pongo ____________________ al café.
2. Ellos no quieren ____________________ de cerdo.
3. Va a comprar el pan en la ____________________.
4. En mi casa ____________________ a las doce.
5. ¿A qué hora ____________________ Uds. a su casa?
6. Ellos están ____________________ de hambre.
7. Ana y Jorge son ____________________ casados.
8. Ellos viven ____________________ de la universidad.
9. El ____________________ y la ____________________ son mariscos.
10. Necesito una ____________________ de huevos y ____________________ de tomate para los espaguetis.

G. Translation

Express the following in Spanish.

1. At the market we buy celery, carrots, and cucumbers.
2. I'm starving! At what time do they serve lunch?
3. Hugo asks for pork chops. He wants them with spaghetti.
4. She never speaks to anyone.
5. —How long have you been living here?
   —I've been living here for four years.
6. They can come to the party on Friday.
7. We don't have toilet paper. I need to go to the supermarket.
8. Mr. Vega is a cook. He works at a famous restaurant.

H. Culture

Circle the correct answers, based on the cultural notes you have read.

1. La capital de Costa Rica es (San José / San Juan).
2. La principal fuente de ingresos de Panamá está asociada con (la agricultura / las operaciones del Canal).
3. En Nicaragua los jóvenes pueden hacer surf en las (playas / piscinas).
4. Un famoso artista y escultor colombiano es (Picasso / Botero).

UNIDAD 4

PARA DIVERTIRSE

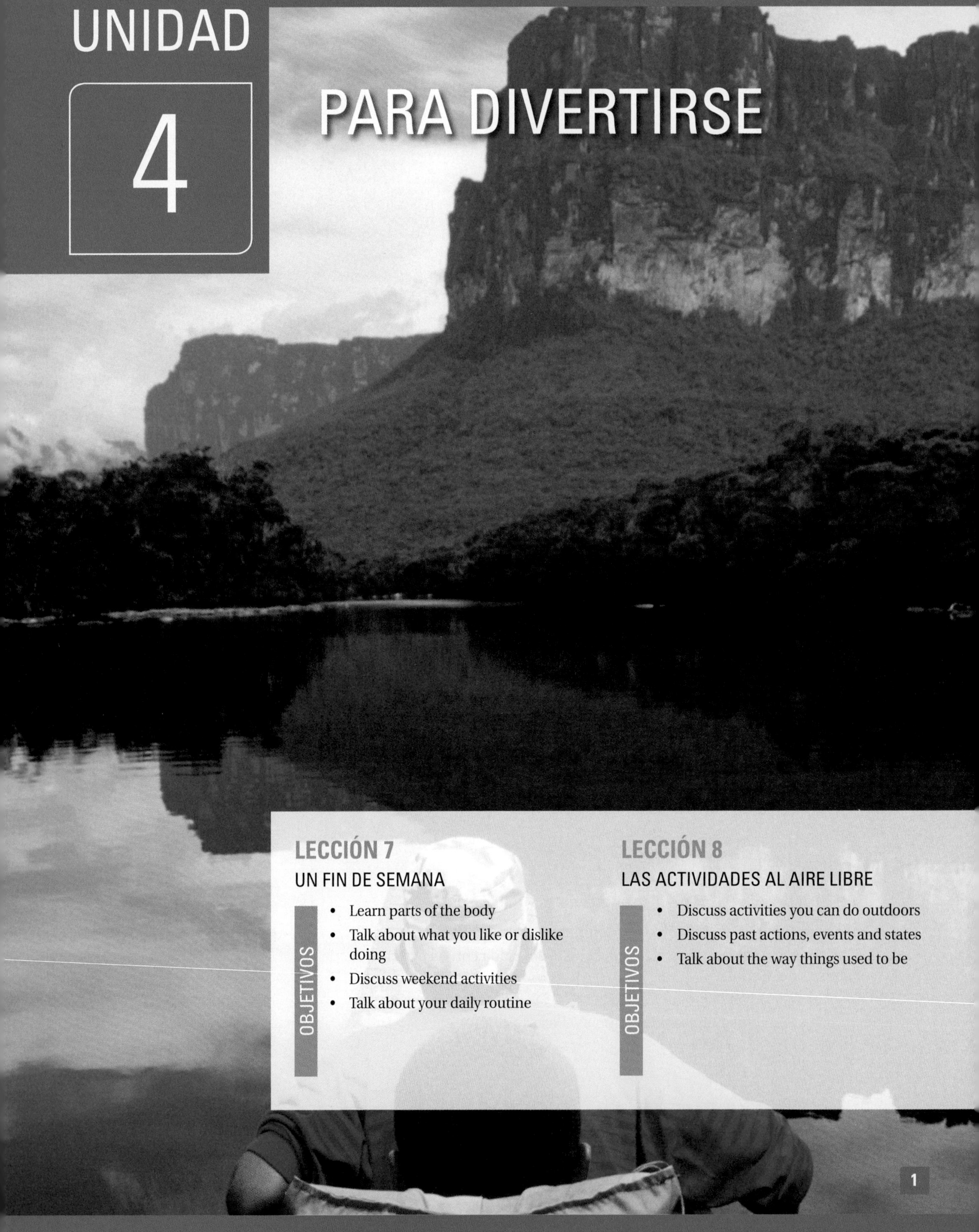

LECCIÓN 7

UN FIN DE SEMANA

OBJETIVOS

- Learn parts of the body
- Talk about what you like or dislike doing
- Discuss weekend activities
- Talk about your daily routine

LECCIÓN 8

LAS ACTIVIDADES AL AIRE LIBRE

OBJETIVOS

- Discuss activities you can do outdoors
- Discuss past actions, events and states
- Talk about the way things used to be

2

3

4

Map courtesy of Patricia Isaacs, Parrot Graphics

Krzysztof Dydynski/GETTY IMAGES

¿QUÉ HACES PARA DIVERTIRTE?

Los estudiantes en las universidades del mundo hispano participan en muchos de los deportes que son populares en Canadá. Por ejemplo, a muchos jóvenes les gusta nadar, hacer surf y acampar en el verano. **¿Qué actividades te gustan a ti? ¿Qué deportes practicas en el verano? ¿Qué haces en el invierno?**

1. Estos turistas hacen un viaje por barco en el Parque Nacional Canaima de Venezuela.

2. El béisbol es una pasión para los dominicanos de todas las edades.

3. Desde una playa en La Habana se ve el Castillo de los Tres Reyes Magos del Morro.

4. Este hombre bucea y saca fotos del coral cerca de la Culebra Reserva Natural, Puerto Rico.

LECCIÓN 7

UN FIN DE SEMANA

Juan-Carlos Herrera-Arango/THINKSTOCK

Carlos Aranda y su esposa Ester son cubanos, pero ahora viven en un apartamento grande y moderno en Santo Domingo. Tienen dos hijos: Olga, de diecinueve años, y Pablo, de diecisiete años.

Carlos y Ester se levantan temprano hoy porque tienen muchos planes para el fin de semana. Los chicos duermen hasta las diez porque anoche fueron a una fiesta de cumpleaños en la casa de sus primos y volvieron muy tarde.

Ester: ¿Vamos a ir al teatro con tus padres? Ellos nos invitaron la semana pasada.

Carlos: Tú sabes que a mí no me gusta ir al teatro; me gusta más el cine. Papá quiere ver la película que ponen en el cine *Rex*. Es una película de detectives...

Ester: Bueno, voy a preguntarles si quieren cambiar sus planes, pero a tu mamá le gustan las comedias románticas.

Carlos: ¡Ah! Teresa nos mandó la invitación para su boda. La recepción va a ser en el club Náutico. Tenemos que comprar un regalo. ¿Quieres ir de compras *(go shopping)* conmigo?

Ester: Podemos ir un rato. ¿Ya se levantaron los chicos?

Carlos: Sí, están desayunando. Olga no está contenta porque no puede ir a patinar con sus amigos esta tarde.

Ester: Ella sabe que esta tarde tenemos que ir a visitar a tía Marcela, que nos invitó a merendar.

Carlos: ¡Ay, pobre chica! En vez de divertirse con sus amigos, se va a aburrir con tu tía Marcela...

Ester: *[Se ríe]* ¡Está bien! Le voy a decir que no tiene que ir con nosotros.

Carlos: *[Bromeando]* ¿Yo puedo ir a patinar con ella?

Olga y Pablo están hablando en la cocina.

Pablo: Yo voy a ir a nadar con Beto y René esta tarde y después vamos a ir a ver un partido de béisbol.

Olga: ¿Me estás diciendo que no tienes que ir a la casa de tía Marcela?

Pablo: No, papá me dio permiso para salir con mis amigos.

Olga: ¡Eso no es justo! ¡A veces quiero ser hija única! ¡Mamá!

Ester: *[Entra en la cocina.]* No tienes que ir con nosotros, Olga.

Olga: Esta noche, ¿puedo ir a bailar con María Inés y su hermano? Hay un club nocturno nuevo…

Ester: ¡Ajá! ¿El hermano…?

Olga: A los dos nos gusta bailar… eso es todo…

Ester: Bueno, pero tienes que volver antes de la medianoche.

Olga: Les voy a decir que me tienen que traer a las doce menos cinco, ¡sin falta!

Kaponia Aliaksei/Shutterstock.com

Patagonik Works/GETTY IMAGES

Hablemos

Sobre el diálogo

With a classmate, take turns asking and answering the following questions. Base your answers on the dialogues.

1. ¿De dónde son Carlos y Ester? ¿En qué ciudad viven ahora?
2. ¿Cuántos hijos tienen Carlos y Ester y cuántos años tienen?
3. ¿Por qué se levantan temprano hoy? ¿A qué hora se levantan los chicos? ¿Adónde fueron anoche?
4. ¿Qué les mandó Teresa? ¿Dónde es la recepción?
5. ¿Adónde tienen que ir esta tarde?
6. ¿Qué va a hacer Pablo por la tarde? ¿Y después?
7. ¿Por qué no tiene que ir Pablo a casa de su tía?
8. ¿Qué quiere Olga a veces?
9. ¿Qué quiere hacer Olga esta noche? ¿Adónde quiere ir?
10. ¿A qué hora tiene que volver Olga? ¿A qué hora la van a traer?

Entrevista a tu compañero(a)

Take turns asking and answering these questions.

1. ¿Prefieres ir al cine o al teatro?
2. ¿A qué hora regresas a tu casa cuando sales con tus amigos?
3. ¿Adónde vas con ellos?
4. ¿Qué actividades haces cuando no tienes clase?
5. Escalar una montaña, montar en bicicleta, esquiar o patinar, ¿cuál prefieres?
6. ¿Qué deporte(s) ves en la televisión?
7. ¿Tienes un equipo *(team)* favorito? ¿De qué deporte?
8. ¿Hay clases de baile en tu universidad?

DETALLES CULTURALES

Las películas estadounidenses son muy populares en el mundo hispánico. Generalmente tienen subtítulos en español o están dobladas *(dubbed)*. Hay muchos actores hispanos conocidos por todo el mundo, entre ellos encontramos a Salma Hayek, Penélope Cruz, Gael García Bernal y Javier Bardem.

¿Te gusta ver películas extranjeras? ¿Conoces a otros actores hispanos?

VOCABULARIO

Audio Flashcards

COGNADOS

el béisbol
el detective
moderno(a)
el permiso
el plan
la recepción
el teatro
la visita

SUSTANTIVOS

anteayer	*the day before yesterday*
ayer	*yesterday*
el boleto, la entrada	*ticket (for an event)*
la cara	*face*
el centro	*downtown, the centre*
el corazón	*heart*
el dedo del pie	*toe*
el diente	*tooth*
el fin de semana	*weekend*
la flor	*flower*
el florero	*vase*
la lengua	*tongue*
el/la médico(a)	*doctor*
la semana	*week*
la vez	*time, occasion*

VERBOS

aburrirse	*to be bored*
acostarse (o > ue)	*to go to bed*
afeitarse, rasurarse	*to shave*
bañarse	*to bathe*
bromear	*to kid, to joke*
cambiar	*to change*
despertarse (e > ie)	*to wake up*
divertirse (e > ie)	*to have a good time*
dormirse (o > ue)	*to fall asleep*
ducharse	*to shower*
entrar (en)	*to enter, to go in*
gustar	*to like, to appeal*
irse	*to leave, to go away*
lavarse	*to wash oneself*
levantarse	*to get up*
merendar (e > ie)	*to have an afternoon snack*
nadar	*to swim*
patinar	*to skate*
ponerse	*to put on*
preguntar	*to ask (a question)*
probarse (o > ue)	*to try on*
quejarse	*to complain*
quitarse	*to take off*
reírse[1] (e > ie)	*to laugh*
romper	*to break (like a glass)*
romperse*	*to break (a bone, for example)*
sentarse (e > ie)	*to sit down*
sentirse (e > ie)	*to feel*
visitar	*to visit*

ADJETIVOS

extranjero(a)	*foreign*
justo(a)	*fair*
pasado(a)	*last (in reference to point in time), past*
romántico(a)	*romantic*
último(a)	*last (in a series)*

OTRAS PALABRAS Y EXPRESIONES

anoche	*last night*
en vez de	*instead of*
hasta	*until*
importarle (a uno)	*to matter (to someone)*
ir a patinar	*to go skating*
poner (pasar) una película*	*to show a movie*
temprano	*early*

DE PAÍS A PAÍS

romperse quebrarse *(Méx.)*
poner una película dar (pasar) una película *(Ecuador, Cono Sur)*
montar en bicicleta andar en bicicleta *(Arg., Méx.)*
el parque de diversiones el parque de atracciones *(Esp.)*

[1] Present indicative of the verb **reír: me río, te ríes, se ríe, nos reímos, os reís, se ríen.**

Amplía tu vocabulario

Para invitar a alguien a salir *(Asking someone out)*

¿Quieres ir...?

a un club nocturno?	*to a nightclub?*
a un concierto?	*to a concert?*
al museo?	*to the museum?*
al parque de diversiones*?	*to the amusement park?*
a la playa?	*to the beach?*
al zoológico?	*to the zoo?*
de compras?	*shopping?*
de picnic?	*on a picnic?*
a escalar una montaña?	*mountain climbing?*
a esquiar[2]?	*skiing (to ski)?*
a montar* en bicicleta*?	*bicycle riding?*
a montar a caballo?	*horseback riding?*

Partes del cuerpo *(Parts of the body)*

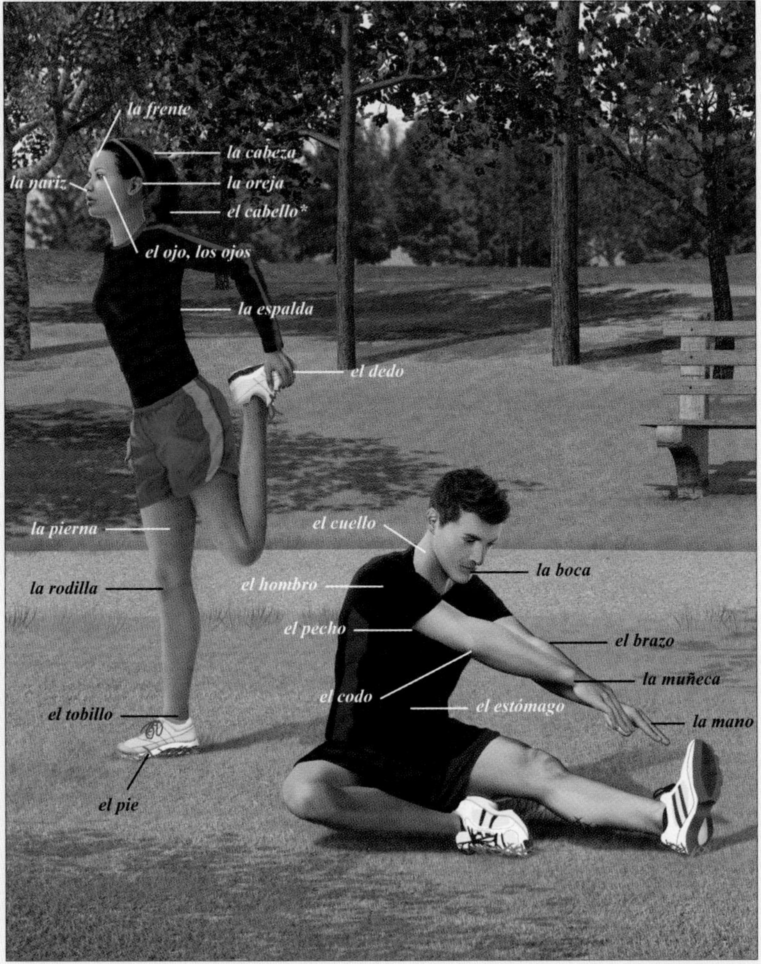

[2]Present indicative of the verb **esquiar: esquío, esquías, esquía, esquiamos, esquiáis, esquían.**

Para practicar el vocabulario

Quiz

A. Preguntas y respuestas

Match the questions in column A with the answers in column B.

A	B
1. ¿Se divierten en esas fiestas?	**a.** La semana pasada.
2. ¿Viste a Roberto en el club?	**b.** No, no tenemos hambre.
3. ¿Cuándo volvieron?	**c.** Sí, pero no me importa.
4. ¿Los niños rompieron el florero?	**d.** Sí, vamos a ir a patinar.
5. ¿Van a merendar?	**e.** No, porque yo trabajo los sábados.
6. ¿Tiene dinero?	**f.** ¡Sí! ¡No es justo!
7. ¿Vas al cine los fines de semana?	**g.** No, se aburren.
8. ¿Tienen planes?	**h.** A la medianoche.
9. ¿A qué hora vienen?	**i.** No, es muy pobre.
10. ¿Tú haces todo el trabajo?	**j.** Sí, lo vi.

B. Todos se divierten

Complete the following statements about a great weekend with vocabulary from **Lección 7**.

1. Hoy ________________ una buena ________________ en el cine Victoria.
2. Los chicos van a ir a ________________ a caballo.
3. Sergio va a ir a ver un ________________ de béisbol.
4. Ana y sus amigos van a un ________________ a bailar.
5. Esta tarde yo voy a ir a ________________ con mi novio.
6. Estoy invitada a la ________________ de una boda.
7. Vamos a la piscina *(pool)* a ________________.
8. Vamos al ________________ a ver *Romeo y Julieta.*
9. Voy a ________________ a mi tía favorita en el verano. Vive en Yellowknife.
10. Teresa y Armando van a un parque de ________________.

C. ¿Adónde vamos...?

Your friend has accepted your invitation. Where are you going to go? Begin your answers with **Vamos a ir...**

1. You want to sunbathe and swim.
2. You feel like climbing a mountain.
3. You want to ride a roller coaster.
4. You want to dance salsa.
5. You want to see animals.
6. You want to see Picasso's paintings.
7. You want to have lunch and enjoy nature.
8. You want to hear some live music.
9. You want to race down a mountainside.
10. You want to go horseback riding or ride your bicycle.

D. ¿Quieres ir...?

With a partner, play the roles of two friends who cannot agree on where to go or what to do on the weekend. Give at least five examples.

- **MODELO:** —*¿Quieres ir al cine?*
  —*No, prefiero ir al teatro.*

E. ¿Qué sabes de anatomía?

Today, you and your partner are the professors. Teach your students these parts of the body in Spanish.

Tony Northrup/Shutterstock.com (both images)

Pronunciación

Las consonantes *l, r, rr*

A. Practise the Spanish **l** in the following words.

O**l**ga	abri**l**	ú**l**timo
mi**l**	Ánge**l**	béisbo**l**
Isabe**l**	ma**l**	vo**l**ver

B. Practise the Spanish **r** in the following words.

mode**r**no	teat**r**o	flo**r**e**r**o
p**r**ime**r**o	Pa**r**ís	cua**r**enta
pa**r**tido	favo**r**ito	de**r**echa

C. Practise the Spanish **rr** (spelled **r** both at the beginning of a word and after an **n**) in the following words.

recibir	bo**rr**ador	co**rr**er
En**r**ique	abu**rr**irse	**r**omper
recepción	piza**rr**a	**r**eírse

PUNTOS PARA RECORDAR

Grammar Tutorial

1 Preterite of regular verbs *(El pretérito de los verbos regulares)*

- Spanish has two simple past tenses: the preterite and the imperfect. (The imperfect will be presented in **Lección 8.**) The preterite of regular verbs is formed as follows. Note that the endings for **-er** and **-ir** verbs are identical.

-ar verbs **tomar** *(to take)*	**-er** verbs **comer** *(to eat)*	**-ir** verbs **escribir** *(to write)*
tom**é**	com**í**	escrib**í**
tom**aste**	com**iste**	escrib**iste**
tom**ó**	com**ió**	escrib**ió**
tom**amos**	com**imos**	escrib**imos**
tom**asteis**	com**isteis**	escrib**isteis**
tom**aron**	com**ieron**	escrib**ieron**

yo **tomé**	*I took; I did take*
Ud. **comió**	*you ate; you did eat*
ellos **decidieron**	*they decided; they did decide*

- Verbs ending in **-ar** and **-er** that are stem-changing in the present indicative are regular in the preterite.

encontrar	tú enc**ue**ntras	tú enc**o**ntraste
volver	yo v**ue**lvo	yo v**o**lví
cerrar	yo c**ie**rro	yo c**e**rré

- Verbs ending in **-gar, -car,** and **-zar** change **g** to **gu, c** to **qu,** and **z** to **c** before **é** in the first person of the preterite.

pagar → **pa*gu*é** **buscar** → **bus*qu*é** **empezar** → **empe*c*é**

- Verbs whose stem ends in a strong vowel **(a, e, o)** change the unaccented **i** of the preterite ending to **y** in the third-person singular and plural of the preterite.

leer[3] → **le*y*ó** **le*y*eron**

- The preterite tense refers to actions or events that the speaker views as completed in the past.

—¿Qué **compraste** ayer?
—**Compré** un florero.

*"What **did you buy** yesterday?"*
*"**I bought** a vase."*

—¿Qué **comieron** Uds.?
—**Comimos** ensalada.

*"What **did you eat**?"*
*"**We ate** salad."*

—¿A qué hora **volvió** usted?
—Yo **volví** a las seis.

*"What time **did you return**?"*
*"I **returned** at six."*

—¿A qué hora **llegaste**?
—**Llegué** a las seis.

*"What time **did you arrive?**"*
*"**I arrived** at seven."*

—¿**Encontraste** el dinero?
—No lo **busqué.**

*"**Did you find** the money?"*
*"**I didn't look for** it."*

[3]Preterite of the verb **leer: leí, leíste, leyó, leímos, leísteis, leyeron**.

¡ATENCIÓN!

Note that Spanish has no equivalent for the English *did* used as an auxiliary verb in questions and negative sentences.

Práctica y conversación

Quiz

A. Minidiálogos

Complete the following dialogues, using the correct preterite forms of the verbs in parentheses.

1. —¿A qué hora ___________________ (volver) Uds. ayer?
   —Yo ___________________ (volver) a las siete y Mario ___________________ (volver) a las nueve. ¿A qué hora ___________________ (volver) tú?
2. —___________________ (Leer) Ud. este libro, Sr. Vega?
   —Sí, lo ___________________ (leer) ayer.
   —¿Ud. lo ___________________ (sacar) de la biblioteca o lo ___________________ (comprar)?
   —Lo ___________________ (sacar) de la biblioteca.
3. —¿Cuándo ___________________ (empezar) a trabajar tú?
   —___________________ (Empezar) la semana pasada.
   —¿En qué mes _________ (llegar) tú aquí?
   —___________________ (Llegar) en noviembre del año pasado.
4. —¿Con quién ___________________ (hablar) Uds.?
   —Yo ___________________ (hablar) con mi madrina y Ramiro ___________________ (hablar) con su abuela.

B. Ayer…

Read what the following people typically do. Then complete each sentence telling how they varied from their normal routines yesterday.

1. Yo siempre hablo con mis padres, pero ayer…
2. Yo siempre escribo en inglés, pero ayer…
3. Tú siempre estudias por la mañana, pero ayer…
4. Alberto siempre compra café, pero ayer…
5. Los chicos siempre toman café, pero ayer…
6. Nosotros siempre comemos en la cafetería, pero ayer…
7. Adela siempre sale con su novio, pero ayer…
8. Ustedes siempre vuelven a las seis, pero ayer…
9. Yo siempre llego a la universidad a las ocho, pero ayer…
10. Yo siempre empiezo a trabajar a las tres, pero ayer…

C. Entrevista a tu compañero(a)

Interview a classmate about his or her activities yesterday, using the following questions.

1. ¿A qué hora saliste de tu casa ayer?
2. ¿A qué hora llegaste a la universidad?
3. ¿Trabajaste mucho?
4. ¿Cuántas horas estudiaste?
5. ¿Dónde comiste? ¿Qué comiste?
6. ¿Qué tomaste?
7. ¿Compraste algo? ¿Qué compraste?
8. ¿A qué hora volviste a tu casa?

9. ¿Qué película extranjera viste[4]?
10. ¿A qué hora cenaste?
11. ¿Leíste un libro interesante el fin de semana pasada?
12. ¿A qué hora merendaste hoy?

Grammar Tutorial

2 Preterite of *ser, ir,* and *dar* (*El pretérito de ser, ir y dar*)

The preterites of **ser, ir,** and **dar** are irregular.

ser *(to be)*	**ir** *(to go)*	**dar** *(to give)*
fui	**fui**	**di**
fuiste	**fuiste**	**diste**
fue	**fue**	**dio**
fuimos	**fuimos**	**dimos**
fuisteis	**fuisteis**	**disteis**
fueron	**fueron**	**dieron**

¡ATENCIÓN!

Note that **ser** and **ir** have identical preterite forms; however, there is no confusion as to meaning, because the context clarifies it.

—¿**Fuiste** al centro ayer?
—Sí, **fui** para comprar ropa.
Papá me **dio** el dinero.

*"**Did you go** downtown yesterday?"*
*"Yes, **I went** to buy clothes. Dad **gave** me the money."*

—¿Quién **fue** tu profesor de español?
—El Dr. Vega.

*"Who **was** your Spanish professor?"*
"Dr. Vega."

Quiz

Práctica y conversación

A. Minidiálogos

Complete the following dialogues, using the preterite of **ser, ir,** or **dar.**

1. —¿Con quién ____________________ tú al cine?
—____________________ con mi hijo.
—¿____________________ (Uds.) por la mañana o por la tarde?
—____________________ por la tarde.
2. —¿Cuánto dinero ____________________ Uds. para la fiesta?
—Yo ____________________ 10 dólares y Carlos ____________________ 5 dólares.
—¿Luisa ____________________ a la fiesta con Roberto?
—No, ella y Marisol ____________________ con Juan Carlos al cine.
3. —¿Quién ____________________ el profesor de literatura de Uds. en la universidad el año pasado?
—El Dr. Rivas.
—¿Uds. no ____________________ estudiantes de la Dra. Torres?
—No, no ____________________ estudiantes de ella.

[4]Preterite of the verb **ver: vi, viste, vio, vimos, visteis, vieron** (same endings as **dar**).

 B. **Entrevista a tu compañero(a)**

Interview a partner, using the following questions.

1. ¿Quién fue tu profesor(a) [maestro(a) *teacher*] favorito(a) el año pasado?
2. ¿Fuiste a la biblioteca ayer? ¿A qué hora?
3. ¿Adónde fuiste el fin de semana pasado?
4. ¿Tus amigos fueron también?
5. ¿Cuándo diste una fiesta?
6. ¿Dónde la diste?
7. ¿Fueron tú y tus amigos al cine el sábado pasado?
8. ¿Fuiste de vacaciones el verano pasado? ¿Adónde fuiste?

 C. **Queremos saber...**

With a partner, prepare five questions to ask your instructor about his or her leisure activities. Use the preterite of **ser, ir,** and **dar.**

Izabela Habur/Getty Images

rammar Tutorial

3 Indirect object pronouns
(Los pronombres usados como complemento indirecto)

FLASHBACK

Review direct object pronouns on pp. 143–144.

- In addition to a subject and direct object, a sentence can have an indirect object.

  Ella les da el **dinero a los muchachos.**

  S. V. D.O. I.O.

  What does she give? **(el dinero)**

  To whom does she give it? **(a los muchachos)**

  In this sentence, **ella** is the subject who performs the action, **el dinero** is the direct object, and **a los muchachos** is the indirect object, the final recipient of the action expressed by the verb.

- Indirect object nouns are, for the most part, preceded by the preposition **a.**

- An indirect object usually tells *to whom* or *for whom something is done*. Compare these sentences:

  Yo voy a mandar**lo** a México. (**lo:** *direct object*)
  *I'm going to send **him** to Mexico.*

  Yo voy a mandar**le** dinero. (**le:** *indirect object*)
  *I'm going to send **him** money. (I'm going to send money **to him.**)*

- An indirect object pronoun can be used with or in place of the indirect object. In Spanish, the indirect object pronoun includes the meaning *to* or *for*. The forms of the indirect object pronouns are shown in the following table.

Singular		Plural	
me	*(to / for) me*	**nos**	*(to / for) us*
te	*(to / for) you (fam.)*	**os**	*(to / for) you (fam.)*
le	*(to / for) you (form.)* *(to / for) him* *(to / for) her*	**les**	*(to / for) you (form., fam.)* *(to / for) them (masc., fem.)*

¡ATENCIÓN!

The indirect object pronouns **le** and **les** require clarification when the context does not specify the gender or the person to which they refer. Spanish provides clarification by using the preposition **a** + *pronoun* or *noun*.

- Indirect object pronouns have the same form as direct object pronouns, except in the third person.
- Indirect object pronouns are usually placed in front of the conjugated verb.

  Le dimos una propina. — *We gave **him** a tip.*

- When used with an infinitive or in the present progressive, however, the indirect object pronoun may either be placed in front of the conjugated verb or attached to the infinitive or the present participle.

  Le voy a escribir una carta.
  Or:
  Voy a escribir**le** una carta. — *I'm going to write **you** a letter.*

  Les estoy diciendo la hora.
  Or:
  Estoy diciéndo**les**[5] la hora. — *I'm telling **them** the time.*

  Le doy la información. — *I give the information …*
  But: — *(to whom? to him? to her? to you?)*
  Le doy la información **a ella.** — *I give the information **to her.***

- The prepositional phrase provides clarification or emphasis; it is not, however, a substitute for the indirect object pronoun. Although the prepositional form can be omitted, the indirect object pronoun must always be used.

  —¿Qué vas a comprar**le** a tu hija? — *"What are you going to buy (for) your daughter?"*
  —**Le** voy a comprar flores. — *"I'm going to buy **her** flowers."*

FLASHBACK

Review pronouns as objects of prepositions. See p. 128.

[5]When an indirect object pronoun is attached to a present participle, an accent mark is added to maintain the correct stress.

Práctica y conversación

Quiz

A. Frutas para todos

Mom went to the market and bought fruit for everyone. Indicate for whom she bought each fruit, using indirect object pronouns and clarifying prepositional phrases.

- **MODELO:** Mamá / comprar / duraznos / *a él.*
  Mamá ***le*** *compró duraznos* ***a él.***

1. Mamá / comprar / manzanas / *a mí.*
2. Mamá / comprar / peras / *a nosotros.*
3. Mamá / comprar / uvas / *a ella.*
4. Mamá / comprar / una piña / *a ti.*
5. Mamá / comprar / melocotones / *a Ud.*
6. Mamá / comprar / una sandía / *a ellos.*
7. Mamá / comprar / cerezas / *a Uds.*
8. Mamá / comprar / fresas / *a él.*
9. Mamá / comprar / bananas / *a Rodolfo.*
10. Mamá / comprar / mangos / *a Sofía.*

B. Una carta a una amiga

Supply the missing indirect object pronouns in the following e-mail.

Querida Alicia,

¡Hola! (1) ____________________ escribo a ti de Cuba, un país maravilloso. Estoy aquí de vacaciones con mis amigos. Yo (2) ____________________ digo a ellos que no hay otro país como este. A mi amigo Juan (3) ____________________ dieron unos MP3 de música cubana y está muy contento. En un restaurante (4) ____________________ sirvieron a nosotros comida típica, pollo con arroz y frijoles negros (black beans). Por la noche fuimos a bailar y mis amigos (5) ____________________ compraron flores a mí porque mi cumpleaños es mañana. Yo sé que tú y tus padres piensan viajar a Cuba el año que viene. Yo (6) ____________________ voy a dar un libro a ti que compré sobre Cuba.

Un abrazo,

Rebecca

C. Entrevista a tu compañero(a)

Interview a partner, using the following questions.

1. ¿Cuándo vas a escribirles a tus amigos?
2. ¿Le escribiste a alguien ayer?
3. ¿Tú siempre le escribes a tu mejor amigo(a)?
4. ¿Tus padres te escribieron esta semana?
5. ¿Tus padres te dan dinero para comprar ropa?
6. ¿Tú vas a mandarle dinero a alguien? ¿A quién?
7. ¿Tus padres les hablan a Uds. en inglés o en español?
8. ¿Tú siempre les dices la verdad a tus padres?

 D. **Son bilingües**

What languages do the people below speak and what languages are spoken to them? With a partner, match each name to the most likely language.

alemán *(German)*	**francés**	**italiano**	**portugués**
español	**inglés**	**japonés**	**ruso** *(Russian)*

- **MODELO:** María del Pilar (a mí)
  María del Pilar me habla en español.
  Yo le hablo en español a ella.

1. Boris (a ti)
2. Giovanni (a ellos)
3. John (a mí)
4. El Sr. Kurosawa (a Uds.)
5. Monique y Pierre (a nosotros)
6. Hans (a Ud.)
7. João (de Brasil) (a él)
8. Rosa y José (a ella)

 E. **Regalos** *(Presents)*

In groups of three or four, tell each other about four or five gifts that you bought your friends and relatives for their birthdays and describe what they bought you.

- **MODELO:** A mi mamá le compré una licuadora para su cumpleaños.
  El día de mi cumpleaños, mi mamá me compró una bicicleta.

¿Qué piensas tú que ella le compró a él? ¿A ti te gustan los regalos *(presents)*?

auremar/Shutterstock.com

Grammar Tutorial

4 The verb *gustar* (*El verbo* gustar)

- The verb **gustar**[6] means to like something or somebody (literally, *to be pleasing*). A special construction is required in Spanish to translate the English *to like*. Note that the equivalent of the English direct object becomes the subject of the Spanish sentence. The English subject then becomes the indirect object of the Spanish sentence.

Me gusta **tu *casa.***	***I** like **your house.***
I.O. S.	S. D.O.
	Your house** is pleasing **to me.
	S. I.O.

- **Gustar** is *always* used with an indirect object pronoun—in this example, **me.**

[6]Other verbs that work like **gustar** are: **encantar, fascinar, importar, interesar,** and **molestar.**

- The two most commonly used forms of **gustar** are the third-person singular, **gusta,** if the subject is singular or if the verb is followed by one or more infinitives, and the third-person plural, **gustan,** if the subject is plural.

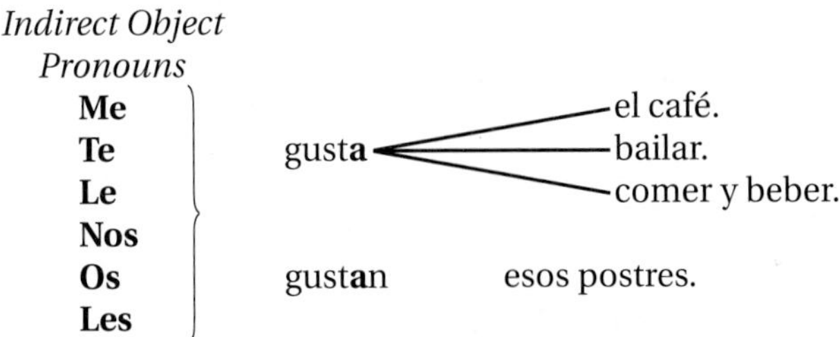

- Note that **gustar** agrees in number with the *subject* of the sentence, that is, the person or thing being liked.

Me **gustan las manzanas.**	***Apples are*** *pleasing to me.*

- The person who does the liking is the indirect object.

Me gustan las manzanas.	*Apples are pleasing* ***to me.***
—¿**Te** gusta este coche rojo? —No, no **me** gustan los coches rojos.	*"Do* ***you*** *like this red car?"* *"No,* ***I*** *don't like red cars."*
—¿**Les** gusta el francés? —Sí, **nos** gusta mucho el francés, pero **nos** gusta más el español.	*"Do* ***you*** *like French?"* *"Yes,* ***we*** *like French very much, but* ***we*** *like Spanish better."*

¡ATENCIÓN!

Note that the words **más** and **mucho** immediately follow ***gustar.***

- The preposition **a** + *a noun* or *pronoun* is used to clarify meaning or to emphasize the indirect object.

A Aurora (**A ella**) le gusta esa panadería, pero **a mí** no me gusta.	***Aurora*** *likes that bakery, but I don't like it.*
A Beto y **a María** les gusta ese restaurante.	***Beto*** *and* ***Mary*** *like that restaurant.*

DETALLES CULTURALES

En los países hispanos los deportes son muy populares, pero varían de acuerdo al país. En la República Dominicana y en Cuba les gusta mucho el béisbol, pero en Argentina, España y Uruguay, entre otros, prefieren el fútbol.

¿Qué deportes son populares en Canadá? ¿Cuáles te gusta practicar a ti en el invierno y en el verano?

- If the thing liked is an action, the second verb is an infinitive. If more than one infinitive is used as the subject, the singular form of **gustar** is still used.

Me gusta patinar.	*I like to skate.*
Te gusta esquiar y nadar.	*You like to ski and skate.*

FLASHBACK

It may be useful to review preterite forms of ***-ar*** verbs. See pp. 170–171.

¡ATENCIÓN!

Gustar in the preterite is only used in the third-person singular or plural:

Me gustó el partido de béisbol ayer.	*I liked the baseball game yesterday.*
Les gustaron las películas.	*They liked the movies.*

Práctica y conversación

Quiz

A. ¿Qué les gusta?

Tell who likes what.

- **MODELO:** Yo / ese cine
  Me gusta ese cine.

1. Nosotros / más / estos floreros
2. Tú / visitar / tus tíos
3. Yo / mucho / cocinar
4. Ellos / mucho / La Habana
5. Él / no / mucho / ese parque de diversiones
6. Uds. / más / esas ciudades
7. Ella / ese club nocturno
8. Yo / mucho / los restaurantes italianos
9. Uds. / no / la música jazz
10. Mi mamá / mucho / esquiar

B. Entrevista a tu compañero(a)

Interview a classmate, asking the following questions.

1. ¿A ti te gusta más el invierno o el verano?
2. ¿Te gusta más venir a clase por la mañana o por la tarde?
3. ¿A ti te gusta más el rojo o el azul?
4. ¿Te gusta más vivir en una casa o en un apartamento?
5. ¿Te gustan más las ciudades grandes o las ciudades pequeñas?
6. ¿Te gustan más las peras o las manzanas?
7. ¿A tu mamá le gusta más bailar o cantar *(sing)*?
8. ¿A tus amigos les gusta más ir al cine o al teatro?

C. Los sábados

With a partner, talk about what you, your parents, and your friends like and don't like to do on Saturdays.

- **MODELO:** A mi papá…
  A mi papá le gusta leer. No le gusta trabajar.

1. A mí…
2. A mi mamá…
3. A mi papá…
4. A nosotros…
5. A mis amigos…
6. A mi mejor amigo(a)…

D. Preferencias...

Look at these illustrations and say what these people like and what they don't like to do.

- **MODELO:**

A Juan le gusta leer.

1. ______________________

2. ______________________

3. ______________________

Nosotras

4. ______________________

Tú

5. ______________________

6. ______________________

7. ______________________

E. Queremos saber

Ask a classmate to tell you a few things she/he likes or doesn't like to do. Then, together prepare three or four questions about what your instructor's interests are.

5 Reflexive constructions *(Construcciones reflexivas)*

Grammar Tutorial

- The reflexive construction (e.g., *I introduce myself.*) consists in Spanish of a reflexive pronoun and a verb.
- Reflexive pronouns refer to the same person as the subject of the sentence does.

Subjects	Reflexive Pronouns	
yo	**me**	*myself, to (for) myself*
tú	**te**	*yourself, to (for) yourself (fam.)*
nosotros(as)	**nos**	*ourselves, to (for) ourselves*
vosotros(as)	**os**	*yourselves, to (for) yourselves (fam.)*
Ud.	**se**	*yourself, to (for) yourself (form.)*
Uds.		*yourselves, to (for) yourselves (form., fam.)*
él		*himself, to (for) himself*
ella		*herself, to (for) herself*
		itself, to (for) itself
ellos, ellas		*themselves, to (for) themselves*

- Note that except for **se,** reflexive pronouns have the same forms as the direct and indirect object pronouns.
- The third-person singular and plural **se** is invariable, that is, it does not show gender or number.
- Any verb that can act upon the subject can be made reflexive in Spanish with the aid of a reflexive pronoun.

Julia **le** prueba el vestido **a su hija.**
(Julia tries the dress on her daughter.)

Julia **se prueba** el vestido.
(Julia tries on the dress.)

¡ATENCIÓN!

Reflexive pronouns are positioned in the sentence in the same manner as object pronouns.

vestirse (e > i) *(to dress oneself, to get dressed)*	
Yo **me visto.**	*I dress myself.*
Tú **te vistes.**	*You dress yourself. (fam.)*
Ud. **se viste.**	*You dress yourself. (form.)*
Él **se viste.**	*He dresses himself.*
Ella **se viste.**	*She dresses herself.*
Nosotros **nos vestimos.**	*We dress ourselves.*
Vosotros **os vestís.**	*You dress yourselves. (fam.)*
Uds. **se visten.**	*You dress yourselves. (form., fam.)*
Ellos **se visten.**	*They (masc.) dress themselves.*
Ellas **se visten.**	*They (fem.) dress themselves.*

- The following commonly used verbs are reflexive.

aburrirse	**dormirse (o > ue)**	**ponerse**
acostarse (o > ue)	**ducharse**	**probarse (o > ue)**
afeitarse, rasurarse	**irse**	**quitarse**
bañarse	**lavarse**	**sentarse (e > ie)**
despertarse (e > ie)	**levantarse**	**sentirse (e > ie)**
divertirse (e > ie)		

—¿A qué hora **se levantan** Uds.?
—Yo **me levanto** a las seis y Jorge **se levanta** a las ocho.

*"What time do you **get up**?"*
*"I **get up** at six o'clock and Jorge **gets up** at eight."*

—Uds. **se levantaron** muy tarde hoy.
—Sí, porque anoche **nos acostamos** a la medianoche.

*"You **got up** very late today."*
*"Yes, because last night **we went to bed** at midnight."*

Práctica y conversación

Quiz

A. Entrevista a tu compañero(a)

Interview a partner, using the following questions.

1. ¿A qué hora te despiertas normalmente?
2. Generalmente, ¿te levantas temprano o tarde? ¿A qué hora te levantas?
3. ¿Te acuestas temprano? ¿Te acuestas antes de las once?
4. ¿Te bañas o te duchas por la mañana?
5. ¿Puedes bañarte y vestirte en diez minutos?
6. ¿Te lavas las manos antes y después de comer?
7. ¿Tu papá se afeita todos los días?
8. ¿Siempre te pruebas la ropa antes de comprarla?
9. En la clase de español, ¿prefieres sentarte cerca de la puerta o cerca de la pizarra?
10. ¿Cómo te sientes hoy?
11. ¿Te diviertes en la clase de español?
12. ¿En qué clase te aburres?

B. ¿Qué pasó…?

Use your imagination to complete the following sentences.

1. Yo me levanté a las seis y Jorge…
2. Mi hermana se bañó por la noche y tú…
3. Yo me desperté temprano y Rosa…
4. Nosotras nos probamos los vestidos negros y ellas…
5. Tú te sentaste cerca de la puerta y ella…
6. Yo me vestí en diez minutos y tú…
7. Yo me afeité por la noche y él…
8. Nosotros nos acostamos a las once y Uds.…
9. Yo me aburrí en la fiesta y tú…
10. Yo me fui de la fiesta a la una de la mañana y ellos…

C. La rutina diaria

Look at the illustrations below. How would José describe his routine and that of his family?

1. Yo...

2. Mi papá...

3. Yo...

4. Nosotros...

5. Mamá...

6. Nosotros...

7. Yo...

8. ¿Tú...?

D. ¿Con qué frecuencia? *(How often ... ?)*

In groups of three or four, talk about how often you do the following things. Use **siempre, todos los días, nunca,** and **a veces.**

1. levantarse antes de las siete
2. despertarse muy tarde
3. bañarse por la noche
4. ponerse el pijama para dormir
5. acostarse muy tarde
6. quejarse de sus profesores

RODEO Summary of Pronouns *(Resumen de los pronombres)*

Subject	Reflexive	Indirect Object	Direct Object	Object of Prepositions
yo	**me**	**me**	**me**	**mí**
tú	**te**	**te**	**te**	**ti**
usted *(masc.)*			**lo**	**usted**
usted *(fem.)*	**se**	**le**	**la**	**usted**
él			**lo**	**él**
ella			**la**	**ella**
nosotros(as)	**nos**	**nos**	**nos**	**nosotros(as)**
vosotros(as)	**os**	**os**	**os**	**vosotros(as)**
ustedes *(masc.)*			**los**	**ustedes**
ustedes *(fem.)*	**se**	**les**	**las**	**ustedes**
ellos			**los**	**ellos**
ellas			**las**	**ellas**

Práctica

Queridos padres

Supply all the missing pronouns in the letter that Oscar wrote to his parents and read the letter out loud.

Queridos padres:

Yo (1) ____________ escribo para decir (2) ____________ que estoy bien y estoy trabajando mucho. Ayer hablé con Eva. (3) ____________ está estudiando en la universidad y dice que quiere conocer (4) ____________ porque (5) ____________ siempre (6) ____________ hablo de (7) ____________. Ella (8) ____________ invitó a una fiesta que ella da esta noche. Hoy (9) ____________ levanté muy temprano y fui de compras. Para (10) ____________, papá, compré un reloj. A (11) ____________, mamá, (12) ____________ compré un vestido. Para (13) ____________, compré un par de zapatos para la fiesta de Eva. ¿Cómo está mi hermana? Hace mucho que no (14) ____________ llamo por teléfono ni (15) ____________ escribo. ¡Ah! A (16) ____________ (17) ____________ compré un libro. Bueno, ya son las seis y tengo que bañar (18) ____________ y vestir (19) ____________ para ir a la fiesta.

(20) ____________ quiero mucho.

Un abrazo,

Oscar

Práctica y traducción

Review the vocabulary and grammatical concepts studied in **Lección 7**, as you translate the following sentences.

1. Elena gets up at seven o'clock in the morning and then she takes a shower.
2. Esteban likes going to baseball games with his friends.
3. The students visited the museum yesterday.
4. On weekends, the family goes to a concert on the beach. They like doing activities together.
5. Zulema began to swim last year. Now she likes to swim every day.
6. Miss Salinas washes her face before going to bed.

Sergio le envía un mensaje electrónico a su novia. ¿Qué le dice de sus planes para el sábado? ¿Va a salir con ella? ¿La va a llamar por teléfono más tarde?

ENTRE NOSOTROS

¡Conversemos!

Para conocernos mejor

Get to know your partner better by asking each other the following questions.

1. ¿Te gusta levantarte temprano? ¿A qué hora te levantaste hoy?
2. ¿A qué hora te acostaste anoche?
3. ¿Qué te gusta hacer los fines de semana? ¿Qué no te gusta hacer?
4. ¿Qué actividades piensas hacer este fin de semana?
5. Si te invitan a un concierto de música clásica, ¿tú vas?
6. ¿Te gusta más patinar o esquiar?
7. ¿Adónde fuiste el sábado pasado? ¿Con quién fuiste?
8. ¿Le escribiste a alguien? ¿A quién?
9. ¿Cuándo fue la última vez que tus padres te dieron dinero para comprar ropa?
10. ¿Fuiste alumno(a) de esta universidad el año pasado?

Búsqueda de gente

Interview your classmates to identify who fits the following descriptions. Include your instructor, but remember to use the **Ud.** form when addressing him or her.

NOMBRE	
1.	dio una fiesta el mes pasado.
2.	fue al zoológico el año pasado.
3.	va al cine todos los fines de semana.
4.	fue a un parque de diversiones el verano pasado.
5.	va a la playa frecuentemente.
6.	fue de picnic con sus amigos en el verano.
7.	sabe montar a caballo.
8.	le gusta escalar montañas.
9.	se queja de sus profesores a veces.
10.	se despierta muy temprano.

Y ahora...

Write a brief summary, indicating what you have learned about your classmates.

¿Cómo lo decimos?

What would you say in the following situations? What might the other person say? Act out these scenes with a partner.

1. You ask a friend three questions about his or her daily routine.
2. While leaving a movie theatre, you see a friend. Ask him what movie he saw and whether he liked it.
3. You and a friend are making plans for the weekend and are discussing activities that you like.

¿Qué pasa aquí?

The people in this photo are friends trying to plan a weekend. Two of them are making different suggestions and the third one rejects them all. In groups of three, indicate who they are and what they are saying. Say what happens at the end.

ImageSource/Age fotostock

Para escribir

Un día típico

Write a composition of two paragraphs. In the first, describe a typical day in your life: what time you get up, what you generally eat, where you go, what you do, and so on. In the second paragraph, compare your normal routine with what you do on the weekends. Were there any differences? Explain why.

UN DICHO

Todo tiempo pasado fue mejor.

Is there an English equivalent to this saying? Do we all tend to see the past as better? Can you memorize the saying?

David Sutherland/Alamy

Este coche de los 50s es típico en Cuba. Aquí también podemos ver parte del Gran Teatro de La Habana y el Capitolio.

ASÍ SOMOS

Vamos a escuchar

A. Planes

You will hear a conversation between Mirta and Rafael, who are planning what they are going to do this weekend. Pay close attention to what they say. You will then hear ten statements about what you have heard. Indicate whether each statement is true **(V)** or false **(F)**.

1.	☐ V	☐ F	**6.**	☐ V	☐ F
2.	☐ V	☐ F	**7.**	☐ V	☐ F
3.	☐ V	☐ F	**8.**	☐ V	☐ F
4.	☐ V	☐ F	**9.**	☐ V	☐ F
5.	☐ V	☐ F	**10.**	☐ V	☐ F

Vamos a leer

ESTRATEGIA

Predicción

Think about the title of this fable and try to predict what might happen. Reading the first paragraph will further help your prediction.

B. Al leer

As you read the fable, try to find the answers to each of the following questions.

1. ¿Juan es un hombre joven o viejo?
2. ¿Cuántas esposas tiene? ¿Son de la misma edad?
3. ¿Las dos lo quieren?
4. ¿Cómo desean verlo?
5. ¿Qué le está pasando al cabello de Juan?
6. Esto no le gusta a la esposa joven. ¿Por qué?
7. ¿Qué creen muchos?
8. La esposa vieja ve encanecer a su esposo con gran placer. ¿Por qué?
9. ¿Qué hace la esposa joven todas las noches?
10. ¿Qué hace la esposa vieja todas las mañanas?
11. ¿Qué ve Juan cuando se mira en el espejo?
12. ¿Cuál es la moraleja?
13. ¿Quién es Esopo?
14. ¿Cuándo nació Esopo?
15. ¿De qué país era?
16. ¿Qué es una fábula?
17. ¿Hay animales en esta fábula?
18. ¿Te gustan las fábulas a ti?

Sobre el autor

Esopo (Grecia, s. VII BCE)

No se sabe mucho sobre la vida de Esopo, pero se cree que nació en el año 620 a.C., y que nació en la esclavitud°. Obtuvo la libertad y llegó a tener gran fama por su gran sabiduría°.

slavery
wisdom

Sobre la fábula

Es una narración breve° que tiene como propósito instruir e inculcar° una moraleja° que busca mejorar la conducta de los seres humanos°. La narración es simple, sin muchos detalles, y fácil de interpretar.

brief / instill / a moral
human being

A veces los personajes° en fábulas son animales y se les atribuyen ciertas características humanas.

characters

El hombre que tiene dos esposas

Juan, un hombre de edad mediana°, tiene dos esposas: una vieja y una joven. Las dos lo quieren mucho y desean verlo con la apariencia° de un compañero adecuado para ellas.

edad... *middle-aged*
appearance

El cabello de Juan se está poniendo° gris; esto no le gusta a la esposa joven porque lo hace ver demasiado viejo para ser su esposo, y muchos creen que él es su padre. En cambio la esposa vieja ve encanecer° a su esposo con gran placer, porque ella no quiere parecer su madre.

se... *is turning*
turn gray

Entonces, sucede° lo siguiente: la esposa joven lo peina todas las noches y le arranca las canas°; la esposa vieja lo peina todas las mañanas y le arranca los pelos negros.

occurs
white hairs

El resultado es que, después de un par de meses, Juan se mira en el espejo° y ve, sorprendido y horrorizado, que está completamente calvo°.

mirror
bald

Moraleja: Si te entregas° a todos, pronto no vas a tener nada que entregar.

you surrender

C. Díganos

Answer the following questions, based on your own thoughts and experience.

1. ¿Cuáles son las ventajas *(advantages)* y las desventajas de estar casado(a)?
2. ¿Es mejor casarse con *(to marry)* una persona de más o menos la misma edad o la edad no es importante?
3. ¿Es mejor teñirse *(to dye)* el pelo o dejarse las canas? ¿La apariencia es importante?

LECCIÓN 8 LAS ACTIVIDADES AL AIRE LIBRE

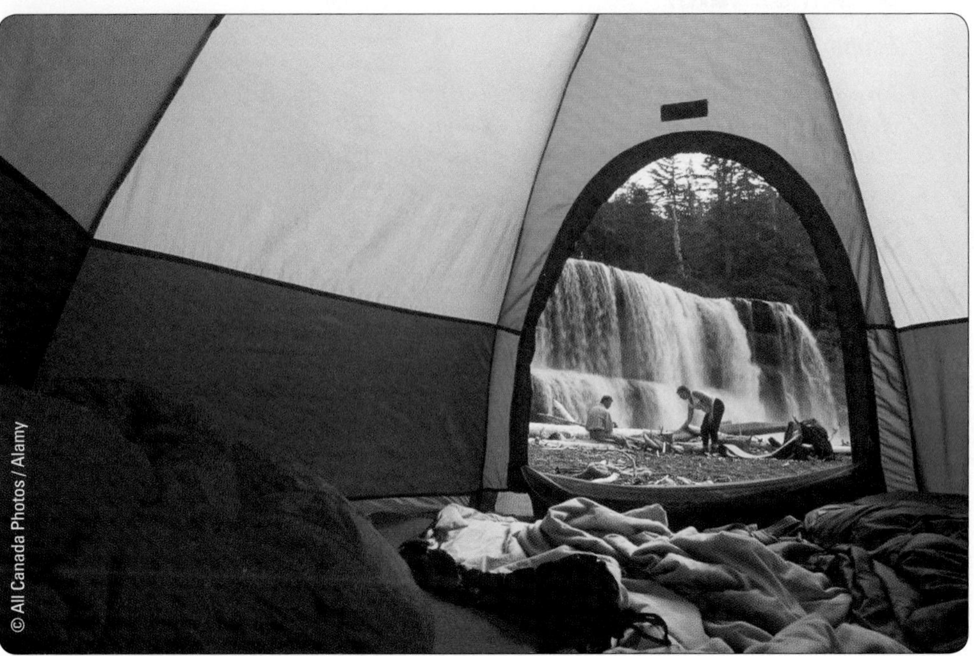

Susana y Gloria son dos hermanas dominicanas que hablan con Jaime y David, dos chicos de Venezuela. Los amigos viven en Canadá porque estudian en la Universidad de Victoria. Frecuentemente todos se juntan para ir a cenar, al cine o a la playa. Ahora están planeando un fin de semana.

Jaime: Cuando yo era chico, mi familia y yo siempre íbamos a acampar al Parque Nacional de Canaima, de modo que soy un experto en armar tiendas de campaña, en hacer fogatas…

Susana: En cambio Gloria y yo pasábamos nuestras vacaciones cerca de la playa. Siempre nadábamos y buceábamos.

Gloria: ¡Ay, sí! Ya les dije que nosotras no acampábamos nunca. Normalmente nos hospedábamos en hoteles.

Jaime: ¡Les va a encantar dormir bajo las estrellas en una bolsa de dormir!

David: Oye, tu amigo Alberto prometió prestarte sus bolsas de dormir. ¿Te las trajo?

Jaime: No, me las va a traer esta noche. También me va a prestar su caña de pescar.

David: ¡Ah! No hay nada como comer pescado frito que uno acaba de pescar.

Llegaron al parque el viernes por la tarde. Por la noche no durmieron muy bien y hoy están un poco cansados. Se levantaron muy temprano para hacer una caminata y ahora Jaime y David están tratando de pescar algo en el lago.

David: ¡Ay! Dormí muy mal anoche. No quiero pasar mucho tiempo tratando de pescar algo.

Jaime: Pronto vamos a tener pescado para el almuerzo. ¡Te lo prometo!

David: Espero que sí, porque tengo mucha hambre. Jaime, ¿dónde pusiste el termo de café?

Jaime: Se lo di a Gloria esta mañana, porque me lo pidió. Oye, después de almorzar podemos alquilar una canoa para ir a remar.

Dos horas más tarde.

David: ¿Por qué no llamamos a Gloria y a Susana y les decimos que no pudimos pescar nada?

Jaime: Buena idea. Estoy cansado de esto, no hay nada en este lago.

Susana y Gloria traen dos cestas de picnic.

Susana: Gloria y yo trajimos comida, por si acaso...

Gloria: Pollo frito, ensalada de papas, pastel de manzana...

David: ¡Excelente idea! ¡Vamos a comer!

© David Woolley/Taxi/Getty Images

© Baudot/Shutterstock

Hablemos

Sobre el diálogo

With a classmate, take turns asking and answering the following questions. Base your answers on the dialogues.

1. ¿Para qué se juntan frecuentemente los amigos?
2. ¿Adónde iban a acampar Jaime y su familia cuando él era chico?
3. ¿Dónde pasaban sus vacaciones Gloria y Susana?
4. Según Jaime, ¿qué les va a encantar a Gloria y a Susana?
5. ¿Cómo durmieron todos anoche?
6. ¿Qué hicieron muy temprano por la mañana?
7. ¿Qué le promete Jaime a David?
8. ¿Cuál es el problema de David?
9. ¿Qué pueden hacer todos después de almorzar?
10. ¿Qué comida trajeron Susana y Gloria?

Entrevista a tu compañero(a)

Take turns asking and answering these questions.

1. ¿Prefieres las vacaciones en el campo, en una ciudad o en la playa? ¿Por qué?
2. ¿Te gusta acampar? ¿Tienes un lugar favorito para hacerlo?
3. ¿Qué actividades haces al aire libre?
4. Cuando eras niño(a), ¿qué hacían tú y tu familia en las vacaciones?
5. ¿Tienes planes para el fin de semana? ¿Qué piensas hacer?
6. ¿Hay buenos lugares para hacer una caminata en tu ciudad?
7. ¿Sabes remar en una canoa? ¿Cuándo fue la última vez que lo hiciste?
8. ¿Qué vas a hacer en el verano durante tus vacaciones?

DETALLES CULTURALES

El Parque Nacional de Canaima es una de las áreas naturales más importantes de Venezuela y su mayor atracción turística. Aquí se encuentran las cataratas del Salto Ángel. También existe en el parque una gran variedad de animales, muchos en peligro *(danger)* de extinción. Muchas de las plantas que hay en el parque son exclusivas de esta región.

¿Qué parques nacionales importantes hay en Canadá? ¿Hay un parque nacional que es tu favorito?

Para practicar el vocabulario

A. Preguntas y respuestas

Quiz

Match the questions in column A with the answers in column B.

	A		B
1.	¿Tienes hambre?	**a.**	Sí, me encanta.
2.	¿Vas a ir a acampar?	**b.**	Sí, soy un experto.
3.	¿Uds. se juntan para salir?	**c.**	Sí, bajo las estrellas.
4.	¿Tú sabes armar tiendas de campaña?	**d.**	En la cesta de picnic.
5.	¿Dónde se hospedaron?	**e.**	Sí, necesito la tienda de campaña.
6.	¿Te gusta pescar?	**f.**	En el termo.
7.	¿Compraste una caña de pescar?	**g.**	En el hotel Days Inn.
8.	¿Dormiste en una bolsa de dormir?	**h.**	No, acabo de almorzar.
9.	¿Dónde pusiste el café?	**i.**	No, no me gusta remar.
10.	¿Qué vendían esos hombres?	**j.**	No, me la prestaron.
11.	¿Vas a ir en canoa?	**k.**	Sí, frecuentemente.
12.	¿Dónde pusiste el pollo frito?	**l.**	Pescado.

B. ¿Lógico o ilógico?

Indicate whether each of the following statements is logical (**L**) or illogical (**I**).

1.	Necesitamos el traje de baño para armar una tienda de campaña.	L	I
2.	En la playa, generalmente, hay salvavidas.	L	I
3.	Necesito el coche para hacer una fogata.	L	I
4.	Voy a ir a bucear porque quiero tomar el sol.	L	I
5.	Vamos a hacer esquí acuático en el lago.	L	I
6.	Para remar usamos la tabla de mar.	L	I
7.	Hicimos una caminata y ahora estamos muy cansados.	L	I
8.	Traje los palos de golf para jugar al tenis.	L	I
9.	Siempre nos ponemos bloqueador solar cuando hay sol.	L	I
10.	Anoche comimos arena.	L	I

C. Palabras y más palabras

Which word or phrase from **Lección 8** corresponds with the following?

1. La necesito para pescar.
2. Las vemos en el cielo *(sky).*
3. pequeño
4. a menudo
5. La necesito para jugar al tenis.
6. opuesto de comprar
7. muy, muy bueno
8. Me gusta mucho.
9. quedarse (en un hotel)
10. Lo necesito para tomar el sol.

D. Planes para un fin de semana

With a classmate, play the roles of two friends who are planning a fun weekend. Talk about everything you can do and what you will need to take with you.

E. En la playa

Use your imagination to talk about the people in the photograph below. With a classmate, discuss the following.

1. si van a la playa a menudo o sólo una vez al año
2. qué traen a la playa y por qué
3. qué van a comer
4. tres cosas que van a hacer después de estar en la playa
5. las actividades al aire libre que les gustan y las que no les gustan
6. en qué hotel se están hospedando

Now write one or two paragraphs about these people's weekend.

Gabriela Medina/Thinkstock

Pronunciación

Pronunciation in context

In this lesson, there are some words or phrases that may be challenging to pronounce. Listen to the correct pronunciation; then say the following sentences out loud.

1. **Pasábamos** nuestras **vacaciones** en ciudades grandes y **nos hospedábamos** en hoteles muy buenos.
2. Ya te dije que nosotras no estábamos **acostumbradas** a todas estas **actividades.**
3. **Se levantaron** muy temprano para **hacer** una caminata.
4. **Después** de almorzar podemos **alquilar** una canoa para ir a **remar.**
5. ¿Por qué no **llamamos** a Gloria y a Susana y les **decimos** que no pudimos pescar nada?

PUNTOS PARA RECORDAR

Grammar Tutorial

1 Preterite of some irregular verbs

(El pretérito de algunos verbos irregulares)

The following Spanish verbs are irregular in the preterite.

FLASHBACK

Notice that the irregular verbs do not have accents on first- and third-person forms. You may wish to review the formation of regular verbs on pp. 34–35 and 68.

	yo	**tú**	**Ud. / él / ella**	**nosotros(as)**	**vosotros(as)**	**Uds. / ellos / ellas**
tener	tuve	tuviste	tuvo	tuvimos	tuvisteis	tuvieron
estar	estuve	estuviste	estuvo	estuvimos	estuvisteis	estuvieron
poder	pude	pudiste	pudo	pudimos	pudisteis	pudieron
poner	puse	pusiste	puso	pusimos	pusisteis	pusieron
saber	supe	supiste	supo	supimos	supisteis	supieron
hacer	hice	hiciste	hizo	hicimos	hicisteis	hicieron
venir	vine	viniste	vino	vinimos	vinisteis	vinieron
querer	quise	quisiste	quiso	quisimos	quisisteis	quisieron
decir	dije	dijiste	dijo	dijimos	dijisteis	dijeron
traer	traje	trajiste	trajo	trajimos	trajisteis	trajeron
conducir	conduje	condujiste	condujo	condujimos	condujisteis	condujeron
traducir	traduje	tradujiste	tradujo	tradujimos	tradujisteis	tradujeron

— ¿Qué **trajeron** Uds. ayer? *"What **did you bring** yesterday?"*
— **Trajimos** las cestas. *"**We brought** the baskets."*

— Ayer no **viniste** a clase. ¿Qué **hiciste**? *"**You did** not **come** to class yesterday. What **did you do**?"*
— **Tuve** que trabajar. *"**I had** to work."*

— ¿**Hubo** un examen? *"**Was there** an exam?"*
— No. *"No."*

¡ATENCIÓN!

In the third-person singular of the verb **hacer,** the **c** changes to **z** in order to maintain the original soft sound of the **c** of the infinitive. The **i** is omitted in the third-person plural ending of the verbs **decir, traer, conducir,** and **traducir.**

¡ATENCIÓN!

The preterite of **hay** (impersonal form of **haber**) is **hubo.**

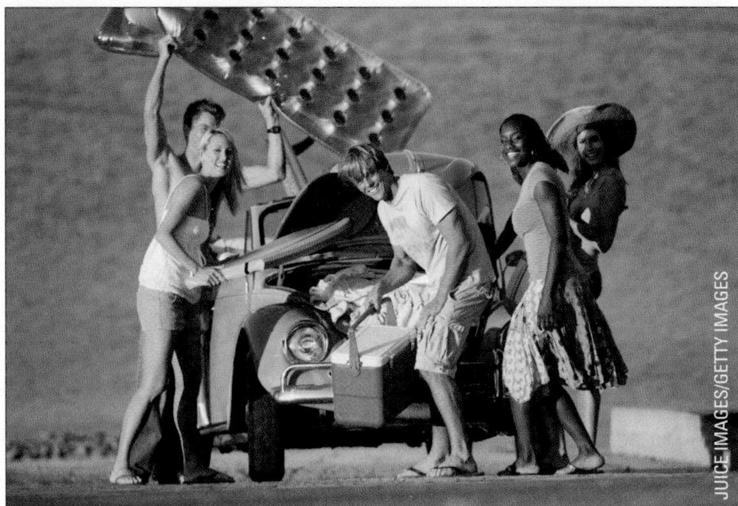

JUICE IMAGES/GETTY IMAGES

Cuando estos amigos tuvieron un picnic en la playa, pusieron muchas cosas en el coche. ¿Adónde fuiste tú en las últimas vacaciones? ¿Qué pusiste en tu maleta?

Práctica y conversación

Quiz

A. Minidiálogos

Complete the following exchanges, using the preterite of the verbs in parentheses.

1. —¿Dónde ______________________ (estar) tú la semana pasada?
   —(Yo) ______________________ (estar) en el Parque Nacional de Canaima.
   —¿Y tus padres?
   —Ellos ______________________ (estar) en Caracas.
2. —¿Qué ______________________ (hacer) Roberto ayer?
   —Él ______________________ (tener) que trabajar.
3. —¿Tus padres te ______________________ (traer) las bolsas de dormir?
   —No, no ______________________ (poder) traerlas porque ______________________ (venir) en autobús.
4. —Cuando Uds. ______________________ (venir) al parque, ¿qué coche ______________________ (conducir)?
   —______________________ (Conducir) el coche de papá.
5. —¿Dónde ______________________ (poner) Uds. la cesta de picnic?
   —La ______________________ (poner) en la mesa.
   —¿Sergio comió con Uds.?
   —No, él no ______________________ (querer) comer con nosotros.

B. La semana pasada

Rewrite this paragraph, changing all the verbs to the preterite to indicate that everything happened last week.

Tengo que limpiar mi apartamento porque Ana y Eva vienen a visitarme. Después hago una torta para ellas. Las chicas traen bolsas de dormir porque no quieren dormir en mi cuarto. Las ponen en la sala y miran televisión hasta tarde. Mi prima Julia está con nosotras hasta las diez, pero no puede quedarse a dormir porque tiene que ir a trabajar.

C. Queremos saber...

In groups of three, prepare questions for your instructor about what he or she did yesterday, last night, or last week. Use irregular preterite forms in your questions.

 D. **Entrevista a tu compañero(a)**

Interview a classmate, using the following questions.

1. ¿A qué hora viniste a la universidad ayer?
2. ¿Condujiste tu coche o viniste en autobús?
3. ¿Tuviste algún examen? ¿En qué clase?
4. ¿Estuviste en la biblioteca por la tarde?
5. ¿Trajiste algún libro de la biblioteca a la clase?
6. ¿Dónde pusiste tus libros cuando llegaste a casa?
7. ¿Hiciste la tarea de la clase de español? ¿Pudiste terminarla?
8. ¿Tradujiste algo del español al inglés?
9. ¿Estuviste en tu casa por la noche? ¿Qué hiciste?
10. ¿Tuviste una fiesta en tu casa? ¿Quiénes vinieron?

Grammar Tutorial

2 Direct and indirect object pronouns used together
(Los pronombres de complemento directo e indirecto usados juntos)

FLASHBACK 

Review the direct object pronouns (pp. 143–144) and the indirect object pronouns (pp. 173–174) before using them together.

- When an indirect object pronoun and a direct object pronoun are used together, the indirect object pronoun always comes first.

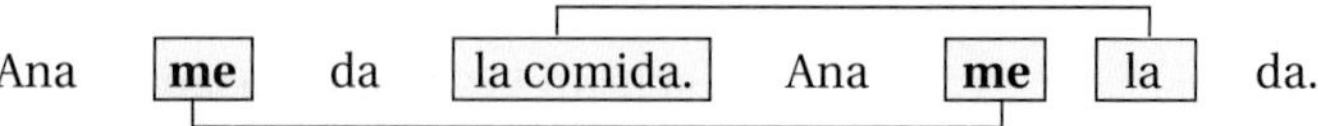

Ana me da la comida. Ana me la da.

- With an infinitive, the pronouns can be placed either before the conjugated verb or attached to the infinitive.

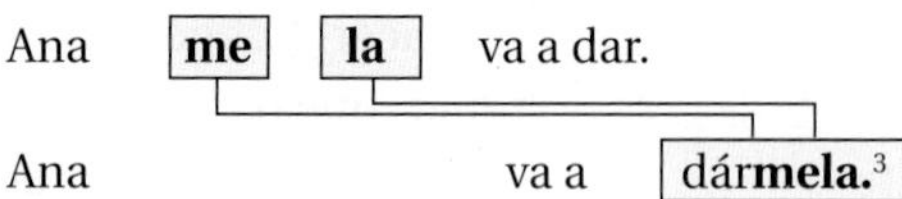

Ana me la va a dar.
Ana va a dár**mela.**[3]

*Ana is going to give **it to me.***

- With a present participle, the pronouns can be placed either before the conjugated verb or after the present participle.

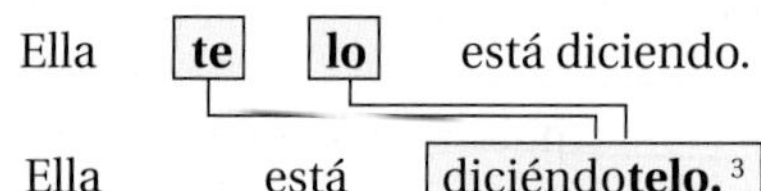

Ella te lo está diciendo.
Ella está diciéndo**telo.**[3]

*She is saying **it to you.***

- If both pronouns begin with **l,** the indirect object pronoun **(le** or **les)** is changed to **se.**

Ana le da la comida. Ana se la da.

- For clarification, it is sometimes necessary to add **a él, a ella, a Ud., a Uds., a ellos,** or **a ellas.**

—¿A quién le dio la comida Ana?	*"To whom did Ana give the meal?"*
—**Se la** dio **a él.**	*"She gave **it to him.**"*

- A proper name may also be given for clarification.

—**Se la** dio **a Luis.**	*She gave **it to Luis.***

[3] Note that the use of the written accent follows the standard rules for the use of accents. See Appendix A for rules on accentuation.

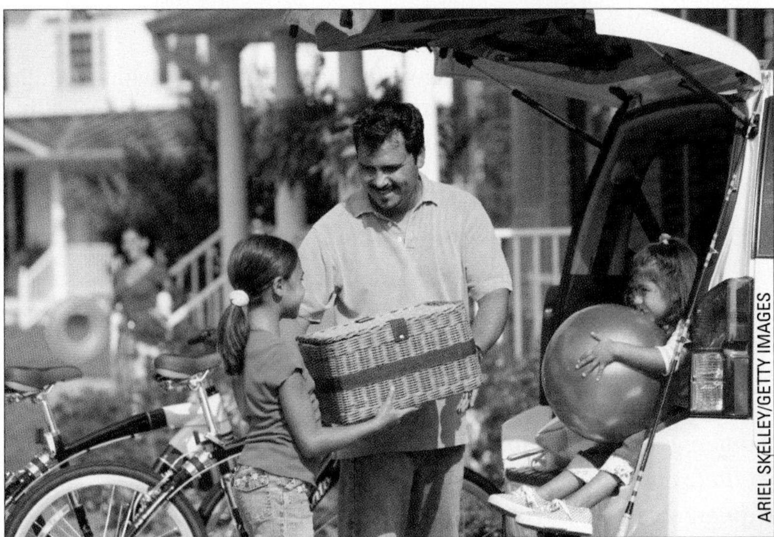
ARIEL SKELLEY/GETTY IMAGES

La familia Díaz va al parque. El papá necesita la cesta para el picnic y se la pide a Ana. Él le dice: ¿puedes dármela?

Práctica

Quiz

A. Personas generosas

We want to go camping and everyone is pitching in to help out. Supply the pronouns that are needed.

- **MODELO:** Yo necesito una bolsa de dormir.
  *Mi hermano **me la** presta.*

1. Tú no tienes una caña de pescar.
   Tu padre__________ __________ da.
2. Nosotras necesitamos trajes de baño.
   Mamá __________ __________ compra.
3. Uds. necesitan una tienda de campaña.
   Carlos __________ __________ presta.
4. Yo no encuentro mis gafas de sol.
   Rita __________ __________ da.
5. Nosotros no tenemos una canoa.
   Gustavo __________ __________ presta.
6. Pedro y tú quieren bloqueador solar.
   Yo __________ __________ doy.

B. Excusas, excusas

What excuses would you give in response to these questions? Follow the model and use the cues provided.

- **MODELO:** —¿Por qué no le diste el dinero a Ada? (no estuvo aquí)
  —No se lo di porque no estuvo aquí.

1. ¿Por qué no me trajiste las raquetas? (no pude)
2. ¿Por qué no les mandaste los palos de golf? (no tuve tiempo)
3. ¿Por qué no te compró tu papá la canoa? (no quiso)
4. ¿Por qué no les dio Lupe el dinero a Uds.? (no vino a casa)
5. ¿Por qué te escribió Johnny la carta en inglés? (no sabe español)
6. ¿Por qué no les llevaste el pastel a los niños? (no lo hice)

C. Lo siento

With a partner, take turns asking and answering questions about what the following people want, saying you cannot help them. Use the verbs **comprar, conseguir, dar, mandar, prestar,** and **traer,** along with the cues provided.

- **MODELO:** —¿Qué quiere Elisa? (dinero)
  —Elisa quiere dinero, ¿tú se lo puedes conseguir?
  —No, lo siento, yo no puedo conseguírselo.

1. ¿Qué quiere Susana? (un traje de baño)
2. ¿Qué quiere David? (una caña de pescar)
3. ¿Qué quieren Susana y Gloria? (raquetas de tenis)
4. ¿Qué quiere Jaime? (una tabla de mar)
5. ¿Qué quiere Lucía? (palos de golf)
6. ¿Qué quieren Jaime y David? (comida)

D. ¿Quién...?

With a classmate, take turns asking and answering the following questions. Use direct object pronouns and the cues provided. Follow the model.

- **MODELO:** ¿Quién te dio un abrazo? (mi amiga)
  Mi amiga me lo dio.

1. ¿Quién te mandó el correo electrónico? (Fernando)
2. ¿A quién le alquilaste la cabaña? (a mi primo)
3. ¿A quién le prestaste los palos de golf? (a mi hermano)
4. ¿A quiénes les diste las pelotas? (a los niños)
5. ¿Quién nos trajo comida? (Amanda)
6. ¿A quiénes les pediste prestado los esquíes acuáticos? (a las chicas)

E. Necesitamos ayuda *(help)*

With a partner, take turns indicating who does what for whom. Use the cues provided.

- **MODELO:** Raquel no sabe traducir las cartas. (Ana)
  Ana se las traduce.

1. Gustavo no tiene dinero para comprar una bolsa de dormir. (nosotros)
2. Tú no sabes armar la tienda de campaña. (yo)
3. Nosotros no sabemos hacer una fogata. (papá)
4. Yo no puedo comprar un velero. (mi abuelo)
5. Los chicos no pueden llevarle las raquetas a Teresa. (mi hermana)
6. Ud. no puede conseguir trabajo de salvavidas. (su amigo)

'ammar Tutorial

3 Stem-changing verbs in the preterite
(Los verbos con cambio radical en el pretérito)

- As you will recall, **-ar** and **-er** verbs with stem changes in the present tense have no stem changes in the preterite. However, **-ir** verbs with stem changes in the present tense have stem changes in the third-person singular and plural forms of the preterite (**e** > **i** and **o** > **u**), as shown below.

servir (e > i)		dormir (o > u)	
serví	servimos	dormí	dormimos
serviste	servisteis	dormiste	dormisteis
s**i**rvió	s**i**rvieron	d**u**rmió	d**u**rmieron

- Other **-ir** verbs that follow the same pattern are:

conseguir	*to get, to obtain*
divertirse	*to have a good time*
morir	*to die*
pedir	*to order, to request or to ask for*
seguir	*to continue, to follow*
sentir(se)	*to feel*
vestirse	*to dress*

— ¿Qué te **sirvieron** en la cafetería? *"What **did they serve** you at the cafeteria?"*
— Me **sirvieron** café y sándwiches. *"**They served** me coffee and sandwiches."*

— ¿Cómo **durmió** Ud. anoche? *"How **did you sleep** last night?"*
— **Dormí** muy bien. *"**I slept** very well."*

— ¿Se **divirtieron** ayer? *"Did **you have a good time** yesterday?"*
— Sí, nos **divertimos** mucho. *"Yes, **we had a** very **good time**."*

FLASHBACK

You have now seen all the preterite forms introduced. As a reminder, you will find the regular forms and the forms for **ser, ir,** and **dar** in **Lección 7,** p. 172, and some irregular forms at the beginning of this lesson, p. 194.

Práctica y conversación

Quiz

A. Minidiálogos

Complete the following exchanges by supplying the preterite of the verbs given.

1. **dormir** —¿Cómo ____________ Uds. anoche?
   —Yo ____________ muy bien, pero mamá no ____________ bien.
2. **pedir** —¿Qué ____________ ellos de postre?
   —Ana ____________ pastel y los niños ____________ torta.
3. **seguir** —¿Hasta qué hora ____________ hablando Uds.?
   —____________ hablando hasta las doce.
4. **servir** —¿Qué ____________ Uds. en la fiesta?
   —____________ torta y café.
5. **divertirse** —¿____________ Uds. mucho en la fiesta?
   —Yo ____________ pero Julio no ____________ mucho.

6. **conseguir** —¿__________ ellos el dinero?
—No, no lo __________.
7. **morir** —Hubo un accidente, ¿no?
—Sí, pero nadie __________.

B. ¿Qué hicieron anoche?

With a classmate, take turns describing what the following people did last night.

1. Arturo __________ en el sofá.

2. Ernesto le __________ dinero a Daniel.

3. Paco __________ a su mamá.

4. Mirta y Rafael __________ en la fiesta anoche.

5. El camarero le __________ el café a Juan.

6. Pilar __________ un trabajo nuevo.

C. Hablando con amigos

Work with two classmates to get answers to the following questions.

1. ¿A qué hora te dormiste anoche? Y tu compañero/a de cuarto, ¿a qué hora se durmió él/ella?
2. ¿Qué sirvieron en la cafetería ayer? ¿Qué comiste tú?
3. ¿Uds. consiguieron buenos trabajos el verano pasado?
4. La última vez que comiste en un restaurante, ¿qué pediste tú? ¿Qué pidieron tus amigos?
5. ¿Uds. se divirtieron el fin de semana pasado? ¿Qué hicieron?

D. Un fin de semana excelente

In groups of three, tell your classmates about a recent fun weekend. Tell where you went and with whom, what you did, and whether or not you had a good time.

ammar
Tutorial

4 The imperfect tense *(El imperfecto de indicativo)*

Forms of the imperfect

- There are two simple past tenses in the Spanish indicative: the preterite, which you have been studying, and the imperfect. To form the imperfect, add the following endings to the verb stem.

-ar verbs	-er and -ir verbs	
hablar	**comer**	**vivir**
habl- **aba**	com- **ía**	viv- **ía**
habl- **abas**	com- **ías**	viv- **ías**
habl- **aba**	com- **ía**	viv- **ía**
habl- **ábamos**	com- **íamos**	viv- **íamos**
habl- **abais**	com- **íais**	viv- **íais**
habl- **aban**	com- **ían**	viv- **ían**

Note that the endings of the **-er** and **-ir** verbs are the same. Observe the accent on the first-person plural form of **-ar** verbs: **hablábamos.** Note also that there is a written accent on the first **í** of the endings of the **-er** and **-ir** verbs.

—Tú siempre te **levantabas** a las siete, ¿no?
—Sí, porque mis clases **empezaban** a las ocho y media **y** yo **vivía** lejos de la universidad.

*"You always **used to get up** at seven, didn't you?"*
*"Yes, because my classes **started** at eight-thirty and I **lived** far from the university."*

- Only three Spanish verbs are irregular in the imperfect tense: **ser, ir,** and **ver.**

ser	ir	ver
era	iba	veía
eras	ibas	veías
era	iba	veía
éramos	íbamos	veíamos
erais	ibais	veíais
eran	iban	veían

—Cuando yo **era** chica, siempre **iba** a acampar en el verano.
—Nosotros **íbamos** también.

*"When I **was** little, I always **went** camping in the summer."*
*"**We used to go** too."*

—¿Cuándo **veías** a tus amigos?
—Los **veía** sólo los sábados y los domingos.

*"When **did you see** your friends?"*
*"**I used to see** them only on Saturdays and Sundays."*

¡ATENCIÓN!

Stem-changing verbs are regular in the imperfect.

Uses of the imperfect

- The Spanish imperfect tense is equivalent to three English forms.

Yo **vivía** en Caracas. — *I **used to live** in Caracas.* / *I **was living** in Caracas.* / *I **lived** in Caracas.*

- The imperfect is used to describe actions or events that the speaker views as in the process of happening in the past, with no reference to when they began or ended.

Empezábamos a estudiar cuando él vino. — ***We were beginning** to study when he came.*

- It is also used to refer to habitual or repeated actions in the past, again with no reference to when they began or ended.

— ¿Uds. **hablaban** inglés cuando **vivían** en Bogotá? — *"**Did** you **speak** English when **you lived** in Bogotá?"*
— No, cuando **vivíamos** allí siempre **hablábamos** español. — *"No, when **we lived** there we always **spoke** Spanish."*

Cuando Gabi tenía tres años, bailaba mucho. A sus padres les gustaba cuando lo hacía.

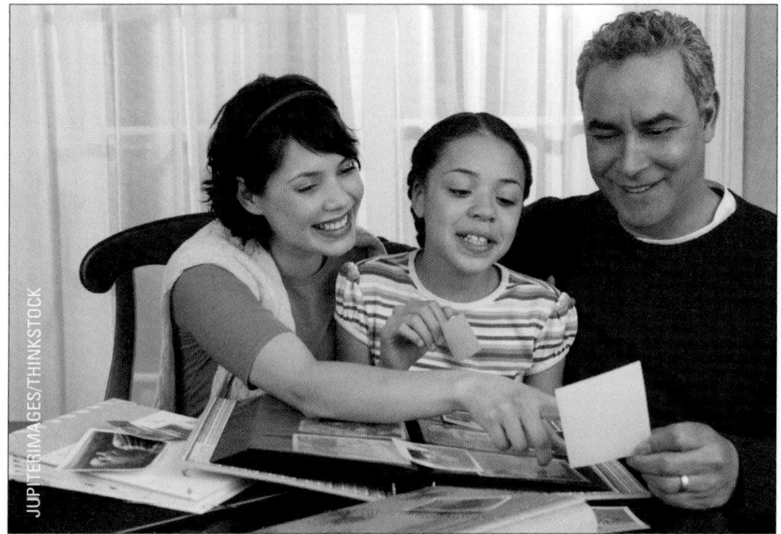

- It describes physical, mental, or emotional conditions in the past.

Mi casa **era** muy grande. — *My house **was** very big.*

No me **gustaba** estudiar. — ***I didn't like** to study.*

Yo no me **sentía** bien. — *I **wasn't feeling** well.*

- It expresses time and age in the past.

— ¿Qué hora **era**? — *"What time **was it**?"*
— **Eran** las seis. — *"**It was** six o'clock."*

Julia **tenía** veinte años. — *Julia **was** twenty years old.*

- The imperfect is used to describe or set the stage in the past.

La casa de mis abuelos **era** bonita. — *My grandparents' house **was** pretty.*

Era muy tarde. — ***It was** very late.*

Práctica y conversación

Quiz

A. La vida cambia...

Things have changed; tell how they used to be.

1. Ahora vivo en..., pero cuando era niño(a)...
2. Ahora hablamos español, pero cuando éramos niños(as)...
3. Ahora comemos pescado, pero cuando éramos niños(as)...
4. Ahora mis padres no se divierten mucho, pero cuando tenían veinte años...
5. Ahora Julia no ve a sus tíos, pero cuando era niña...
6. Ahora tú vas al teatro, pero cuando eras niño(a)...
7. Ahora mi hermana no da fiestas, pero cuando tenía dieciocho años...
8. Ahora me gustan los vegetales, pero cuando era niño(a)...
9. Ahora mi mamá nada muy bien, pero cuando era pequeña...
10. Ahora Ud. se levanta a las nueve, pero cuando era pequeño(a)...

B. Entrevista a tu compañero(a)

Interview a classmate, using the following questions.

1. ¿Dónde vivías cuando eras niño(a)?
2. ¿Con quién vivías?
3. ¿Tu casa era grande o pequeña?
4. ¿Cuántos dormitorios tenía?
5. ¿En qué idioma te hablaban tus padres?
6. ¿A qué escuela *(school)* ibas?
7. ¿Te gustaba estudiar?
8. ¿Qué te gustaba comer?
9. ¿Qué te gustaba hacer los sábados? ¿Y los domingos?
10. ¿Pasabas mucho tiempo con tus amigos los fines de semana?
11. ¿Sabías nadar? ¿Ibas a acampar?
12. ¿Jugabas al béisbol o al fútbol?

DETALLES CULTURALES

El mundo hispano ofrece muchas oportunidades para aventuras al aire libre. Ahora es muy popular el ecoturismo en lugares como Costa Rica y Venezuela. Para los canadienses, las playas cubanas y dominicanas son increíbles para nadar, bucear o simplemente tomar el sol.

Cuando tú viajas, ¿qué actividades te gusta hacer? ¿Prefieres viajar con tu familia o con tus amigos?

C. En el parque

Use your imagination to tell what was happening when you and your friends were seen in the park.

Ayer te vi en el parque con unos amigos.

1. ¿Qué hora era?
2. ¿Con quiénes estabas?
3. ¿De dónde venían Uds.?
4. ¿Adónde iban?
5. ¿De qué hablaban?
6. ¿Quién era la chica pelirroja?
7. ¿Quién era el muchacho alto y moreno?
8. ¿Esperaban a alguien?

D. Queremos saber

With a classmate, prepare five questions to ask your instructor about what he or she used to do when he or she was a teenager **(adolescente)**.

Grammar Tutorial

5 Formation of adverbs *(La formación de los adverbios)*

- Most Spanish adverbs are formed by adding **-mente** (the equivalent of the English *-ly*) to the adjective.

Adjectives		Adverbs	
general	*general*	general**mente**	*general**ly***
reciente	*recent*	reciente**mente**	*recent**ly***

— ¿La fiesta de bienvenida es para Olga y sus amigas? — *"The welcome party is for Olga and her friends?"*
— No, es **especialmente** para Olga. — *"No, it's **especially** for Olga."*

- Adjectives ending in **-o** change the **o** to **a** before adding **-mente.**

Adjectives		Adverbs	
lent**o**	*slow*	lent**amente**	*slow**ly***
rápid**o**	*rapid*	rápid**amente**	*rapid**ly***

- If two or more adverbs are used together, both change the **o** to **a,** but only the last one in the sentence ends in **-mente.**

Habla clar**a** y lent**amente.** — *She speaks clear**ly** and slow**ly.***

- If the adjective has an accent mark, the adverb retains it.

fácil — *easy* — **fá**cilmente — *easily*

Estos jóvenes corren rápidamente en los Juegos Panamericanos.

Práctica y conversación

Quiz

A. De adjetivos a adverbios

You can recognize the following Spanish adjectives because they are cognates. Change them to adverbs.

1. real
2. completo
3. raro
4. frecuente
5. posible
6. general
7. franco
8. normal

B. Lo entiendo perfectamente

Use some of the adverbs you have learned to complete the following sentences appropriately.

1. Ellos hablan ______________________ y ______________________.
2. Viene a casa ______________________.
3. Yo ______________________ estudio por la mañana.
4. ______________________, no quiero bailar con Ud.
5. Ellos vuelven mañana, ______________________.
6. Los chicos escriben muy ______________________.
7. ______________________ estoy muy cansado.
8. Yo no escribo cartas; ______________________ escribo correos electrónicos.

C. Dime, ¿qué haces?

With a partner, take turns asking and answering the following questions.

1. Normalmente, ¿qué haces por la tarde?
2. ¿A quiénes llamas por teléfono más frecuentemente: a tus amigos o a tus parientes?
3. ¿A quiénes les enviaste mensajes electrónicos recientemente?
4. Probablemente, ¿adónde vas a ir este fin de semana?

D. ¿Cuándo...?

With a partner, talk about what you and your friends generally do, frequently do, and rarely do.

Práctica y traducción

Review the vocabulary and grammatical concepts studied in **Lección 8**, as you translate the following sentences.

1. David put the fishing rod in the car.
2. They bought a tennis racket and gave it to Laura.
3. Gilberto asked for a sleeping bag for his birthday.
4. You always went to the sea when you were a child, right?
5. Mrs. Rosales loves to speak Spanish. She speaks it easily and clearly.

ENTRE NOSOTROS

¡Conversemos!

Para conocernos mejor

Get to know your partner better by asking each other the following questions.

1. ¿Piensas ir de vacaciones este verano? ¿Adónde quieres ir?
2. La última vez que fuiste de vacaciones, ¿te hospedaste en un buen hotel o en un hotel más económico?
3. ¿Dónde pasaste las vacaciones el año pasado? ¿Te aburriste o te divertiste?
4. ¿Te juntas a veces con tus amigos para salir?
5. ¿Te gusta ir a acampar y dormir al aire libre o prefieres ir a un buen hotel?
6. ¿Qué actividades al aire libre te gustaban cuando eras chico(a)? ¿Cuáles no te gustaban?
7. ¿Ahora prefieres hacer esquí acuático, hacer surf o bucear?
8. ¿Qué prefieres, mirar televisión o hacer una caminata?
9. Necesito tu raqueta de tenis, ¿puedes prestármela?
10. ¿Qué te gusta más, jugar al tenis o al golf? ¿Tienes palos de golf?

Búsqueda de gente

Interview your classmates to identify who does the following. Be sure to change the statements to questions. Include your instructor, but remember to use the **Ud.** form when addressing him or her.

NOMBRE	
1.	hizo esquí acuático en un lago el año pasado.
2.	va a tratar de alquilar una cabaña (*cabin*) el verano próximo (*next*).
3.	jugó al golf o al tenis el verano pasado.
4.	va a acampar frecuentemente.
5.	acaba de comer.
6.	pronto va a tener vacaciones.
7. A	le gusta tomar el sol.
8.	compró un traje de baño recientemente.
9.	puede armar tiendas de campaña fácilmente.
10.	siempre les toma el pelo a sus amigos.

Y ahora...

Write a brief summary, indicating what you have learned about your classmates.

¿Cómo lo decimos?

What would you say in the following situations? What might the other person say? Act out these scenes with a partner.

1. You ask a friend if he or she prefers to go to the beach, to go hiking, or to go camping near a lake or a river *(río)* for a couple of days.
2. You are going on a camping trip for the first time. Tell a friend what items you need and what you need to learn to do.
3. Tell someone what your favourite outdoor activities are. Mention at least four.

¿Qué pasa aquí?

In groups of three or four, create a story about the people in the photo. Say who they are and what their relationships are to one another. Also, say where they are going on vacation, what activities they are doing, and what they will do later.

Juice Images/Glow Images

Para escribir

De vacaciones

Write a conversation between you and a friend, in which you decide what you are going to do when you have a couple of days off. One of you loves outdoor activities and the other doesn't. Try to compromise.

UN DICHO

El que ríe último, ríe mejor.

Undoubtedly, you know the English version of this saying. Memorize it in Spanish, and use it at appropriate times.

JAN JUL/ALAMY

Esta chica se divierte celebrando el Carnaval en La Habana.

ASÍ SOMOS

Vamos a ver

Recuerdos

ESTRATEGIA

Noticing structure

Before you do the first activity with a classmate, notice the uses of the preterite and the imperfect, as well as the uses of the reflexive constructions in the questions. Read the **Avance** to see what the video is about, and try to anticipate what will happen.

Antes de ver el video

A. Preparación

Take turns with a partner asking and answering the following questions.

1. ¿Tú estás cansado(a) a veces o siempre tienes mucha energía?
2. ¿A qué hora te acostaste anoche? ¿A qué hora te levantaste esta mañana?
3. ¿Adónde fuiste anoche?
4. ¿Qué hora era cuando volviste a tu casa ayer?
5. Este fin de semana, ¿piensas salir con tus amigos(as) o piensas quedarte en tu casa?
6. Cuando eras chico(a), ¿ibas a patinar? ¿Jugabas al tenis? ¿Acampabas con tu familia?
7. ¿Te gustan las actividades al aire libre?
8. ¿Te gusta más nadar, montar a caballo o pescar?
9. ¿Qué tuviste que hacer ayer?
10. Tú y tu familia, ¿tienen tiendas de campaña y bolsas de dormir?
11. ¿Tú sabes armar una tienda de campaña?
12. La última vez que fuiste a pescar, ¿pescaste algo?

El video

Avance

Pablo y Marisa están en la casa de ella. Marisa y su mamá invitan a Pablo a cenar y también a acampar con la familia este fin de semana. El problema es que Pablo no sabe nada de acampar y ellas creen que él es un experto.

Después de ver el video

B. ¿Quién lo dice?

Who said the following sentences? Take turns with a partner answering.

La mamá **Pablo** **Marisa**

1. Dolor… un zapato viejo y… ¡mosquitos!
2. ¿Por qué no te quedas a cenar con nosotros?
3. ¿Qué pasa, hija? Tu papá tuvo que ir al supermercado.
4. Entonces… ¿Nunca montaste a caballo?
5. Marisa, tengo que confesarte algo: yo odio las actividades al aire libre.
6. A lo mejor puede enseñar a Luisito a armar la tienda de campaña.

C. ¿Qué pasa?

Take turns with a partner asking and answering the following questions. Base your answers on the video.

1. ¿Por qué está cansado Pablo?
2. ¿Pablo fue a la fiesta de Gloria anoche? ¿Adónde fue?
3. ¿Qué hora era cuando volvió a su apartamento?
4. ¿Qué planean hacer Marisa y su familia este fin de semana?
5. ¿Con quién dice Marisa que Pablo puede compartir una tienda de campaña?
6. ¿Adónde tuvo que ir el papá de Marisa?
7. Pablo va a cenar con Marisa y su familia. ¿Qué van a comer?
8. ¿Qué dice la mamá de Marisa que Pablo le puede enseñar a Luisito?
9. ¿Qué le confiesa Pablo a Marisa?
10. ¿A Pablo le gusta ir a acampar? ¿Qué prefiere hacer?
11. ¿Qué pasó cuando Pablo montó a caballo? ¿Y cuando fue a pescar?
12. ¿Qué recuerdos tiene Pablo de esas experiencias?

D. Más tarde

With a partner, use your imaginations to talk about what Pablo and Marisa did over the weekend and on Monday. Take turns asking and answering the following questions.

1. ¿Pablo se acostó temprano? ¿Se levantó tarde?
2. ¿Adónde fue con sus amigos?
3. ¿Qué hora era cuando volvió a su apartamento?
4. ¿Fue a un concierto el sábado por la noche?
5. ¿Fue a alguna parte *(somewhere)* el domingo o se quedó en casa?
6. ¿Qué hizo el domingo por la tarde? ¿Extrañó *(Did he miss)* a Marisa?
7. ¿Qué hicieron Marisa y su familia el sábado?
8. ¿Luisito aprendió a armar una tienda de campaña?
9. ¿Marisa pasó mucho tiempo con Luisito? ¿Qué hicieron los dos el domingo?
10. ¿Marisa extrañó a Pablo?
11. Cuando Pablo vio a Marisa el lunes, ¿le dio un abrazo?
12. ¿Adónde fueron los dos el lunes por la tarde?

EL MUNDO HISPÁNICO

1

Kamira/Shutterstock.com

2

Courtesy of Joan Soriano and Ben de Menil, iASO Records

1. En esta calle vemos el Capitolio y el Gran Teatro de La Habana, Cuba.

2. El músico Joan Soriano es conocido como "el Duque de la Bachata".

3. El famoso Castillo San Felipe del Morro en San Juan, Puerto Rico, está nombrado en honor del Rey Felipe II de España.

4. Aquí vemos un mural de Simón Bolívar en el pueblo de Bailadores, Venezuela. Bolívar, fue el libertador de Venezuela, Colombia, Ecuador, Perú y Bolivia.

CUBA 

- Cuba es la mayor de las islas del archipiélago de las Antillas. Tiene extensas costas en las cuales hay playas de gran belleza *(beauty)* muy populares. Los turistas que más visitan Cuba, "la Perla de las Antillas", son de Canadá.
- La Habana, la capital, fue declarada por la UNESCO Patrimonio de la Humanidad en 1982, y es la ciudad más grande del Caribe. En la sección antigua de la Habana Vieja hay iglesias, plazas, fortalezas y edificios coloniales. La Catedral y su plaza y las fortalezas de El Morro y la Cabaña son algunos puntos de interés. La ciudad es muy vibrante, y en todas partes se ven cosas interesantes y se oye música regional.
- La música cubana o afrocubana es muy popular en todo el mundo. De Cuba vienen el son, el danzón, la rumba, la conga, el cha cha cha, el mambo y, en buena parte, la salsa.
- El deporte más popular del país es el béisbol, al que los cubanos llaman "la pelota".

LA REPÚBLICA DOMINICANA 

- La República Dominicana ocupa las dos terceras partes de la isla que Colón descubrió en su primer viaje y a la que llamó La Española. La parte occidental de la isla está ocupada por la República de Haití.
- La música típica del país es el merengue y la bachata, pero además son populares otros ritmos del Caribe, como la rumba y la salsa.
- Como en Cuba y en Puerto Rico, el béisbol es el deporte más popular de la isla y muchos jugadores famosos, como Albert Pujols, Manny Ramirez y Sammy Sosa, son dominicanos.
- Casi la mitad de la población del país vive en la capital, Santo Domingo, la primera ciudad europea fundada en el Nuevo Mundo. Aquí es donde nació el famoso diseñador, Oscar de la Renta.

CUBA | **REPÚBLICA DOMINICANA** | **PUERTO RICO** | **VENEZUELA**

3

Timothy Michael Morgan/Shutterstock.com

4

Wayne Walton/Getty Images

PUERTO RICO 

- Puerto Rico es un territorio de los Estados Unidos que está muy densamente poblado. Desde 2003, hay más puertorriqueños viviendo en los Estados Unidos, sobre todo en Nueva York, que los que viven en la isla.
- Hay muchos puertorriqueños que tienen fama en el cine y en el mundo de la música, entre ellos: Jennifer López, Ricky Martin, Jimmy Smits y Benicio del Toro.
- San Juan, la capital, es un centro de atracción turística por sus interesantes museos, sus edificios coloniales y las fortalezas de El Morro y San Cristóbal. Otros puntos de interés son sus playas y el Yunque, un bosque *(forest)* tropical.

VENEZUELA 

- Cuando los conquistadores españoles llegaron al lago Maracaibo, las construcciones de los indígenas a orillas del lago les recordaron las de Venecia y por eso llamaron al país Venezuela, nombre que significa "pequeña Venecia".
- Canadá y Venezuela son dos de los mayores exportadores de petróleo del mundo. La mayor parte de su gran reserva de petróleo se encuentra debajo del lago Maracaibo. Este lago es el mayor de toda Sudamérica.
- El turismo canadiense a Venezuela ha crecido en los últimos años. A los turistas canadienses les gustan las playas venezolanas y las oportunidades de ecoturismo que existen en Venezuela. La principal atracción turística del país es el Salto Ángel, mucho más alto que las cataratas del Niágara.

El mundo hispano y tú 

With a partner discuss the following questions.

1. ¿Qué sabes tú de Cuba? ¿Canadá tiene unos sitios reconocidos por UNESCO?
2. ¿Quiénes son unos puertorriqueños famosos? ¿Quiénes son unos artistas canadienses famosos en otras partes del mundo?
3. ¿Cuál es el deporte más popular en La República Dominicana? ¿Este deporte es popular en Canadá?
4. ¿Cuál es la catarata más famosa de Venezuela? ¿Cómo es?
5. Los países del Caribe son conocidos por su música. ¿A ti te gusta la música latina?

TOMA ESTE EXAMEN

Lesson Review

LECCIÓN 7

A. Preterite of regular verbs

Rewrite the following sentences, changing the verbs to the preterite.

1. Yo llego a casa y busco los libros, pero no los encuentro.
2. ¿Tú visitas a tus abuelos y meriendas con ellos?
3. Estela come en la cafetería, estudia en la biblioteca y vuelve a su casa a las dos de la tarde.
4. Yo escribo muchas cartas *(letters),* y hablo por teléfono con mis amigos. Salgo de mi casa a la una.
5. Nosotros bebemos café y ellos beben té. Nadie bebe agua.
6. Yo empiezo a trabajar a las ocho y ustedes empiezan a las nueve.

B. Preterite of *ser, ir,* and *dar*

Change the verbs in the following sentences to the preterite.

1. Ella va al club.
2. Dan mucho dinero.
3. ¿Ud. es mi profesor?
4. Yo voy más tarde.
5. Ellos son mis alumnos.
6. Doy muchas fiestas.
7. Yo soy su novio.
8. Nosotros vamos al cine.

C. Indirect object pronouns

Complete the following, using the Spanish equivalent of the words in parentheses.

1. Yo ____________ que necesito más dinero. *(tell them)*
2. Mi mamá ____________ un florero muy bonito. *(sent us)*
3. Silvia siempre ____________ si necesita algo. *(asks her)*
4. Mis amigos ____________ muchos libros. *(gave me)*
5. Ella ____________ correos electrónicos frecuentemente. *(writes to you* [fam.]*)*
6. Yo voy a ____________ los libros que necesitan. *(buy them)*

D. The verb *gustar*

Complete the following sentences with the Spanish equivalent of the words in parentheses.

1. ____________ patinar, pero ____________ nadar. (*I like / I don't like*)
2. ¿____________ esta película, Anita? (*Do you like*)
3. ____________ ese club. (*My mother likes better*)
4. ____________ levantarnos temprano. (*We like*)
5. ____________ bailar salsa. (*My brother likes*)

LECCIÓN 7

E. Reflexive constructions

Complete these sentences, using the verbs from the following list appropriately. Use each verb once.

acostarse afeitarse bañarse levantarse probarse sentarse vestirse

1. Mis hijos ______________ muy temprano y ______________ tarde.
2. Yo voy a ______________ la barba (*beard*).
3. ¿Tú ______________ el vestido (*dress*) antes de comprarlo?
4. Ella siempre ______________ en esa silla.
5. Nosotros nunca ______________ por la noche.
6. Él va a ______________ ahora. Necesita el traje (*suit*) azul.

F. Vocabulary

Complete the following sentences, using vocabulary from **Lección 7.**

1. Este ______________ de semana voy a ir a la playa.
2. No me ______________; me aburrí.
3. Ellos ______________ a las siete de la mañana.
4. Mañana vamos a ir a un ______________ de fútbol.
5. En el ______________ Rex, ponen hoy una película muy buena.
6. El niño ______________ el florero ayer.
7. En el ______________ hay muchos animales.
8. Ellos van a ir a ______________ montañas este verano.
9. Carlos fue a ______________ a caballo.
10. Son las doce de la noche: es ______________ .
11. Voy a ______________ en el lago (*lake*).
12. Esta noche vamos a estudiar, en ______________ de ir al teatro.

G. Translation

Express the following in Spanish.

1. —Are you going to the theatre with your friends?
   —No, I can't. I have to study.
2. I get up at seven and go to bed at eleven.
3. Do your grandparents give you money to buy clothes?
4. We like Spanish very much, but we don't like studying mathematics.
5. I paid seventy-five dollars for a vase. Do you think it is a lot?

H. Culture

Complete the following sentences, based on the cultural notes you have read.

1. El ______________ es un deporte que les gusta a muchos hispanos.
2. Las películas americanas son muy ______________ en el mundo hispano.

Lesson Review

A. Preterite of some irregular verbs

Change the verbs in the following sentences to the preterite tense.

1. Ellos traen la raqueta y yo traigo la caña de pescar.
2. Tengo que ir al hotel.
3. ¿Qué hace él con la cesta?
4. Tú dices que sí y ellos dicen que no.
5. Laura viene al parque conmigo y tú vienes con Sergio.
6. Tú y yo estamos aquí y ellos están allá.
7. Ellas hacen el postre.
8. Yo sé toda la verdad.
9. Ellas conducen muy bien, pero yo conduzco muy mal.
10. Enrique no quiere ir a pescar.

B. Direct and indirect object pronouns used together

Answer the following questions in the affirmative, replacing the direct objects with direct object pronouns.

1. ¿Me compraste *las raquetas*?
2. ¿Nos trajeron Uds. *los palos de golf*?
3. ¿Ellos te van a dar *el traje de baño*? *(two ways)*
4. ¿Él les va a traer *los termos* a Uds.? *(two ways)*
5. ¿Ella me va a comprar *la canoa*? *(Use the* ***Ud.*** *form.) (two ways)*
6. ¿Ellos te traen *las cestas*?

C. Stem-changing verbs in the preterite

Complete the following sentences in the preterite tense, using the verbs listed.

conseguir	**divertirse**	**dormir**	**morir**
pedir	**seguir**	**servir**	

1. Ana y Eva ____________ mucho en la fiesta. Cuando volvieron a casa, ____________ hablando y no ____________ mucho por la noche.
2. Elsa ____________ la raqueta de tenis y Juan se la trajo.
3. Hubo un accidente, pero no ____________ nadie.
4. Roberto ____________ el pescado en el mercado.
5. El camarero nos ____________ la comida en el restaurante.

D. The imperfect tense

Change the verbs in the following sentences to the imperfect.

1. ¿Tú vas al supermercado con tu papá?
2. Ella es muy bonita.
3. Ellos hablan español.
4. Nosotros no vemos a nuestros amigos.
5. Uds. nunca pescan en el lago.
6. Yo siempre como frutas por la mañana.

E. Formation of adverbs

Write the following adverbs in Spanish.

1. easily
2. especially
3. slowly
4. rapidly
5. slowly and clearly
6. frankly

F. Vocabulary

Complete the following sentences, using vocabulary from **Lección 8.**

1. ¿Qué actividades al ______________________ libre prefieres?
2. Voy a jugar al tenis; necesito la ______________________ .
3. Él no sabe ______________________ una tienda de campaña.
4. Voy a poner el pollo en la ______________________ de picnic.
5. No quiero ir en la canoa porque no sé ______________________ .
6. Ellos siempre me toman el ______________________ .
7. Un sinónimo de "a menudo" es ______________________ .
8. No me gusta hacer esquí ______________________ .
9. Cuando voy a la playa, me gusta ______________________ el sol.
10. Necesito mi ______________________ de mar.
11. Ellos van a ______________________ una caminata.
12. Me gusta mucho nadar. Me ______________________ .

G. Translation

Express the following in Spanish.

1. On Saturday we couldn't go camping with our friends.
2. Ana lent me her surfboard. She lent it to me yesterday.
3. At the restaurant Eduardo and Marisol asked for coffee. The waiter served it to them.
4. When I was little, I often played outdoors.
5. The students like Professor Guzmán. She speaks slowly and clearly.
6. We have just returned from our vacation.
7. —Isabel, are you camping with us this weekend?
   —I hope so!
8. They bought a fishing rod and a tennis racket at the store (**tienda**).

H. Culture

Complete the following sentences, based on the cultural notes you have read.

1. Cuba es la ______________________ de las islas de las Antillas.
2. La música típica de la República Dominicana es el ______________________ .
3. El ______________________ es un bosque tropical de Puerto Rico.
4. Canadá y Venezuela son grandes exportadores de ______________________ .

UNIDAD 5

¿QUÉ HACEMOS HOY?

LECCIÓN 9

DE COMPRAS

OBJETIVOS

- Shop for clothing and shoes, conveying your needs with regard to sizes and fit
- Talk about the weather
- Discuss past actions and events
- Talk about possession

LECCIÓN 10

¡A TRABAJAR!

OBJETIVOS

- Open an account and cash cheques at the bank
- Describe people and things
- Refer to actions, states, and events that have been completed in the past
- Tell others what to do

Todd Lawson/Getty Images

Danita Delimont/Getty Images

Ian Trower/JAI/Corbis

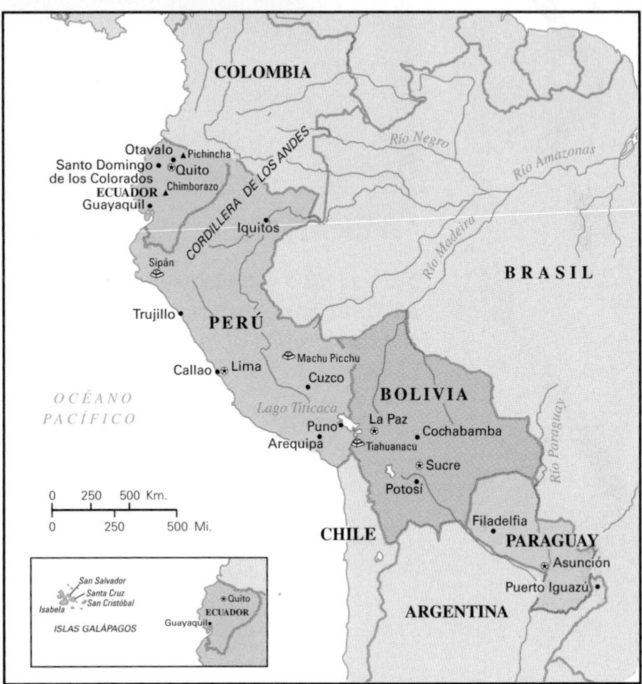

Brent Winebrenner/Getty Images

UN DÍA OCUPADO

La gente organiza el día tratando de hacer todas las diligencias necesarias. **¿Qué cosas importantes tienes que hacer diariamente?**

1. La Paz, el centro político y comercial de Bolivia, es una ciudad llena de contrastes. Al lado de las empresas de alta tecnología, hay mercados que venden artesanías indígenas.

2. El diario limeño *El Comercio* es uno de los periódicos más influyentes en Perú.

3. Dos mujeres van de paseo en el pueblo de Pujilí (Ecuador), reconocido por su mercado donde se vende ropa tradicional indígena.

4. Asunción es el centro comercial más importante de Paraguay y es una ciudad muy popular, pero usted puede descansar después de acabar sus quehaceres en el Café Literario y tomar un café con leche.

LECCIÓN 9 DE COMPRAS

© Fisher/Thatcher/Stone/Getty Images

Sara y Pablo son muy buenos amigos. Los dos son de Ecuador, pero ahora viven y estudian en Lima. Se conocieron en la facultad de medicina hace dos años. Ahora están en una tienda porque Pablo necesita comprar ropa y, según Sara, ella sabe exactamente lo que él necesita.

Sara: ¿Por qué no te pruebas estos pantalones? No son muy caros y están de moda.

Pablo: ¿Qué? Yo tenía unos pantalones como estos cuando tenía quince años.

Sara: *[Se ríe.]* Bueno… todo vuelve… Tú usas talla mediana ¿no? Allí está el probador. Voy a buscarte una camisa.

Pablo: Quiero una camisa blanca de mangas largas y una de mangas cortas.

Sara: También necesitas un traje y una corbata para la boda de tu hermano… ¡y una chaqueta! Ya empezó el invierno y hace frío.

Pablo: Oye, todo esto me va a costar un ojo de la cara.

Sara: También tienes que comprar un regalo para tu mamá; me dijiste que era su cumpleaños.

Pablo: No sé qué comprarle. ¿Un vestido? ¿Una blusa y una falda? Pero… no sé qué talla usa.

Sara: No sé… quizá un par de aretes o una cadena de oro como la mía…

Pablo: ¡Sara, no puedo gastar tanto! Yo no soy millonario. Le voy a regalar un ramo de flores y una bonita tarjeta de cumpleaños.

Sara: Me parece una excelente idea, Pablo. Yo sé que tú no eres tacaño.

Más tarde, en la zapatería.

Empleado: ¿En qué puedo servirle, señor?

Pablo: Necesito un par de zapatos. Creo que calzo el número cuarenta y cuatro.

Sara: Las botas que compraste el mes pasado eran cuarenta y tres.

Pablo: Sí, pero como me quedaban chicas y me apretaban un poco, se las mandé a mi hermano.

Sara: Buena idea. ¡Los zapatos tienen que ser cómodos!

Pablo: *[Se ríe.]* Entonces, ¿por qué usas esas sandalias de tacones altos?

Sara: Las compré porque eran baratas, pero prefiero usar zapatos de tenis.

Pablo: Yo prefiero andar descalzo. Cuando era chico, me quitaba los zapatos en cuanto llegaba de la escuela.

Sara: Oye, ¿qué hora es?

Pablo: No sé. Eran las cuatro cuando salimos de la tienda. ¿Quieres ir a comer algo?

Sara: Bueno, voy a llamar a Teresa para decirle que hoy no como en casa. Ella va a cocinar hoy...

Pablo: ¡Caramba...! Entonces te hago un gran favor invitándote a cenar.

Sara: *[Se ríe.]* ¡Exactamente!

© Howard Oates/iStockPhoto

© iStockPhoto

Hablemos

Sobre el diálogo

With a classmate, take turns asking and answering the following questions. Base your answers on the dialogues.

1. ¿De dónde son Sara y Pablo? ¿Dónde viven y estudian ahora?
2. ¿Cuánto tiempo hace que se conocieron?
3. ¿Dónde están ahora? ¿Por qué?
4. ¿Qué dice Sara de los pantalones? ¿Qué dice Pablo?
5. ¿Pablo quiere una camisa de mangas cortas o de mangas largas?
6. Cuando Pablo era chico, ¿qué hacía en cuanto llegaba de la escuela?
7. ¿A quién le dio las botas, Pablo? ¿Por qué las dio?
8. ¿Qué prefiere usar Sara?
9. ¿A quién va a llamar Sara? ¿Para qué?
10. ¿Por qué Pablo le dice a Sara que le hace un favor al invitarla a cenar?

Entrevista a tu compañero(a)

With a classmate, take turns asking and answering the following questions.

1. ¿Dónde y cuándo conociste a tu mejor amigo(a)?
2. ¿Tú necesitas comprar ropa? ¿Cuál es tu tienda favorita?
3. ¿Tú te pruebas la ropa antes de comprarla? ¿Gastas mucho dinero en ropa?
4. ¿Qué número calzas tú? ¿Prefieres usar botas, sandalias o zapatos?
5. ¿Prefieres salir de compras solo o con amigos?
6. ¿Qué haces con la ropa que no usas más?
7. Cuando te vistes para ir a clase, ¿eliges ropa cómoda o prefieres estar de moda con ropa incómoda?
8. ¿Te gusta que te regalen ropa o prefieres comprarla tú?

DETALLES CULTURALES

En la mayoría de los países hispanos la talla de la ropa se basa en el sistema métrico. Por ejemplo, la medida *(measure)* del cuello *(collar)* y el largo de las mangas de una camisa se dan en centímetros. Una talla 10 en Canadá es equivalente a la 30 en España. Estas equivalencias varían de país a país.

La talla de la ropa, ¿se basa en el sistema métrico en Canadá? ¿Qué es más importante cuando compras ropa, la talla o si es cómoda?

VOCABULARIO

Audio Flashcards

COGNADOS

la blusa
exactamente
la facultad
el par
las sandalias

SUSTANTIVOS

el arete, los aretes*	*earring(s)*
el (la) dependiente(a), el (la) empleado(a)	*clerk*
la escuela	*school*
el oro	*gold*
el probador	*fitting room*
el ramo	*bouquet*
el regalo	*gift*
el tacón*	*heel*
la talla	*size (of clothing)*
la tarjeta	*card*
la tienda	*store*
la zapatería	*shoe store*

VERBOS

apretar (e > ie)	*to be tight*
buscar	*to look for; to get*
calzar	*to wear (a certain shoe size)*
gastar	*to spend (i.e., money)*
regalar	*to give a gift*
usar	*to wear; to use*

ADJETIVOS

alto(a)	*high*
cómodo(a)	*comfortable*
corto(a)	*short*
incómodo(a)	*uncomfortable*
largo(a)	*long*
mediano(a)	*medium*
tacaño(a)	*frugal, stingy*

OTRAS PALABRAS Y EXPRESIONES

andar descalzo(a)	*to go barefoot*
como	*like*
costar un ojo de la cara	*to cost an arm and a leg, to cost too much*
debajo de	*under*
en cuanto	*as soon as*
¿En qué puedo servirle?	*How may I help you?*
estar de moda	*to be in style*
lo que	*what, that which*
no tener nada que ponerse	*not to have anything to wear*
quedarle chico(a) (grande) a uno	*to be too small (big) on someone*
quizás, tal vez	*maybe, perhaps*
según	*according to*

Amplía tu vocabulario

Más ropa *(More clothes)*

el abrigo	*coat*
la bata	*robe*
la billetera	*wallet*
la braga	*panties*
el calcetín (los calcetines)	*sock(s)*
los calzoncillos	*underpants*
el camisón*	*nightgown*
la chaqueta*	*jacket*
el guante	*glove*
el impermeable	*raincoat*
la manga	*sleeve*
el paraguas	*umbrella*
el pijama (los pijamas)	*pajamas*
el sostén, el sujetador	*bra*
el vestido	*dress*
la zapatilla	*slipper*

DE PAÍS A PAÍS

los aretes los pendientes *(Esp.)*; los aros *(Par., Arg.)*; las caravanas *(Cono Sur)*; las pantallas *(Puerto Rico)*
el tacón el taco *(Arg.)*
el camisón la bata de dormir *(Cuba)*
la chaqueta la chamarra *(Méx.)*
el cinturón la correa *(Puerto Rico)*
el traje el vestido *(Col.)*

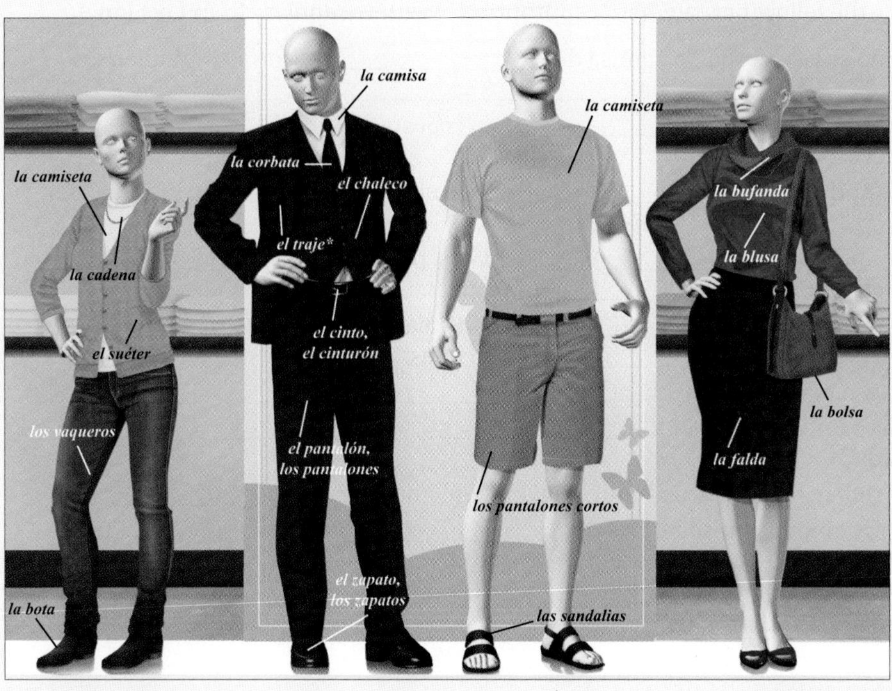

El tiempo *(The weather)*

¿Cómo es el clima en…?
El clima es…
The climate is…

- cálido — *hot*
- templado — *warm.*
- frío — *cold.*
- seco — *dry.*
- húmedo — *humid.*

El cielo está…
The sky is…

- despejado. — *clear.*
- nublado. — *cloudy.*

la lluvia *rain*	llover *to rain*	Llueve. / Está lloviendo. *It's raining.*
la nieve *snow*	nevar *to snow*	Nieva. / Está nevando. *It's snowing.*
la niebla *fog*		Hay niebla. *It's foggy.*

¿Qué temperatura hace…?
What is the temperature?

Hay...grados.
It's...degrees.

¿Qué tiempo hace?
What is the weather like?

Hace buen tiempo.
It's nice weather.
Hace sol.
It's sunny.
Hace frío.
It's cold.
Hace viento.
It's windy.
Hace mal tiempo.
It's bad weather.

FLASHBACK

Remember that the verb **ser** is used to describe the usual climate of a given location (fundamental quality) and the verb **estar** is used when describing the weather conditions at a specific time (condition). See Uses of **ser** and **estar**, pp. 120–121.

Para practicar el vocabulario

A. En la tienda y en la zapatería

Quiz

Complete the following statements appropriately with vocabulary from **Lección 9.**

1. Pablo se va a probar la camisa de ________________ cortas y también los ________________ en el ________________.
2. La chaqueta no es ________________; cuesta un ________________ de la cara.
3. Cuando él ________________ el traje azul, se pone una camisa blanca y una ________________ roja.
4. Compré un ________________ de botas, pero me ________________ chicas; me ________________ mucho.
5. Ella se puso una ________________ blanca y una blusa negra. También se puso unas sandalias de ________________ altos.
6. No uso talla grande ni chica. Uso talla ________________.
7. Busco unos aretes y una ________________ de ________________ para mi mamá.
8. No quiero usar zapatos en mi casa; prefiero andar ________________.
9. Voy a comprar el vestido. Está de ________________ y no es muy caro. Cuesta solamente 50 dólares.
10. Tengo que comprar ropa. No ________________ nada que ________________. ¿Vamos a la ________________?

B. ¿Qué se ponen?

Describe what Pablo and Sara usually wear, based on the cues provided.

Pablo

1. con el traje
2. debajo del pantalón
3. debajo de la camisa
4. para sujetarse *(hold)* los pantalones
5. cuando nieva
6. en las manos, cuando tiene frío
7. en los pies

Sara

1. cuando tiene frío
2. para dormir
3. en la cabeza
4. con el camisón
5. en los pies
6. en el cuello, cuando tiene frío
7. cuando llueve

¿Y dónde ponen los dos el dinero?

C. El fin de semana de Elena

With a partner, discuss the items that Elena may take for a weekend away from home. Select appropriate clothing for the activities she has planned.

1. Hace calor, va a ir a caminar con su amiga.
2. Es un día de sol y desea ir a comer a un restaurante.
3. Después van a ir al cine.
4. Por la noche van a ir a una fiesta a bailar.

D. Confusiones

Ana, José, and Luisa went shopping together and they put all their shopping bags in the trunk of the car. When they arrived home, they realized that they had each other's bags. With a classmate, try to figure out which items belong to which person. Here are some clues to help you:

- Ana es atlética y muy elegante.
- A José le gusta la ropa cómoda y no gasta mucho en ropa.
- Luisa no usa faldas y le gustan los zapatos de tacones altos.

1. Ana tiene una bolsa con vaqueros. Probablemente son de…
2. José encuentra un pantalón y una camiseta para jugar al tenis. Piensa que son de…
3. Luisa ve un sombrero muy caro en otra bolsa. Cree que es de…
4. Al abrir una bolsa, Luisa ve una falda. Está segura que es de…
5. José se ríe cuando encuentra una par de zapatos de tacón alto. Él le manda un mensaje de texto *(text message)* a…
6. Ana encuentra un suéter muy barato y está segura que es de…

Africa Studio/Shutterstock.com

E. Hablando del tiempo

1. ¿Cómo es el clima de...?
   a. Nunavut
   b. Winnipeg
   c. Victoria
   e. Montreal
   d. Ontario
2. Va a llover. ¿Cómo está el cielo?
3. El cielo no está nublado. ¿Cómo está?
4. ¿Qué temperatura hace hoy?

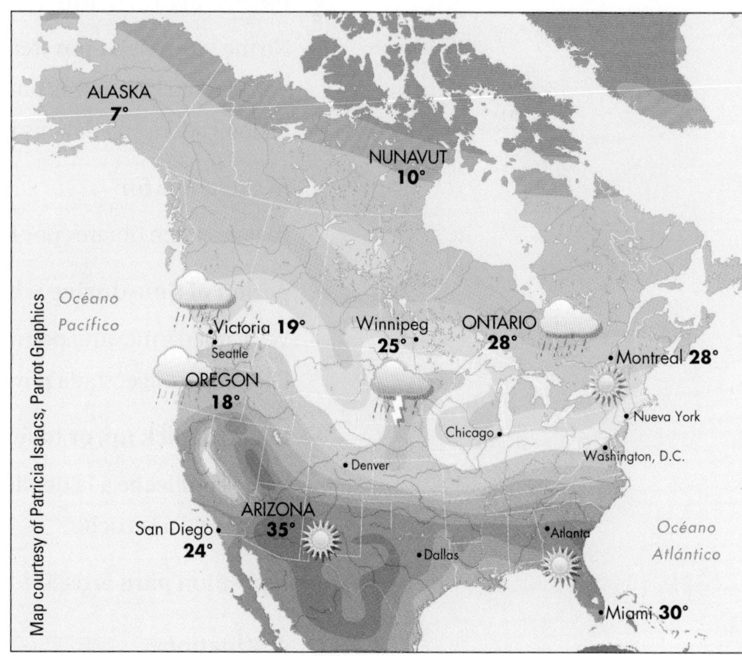

Map courtesy of Patricia Isaacs, Parrot Graphics

Pronunciación

Pronunciation in context

In this lesson, there are some words or phrases that may be challenging to pronounce. Listen to the correct pronunciation; then say the following sentences out loud.

1. **Se conocieron** en la **facultad** de **medicina** hace dos años.
2. **Ahora** están en una tienda porque Pablo necesita **comprar ropa**.
3. Necesito un par de **zapatos**. Creo que **calzo** el **número** cuarenta y cuatro.
4. Cuando era chico, **me quitaba** los zapatos en cuanto **llegaba** de la escuela.
5. Tú **llamas** a tu **compañera** de **cuarto** y yo llamo al mío.

FLASHBACK

Review vocabulary for seasons, p. 48.

PUNTOS PARA RECORDAR

1 Some uses of *por* and *para* (*Algunos usos de* por *y* para)

Grammar Tutorial

FLASHBACK

You will sometimes use an object of the preposition pronoun with **por** and **para**. To review, see p. 128.

The preposition **por** is used to express the following concepts.

- **motion** *(through, along, by, via)*

No puedo salir **por** la ventana.	*I can't go out **through** the window.*
Fuimos **por** la calle Quinta.	*We went **via** Fifth Street.*

- **cause or motive of an action** *(because of, on account of, on behalf of)*

No compré las sandalias **por** no tener dinero.	*I didn't buy the sandals **because** I didn't have any money.*
Lo hice **por** ti.	*I did it **on** your **behalf.***
Llegaron tarde **por** el tráfico.	*They arrived late **on account of** the traffic.*

- **means, manner, unit of measure** *(by, per)*

No me gusta viajar **por** tren.	*I don't like to travel **by** train.*
Va a setenta kilómetros **por** hora.	*She is doing seventy kilometres **per** hour.*
El hotel cobra 100 dólares **por** noche.	*The hotel charges a hundred dollars **per** night.*

- **in exchange for**

Pagamos cien dólares **por** las botas.	*We paid a hundred dollars **for** the boots.*

- **period of time during which an action takes place** *(during, in, for)*

Voy a quedarme aquí **por** un mes.	*I'm going to stay here **for** a month.*
Ella prepara la comida **por** la mañana.	*She prepares the meal **in** the morning.*

- **to get, to pick up, or to fetch**

Vamos **por** leche a la tienda.	*We go **to get** milk at the store.*
Paso **por** ti a las ocho.	*I'll come **to pick** you **up** at eight.*

The preposition **para** is used to express the following concepts.

- **destination**

¿Cuándo sales **para** Quito?	*When are you leaving **for** Quito?*

- **goal for a specific point in the future** (*by* or *for* a certain time in the future)

Necesito la camisa y el pantalón **para** mañana.	*I need the shirt and the pants **for (by)** tomorrow.*

- **whom or what something is for**

La blusa es **para** ti.	*The blouse is **for** you.*

- **objective or goal**

Mi novio estudia **para** profesor.	*My boyfriend is studying **to be** a professor.*

- **in order to**

—Ayer fui a su casa. —**Para** qué? —**Para** hablar con él.	*"Yesterday I went to his house."* *"What **for**?"* *"**(In order) To** talk with him."*

Práctica y conversación

Quiz

A. Minidiálogos

Supply **por** or **para** in each dialogue.

1. —¿__________ qué calle fuiste?
   —Fui __________ la calle Esperanza.
2. —¿__________ cuándo necesitas los pantalones?
   —Los necesito __________ el sábado __________ la noche.
3. —¿Para qué fuiste al mercado?
   —__________ comprar frutas. Lo hice __________ ti, porque estabas muy cansada… Y no compré más carne __________ no tener más dinero.
4. —¿Cuánto pagaron Uds. __________ ese vestido?
   —Cien soles. Es __________ nuestra hija.
   —¿Cuándo sale ella __________ Cuzco?
   —El 3 de enero. Va a estar allí __________ dos meses. Va __________ visitar a su abuela.
   —¿Va __________ tren?
   —Sí.
5. —¿Ofelia está en la universidad?
   —Sí, estudia __________ profesora.

DETALLES CULTURALES

Sol: moneda peruana

¿Sabes tú cuáles son las monedas de otros países hispanos? Con un compañero(a), busca *(look for)* las monedas que se usan en Bolivia, Ecuador y Paraguay.

B. Cosas que pasan

Look at the illustrations and describe what is happening, using **por** or **para**.

1. Fuimos _________ a Lima.

2. Roberto salió _________.

3. Marisa va a estar en Medellín _________.

4. La torta es _________ Ana.

5. Jorge pagó _________ el vino.

6. Ana sale mañana _________.

C. Diferentes circunstancias

In groups of three, and using your imagination, add some details to the following circumstances. Use **por** or **para** and think of various possibilities.

- **MODELO:** Marisa compró un vestido.
  *Pagó 100 dólares **por** el vestido. El vestido es **para** su tía.*

1. Mi sobrino va a ir a Ecuador.
2. Mi prima está en la universidad.
3. Amalia trabaja de siete a once de la mañana.
4. Marité tiene una fiesta el sábado. Necesita comprar un vestido.
5. David compró una corbata.
6. Mi cuñado no pudo pagar la cuenta.
7. Este hotel es muy barato.
8. Julio conduce muy rápido *(fast).*
9. Ellos llegaron tarde a la fiesta.
10. Luis no pudo salir por la puerta.

2 Weather expressions *(Expresiones para describir el tiempo)*

- The following expressions are used when talking about the weather.

Hace (mucho) frío.	*It is (very) cold.*
Hace (mucho) calor.	*It is (very) hot.*
Hace (mucho) viento.	*It is (very) windy.*
Hace sol.	*It is sunny.*

—¿Qué tiempo **hace** hoy? *"What's the weather **like** today?"*
—**Hace buen (mal) tiempo**. ***"The weather is good (bad)."***

—¿Abro la ventana? *"Shall I open the window?"*
—¡Sí! **¡Hace** mucho **calor**! *"Yes! **It's** very **hot!**"*

¡ATENCIÓN!

All of these expressions use the verb **hacer** followed by a noun. To express that one is hot in Spanish, use an expression with the verb **tener: tengo calor.**

- The impersonal verbs **llover (o > ue)** *(to rain)* and **nevar (e > ie)** *(to snow)* are also used to describe the weather. They are used only in the third-person singular forms of all tenses, and in the infinitive, the present participle, and the past participle.

En Vancouver **llueve** mucho. ***It rains** a lot in Vancouver.*

Creo que va a **nevar** hoy. *I think it's going to **snow** today.*

Está **lloviendo**; no podemos salir. *It's **raining;** we can't go out.*

- Other weather-related words are **lluvia** *(rain)* and **niebla** *(fog).*

Hay **niebla**. *It's **foggy**.*

No me gusta **la lluvia**. *I don't like **rain**.*

FLASHBACK

You may wish to review Expressions with **tener**. See p. 74.

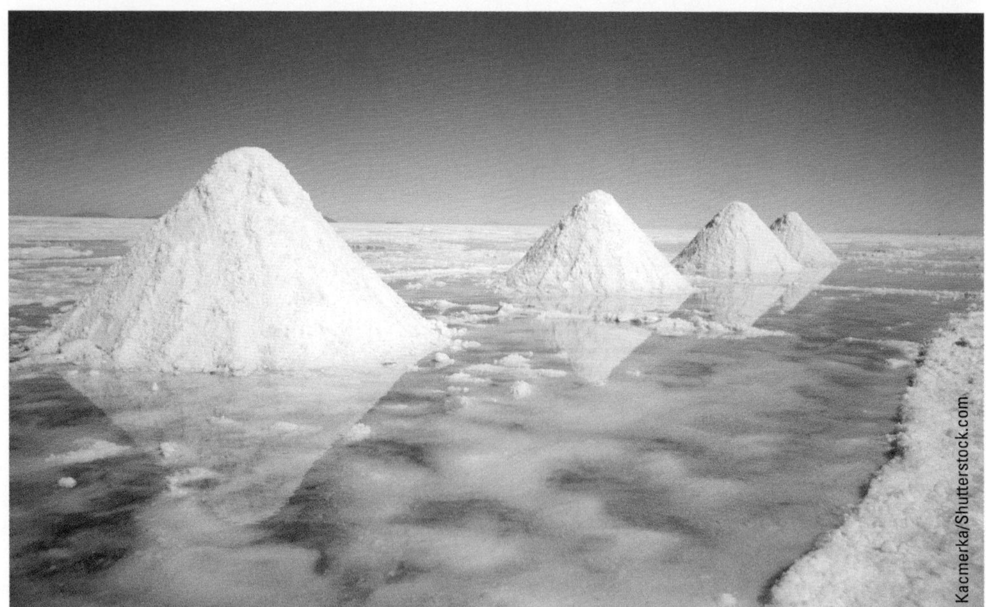

¿Nevó mucho? No, es el salar de Uyuni, en Bolivia. Es el desierto de sal más grande del mundo.

Quiz

Práctica y conversación

A. ¿Qué tiempo hace?

Describe the weather in each illustration.

1. ____________________

2. ____________________

3. ____________________

4. ____________________

5. ____________________

6. ____________________

 B. **Minidiálogos**

With a partner, complete the exchanges in a logical manner.

1. —¿Necesitas un paraguas?
   —Sí, porque ______________________.
2. —¿No necesitas un abrigo?
   —No, porque ______________________.
3. —¿Quieres un impermeable?
   —Sí, porque ______________________ mucho.
4. —¿No quieres llevar el suéter?
   —¡No! ¡Hace ______________________!
5. —¿Vas a llevar el sombrero?
   —Sí, porque ______________________.
6. —¿Necesitas un suéter y un abrigo?
   —Sí, porque ______________________.
7. —¿Un impermeable? ¿Por qué? ¿Está lloviendo?
   —No, pero creo que va a ______________________.
8. —¡Qué ______________________! Necesito un paraguas y un impermeable.
9. —No hay vuelos (flights) porque hay mucha ______________________.

 C. **De viaje** *(On a trip)*

A friend of yours from Lima is going to travel in Canada for a year. With a partner, discuss what kind of weather he's going to find in cities like St. John's, Mississauga, Saskatoon, and Vancouver during the fall, winter, spring, and summer.

Grammar Tutorial

3 The preterite contrasted with the imperfect
(El pretérito contrastado con el imperfecto)

FLASHBACK

Before contrasting the preterite and the imperfect, it may be helpful to review the preterite on pp. 170, 172, 194, and 199, and the imperfect on pp. 201–202.

The difference between the preterite and imperfect tense can be visualized in the following way.

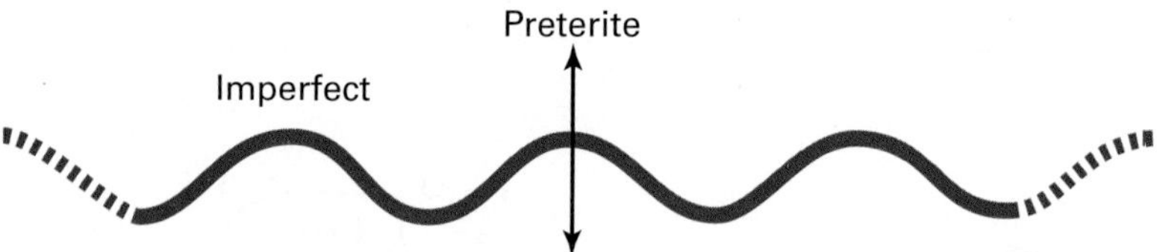

The wavy line representing the imperfect shows an action or event taking place over a period of time in the past. There is no reference as to when the action began or ended. The vertical line representing the preterite shows an action or event completed at a certain time in the past.

In many instances, the choice between the preterite and the imperfect depends on how the speaker views the action or event. The following table summarizes the most important uses of both tenses.

Preterite	Imperfect
• Reports past actions or events that the speaker views as completed. Ella **vino** ayer. • Sums up a condition or state viewed as a whole (and no longer in effect). **Estuve** cansada todo el día.	• Describes past actions or events in the process of happening, with no reference to their beginning or end. **Íbamos** al cine cuando... • Indicates a repeated or habitual action *(used to ..., would)* Todos los días **íbamos** con él.[1] • Describes a physical, mental, or emotional state or condition in the past. **Estaba** muy cansada. • Expresses time and age in the past. **Eran** las dos. **Tenía** veinte años. • Is used in indirect discourse. Dijo que **venía.** • Describes in the past or sets the stage. Mis aretes **eran** muy bonitos. **Hacía** frío y **llovía.**

—¿**Viste** a Eva ayer?
—Sí, **estaba** en el restaurante cuando la **vi.**

*"**Did you see** Eva yesterday?"*
*"Yes, **she was** at the restaurant when **I saw** her."*

—¿Qué te **dijo** Raúl?
—Dijo que **necesitaba** dinero.

*"What **did** Raúl **say** to you?"*
*"He said **he needed** money."*

¡ATENCIÓN!

Direct discourse: Juan dijo: "Vengo mañana".

Indirect discourse: Juan dijo que venía mañana.

[1]Note that this use of the imperfect corresponds to the English *would* used to describe a repeated action in the past. *Every day **we used to** go with him. = Every day **we would** go with him.* Do not confuse this with the English conditional *would*, as in: *If I had the time **I would go** with him.*

Práctica y conversación

Quiz

A. Pequeñas historias

Complete the following stories, using the appropriate form of the preterite or the imperfect of the verbs provided. Then read the stories aloud.

1. __________ (Ser) las once y __________ (hacer) frío cuando Ada __________ (llegar) a su casa anoche. La chica __________ (estar) cansada y no __________ (sentirse) bien. Su mamá __________ (levantarse) y le __________ (hacer) una taza de té.
2. Cuando yo __________ (ser) niño yo __________ (vivir) en Chile. Todos los veranos __________ (ir) a visitar a mis abuelos, que __________ (vivir) en el campo. El año pasado mi familia y yo __________ (mudarse) *(to move)* a Cuzco y mis abuelos __________ (venir) a vivir con nosotros.
3. Ayer Ana y Carlos __________ (ir) a la tienda La Peruana. Ana __________ (comprar) una camisa. El empleado les __________ (decir) que ellos __________ (tener) mucha ropa buena y barata. Ana y Carlos __________ (volver) a su casa a las siete, __________ (cenar) y __________ (acostarse). Ana no __________ (dormir) muy bien.

B. Entrevista a tu compañero(a)

Interview a partner, using the following questions.

1. ¿Dónde vivías tú cuando eras niño(a)?
2. ¿Tú siempre estudiabas mucho cuando eras niño(a)? ¿Te gustaba estudiar?
3. ¿Tus padres te hablaban en otro idioma cuando eras niño(a)? ¿Qué idiomas hablaban?
4. ¿Cómo era tu mejor amigo cuando tenías 15 años?
5. ¿En qué año comenzaste a estudiar en la universidad?
6. ¿De qué hablaste con tus amigos ayer?
7. ¿Tú estudiaste mucho anoche? ¿Cuántas horas estudiaste?
8. ¿Qué hora era cuando llegaste a clase hoy?
9. ¿Qué hacías cuando llegó el (la) profesor(a)?
10. ¿Qué te dijo el (la) profesor(a) que tenías que estudiar esta noche?

C. ¿Qué hacíamos… qué hicimos…?

With a partner, talk about what you used to do when you were in high school and then discuss what you did last week. Use the following phrases to start.

1. Cuando yo estaba en la escuela secundaria,
   a. todos los días yo…
   b. los fines de semana mi familia y yo…
   c. en mi clase de inglés mi profesor(a)…
   d. en la cafetería mis amigos y yo…
   e. mi mejor amigo(a) siempre…
   f. los viernes por la noche yo…
2. La semana pasada,
   a. el lunes por la mañana yo…
   b. en mi clase de español mi profesor(a)…
   c. el martes por la noche…
   d. el jueves por la tarde…
   e. el sábado mis amigos y yo…
   f. el domingo yo…

D. Tú y tus amigos

Working with your classmates, fill in the blanks in the following table, adding information and comparing events that happened in the past.

	yo	amigo(a) 1	amigo(a) 2	amigo(a) 3
En el año 2008				
Cada domingo				
Todos los fines de semana				
El 14 de febrero de 2013				
Todas las tardes				
En junio de 2014				

E. Soy escritor *(I'm a writer)*

Use your imagination to finish the following story.

> Eran las dos de la mañana y yo estaba durmiendo en mi apartamento. Tocaron a la puerta y yo fui a abrir. Cuando la abrí, vi…

ammar Tutorial

4 ***Hace… meaning ago*** (Hace… *como equivalente del inglés* ago)

In sentences in the preterite and in some cases the imperfect, **hace** + *period of time* is equivalent to the English *ago*. When **hace** is placed at the beginning of the sentence, the construction is as follows.

Hace + *period of time* + **que** + *verb* (*preterite*)

Hace + **dos años** + **que** + la conocí.

I met her two years ***ago***.

An alternative construction is:

La conocí hace dos años.

FLASHBACK

You may remember a similar construction used to express in English, *"have been …-ing"* (e.g., "I have been living in Medicine Hat for three years." *"Hace tres años que vivo en Medicine Hat."*). See p. 149.

¡ATENCIÓN!

To find out how long ago something took place, ask:

¿Cuánto tiempo hace que… + *verb in the preterite***?**

—**¿Cuánto tiempo hace que viniste** de Guayaquil?	*"**How long ago** did you come from Guayaquil?"*
—**¿Cuánto tiempo hace que** tú llegaste?	*"**How long ago did** you arrive?"*
—**Hace tres años que** llegué.	*"I arrived **three years ago**."*

Hace un mes que volvieron de las vacaciones. Están mirando las fotos y recuerdan los lugares que vieron.

Frank and Helena/Getty Images

Práctica y conversación

Quiz

A. ¿Cuánto tiempo hace...?

Say how long ago the following events took place.

- **MODELO:** Son las cuatro. Yo llegué a las tres.
  Hace una hora que yo llegué.

1. Estamos en noviembre. Los García celebraron su aniversario de bodas en septiembre.
2. Son las seis. Yo almorcé a la una.
3. Hoy es viernes. Esteban salió para Bolivia el martes.
4. Son las diez. Pedimos el postre a las diez menos cuarto.
5. Estamos en el año 2013. Vinimos a London, Ontario, en el año 2002.
6. Son las diez. Ellos empezaron a estudiar a las siete.

B. ¿Cuándo pasó eso?

Discuss with a partner how long ago the following events happened in your life.

1. ¿Cuánto tiempo hace que empezaste a estudiar español?
2. ¿Cuánto tiempo hace que Uds. tomaron el último examen?
3. ¿Cuánto tiempo hace que hablaste con tus padres?
4. ¿Cuánto tiempo hace que le escribiste a un(a) amigo(a)?
5. ¿Cuánto tiempo hace que tu mejor amigo(a) te llamó por teléfono?
6. ¿Cuánto tiempo hace que estuviste en un buen restaurante?
7. ¿Cuánto tiempo hace que compraste ropa?
8. ¿Cuánto tiempo hace que saliste con tus amigos?

ammar
ıtorials

5 Possessive pronouns *(Pronombres posesivos)*

FLASHBACK

You may want to review possessive adjectives on pp. 39–40.

- Possessive pronouns in Spanish agree in gender and number with the person or thing possessed. They are generally used with the definite article.

Singular		Plural		
Masc.	*Fem.*	*Masc.*	*Fem.*	
(el) mío	**(la) mía**	**(los) míos**	**(las) mías**	*mine*
(el) tuyo	**(la) tuya**	**(los) tuyos**	**(las) tuyas**	*yours (fam.)*
(el) suyo	**(la) suya**	**(los) suyos**	**(las) suyas**	*yours (form.) / his / hers*
(el) nuestro	**(la) nuestra**	**(los) nuestros**	**(las) nuestras**	*ours*
(el) vuestro	**(la) vuestra**	**(los) vuestros**	**(las) vuestras**	*yours (fam.)*
(el) suyo	**(la) suya**	**(los) suyos**	**(las) suyas**	*yours (form.) / theirs*

—Mis libros están aquí.
¿Dónde están los **tuyos**?
—Los **míos** están en la mesa.

"My books are here.
*Where are **yours**?"*
*"**Mine** are on the table."*

—¿Estas invitaciones son **tuyas**?
—Sí, son **mías.**

*"Are these invitations **yours**?"*
*"Yes, they're **mine.**"*

¡ATENCIÓN!

Note that **los tuyos** substitutes for **los *libros* tuyos**; the noun has been deleted. Also note that after the verb **ser**, the article is usually omitted.

- Because the third-person forms of the possessive pronouns (**el suyo, la suya, los suyos, las suyas**) can be ambiguous, they can be replaced with the following for clarification.

el	de	**Ud.**
la	de	**él**
los	de	**ella**
las	de	**Uds.**
		ellos
		ellas

¿El diccionario? Es **suyo.** *(unclarified)*
Es **el de ellas.** *(clarified)*

The dictionary? It's hers/his/theirs/yours.
(fem. pl. possessor)

Amalia diseña *(designs)* ropa y ella tiene mucho éxito. Los diseños suyos son muy populares y están de moda.

Peter Bernik/Shutterstock.com

Práctica y conversación

Quiz

A. Todo es nuestro

Supply the correct possessive pronoun to agree with each subject. Clarify when necessary.

- **MODELO:** Yo tengo una camisa. Es ________.
  *Es **mía**.*

1. Nosotros tenemos un apartamento. Es ________.
2. Ellos tienen una tienda. Es ________. (Es ________ ________ ________.)
3. Él tiene dos trajes. Son ________. (Son ________ ________ ________.)
4. Yo tengo una billetera. Es ________.
5. Tú tienes dos cinturones. Son ________.
6. Uds. tienen muchos zapatos. Son ________. (Son ________ ________ ________.)
7. Ella tiene dos camisones. Son ________. (Son ________ ________ ________.)
8. Nosotros tenemos una casa. Es ________.

B. ¿De quién es...?

Who owns the following items? Answer the questions affirmatively.

1. Aquí hay una blusa verde. ¿Es tuya?
2. Yo encontré 100 dólares. ¿Son tuyos?
3. ¿La cartera roja es de tu mamá?
4. El libro que tú tienes, ¿es mío?
5. Las computadoras que están en mi escritorio, ¿son de ustedes?
6. Aquí hay un iPod. ¿Es de ustedes?

 C. **Vamos a comparar**

With a partner, make comparisons between the objects and people described. Use appropriate possessive pronouns when asking each other questions.

- **MODELO:** —Mi hermano tiene... años. ¿Cuántos años tiene el tuyo?
  —*El mío tiene dieciocho.*

1. Mi casa está en la calle...
2. Mis abuelos son de...
3. Mi mejor amigo(a) se llama...
4. Mis profesores son...
5. Mis padres están en...
6. Mis tías viven en...

Práctica y traducción

Review the vocabulary and grammatical concepts studied in **Lección 9** as you translate the following sentences.

1. When I was a little boy, I used to eat ice cream on Sundays.
2. Elena bought a new pair of shoes, but now they are tight. She needs another pair.
3. Ana and Virginia need new dresses for Angela's party. They don't have too much money to spend.
4. To walk for a long time, it is better to have comfortable shoes.
5. During the summer months, some days in Ontario are hot and humid.

DETALLES CULTURALES

En muchos países hispanos, la gente compra la tela *(fabric)* para hacerse la ropa a la medida *(tailor-made clothing)* y generalmente la ropa a la medida es más barata. Conseguir una buena modista *(seamstress)* y un buen sastre *(tailor)* es muy importante. Muchas familias tienen la misma modista y el mismo sastre por mucho tiempo.

¿Conoces a alguien que use los servicios de una modista o de un sastre? ¿En Canadá, sale más barato comprar la ropa en la tienda o es mejor tener una modista o un sastre?

ENTRE NOSOTROS

¡Conversemos!

Para conocernos mejor

Get to know your partner better by asking each other the following questions.

1. ¿Dónde conociste a tu mejor amigo(a)? ¿Cuántos años tenías cuando lo (la) conociste?
2. ¿Qué le compraste a tu mejor amigo(a) para su cumpleaños?
3. Cuando vas de compras, ¿prefieres ir solo(a) o con un(a) amigo(a)?
4. Yo compré mi ropa en la tienda _____. ¿Dónde compraste tú la tuya?
5. ¿Cuándo fue la última vez que fuiste a la tienda? ¿Qué compraste?
6. Generalmente, ¿usas camisas (blusas) de mangas largas o de mangas cortas?
7. ¿Qué ropa te vas a poner mañana? ¿Te vas a poner sandalias o zapatos?
8. ¿Cuánto te costaron los zapatos? ¿Qué número calzas tú?
9. Si te gustan unos zapatos pero te quedan un poco chicos, ¿los compras?
10. ¿Qué te pones cuando hace mucho frío? ¿Te gustan más los climas fríos o los cálidos?

Búsqueda de gente

Interview your classmates to identify who fits the following descriptions. Include your instructor, but remember to use the **Ud.** form when addressing him or her.

NOMBRE	
1.	prefiere los climas cálidos.
2.	usa impermeable cuando llueve.
3.	le gusta viajar por tren.
4.	llegó tarde a clase por el tráfico.
5.	siempre dice que no tiene nada que ponerse.
6.	estudia para profesor(a).
7.	celebró su cumpleaños el mes pasado.
8.	nació *(was born)* en el mes de julio.
9.	compró algo para un amigo (una amiga) recientemente.
10.	gastó mucho dinero en ropa este mes.

Y ahora...

Write a brief summary, indicating what you have learned about your classmates.

¿Cómo lo decimos?

What would you say in the following situations? What might the other person say? Act out these scenes with a partner.

1. You are shopping for clothes in Lima. Tell the clerk what clothes you need, your size, and discuss colours and prices.
2. You go shopping for shoes, sandals, and boots. You try on several pairs, but have problems with them. You finally buy a pair of boots.

3. Your friends went to the store without you. Ask them what they bought and how much they spent.
4. You ask a new acquaintance from Ecuador where she lived when she was a child and what she liked to do. Give her the same information about you.

¿Qué dice aquí?

Look at the following ad and help a friend of yours who is shopping at La Limeña, in Lima. Answer his or her questions, using the information provided in the ad.

1. ¿Cómo se llama la tienda?
2. ¿En qué mes son las rebajas *(sales)*?
3. Tengo una hija de nueve años. ¿Qué puedo comprarle en la tienda?
4. Mi esposo necesita zapatos. ¿Qué tipo de zapatos están en liquidación?
5. Además de *(Besides)* los zapatos, ¿qué puedo comprar para mi esposo?
6. Vamos a ir a la playa. ¿Qué puedo comprar para mis hijos?
7. Soy profesora y necesito más ropa para el trabajo. ¿Qué puedo comprar?

Las rebajas de
La Limeña
¡En agosto hay más ventajas!
Señoras
Vestidos de muchos colores y en todas las tallas
Blusas exclusivas y faldas cortas y largas
Zapatos de tacón alto y sandalias muy cómodas
Caballeros
Trajes y pantalones de sport y de vestir
Camisas de mangas largas y mangas cortas que están de moda
Zapatos de cuero importados
Niños y Jóvenes
Camisetas para niñas y niños de todas las edades
Trajes de baño y sandalias para ir a la playa
Pantalones cortos para niñas y niños
Ahora en La Limeña, rebajas sobre rebajas. Todo cuesta mucho menos.

Shots Studio/Shutterstock.com

 Para escribir

¿Cómo eras tú?

Write a short narration about your life when you were twelve. Where were you living? What were you like? What did you like to do? Now, write seven brief journal entries of a diary as if you were twelve years old. Date each day and make sure you include different events that happened during the week. Be inventive. Use humour.

UN DICHO

Lo barato sale caro.

Do you only buy clothes that are of good quality? If you do, you will agree with this saying. What does it mean? Can you memorize it?

GeorgiosArt/Thinkstock

Imágenes de líderes nacionales aparecen en la moneda de muchos países. En este caso, la imagen de Antonio José de Sucre aparece en el billete de dos mil bolívares (la moneda venezolana).

ASÍ SOMOS

Vamos a escuchar

A. En la tienda

You will hear a conversation between Silvia and her husband Roberto. They are shopping at a store. Pay close attention to what they say. You will then hear ten statements about what you heard. Indicate whether each statement is true (**V**) or false (**F**).

1.	☐ V	☐ F	**6.**	☐ V	☐ F
2.	☐ V	☐ F	**7.**	☐ V	☐ F
3.	☐ V	☐ F	**8.**	☐ V	☐ F
4.	☐ V	☐ F	**9.**	☐ V	☐ F
5.	☐ V	☐ F	**10.**	☐ V	☐ F

ESTRATEGIA

Reading genres: Reality and science fiction

Take into account the fact that this is a science-fiction story. Its main characters are a young student and an eighty-year-old woman whose picture as a young girl he sees, and with whom he falls in love. What do you think could happen?

Vamos a leer

B. Al leer

As you read the story, try to find the answers to each of the following questions.

1. ¿Para qué necesita dinero Alberto? ¿En qué consiste su trabajo?
2. ¿Qué ve Alberto un día? ¿Quién es la muchacha del retrato?
3. ¿Qué nace en el corazón de Alberto?
4. ¿Qué pasa una noche, cuando Alberto está listo para regresar a su casa?
5. ¿Qué hace Alberto? Según la criada, ¿quién es el asesino?
6. ¿Qué leen los policías? ¿Qué dice uno de ellos?

Sobre la autora

Ana Cortesi (Paraguay, 1937–)

Ana Cortesi es autora de varios libros de texto para la enseñanza del español a nivel universitario. Ha publicado también varios cuentos, entre ellos "La ciudad caníbal" y "La cicatriz", así como varios poemas de tono intimista en los que expresa su nostalgia por su patria.

La señorita Julia

Alberto Aguirre necesita ganar algún dinero para poder asistir a la universidad. Solicita y obtiene un trabajo en casa de la señorita Julia Ocampos, anciana° de ochenta años, que tiene muchísimo dinero y vive sola, con una criada°. *elderly lady* / *maid*

El trabajo de Alberto consiste en hacer un inventario completo de todas las posesiones de la señorita Julia. Un día, Alberto sube a un cuarto pequeño, con cortinas de encaje° blanco y olor a jazmines. *lace*

Es entonces que nota el cuadro enorme colgado en la pared. Es el retrato° de una muchacha de belleza° espléndida, sentada bajo un árbol grande, con margaritas en el regazo°. *portrait* / *beauty* / *lap*

Alberto pasa horas en el cuarto, contemplando el cuadro. Allí trabaja, come, sueña,° vive… *dreams*

Un día oye los pasos° de la señorita Julia, que viene hacia el cuarto. *steps*

—¿Quién es? —pregunta Alberto, señalando el cuadro con una mezcla° de admiración, respeto y delirio. *mixture*

—Soy yo… —responde la señorita Julia—, yo a los dieciocho años.

Alberto mira el cuadro y mira a la señorita Julia, alternativamente. En su corazón nace un profundo odio° por la señorita Julia, que es vieja y arrugada° y tiene el pelo blanco. Cada día que pasa, Alberto está más pálido y nervioso. Casi no trabaja. *hatred / wrinkled*

Cada día está más enamorado de la muchacha del cuadro, y cada día odia más a la señorita Julia.

Una noche, cuando está listo para regresar a su casa, oye pasos que vienen hacia el cuarto. Es la señorita Julia.

—Su trabajo está terminado —dice—; no necesita regresar mañana…

Alberto mata° a la señorita Julia y pone el cadáver de la anciana a los pies de la muchacha. *kills*

Pasan dos días. La criada llama a la policía cuando descubre el cuerpo° de la señorita Julia en el cuarto de arriba°. *body* / *above*

—Estoy segura de que fue un ladrón —solloza° la criada. *weeps*

—¿Falta algo de valor°? —pregunta uno de los policías mirando a su alrededor°. *value* / **a…** *around*

La criada tiene una idea. Va a buscar el inventario detallado, escrito por Alberto con su letra pequeña y apretada°. Los dos policías leen el inventario y van por toda la casa y ven que no falta nada. Regresan al cuarto. *minute, tiny*

Parados° al lado de la ventana con cortinas° de encaje blanco y olor ° a jazmines, leen la descripción del cuadro que tienen frente a ellos: "retrato de una muchacha de belleza espléndida, sentada bajo un árbol grande, con margaritas en el regazo". *standing / curtains / smell*

—¡Qué raro! —exclama uno de los policías, frunciendo el ceño°—. Según este inventario, es el retrato de una muchacha, no de una pareja… *frowning*

C. Díganos

Answer the following questions, based on your own thoughts and experiences.

1. ¿Trabaja Ud. para pagarse los estudios? ¿Es fácil o difícil trabajar y estudiar?
2. Si Ud. hace un inventario de sus posesiones, ¿cuáles son las cosas de más valor? Dé detalles.
3. ¿Hay muchas diferencias entre las generaciones? Dé ejemplos.
4. ¿Qué relación tiene Ud. con las personas mayores que son parte de su vida?

LECCIÓN 10 ¡A TRABAJAR!

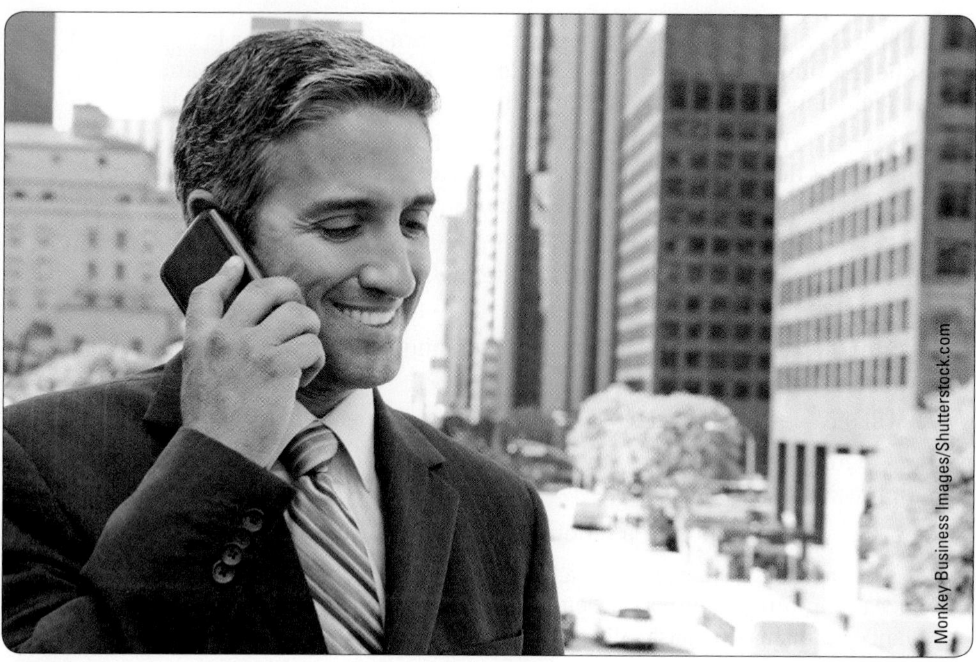
Monkey Business Images/Shutterstock.com

Roberto Sandoval ha estado muy ocupado últimamente. Hoy, por fin, tiene tres horas libres. Va al Banco Nacional para pedir un préstamo. El Banco está a tres cuadras de su oficina.

Roberto: Buenas tardes. Tengo una cita con el Sr. Domínguez.

Empleado: Un momento, por favor. El Sr. Domínguez va a verlo en cinco minutos.

Sr. Domínguez: Buenos días, Sr. Sandoval, mucho gusto.

Roberto: Buenos días, es un placer conocerlo. Estoy aquí porque deseo solicitar un préstamo.

Sr. Domínguez: Muy bien. Déjeme ver su identificación.

Veo que tiene una cuenta corriente con nuestro banco. Excelente. Debe llenar este formulario. Usted tiene muy buenas referencias y no creo que tenga inconvenientes.

Roberto: Excelentes noticias. Es un gran alivio saber esto.

Sr. Domínguez: Por favor, puede firmar aquí en esta planilla y poner la fecha de hoy y sus iniciales en los espacios donde he puesto una marca.

Media hora más tarde, Roberto está en la tintorería haciendo cola porque hay mucha gente. Mientras espera, llama a su esposa, pero Eva no contesta y Roberto le escribe un mensaje de texto. Cuando es su turno, Roberto habla con la empleada.

Roberto: Por favor, necesito el traje que dejé la semana pasada. Aquí está el recibo.

Empleada: Sí, un momento. Aquí está. Usted ya había pagado por la limpieza, así que no hay problema.

Roberto: Muchas gracias.

Roberto llega a su casa al mediodía y Eva le dice que Danielito había escondido el teléfono celular.

Roberto: ¿Danielito escondió tu teléfono celular? ¡No puedo creerlo! Bueno, ¿puedo almorzar antes de regresar a la oficina?

Eva: Hemos estado buscando el teléfono celular y no he tenido tiempo de cocinar.

Roberto: ¡Oh, no! Tengo una solución perfecta: vamos a comer afuera.

Eva: Perfecto. Por favor, me puedes traer mi bolsa que está en la sala.

Roberto: ¡Ah! Otra buena sorpresa. Por fin, aquí está tu celular, debajo de la bolsa, Eva. Mira el mensaje de texto que te envié…

Eva: ¡Oh, qué estupendo!... Vamos a almorzar, ahora. Hay que celebrar.

A Chang/Travel-Images.com

mast3r/Shutterstock.com

Hablemos

Sobre el diálogo

With a classmate, take turns asking and answering the following questions. Base your answers on the dialogues.

1. ¿Por qué Roberto no ha podido hacer muchas cosas importantes?
2. ¿Qué cosas necesita hacer Roberto?
3. ¿Qué pasó en el Banco Nacional?
4. ¿Adónde va Roberto después de salir del Banco Nacional?
5. ¿Por qué hace cola?
6. ¿Cuál es la razón por la que Eva no contesta el celular?
7. ¿Qué pasa cuando Roberto regresa a su casa a almorzar?
8. ¿Dónde estaba el teléfono de Eva? ¿Quién lo encontró?
9. ¿Quién es Danielito?
10. ¿Cómo solucionan el problema del almuerzo?

Entrevista a tu compañero(a)

With a classmate, take turns asking and answering the following questions.

1. ¿Has pedido alguna vez un préstamo a un banco? ¿Por qué lo has pedido?
2. ¿Haces una lista de las cosas que necesitas hacer cada semana?
3. ¿Prefieres planear tus actividades o te gusta más ser espontáneo(a) *(spontaneous)*?
4. ¿Qué actividades tienen prioridad en tu vida diaria? Menciona por lo menos tres de ellas.
5. ¿Usas el servicio de una tintorería frecuentemente?
6. ¿Prefieres pagar en efectivo o con tarjeta de crédito? ¿Usas la tarjeta de débito con frecuencia?
7. Generalmente, ¿tienes dinero en efectivo en tu billetera?
8. ¿Dónde comes diariamente *(daily)*?
9. ¿Crees que es mejor comer en casa o en un restaurante?
10. ¿Tienes una cuenta en un banco solamente o usas más de un banco para tus cuentas?

DETALLES CULTURALES

Los teléfonos celulares son muy populares en el mundo hispano. En España se le llama "el móvil", mientras que en Latinoamérica se conoce como "el celular". La gente los usa en todas partes y a veces pueden escuchar lo que otros están diciendo ya que hablan muy fuerte.

¿Usas el teléfono celular en público? ¿Hablas en voz *(voice)* alta cuando usas el celular o prefieres que otros no escuchen tu conversación?

VOCABULARIO

COGNADOS

Audio Flashcards

el banco
certificado(a)
el cheque
directamente
identificación
individual
el reporte

SUSTANTIVOS

el alivio	*relief*
el (la) cajero(a)	*teller, cashier*
la carta	*letter*
la cuadra*	*city block*
la cuenta	*account*
— conjunta	*joint account*
— corriente	*chequing account*
— de ahorros	*savings account*
el formulario, la planilla	*form*
— de solicitud	*application form*
la gente[1]	*people*
el (la) jefe(a)	*boss, manager*
la licencia de (para) conducir	*driver's licence*
el periódico, diario	*newspaper*
el recibo	*receipt*
el saldo	*balance*
la tarjeta	*card*
— de crédito	*credit card*
— de débito	*debit card*
— postal	*postcard*
tintorería	*dry cleaner's*

VERBOS

aconsejar	*to advise*
alegrarse (de)	*to be glad*
cobrar	*to cash*
depositar	*to deposit*
esperar	*to hope*
estacionar*	*to park*
fechar	*to date*
firmar	*to sign*
llenar	*to fill, to fill out*
mandar	*to order (someone), to send (something)*
mentir (e > ie)	*to lie*
recomendar (e > ie)	*to recommend*
sentir (e > ie)	*to regret*
sugerir (e > ie)	*to suggest*
temer	*to fear*

ADJETIVOS

abierto(a)	*open*
cerrado(a)	*closed*
medio(a)	*half*
otro(a)	*another, other*

OTRAS PALABRAS Y EXPRESIONES

¿Algo más?	*Anything else?*
Aquí las tiene.	*Here you are.*
día feriado	*holiday*
entre	*between*
hacer cola	*to stand in line*
hacer diligencias	*to run errands*
por fin	*finally*
primero	*first*
tener inconveniente	*to have a problem*
últimamente	*lately*

Amplía tu vocabulario

En la oficina

ahorrar	*to save*
archivar la información	*to store information*
los audífonos	*headphones*
el cajero automático	*automatic teller machine (ATM)*
la casa central	*head quarters or main office*
el correo electrónico, el mensaje electrónico	*e-mail*
en efectivo	*in cash*
gratis	*free (of charge)*
la memoria	*memory*
navegar la Red	*to surf the Internet*
solicitar un préstamo	*to apply (ask) for a loan*
la sucursal	*branch office*
tener acceso a la Red	*to have access to the Internet*

[1]**Gente** *(people)* is considered singular in Spanish.

Un poco de tecnología *(A little about technology)*

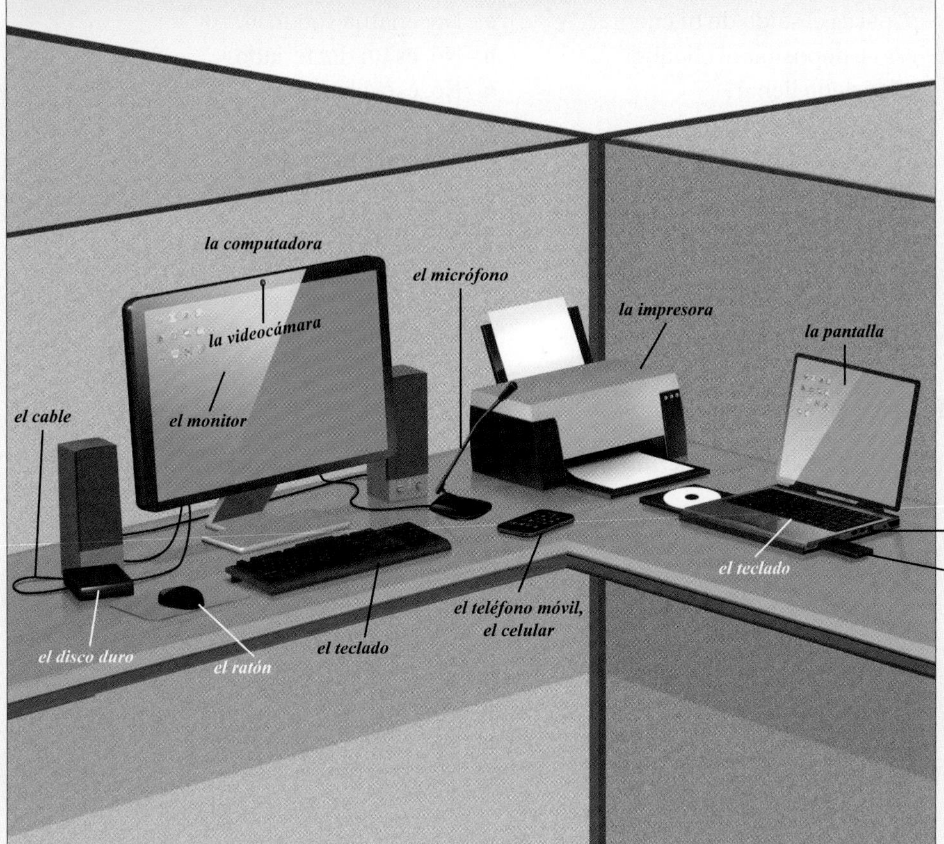

DE PAÍS A PAÍS

la cuadra la manzana *(Esp.)*
estacionar parquear *(Antillas)*

DETALLES CULTURALES

En los países hispanos es común conseguir trabajo porque se conoce a alguien que trabaja en una compañía. Las referencias personales son muy importantes para conseguir trabajo.

¿Trabajas mientras estudias? ¿Cuántas horas por semana trabajas?

DETALLES CULTURALES

Los cajeros automáticos son comunes en el mundo hispano. Cuando vas a visitar otros países, puedes sacar dinero sin problemas. Esto es algo muy práctico porque no necesitas llevar grandes cantidades de dinero en efectivo.

¿Cuántas veces por semana usas el cajero automático? ¿Usas los cajeros automáticos cuando visitas otros países?

Para practicar el vocabulario

A. Preguntas y respuestas

Quiz

Match the questions in column A with the answers in column B.

A	B
1. ¿Cuál es el saldo de tu cuenta?	a. No, en una sucursal.
2. ¿Vas a depositar el cheque?	b. No, es un día feriado.
3. ¿Qué debo llenar?	c. No, está abierto.
4. ¿Qué vas a solicitar?	d. No, voy a cobrarlo.
5. ¿Necesitas algo más?	e. No, con un cheque.
6. ¿Trabajas hoy?	f. Quinientos dólares.
7. ¿Dónde pusiste el dinero?	g. Este formulario.
8. ¿Trabajas en la casa central?	h. No, nada. Gracias.
9. ¿El banco está cerrado?	i. En la cuenta de ahorros.
10. ¿Pagas en efectivo?	j. Un préstamo.

B. Rubén y Eva hacen diligencias

Complete the following description of Rubén and Eva's busy morning with vocabulary from **Lección 10**.

1. 8:15: Van al banco y abren una cuenta de ____________________ y una cuenta ____________________. Las cuentas no son individuales; son ____________________.
2. 8:50: Sacan dinero del ____________________ automático.
3. 10:15: Van al Departamento de Vehículos. Eva llena un ____________________ para sacar su licencia para conducir; la fecha y la ____________________.
4. 11:30: Van a la tintorería para recoger el ____________________ de Rubén y después caminan tres ____________________ hasta el nuevo restaurante, pero tienen que hacer ____________________ porque hay mucha gente.
5. 12:00: Van a buscar el coche que Rubén ____________________ a dos ____________________ del Departamento de Vehículos.

C. ¿Qué necesito o qué tengo que hacer?

Say what you need or what you have to do, according to each circumstance.

1. Quieres comprar un automóvil, pero no tienes dinero.
2. Quieres saber cuánto dinero tienes en el banco.
3. Quieres ahorrar dinero.
4. Tu computadora no funciona.
5. En la sucursal del banco no tienen lo que necesitas.
6. No puedes pagar con un cheque ni con tu tarjeta de crédito.

D. ¿Qué necesitas hacer?

With a partner, take turns saying what parts of the computer you need to use or what you need to do, according to each circumstance. Use **Necesito** (+ *infinitive*)**...** or **Necesito usar...**

1. You need to write a report on the computer.
2. You need to print the report.
3. You need to read your e-mails.
4. You need to save a document.
5. You need to use a computer during a plane trip.
6. You need to look something up on the Internet.

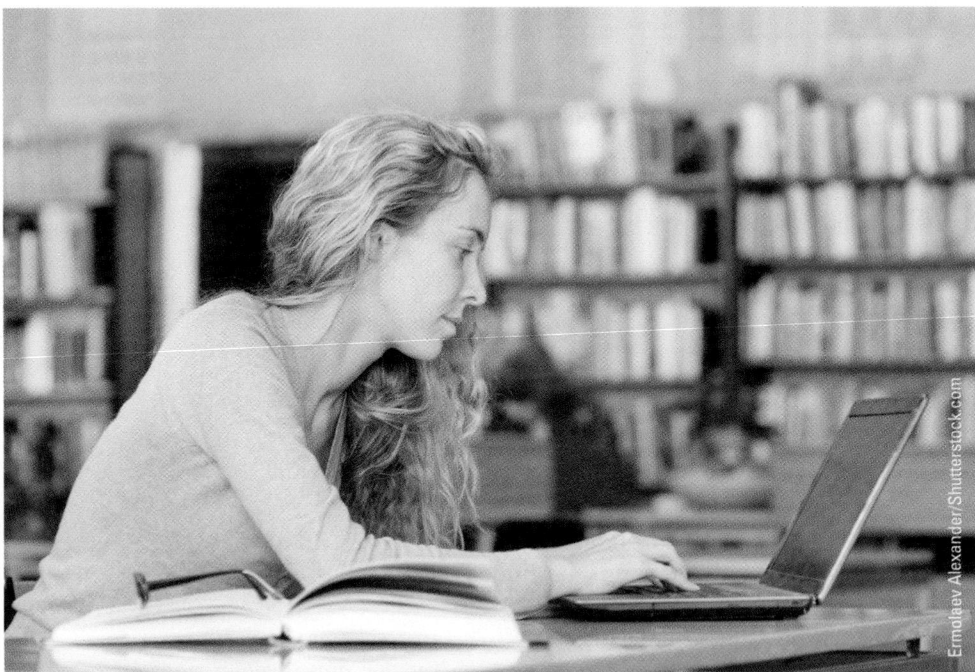

Alicia tiene el libro abierto y la computadora abierta. Está ocupada porque tiene un examen mañana. ¿Qué necesita hacer para tener éxito?

Pronunciación

Pronunciation in context

In this lesson, there are some words or phrases that may be challenging to pronounce. Listen to the correct pronunciation; then say the following sentences out loud.

1. Hoy, por **fin,** tiene un par de **horas** para hacer **diligencias.**
2. ¿Qué tengo que **hacer** para abrir una cuenta de **ahorros**?
3. ¿Quiere abrir una cuenta **individual** o una cuenta **conjunta**?
4. Recibiste **el mensaje de texto** que te envié.
5. Usted tiene muy buenas **referencias y muy buen crédito** y no creo que tenga inconvenientes.

PUNTOS PARA RECORDAR

Grammar Tutorial

1 Past participles *(Los participios pasados)*

In Spanish, regular past participles are formed by adding the following endings to the stem of the verb.

-ar verbs	**-er** verbs	**-ir** verbs
habl- **ado** *(spoken)*	com- **ido** *(eaten)*	recib- **ido** *(received)*

¡ATENCIÓN!

The past participle of the verb **ir** is **ido.**

The following verbs have irregular past participles in Spanish.[2]

abrir	**abierto**	poner	**puesto**
decir	**dicho**	romper	**roto**
escribir	**escrito**	ver	**visto**
hacer	**hecho**	volver	**vuelto**
morir	**muerto**		

Past participles used as adjectives

In Spanish, most past participles can be used as adjectives. As such, they agree in number and gender with the nouns they modify.

— ¿**Las cartas** están **firmadas**? — *"Are **the letters signed**?"*
— Sí, ya están **firmadas** y **fechadas.** — *"Yes, they are already **signed** and **dated.**"*

— ¿**Las ventanas** están **abiertas**? — *"Are **the windows open**?"*
— No, están **cerradas.** — *"No, they're **closed.**"*

Práctica y conversación

Quiz

A. Participios pasados

Give the past participles of the following verbs.

1. decir
2. cerrar
3. hacer
4. beber
5. morir
6. poner
7. vivir
8. ver
9. recetar
10. volver
11. ir
12. tener
13. romper
14. abrir
15. parar
16. ser
17. escribir
18. buscar
19. leer
20. salir

[2]Verbs ending in **-er** and **-ir** whose stem ends in a strong vowel require an accent mark on the **i** of the **-ido** ending: **leer, leído; oír, oído; traer, traído; creer, creído.**

B. ¿Qué pasa?

With a partner, take turns completing the description of each illustration, using the verb **estar** and the appropriate past participle.

1. El coche ________________ en la esquina *(corner)*.

2. Los niños ________________.

3. El restaurante ________________.

4. La ventana ________________.

5. La puerta ________________.

6. La carta ________________ en español.

7. Los vestidos ________________ en México.

8. El cuaderno ________________.

9. La señora ________________ cerca de la ventana.

C. Preguntas de un turista

With a partner, take turns answering a tourist's questions.

1. ¿Los bancos están abiertos a las ocho de la mañana?
2. Hoy es feriado, ¿están abiertas las tiendas?
3. ¿El banco ya está cerrado a las seis de la tarde?
4. ¿En Canadá todos los letreros *(signs)* están escritos en inglés?
5. ¿Dónde están hechos los mejores vinos?
6. ¿Los restaurantes están cerrados los domingos?

Grammar Tutorial

2 Present perfect tense *(Pretérito perfecto)*

- The present perfect tense is formed by using the present tense of the auxiliary verb **haber** with the past participle of the verb that expresses the action or state.

Present Indicative of **haber** *(to have)*[3]	
he	**hemos**
has	**habéis**
ha	**han**

Formation of the Present Perfect Tense			
	Present of **haber**	+ *Past Participle*	
yo	**he**	**hablado**	*I have spoken*
tú	**has**	**comido**	*you (fam.) have eaten*
Ud., él, ella	**ha**	**vuelto**	*you (form.) have returned; he, she has returned*
nosotros(as)	**hemos**	**dicho**	*we have said*
vosotros(as)	**habéis**	**roto**	*you (fam.) have broken*
Uds., ellos, ellas	**han**	**hecho**	*you (form., fam.) have done, made; they have done, made*

- The present perfect tense is equivalent to the use in English of the auxiliary verb *have + past participle,* as in *I have spoken.*

— ¿Nora **ha ido** a la oficina? — *"**Has** Nora **gone** to the office?"*
— No, no **ha podido** ir. — *"No, she **hasn't been** able to go."*

- Note that in Spanish, when the past participle is part of a perfect tense, its form does not vary for gender or number agreement.

Él **ha estacionado** aquí. — *"He **has parked** here."*

Ella **ha estacionado** aquí. — *"She **has parked** here."*

- Unlike English, the past participle in Spanish is never separated from the auxiliary verb **haber**.

Ella **nunca ha hecho** nada. — *She **has never done** anything.*

Él **siempre ha escrito** las cartas en inglés. — *He **has always written** the letters in English.*

[3]Note that the English verb *to have* has two equivalents in Spanish: **haber** (used as an auxiliary verb) and **tener.**

Monkey Business Images/Shutterstock.com

He tenido un accidente. Estoy bien, pero el auto... no está muy bien.

Quiz

Práctica y conversación

A. Hoy llega mamá

Mrs. Aranda is coming home today after a business trip. With a partner, take turns saying what everybody has done to get ready for her homecoming. Use the cues provided.

- **MODELO:** Viviana / preparar / comida
  Viviana ha preparado la comida.

1. El Sr. Aranda / lavar / coche
2. Jorge / barrer / garaje
3. Yo / sacudir / muebles
4. Tú / hacer / una torta
5. Los niños / poner / mesa
6. Andrés / comprar / rosas
7. Raquel / pasar/ aspiradora
8. Rolando y yo / traer / bebidas

B. Entrevista a tu compañero(a)

Interview a classmate, using the following questions.

1. ¿Has ido al banco últimamente? ¿Has depositado dinero?
2. ¿Has pedido un préstamo recientemente?
3. ¿Has tenido que sacar dinero del cajero automático esta semana?
4. ¿Tus padres han abierto una cuenta conjunta contigo?
5. ¿Alguien te ha mandado mensajes de texto recientemente?
6. ¿Tú y tu familia han estado en Sudamérica alguna vez *(ever)*?
7. ¿Has comprado un carro? ¿De qué año es?
8. ¿Has llegado tarde a clase esta semana?

 **C. Lo que hemos hecho**

In groups of three, discuss what you have done since yesterday. Include what you have eaten, whom you have seen and spoken to, and so on. Be prepared to report to the class something that all of you have done.

Grammar Tutorial

3 Past perfect (pluperfect) tense *(Pretérito pluscuamperfecto)*

- The past perfect tense is formed by using the imperfect tense of the auxiliary verb **haber** with the past participle of the verb that expresses the action or state.

Imperfect of **haber**	
había	**habíamos**
habías	**habíais**
había	**habían**

Formation of the Past Perfect Tense			
	Imperfect of **haber** +	*Past Participle*	
yo	**había**	**hablado**	*I had spoken*
tú	**habías**	**comido**	*you (fam.) had eaten*
Ud., él, ella	**había**	**vuelto**	*you (form.), he, she had returned*
nosotros(as)	**habíamos**	**dicho**	*we had said*
vosotros(as)	**habíais**	**roto**	*you (fam.) had broken*
Uds., ellos, ellas	**habían**	**hecho**	*you (form., fam.) had done, made; they had done, made*

- The past perfect tense is equivalent to the use in English of the auxiliary verb *had* + *past participle*, as in *I had spoken.*

  In Spanish, as in English, this tense refers to actions, states, or events that were already completed before the start of another past action, state, or event.

—¿Uds. **habían estado** en Chile antes del año pasado?	*"**Had** you **been** in Chile before last year?"*
—No, nunca **habíamos estado** allí.	*"No, **we had** never **been** there."*
—¿Ricardo está aquí?	*"Is Ricardo here?"*
—Sí, cuando yo vine, él ya **había llegado**.	*"Yes, when I came, he **had** already **arrived.**"*

Práctica y conversación

Quiz

A. Minidiálogos

Complete the following exchanges with the past perfect of the verbs given.

1. —¿Qué ____________________ (hacer) el empleado?
   —Le ____________________ (traer) el formulario.
2. —¿Tú ya ____________________ (ver) a Roberto?
   —Sí, yo ya ____________________ (hablar) con él.
3. —¿Elena ____________________ (perder) su celular?
   —Sí, y por eso tuvo que comprar otro.
4. —Cuando papá vino a buscarnos, ¿Uds. ya ____________________ (ir) al banco?
   —No, nosotros no ____________________ (ir) todavía.
5. —¿Qué te ____________________ (decir) tu mamá?
   —Que necesitaba su trajeta de crédito.
6. —¿Adónde ____________________ (ir) Uds., a la casa central del banco?
   —No, nosotros ____________________ (ir) a una sucursal.
7. —¿Dónde ____________________ (poner) tú la licencia de conducir?
   —La ____________________ (poner) en la billetera.
8. —¿Qué le ____________________ (comprar) a Jorge Uds.?
   —Le ____________________ (comprar) una computadora.

B. Están de vuelta

Your parents just got back from a busy day at work. Say what everybody had done by the time they came back.

1. yo
2. mi amiga
3. mis hermanos
4. mi tío y yo
5. tú
6. Uds.

C. Antes de los 16

Find out which of the following things your partner had done before turning 16.

- **MODELO:** conducir
  —¿Habías conducido antes de cumplir dieciséis años?
  —Sí (No),…

1. abrir una cuenta corriente
2. trabajar
3. tener novio(a)
4. vivir en otro país
5. estudiar un idioma
6. terminar la escuela secundaria

DETALLES CULTURALES

En España y en la mayoría de los países latinoamericanos una persona debe tener por lo menos *(at least)* 18 años para obtener una licencia de conducir y los exámenes para obtenerla son muy difíciles.

¿A qué edad se puede obtener una licencia para conducir en Canadá? ¿Es igual *(same)* en todas las provincias? ¿Tienes una licencia para conducir? ¿Te gusta conducir?

Grammar Tutorial

Introduction to the subjunctive mood
(Introducción al modo subjuntivo)

Until now, you have been using verbs in the indicative mood. The indicative is used to express factual, definite events. By contrast, the subjunctive is used to reflect the speaker's feelings or attitudes toward events, or when the speaker views events as uncertain, unreal, or hypothetical. Because expressions of volition, doubt, surprise, fear, and the like all represent reactions to the speaker's perception of reality, they are followed in Spanish by the subjunctive.

Present subjunctive forms of regular verbs

- To form the present subjunctive, add the following endings to the stem of the first-person singular of the present indicative, after dropping the **o**. Note that the endings for the **-er** and **-ir** verbs are identical.

-ar verbs	**-er** verbs	**-ir** verbs
habl- **e**	com- **a**	viv- **a**
habl- **es**	com- **as**	viv- **as**
habl- **e**	com- **a**	viv- **a**
habl- **emos**	com- **amos**	viv- **amos**
habl- **éis**	com- **áis**	viv- **áis**
habl- **en**	com- **an**	viv- **an**

- The following table shows how to form the first-person singular of the present subjunctive.

Verb	First-Person Sing. (Indicative)	Stem	First-Person Sing. (Subjunctive)
habl**ar**	hablo	habl-	habl**e**
aprend**er**	aprendo	aprend-	aprend**a**
escrib**ir**	escribo	escrib-	escrib**a**
conoc**er**	conozco	conozc-	conozc**a**
dec**ir**	digo	dig-	dig**a**
hac**er**	hago	hag-	hag**a**
tra**er**	traigo	traig-	traig**a**
ven**ir**	vengo	veng-	veng**a**

FLASHBACK

You may wish to review more of the first-person irregular forms on p. 92.

Práctica

Quiz

Formas del subjuntivo I

Give the present subjunctive forms of the following verbs.

1. *yo:* comer, venir, hablar, hacer, salir
2. *tú:* decir, ver, traer, trabajar, escribir
3. *él:* vivir, aprender, salir, estudiar, traducir
4. *nosotros:* escribir, caminar, poner, desear, tener
5. *ellos:* salir, hacer, llevar, conocer, leer

Present subjunctive forms of stem-changing and irregular verbs

- Verbs ending in **-ar** and **-er** undergo the same stem changes in the present subjunctive as in the present indicative.

recomendar (e > ie)		**recordar (o > ue)**	
recom**iende**	recom**endemos**	rec**uerde**	rec**ordemos**
recom**iendes**	recom**endéis**	rec**uerdes**	rec**ordéis**
recom**iende**	recom**ienden**	rec**uerde**	rec**uerden**

entender (e > ie) *(to understand)*		**volver (o > ue)**	
ent**ienda**	ent**endamos**	v**uelva**	v**olvamos**
ent**iendas**	ent**endáis**	v**uelvas**	v**olváis**
ent**ienda**	ent**iendan**	v**uelva**	v**uelvan**

- For verbs ending in **-ir,** the three singular forms and the third-person plural form undergo the same stem changes in the present subjunctive as in the present indicative. However, in addition, observe that unstressed **e** changes to **i** and unstressed **o** changes to **u** in the first- and second-person plural forms.

mentir *(to lie)*		**dormir**	
m**ienta**	m**intamos**	d**uerma**	d**urmamos**
m**ientas**	m**intáis**	d**uermas**	d**urmáis**
m**ienta**	m**ientan**	d**uerma**	d**uerman**

- The following verbs are irregular in the present subjunctive.

dar	**estar**	**saber**	**ser**	**ir**
dé	esté	sepa	sea	vaya
des	estés	sepas	seas	vayas
dé	esté	sepa	sea	vaya
demos	estemos	sepamos	seamos	vayamos
deis	estéis	sepáis	seáis	vayáis
den	estén	sepan	sean	vayan

¡ATENCIÓN!

The present subjunctive of **hay** (impersonal form of **haber**) is **haya.**

Práctica

Formas del subjuntivo II

Give the present subjunctive forms of the following verbs.

1. *yo:* dormir, ir, cerrar, sentir, ser
2. *tú:* mentir, volver, ir, dar, recordar
3. *ella:* estar, saber, perder, dormir, ser
4. *nosotros:* pensar, recordar, dar, morir, cerrar
5. *ellos:* preferir, dar, ir, saber, dormir

B. Nadie está de acuerdo

Complete each sentence creatively, using a verb in the infinitive or the subjunctive, as appropriate.

- **MODELO:** Yo quiero volver en agosto, pero mi padre quiere que...
  Yo quiero volver en agosto, pero mi padre quiere que vuelva en julio.

1. Luis quiere que yo hable sobre Ecuador, pero yo quiero...
2. El doctor les aconseja que tomen la medicina ahora, pero yo les aconsejo que...
3. Yo quiero ir a casa, pero mis amigos quieren...
4. Ellos le sugieren que pase todo el día aquí, pero ella quiere...
5. Mi esposo quiere que yo vaya al banco, pero yo prefiero...
6. Ellos quieren ir a la tienda a comprar ropa, pero nosotros queremos que ellos...
7. Mi jefa quiere que yo trabaje el sábado, pero yo le sugiero que...
8. Los niños se quieren acostar a las once, pero su mamá quiere que...

C. Deseos y sugerencias *(Wishes and suggestions)*

With a partner, take turns completing the following according to the illustrations below.

1. Ana quiere ____________________.

2. Te sugiero ____________________.

3. Te aconsejo ____________________.

4. Olga necesita dinero y quiere que Paco le ____________________.

5. La doctora le recomienda ____________________.

6. Pablo no quiere que su mamá ____________________.

D. ¿Qué quieren?

Say what you and these people want (or don't want) everybody to do. Compare notes with your partner.

1. Yo quiero que mi jefe...
2. Mis padres no quieren que yo...
3. La jefa de Julio quiere que él...
4. Un colega *(colleague)* en el trabajo quiere que nosotros...
5. El doctor quiere que mi padre...
6. Tu profesor no quiere que tú...
7. Yo quiero que mis profesores...
8. Nosotros no queremos que ellos...

E. Soluciones

In groups of three, advise each of the following people what to do according to each circumstance. Use **aconsejar, recomendar,** or **sugerir.**

1. Julio no quiere ir a trabajar.
2. A la Sra. Ruiz no le gusta visitar otros países.
3. Mireya está muy cansada porque hoy trabajó doce horas.
4. Ramiro quiere comprar una computadora portátil para trabajar desde su casa.
5. Aurora no quiere pagar con tarjeta de crédito.
6. A Nora no le gustan los laptops.
7. Enrique no quiere hablar por teléfono con su amigo en las horas de trabajo.
8. Rosario no quiere enviar mensajes de texto a su jefe.

F. Todos tienen problemas

Everyone needs help. Using verbs of volition give suggestions to your friends that might help.

1. Nina quiere ir a Argentina pero no tiene dinero.
2. Los padres de Walter vienen a vistarlo de Edmonton.
3. Tu mejor amigo/a necesita prepararse para una entrevista para un trabajo.
4. En la oficina Isabel tiene muchos problemas.
5. Los colegas quieren tener una fiesta para celebrar el fin del proyecto *(project).*

ammar
utorial

6 Subjunctive with verbs of emotion
(El subjuntivo con verbos que expresan emoción)

- In Spanish, the subjunctive mood is always used in the subordinate clause when the verb in the main clause expresses the emotions of the subject, such as fear, joy, pity, hope, regret, sorrow, surprise, and anger. Again, the subject in the subordinate clause must be different from the subject in the main clause for the subjunctive to be used.

- Some verbs of emotion that call for the subjunctive are **alegrarse (de)**, **esperar**, **temer**, and **sentir**.

— Mañana salgo para Quito.	*"Tomorrow I leave for Quito."*
— **Espero** que **te diviertas** mucho.	*"**I hope you have a** very **good time.**"*
— **Temo** no **poder** ir de vacaciones con ustedes este verano.	*"**I'm afraid** that **I can**not go on vacation with you this summer."*
— **Espero** que **puedas** ir con nosotros el verano que viene.	*"**I hope** that **you can** go with us next summer."*

¡ATENCIÓN!

If there is no change of subject, the infinitive is used.

Temo no **poder** ir.	***I'm afraid*** *that* ***I cannot*** *go.*

The expression **ojalá** always takes the subjunctive.

Ojalá que **puedas** venir.	***I hope you can*** *come.*

Pablo tuvo un accidente. Ahora, está leyendo un correo electrónico de su amigo: "Siento mucho que no puedas viajar con nuestra clase. Espero que te sientas bien pronto".

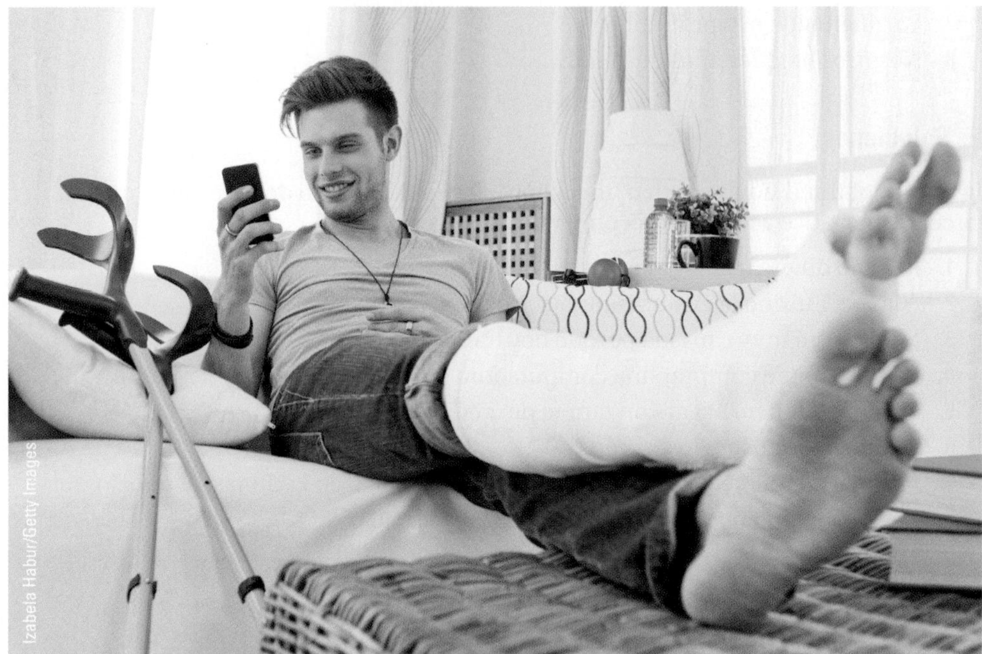

Izabela Habur/Getty Images

Práctica y conversación

Quiz

A. Minidiálogos

Complete the following exchanges, using the subjunctive or the infinitive, as appropriate.

1. —Temo que Estela no ________________________ (ir) a la fiesta, porque tiene que trabajar.
   —Siento mucho que ________________________ (tener) que trabajar; pero espero que ________________________ (poder) ir la próxima vez.
2. —Me alegro de ________________________ (estar) aquí con Uds.
   —Y nosotros nos alegramos de que tú nos ________________________ (visitar). Esperamos que te ________________________ (divertir) mucho.
3. —Necesito comprar una computadora hoy. Espero que ________________________ (haber) una tienda de computadoras cerca.
   —Hay una tienda cerca, pero temo que no ________________________ (abrir) hasta las doce.

4. —Temo no ______________________ (poder) ir a buscar a Rita. Espero que Ud. ______________________ (poder) ir.
—Rita va a sentir mucho que tú no ______________________ (estar) allí.
5. —Espero que Jorge no ______________________ (dejar) de ir hoy al banco.
—Ojalá que le ______________________ (dar) el préstamo que solicitó.

B. Emociones

Complete each sentence in an original manner. Use the subjunctive or the infinitive, as appropriate.

1. Ojalá que yo…
2. Siento mucho no poder…
3. Me alegro de que mi papá…
4. Temo no…
5. Mi amigo(a) espera…
6. El (La) profesor(a) siente que nosotros…
7. Mi madre se alegra de…
8. Tememos que las clases…

C. ¿Cómo reaccionas…?

React appropriately to a friend's statements.

1. Mi mamá está enferma.
2. Mi papá está mejor.
3. No puedo ir contigo.
4. Son las cinco. Tengo que estar en casa a las cinco y media.
5. Quiero comprar un carro, pero es muy caro.
6. El mes próximo voy a Paraguay de vacaciones.

D. Amigos y parientes

In groups of three, tell two or three things you hope your friends and relatives will do and one or two things you fear they can't or won't do.

Práctica y traducción

Review the vocabulary and grammatical concepts studied in **Lección 10,** as you translate the following sentences.

1. My office is closed but the supermarket is open.
2. I don't have my credit card and I have to pay cash.
3. They had gone to the ATM because they needed to take out money.
4. I want her to bring me the books at seven o'clock.
5. My parents hope I will study and have fun at the university.

DETALLES CULTURALES

En Argentina, como también en Costa Rica, Paraguay, Uruguay y Guatemala, la forma **tú** no se usa en la conversación. En lugar de *(In place of)* esta forma, se usa la forma **vos.** Por ejemplo, en estos países no dicen **"tú quieres"** sino **"vos querés".** Este fenómeno se llama **voseo.**

¿Existen formas formales e informales para referirse a diferentes personas en Canadá?

ENTRE NOSOTROS

¡Conversemos!

Para conocernos mejor

Get to know your partner better by asking each other the following questions.

1. ¿Cuál es tu banco favorito?
2. ¿Usas el cajero automático a veces?
3. Cuando compras algo, ¿pagas en efectivo, con cheque o usas una tarjeta de débito?
4. ¿Tu universidad tiene una tarjeta que puedes usar para comprar comida, libros y otras cosas?
5. ¿Le pides dinero a tus padres con frecuencia?
6. ¿Tú sabes cuánto dinero tienes en tu cuenta de ahorros?
7. ¿Qué le sugieres a tu amigo cuando tiene un examen importante?
8. En la universidad, ¿a veces tienes que hacer cola?
9. ¿Envías muchos mensajes de texto a tus amigos?
10. ¿Usas un laptop o una computadora personal?
11. ¿Navegas mucho la Red?
12. ¿Cuántos mensajes de texto recibes al día?

Búsqueda de gente

Interview your classmates to identify who fits the following descriptions. Include your instructor, but remember to use the **Ud.** form when addressing him or her.

NOMBRE	
1.	hace sus diligencias los sábados.
2.	siempre manda mensajes de texto cuando viaja (*he or she travels*).
3.	a veces envía mensajes electrónicos a sus amigos o padres.
4.	recuerda su número de Seguro Social (*Social Insurance Number*).
5.	tiene un préstamo de estudiante.
6.	saca dinero del cajero automático frecuentemente.
7.	necesita ahorrar más.
8.	tiene un laptop PC o Mac.
9.	navega la Red todos los días.
10.	tiene un carro.

Y ahora

Write a brief summary, indicating what you have learned about your classmates.

¿Cómo lo decimos?

What would you say in the following situations? What might the other person say? Act out these scenes with a partner.

1. Ask for the information necessary to open a savings account.
2. Your friend is sick and you suggest to him/her what he/she needs to do to recover soon.
3. You have an accident with your car and you need to call somebody.
4. You are teaching a computer class for beginners. In Spanish, identify the parts of a computer for your students.
5. You are at a computer lab at closing time. Tell the attendant three things you need to do before you leave.

¿Qué dice aquí?

Read the following ad, and answer the questions that follow.

1. ¿Cuánto hay que pagar por tener una cuenta corriente?
2. ¿Cuánto se debe tener depositado para recibir los cheques gratis?
3. ¿Cuánto cobra el banco por el uso del cajero automático?
4. ¿En qué tipos de cuentas se pueden depositar los cheques automáticamente?
5. ¿Qué otro servicio ofrece gratis el banco?
6. ¿Dónde se puede obtener más información sobre los servicios que da el banco?
7. ¿Cómo se llama el banco? ¿Cuál es la dirección de la nueva sucursal?

¡Está libre!
El Banco Nacional le ofrece ahora ¡Servicios gratis!
• Cuenta corriente gratis
• Uso del cajero automático gratis
• Depósito automático de sus cheques en su cuenta corriente o de ahorros
• Pago de sus cuentas sin cargos adicionales
Por más información visite nuestra nueva sucursal en Calle Palma #324
¡Lo esperamos!
BANCO NACIONAL

Tom Wang/Shutterstock.com

Para escribir

Tu trabajo favorito

Describe an interesting job you have had. Mention …

1. what type of job was it.
2. how long you worked there.
3. where was it.
4. how much did it pay per hour.
5. if you would recommend it to a friend.

UN DICHO

El tiempo es oro (gold).

As you can see, time is important in many cultures. Next time someone is wasting time you can quote this saying in Spanish.

mrtolc/Thinkstock

El calendario azteca aparece en la moneda mexicana.

ASÍ SOMOS

Vamos a ver

Un día funesto

ESTRATEGIA

Notice structure used
Before you do the first activity with a classmate, notice the use of past participles as adjectives and the use of the present perfect in the questions asked. Read the **Avance** to see what the video is about, and try to determine what is going to happen.

Antes de ver el video

 A. **Preparación**

Take turns with a partner asking and answering the following questions.

1. ¿Tú estás exhausto(a) a veces?
2. La última vez que fuiste de compras, ¿gastaste una fortuna?
3. ¿Tú compras a veces cosas que no te gustan?
4. ¿Tus zapatos te quedan grandes, te quedan chicos o te quedan bien?
5. ¿Tuviste que devolver algo que compraste?
6. Cuando tú eras chico(a), ¿te gustaba lo que tu mamá te compraba?
7. ¿Has comprado un regalo últimamente? ¿Para quién?
8. La mamá de Pablo es de Madrid. ¿De dónde es la tuya?
9. Cuando tú eras chico(a), ¿llegabas tarde a la escuela a veces?
10. ¿Tú crees que los bancos están abiertos o cerrados a esta hora?
11. ¿Has depositado dinero en tu cuenta corriente últimamente? ¿Sabes cuál es el saldo?
12. ¿Tú has tenido muchas ideas geniales últimamente?

 *El video*

Avance
Marisa, Teresa y Pablo han tenido un día difícil. ¡Todo les fue mal *(went badly for them)*! ¿Qué van a hacer? Los tres están demasiado cansados. ¿Encuentran una solución?

Después de ver el video

B. ¿Quién lo dice?

Who said the following sentences? Take turns with a partner answering.

Teresa **Pablo** **Marisa**

1. ¿Yo dije que ustedes eran mis mejores amigas? ¡Retiro lo dicho!
2. ¿Ves estos zapatos? Son muy bonitos, pero me quedan chicos.
3. ¡Una película y una cena!
4. ¡No has cambiado nada! Recuerdo que, cuando eras chica, nunca te gustaba lo que tu mamá te compraba…
5. ¡Pero nos debes una película!
6. Hablando de mamá… ¿Viste lo que compré para ella? Es que era una ganga…

C. ¿Qué pasa?

Take turns with a partner asking and answering the following questions. Base your answers on the video.

1. ¿Teresa ha gastado mucho dinero? ¿Qué es lo peor?
2. A Marisa no le gusta ir a la tienda cuando hay liquidación. ¿Por qué?
3. ¿Qué número calza Teresa? ¿Qué número son los zapatos que compró?
4. ¿Marisa piensa que Teresa ha cambiado mucho o que no ha cambiado nada?
5. ¿Qué le compró Teresa a su mamá?
6. ¿Qué le había comprado Marisa a su papá? ¿Por qué tuvo que devolverla?
7. ¿Pablo pudo abrir una cuenta de ahorros?
8. ¿Las chicas decidieron ir al cine o quedarse en su casa?
9. Los chicos van a comer algo más tarde. ¿Qué hay en el refrigerador?
10. Según las chicas, ¿qué les debe Pablo?

D. Más tarde

With a partner, use your imaginations to talk about what Pablo, Marisa, and Teresa did that night and later that week. Take turns asking and answering the following questions.

1. ¿Los chicos miraron las noticias *(news)* o vieron una película?
2. ¿Qué comieron, además de pollo frito y ensalada? ¿Qué bebieron?
3. ¿Pablo les dijo otra vez que ellas eran sus mejores amigas?
4. ¿Pablo cumplió *(kept)* su promesa de llevar a las chicas a cenar y al cine?
5. Pablo volvió al banco. ¿Cuánto dinero depositó en su cuenta de ahorros? ¿Y en su cuenta corriente?
6. ¿Para quién era la carta que Pablo llevó al correo?
7. ¿Teresa devolvió los zapatos que le quedaban chicos? ¿Compró sandalias?
8. ¿Marisa compró calcetines para su papá o decidió comprarle otra cosa *(something else)*?
9. ¿Le gustó a la mamá de Teresa la blusa que su hija le compró o la devolvió?
10. ¿Teresa consiguió otra ganga? ¿Qué?

EL MUNDO HISPÁNICO

1

2

1. Los pájaros bobos con patas azules son una de las especies que Charles Darwin estudió en las Islas Galápagos.

2. Machu Picchu fue una ciudad inca construida a mediados del siglo XV. La ciudad se construyó, fue habitada y fue abandonada en cien años.

3. Una mujer aymara, conocida como "cholita", caminando con su ropa tradicional. La cumbre nevada de la montaña Huayna Potosí aparece al fondo de la ciudad El Alto, Bolivia. Esta ciudad es el centro de la cultura aymara.

4. Las cataratas de Iguazú son una de las siete maravillas del mundo. Su belleza es espectacular. Cuenta con 275 saltos de hasta 70 metros de altura y es uno de los lugares naturales más maravillosos. El punto más alto se llama La Garganta del Diablo.

ECUADOR 

- Ecuador es uno de los países con la mayor diversidad ecológica. Por eso la constitución de 2008 de Ecuador asegura los Derechos de la Naturaleza, algo que es único en el mundo.
- Las islas Galápagos, que son parte de Ecuador y están situadas frente a las costas del país, son una de las zonas ecológicas mejor conservadas del mundo. Charles Darwin hizo la mayor parte de sus estudios sobre la evolución de las especies en las islas Galápagos. Estas islas atraen a muchos turistas.
- A 35,4 kilómetros de Quito, la capital de Ecuador, está el monumento La Mitad del Mundo, que marca el sitio exacto por donde pasa la línea del ecuador.
- Quito está situada en las laderas *(hillsides)* del volcán Pichincha, a más de 2.743 metros de altura sobre el nivel del mar. Por eso, aunque la ciudad está muy cerca de la línea del ecuador, su clima es templado *(mild)* y agradable. Quito es la capital más antigua de Sudamérica, y todavía mantiene su aspecto colonial, con sus calles estrechas *(narrow)* y sus viejas iglesias.

PERÚ 

- Perú es el tercer país más grande de Sudamérica. Su territorio es un poco más grande que la provincia de Ontario, y su población es de unos 28 millones de habitantes.
- Las principales atracciones turísticas del país son Cuzco, la antigua capital de los Incas, y las impresionantes ruinas de Machu Picchu, situadas en las montañas cerca de Cuzco a una altura de 2.350 metros. Machu Picchu fue una fortaleza incaica que después de la conquista quedó perdida hasta 1911, cuando fue descubierta por el arqueólogo estadounidense Hiram Bingham.
- Tal vez *(Perhaps)* la mayor contribución peruana a la alimentación del mundo fue la papa. Se dice que hay más de 4.000 tipos de papas y en Perú se encuentran muchos tipos que no existen en otros lugares.
- En 2010 el escritor peruano, Mario Vargas Llosa, ganó el Premio Nobel de Literatura.

ECUADOR

PERÚ

BOLIVIA

PARAGUAY

3

John Coletti/Getty Images

4

David Davis/Shutterstock.com

BOLIVIA 

- Bolivia, llamada así en honor del Libertador Simón Bolívar, es un país de superlativos. Tiene la capital (La Paz), el aeropuerto y el lago navegable (el lago Titicaca) más altos del mundo, y unas de las ruinas más antiguas. En realidad, La Paz es una de las dos capitales de Bolivia; la otra es Sucre.
- Los indios quechua y aymara, que constituyen más de la mitad de su población, mantienen su cultura y sus lenguas tradicionales.
- Bolivia es uno de los destinos turísticos más atractivos por sus bellísimos paisajes andinos, que le han valido el nombre de "el Tibet de América", y por las ruinas milenarias de Tiahuanaco.

PARAGUAY 

- Asunción, la capital de Paraguay, es una ciudad de más de dos millones de habitantes en la que se mezclan los edificios coloniales con modernas construcciones.
- La mayoría de los paraguayos hablan dos idiomas: el español y el guaraní.
- En la frontera de Paraguay, Argentina y Brasil están las famosas cataratas de Iguazú, nombre guaraní que significa "agua grande".

El mundo hispano y tú 

With a partner, discuss the following questions.

1. ¿Por qué piensas que las islas Galápagos son tan populares con los turistas?
2. Machu Picchu es un lugar muy especial. ¿Qué función cumplió en el pasado y por qué mucha gente visita este lugar en el presente? ¿La población indígena de algunos países mantiene ciertos aspectos de sus costumbres? ¿Cuáles son esos aspectos y por qué son importantes?
3. ¿Qué idiomas se hablan *(are spoken)* en Paraguay? ¿Es importante que en un país se hable más de una lengua? ¿Por qué?
4. ¿Piensas que es peligroso *(dangerous)* tener una ciudad cerca *(near)* de un volcán? ¿Por qué?
5. ¿Qué quiere decir que una ciudad tiene un aspecto colonial?

TOMA ESTE EXAMEN

Lesson Review

LECCIÓN 9

A. Some uses of *por* and *para*

Complete each sentence, using **por** or **para.**

1. El vestido es __________ ti, mamá.
2. ¿Cuánto pagaron __________ los aretes?
3. Yo no trabajo __________ la mañana.
4. Los chicos salieron __________ la puerta principal.
5. Ellos fueron al club nocturno __________ bailar.
6. Necesito la falda __________ mañana __________ la tarde.
7. El sábado salimos __________ Lima. Vamos __________ avión *(airplane)*. Vamos a estar allí __________ una semana.
8. En ese hotel cobran 100 dólares __________ noche.

B. Weather expressions

Complete each sentence with the appropriate word(s).

1. En verano ____________________ mucho ____________________ en Ontario.
2. En invierno en Yukón ____________________ mucho ____________________ y ____________________ mucho.
3. En Vancouver ____________________ todo el año.
4. Hoy no hay vuelos *(flights)* porque ____________________ mucha ____________________.
5. Necesito la sombrilla porque ____________________ mucho ____________________.

C. The preterite contrasted with the imperfect

Complete each sentence, using the preterite or the imperfect tense of the verbs in parentheses.

1. Ayer nosotros ____________________ (celebrar) nuestro aniversario.
2. ____________________ (Ser) las cuatro de la tarde cuando yo ____________________ (salir) del restaurante. ____________________ (Llegar) a mi casa a las cinco.
3. El mozo me ____________________ (decir) que la especialidad de la casa ____________________ (ser) cordero y yo lo ____________________ (pedir).
4. Cuando Raúl ____________________ (ser) pequeño ____________________ (vivir) aquí.
5. Jorge ____________________ (estar) en el café cuando yo lo ____________________ (ver).
6. Ella no ____________________ (ir) a la fiesta anoche porque ____________________ (estar) muy cansada. ____________________ (Preferir) quedarse en su casa.
7. Ayer yo ____________________ (hacer) las reservaciones.
8. Nosotros ____________________ (estar) almorzando cuando tú ____________________ (llamar).

D. *Hace...* meaning *ago*

Indicate how long ago everything took place.

1. Llegué a las seis. Son las nueve.
2. Ellos vinieron en marzo. Estamos en julio.
3. Empecé a trabajar a las dos. Son las dos y media.
4. Terminaron el domingo. Hoy es viernes.
5. Llegaste en 2001. Estamos en el año 2015.

E. Possessive pronouns

Complete each sentence, giving the Spanish equivalent of the word in parentheses.

1. Mi vestido es mejor que ________________, María. *(yours)*
2. Las camisas azules son ________________. *(mine)*
3. Yo voy a invitar a mis amigos. ¿Tú vas a invitar a ________________? *(yours)*
4. Estos zapatos son ________________. *(ours)*
5. Mi abuelo es de México. ________________ es de Cuba. *(Theirs)*
6. Ese libro no es ________________; es ________________. *(mine / hers)*

F. Vocabulary

Complete the following sentences, using vocabulary from **Lección 9.**

1. Estos zapatos no son caros, son muy ________________.
2. Voy a la ________________ para comprar unas sandalias.
3. Estudia en la ________________ de medicina.
4. Necesito un ________________ de botas.
5. Necesito una camisa de ________________ largas.
6. ¿En que puedo ________________, Srta.?
7. Este traje no está de ________________ ahora.
8. No me gusta andar ________________. Siempre uso zapatos.
9. Voy a comprar ropa porque no tengo nada ________________.
10. Los aretes me costaron un ________________ de ________________.
11. ¿Qué número ________________ Ud.?
12. En el verano, el clima de Manitoba no es seco, es ________________.

G. Translation

Express the following in Spanish.

1. Yesterday I went to his house to talk to him.
2. Where did you used to live when you were a child?
3. When was the last time that you went to the store?
4. —What did the professor say?
   —She said that we had to study more.
5. The weather is not good today. It's raining and I need a raincoat.

H. Culture

Complete the following sentences, based on the cultural notes you have read.

1. En los países hispanos se usa el sistema ________________ decimal.
2. La moneda de Perú es el ________________.

Lesson Review

LECCIÓN 10

A. Past participles

Complete each sentence, using the past participle of the verb in parentheses.

1. Las puertas están ______________________. (cerrar)
2. La oficina está ______________________. (abrir)
3. El florero está ______________________. (romper)
4. Los niños están ______________________. (dormir)
5. Las cartas están ______________________ en italiano. (escribir)
6. La cena ya está ______________________. (hacer)

B. Present perfect tense

Complete each sentence, using the present perfect of the verb in parentheses.

1. El cajero no ______________________. (llegar)
2. Yo no ______________________ las cartas. (leer)
3. Como los niños no ______________________, nosotros no ______________________ salir. (volver / poder)
4. El perro ______________________. (morir)
5. Ustedes no ______________________ el postre. (traer)
6. Tú ya se lo ______________________. (decir)

C. Past perfect (pluperfect) tense

Indicate what had taken place by the time Ana arrived home, using the past perfect tense.

Ana llegó a su casa a las diez.

1. Los chicos volvieron a casa.
2. Yo firmé la planilla.
3. Tú hiciste los cheques.
4. Nosotros escribimos las cartas.
5. Carlos puso el dinero en su cuenta.
6. Uds. fueron al banco.

D. Subjunctive with verbs of volition

Write sentences in the present tense, using the elements given below. Use the present subjunctive or the infinitive, as appropriate, and add any necessary words.

1. Yo / querer / ella / ir / Viña del Mar
2. Nosotros / desear / viajar / avión
3. Ella / sugerirme / ir / Buenos Aires
4. El agente / querer / venderme / el pasaje
5. Ellos / aconsejarnos / comprar / seguro *(insurance)*
6. Yo / no querer / llevar / muchas maletas
7. Ellos / no querer / ella / llevarlos / en su coche
8. Nosotros / no querer / ir / contigo
9. ¿Tú / sugerirme / venir / luego?
10. Ella / necesitar / Uds. / darle / la maleta

E. Subjunctive with verbs of emotion

Rewrite the following sentences, beginning each with the phrase in parentheses and using the subjunctive or the infinitive, as appropriate.

1. Ella se va pronto. (Espero...)
2. Los pasajes son muy caros. (Elsa teme...)
3. Yo estoy aquí. (Me alegro de...)
4. Ella se va de vacaciones. (Ella espera...)
5. Mamá se siente bien hoy. (Esperamos...)
6. Ellos no pueden ir a la fiesta. (Siento...)

F. Vocabulary

Complete the following sentences, using vocabulary from **Lección 10.**

1. Ud. debe ____________________ y ____________________ esta planilla.
2. ¿Cuánto dinero va a ____________________ en su cuenta?
3. El banco no está ____________________ hoy, porque es un día ____________________.
4. Quiero saber cuál es el ____________________ de mi cuenta corriente.
5. Mi esposa y yo queremos abrir una cuenta de ahorros ____________________.
6. Estacioné mi coche a dos ____________________ de aquí.
7. Tengo que hacer ____________________ porque hay mucha gente en el banco.
8. Necesito mi ____________________ de cheques.
9. No tengo mi dinero en el banco central, sino en una ____________________.
10. Ellos van a sacar dinero del ____________________ automático con su tarjeta de ____________________.
11. Necesito dinero. Voy a solicitar un ____________________ en el banco.
12. No quiero pagar con cheque, prefiero pagar en ____________________.
13. Tengo mis documentos en una ____________________ de seguridad.
14. Necesito comprar ____________________ para estas cartas.
15. Hoy tengo que hacer muchas ____________________.

G. Translation

Express the following in Spanish.

1. In the classroom the door is open, but the windows are closed.
2. —Gustavo, have you written the letters?
   —Yes, but I have not signed them.
3. Isabel had never gone to Argentina before last year.
4. Mrs. Peña, I want you to sign the cheque and deposit it today.
5. —Where do we go to open a chequing account?
   —You have to go to the bank!
6. I need a laptop. Let's buy it at the university's computer store.
7. They take out one hundred dollars from the ATM.

H. Culture

Complete the following sentences based on the cultural notes you have read.

1. Las islas ____________________ son una de las zonas ecológicas mejor conservadas.
2. Machu Picchu y ____________________ son las principales atracciones turísticas de Perú.
3. Bolivia tiene dos capitales: La Paz y ____________________.
4. La capital de Paraguay es ____________________.
5. ¿Dónde está el monumento La Mitad del Mundo?

LECCIÓN 11 ¡BUEN VIAJE!

© James Lauritz/Digital Vision/Getty Images

Héctor Rivas y su esposa, Sofía Vargas, viven en Santiago, la capital de Chile. Ahora están planeando sus vacaciones de verano. No pueden ponerse de acuerdo porque ella quiere pasar un mes en Viña del Mar, y él quiere ir a Buenos Aires y a Mar del Plata.

Héctor: Espero que hoy podamos decidir lo que vamos a hacer, porque tenemos que ir a la agencia de viajes para comprar los pasajes.

Sofía: Yo te sugiero que averigües lo que cuestan dos pasajes de ida y vuelta a Buenos Aires, por avión. Podemos ahorrar dinero si vamos a Viña del Mar en coche…

Héctor: ¡Pero hemos estado en Viña del Mar muchas veces! ¡Estoy un poco cansado de hacer siempre lo mismo!

Sofía: ¡Y yo temo que el viaje a Buenos Aires nos cueste mucho dinero!

Héctor: Yo busqué información en la Internet. Hay paquetes que incluyen vuelo directo a Buenos Aires, hotel y algunas excursiones.

Sofía: Siento no poder compartir tu entusiasmo, Héctor, pero viajar a otro país es complicado… Necesitamos pasaporte…

Héctor: Eso no es problema. Debemos conocer otros lugares.

Sofía: Bueno…, tienes razón. ¡A Buenos Aires!

Héctor: ¡Perfecto! Dudo que haya otra ciudad tan cosmopolita.

Sofía: Sí, llamemos a mis padres para decirles.

El día del viaje, Sofía y Héctor hablan con el agente de la aerolínea en el aeropuerto.

Agente: ¿Qué asientos desean? ¿De ventanilla o de pasillo?

Héctor: No importa, dos asientos juntos.

Sofía: Cerca de la salida de emergencia hay más lugar.

Héctor: El avión no hace escala, ¿verdad?

Agente: No, señor. ¿Cuántas maletas tienen?

Sofía: Tres maletas y dos bolsos de mano.

Agente: Tienen que pagar exceso de equipaje.

Héctor: Parece que trajimos mucha ropa.

Sofía: ¡Es que no sabía qué llevar! Y vamos a hacer tantas actividades diferentes.

Héctor: Sí, es la verdad.

Agente: La puerta de salida es la número tres. ¡Buen viaje!

En la puerta número tres.

"Última llamada para los pasajeros del vuelo 340 a Buenos Aires. Suban al avión, por favor."

Héctor y Sofía le dan las tarjetas de embarque a la auxiliar de vuelo, suben al avión y ponen los bolsos de mano en el compartimento de equipajes.

Sofía: Tenemos que abrocharnos el cinturón de seguridad. Espero que tengamos un buen viaje.

© Digital Vision/Getty Images

© James Lauritz/Digital Vision/ Getty Images

Hablemos

Sobre el diálogo

With a classmate, take turns asking and answering the following questions. Base your answers on the dialogues.

1. ¿Dónde viven Héctor y Sofía?
2. ¿Dónde quiere pasar sus vacaciones Héctor?
3. ¿De qué está cansado Héctor?
4. ¿Qué incluyen los paquetes?
5. ¿Qué necesitan para viajar a otro país?
6. ¿Qué le dice Héctor a Sofía que deben hacer?
7. En el avión, ¿dónde quiere sentarse Sofía?
8. ¿Qué tienen que pagar Héctor y Sofía?
9. ¿Cuál es el número del vuelo?
10. ¿Qué le dan Héctor y Sofía a la auxiliar de vuelo?

Entrevista a tu compañero(a)

With a classmate, take turns asking and answering these questions.

1. Normalmente, ¿dónde te gusta pasar tus vacaciones? ¿Con quién vas?
2. ¿Te gusta más viajar en coche o en avión?
3. Si necesitas información para un viaje, ¿adónde vas para informarte? ¿Dónde compras los pasajes?
4. ¿Qué necesitas para viajar a otro país? ¿Te pones nervioso(a) cuando viajas?
5. Cuando viajas en avión, ¿prefieres un asiento de pasillo o de ventanilla?
6. Generalmente, ¿llevas mucho equipaje? ¿Cuántas maletas llevas?
7. ¿Adónde fuiste la última vez que tuviste vacaciones? ¿Viajaste solo(a)?
8. En el verano, ¿piensas salir de Canadá? ¿Adónde vas a ir?
9. ¿Cómo fueron las mejores vacaciones que tomaste?
10. ¿Qué país quieres visitar en el futuro?

DETALLES CULTURALES

Viña del Mar es el más conocido de los balnearios *(resorts)* de Chile, y uno de los centros turísticos más populares de Sudamérica. Allí hay numerosas playas, parques, hoteles y casinos. La ciudad es también un centro comercial e industrial importante.

¿Cuál es un famoso balneario de Canadá? ¿Has visitado un balneario en un país hispano?

VOCABULARIO

COGNADOS

Audio Flashcards

la aerolínea
el aeropuerto
la agencia
el (la) agente
la capital
complicado(a)
directo(a)
la emergencia
el entusiasmo
la experiencia
la información
los nervios
el pasaporte
el (la) piloto
el tren

SUSTANTIVOS

la aduana	*customs*
la agencia de viajes	*travel agency*
el cinturón de seguridad	*seat belt*
el control de seguridad	*security check*
la demora	*delay*
el destino	*destination*
la excursión	*tour*
la llamada	*call*
el país	*country, nation*
el paquete	*package*
el pasaje*	*ticket*
— de ida	*one-way ticket*
— de ida y vuelta	*round-trip ticket*
la puerta de salida	*gate*
la salida	*exit*
el viaje	*trip*
el vuelo	*flight*

VERBOS

averiguar[1]	*to find out*
cancelar	*to cancel*
cansarse	*to get tired*
compartir	*to share*
confirmar	*to confirm*
dejar	*to let*
despegar	*to take off*
dudar	*to doubt*
incluir[2]	*to include*
negar	*to deny*
subir, abordar	*to board*
sugerir (e > ie)	*to suggest*
viajar	*to travel*

ADJETIVOS

querido(a)	*dear*

OTRAS PALABRAS Y EXPRESIONES

abrocharse el cinturón de seguridad	*to fasten the seat belt*
¡Buen viaje!	*Have a good trip!*
el crucero	*cruise*
en parte	*in part*
Es cierto.	*It's certain.*
Es verdad.	*It's true.*
estar seguro(a)	*to be sure*
exceso de equipaje	*excess luggage*
hacer escala	*to make a stop over*
hacer un crucero	*to take a cruise*
lo mismo	*the same thing*
ponerse de acuerdo	*to come to an agreement, to agree upon*
tomar una decisión	*to make a decision*

Amplía tu vocabulario

Más sobre los viajes

el bolso de mano	*carry-on luggage*
¿A cuánto está el cambio de moneda?	*What's the rate of exchange?*
(de) clase turista	*tourist class*
el equipaje	*luggage*
facturar el equipaje	*to check luggage*
la lista de espera	*waiting list*
el lugar	*place*
— de interés	*places of interest*
la maleta*	*suitcase*
el maletín	*small suitcase, hand luggage*
(de) primera clase	*first class*

[1]**Averiguar** is regular in the present tense, but is irregular in the first-person in the preterite: **averigüé.** It is also irregular in the present subjunctive: **averigüe, averigües, averigüe, averigüemos, averigüéis, averigüen.**

[2]**Incluir** is an irregular verb in the present indicative: **incluyo, incluyes, incluye, incluimos, incluís, incluyen.**

DE PAÍS A PAÍS

la auxiliar de vuelo la azafata (*Esp.*)
la maleta la valija (*Cono Sur*); el veliz (*Méx.*)
el pasaje el billete (*Esp.*)
la tarjeta de embarque la tarjeta de embarco (*Arg.*)

Quiz

Para practicar el vocabulario

A. Preguntas y respuestas

Match the questions in column A with the answers in column B.

A	B
1. ¿Dónde compraste los pasajes?	**a.** A la auxiliar de vuelo.
2. ¿Es un vuelo directo?	**b.** Dicen: ¡Buen viaje!
3. ¿Quieres un asiento de pasillo?	**c.** No sé, voy a averiguar.
4. ¿Qué dicen tus padres en el aeropuerto?	**d.** No, hace escala.
5. ¿Tienen que pagar exceso de equipaje?	**e.** En el compartimiento de equipaje.
6. ¿A qué país van a viajar?	**f.** Deben abrocharse el cinturón de seguridad.
7. ¿A quién le doy la tarjeta de embarque?	**g.** No, no se pusieron de acuerdo.
8. ¿Dónde pongo el bolso de mano?	**h.** Sí, tienen cinco maletas.
9. ¿Qué deben hacer los pasajeros?	**i.** A Chile.
10. ¿Cuál es la puerta de salida?	**j.** En la agencia de viajes.
11. ¿Tomaron una decisión?	**k.** No, de ventanilla.
12. ¿A qué hora sale el avión?	**l.** La número cuatro.

B. ¿Qué hago? ¿Adónde voy?

Complete the following sentences with vocabulary from **Lección 11**.

1. Van a ____________________ el vuelo porque hay mucha niebla.
2. Los pasajes de ____________________ clase son más caros.
3. ¿Cuáles son los ____________________ de interés en la ciudad donde Ud. vive?
4. Vamos a viajar. Tenemos que ____________________ la reservación del hotel.
5. ¿A cómo está el ____________________ de ____________________?
6. Nos abrochamos el ____________________ de seguridad antes del vuelo.
7. No tenemos mucho dinero. Vamos a viajar en clase ____________________.
8. Solamente puede llevar un ____________________ con Ud. en el avión.
9. Este verano vamos a hacer un ____________________ por Chile.
10. No hay pasaje para hoy pero podemos ponerlo en la lista de ____________________.

C. Definiciones

Write the words or phrases that correspond to the following.

1. Air Canada, WestJet
2. Allí tomamos el avión.
3. pasaporte
4. que no hace escala
5. Argentina, por ejemplo
6. maletas y bolsos de mano
7. subir
8. dar una sugerencia
9. lo que le decimos a una persona que va a viajar
10. donde ponemos el bolso de mano durante el vuelo

D. En la agencia de viajes

With a classmate, play the roles of a travel agent and a traveller who wishes to book a round-trip ticket to Buenos Aires. The "traveller" asks pertinent questions about dates of travel, accommodation, sites to visit, and reserving a seat.

Jeff Greenberg 5 of 6 / Alamy

¿De dónde vienen estas personas? ¿Regresan a casa o son turistas? ¿Puedes imaginar lo que van a hacer ahora?

E. La llamada telefónica

Nora and Susana are trying to plan a trip and can't agree on anything. With a classmate, decide how Nora responds to Susana's ideas.

Alexander Kirch/Thinkstock

gpointstudio/Thinkstock

Susana dice:

1. Podemos llevar tres maletas y dos bolsos de mano cada una.
2. Vamos a comprar un pasaje de ida en primera clase.
3. Queremos hacer escala.
4. Vamos a reservar dos asientos de ventanilla.
5. Podemos viajar por la noche.
6. Vamos a pagarlo todo con tarjeta de crédito.
7. Tenemos que tomar una decisión hoy.

Now write two or three paragraphs about their conversation, indicating whether they come to an agreement or not.

Pronunciación

Pronunciation in context

In this lesson, there are some words or phrases that may be challenging to pronounce. Listen to the correct pronunciation; then say the following sentences out loud.

1. Tenemos que ir a la **agencia de viajes** para comprar los **pasajes.**
2. Yo te **sugiero** que **averigües** lo que cuestan dos pasajes de ida y vuelta.
3. Hay **paquetes** que **incluyen** vuelo directo a Buenos Aires, hotel y algunas **excursiones.**
4. El día del viaje, hablan con el **agente** de la **aerolínea** en el **aeropuerto.**
5. Héctor y Sofía le dan las tarjetas a la **auxiliar** de vuelo.

PUNTOS PARA RECORDAR

Grammar Tutorial

1 Subjunctive to express doubt, denial, and disbelief

(El subjuntivo para expresar duda, negación e incredulidad)

Doubt

When the verb of the main clause expresses uncertainty or doubt, the verb in the subordinate clause is in the subjunctive.[3]

—Te esperan a las cinco y son las cuatro y media.	*"They expect you at five and it is four-thirty."*
—**Dudo** que yo **pueda** estar ahí a esa hora.	*"**I doubt** that **I can** be there at that time."*
—Podemos tomar el desayuno a las once.	*"We can have breakfast at eleven."*
—**Dudo** que lo **sirvan** después de las diez.	*"**I doubt** that **they serve** it after ten."*
—Estoy segura de que lo sirven hasta las once.	*"I am sure that they serve it until eleven."*

¡ATENCIÓN!

Notice that when no doubt is expressed and the speaker is certain of the reality **(estoy seguro[a], no dudo, sé)**, the indicative is used.

Estoy seguro de que lo **sirven** hasta las once.	***I am sure** that **they serve** it until eleven.*

Quiz

Práctica y conversación

A. Minidiálogos

Complete the following dialogues using the subjunctive of doubt, denial, and disbelief or the indicative as needed.

1. —¿Marcos, vas a terminar el trabajo hoy?
   —Dudo que ____________________ (ser) posible terminarlo hoy.
2. —Eva prepara la cena esta noche, ¿verdad?
   —Sí, pero ella no está segura que nosotros ____________________ (tener) todos los ingredientes que necesita.
3. —¿Pablo llega a las ocho?
   —Sí, estoy seguro que él ____________________ (ir) a llegar a las ocho.
4. —¿Julián y Marisa vienen a la fiesta el sábado?
   —Nosotras no estamos seguras que ellos ____________________ (querer) ir.
5. —¿La cafetería está abierta temprano?
   —Sí, pero dudo que ____________________ (servir) el desayuno antes de las siete.

[3]With the verb **dudar,** even if there is no change of subject, the subjunctive is used.

B. ¿Cómo respondes...?

Respond to each of the following statements, beginning with the suggested phrases.

1. —Estoy seguro de que Pablo va a llegar tarde.
   —Bueno, dudo que...
2. —Dudo que tenga un pasaje de ida y vuelta.
   —Pues yo estoy seguro(a) de que...
3. —No estoy seguro de que el vuelo salga a las seis.
   —Pues yo no dudo que...
4. —Dudo que la auxiliar de vuelo esté en el avión.
   —¿Sí? Yo estoy casi seguro(a) de que...
5. —Dudo que Pablo necesite el pasaporte para viajar a Calgary.
   —Yo estoy seguro(a) de que...

C. En el aeropuerto

With a partner, read the following statements and take turns expressing doubt or certainty about them. Use **dudo, no dudo, estoy seguro(a),** and **no estoy seguro(a).**

1. Todos los vuelos salen a las diez.
2. Las auxiliares de vuelo trabajan solamente tres horas al día.
3. El piloto puede viajar sin pasaporte.
4. La salida de emergencia del avión está siempre rota.
5. Cualquier *(Any)* persona puede viajar en primera clase.
6. Si no tienes un pasaje, puedes viajar en avión sin problemas.
7. Los pilotos ganan muy poco dinero.
8. Si llegas tarde el avión te espera.

D. ¿Lo dudas....?

With a partner, take turns telling each other three or four things about yourself. Give some false information to see if your partner doubts or doesn't doubt what you say.

- **MODELO:** *—Tengo ocho clases este semestre.*

  —Dudo que tengas ocho clases.
  —Estoy seguro[a] de que no tienes ocho clases.

Denial

When the main clause denies or negates what is expressed in the subordinate clause, the subjunctive is used.

—Ana **niega** que Carlos **sea** su novio.	*"Ana **denies** that Carlos **is** her boyfriend."*
—Sí, dice que son amigos...	*"Yes, she says that they are friends ..."*
—Ellos trabajan mucho y siempre tienen dinero.	*"They work hard and always have money."*
—Es verdad que trabajan mucho, pero **no es cierto** que siempre **tengan** dinero.	*"It's true that they work hard, but **it's not true** that **they** always **have** money."*

¡ATENCIÓN!

Notice that when the main clause does not deny what is said in the subordinate clause, the indicative is used.

—**Es verdad** que **trabajan** mucho. *"**It's true** that **they work** hard."*

Práctica y conversación

¿Es verdad o no?

With a partner, take turns saying whether each of the following statements is true or not.

- **MODELO:** Todos siempre viajan en avión.
  Sí, es verdad que todos siempre viajan en avión.
  No es verdad que todos siempre viajen en avión.

1. Los pilotos no saben qué hacer en caso de emergencia.
2. Generalmente hay muchas personas en el aeropuerto de Toronto.
3. Las auxiliares de vuelo saben más que los pilotos.
4. Necesitas un pasaporte para viajar a Europa.
5. Los pasajes de primera clase son baratos.
6. Hoy hace mucho calor.
7. Hay cruceros a México.
8. Los estudiantes siempre tienen mucho dinero.

Disbelief

The verb **creer** is followed by the subjunctive in negative sentences, where it expresses disbelief.

—¿Teresa va al aeropuerto hoy?	*"Is Teresa going to the airport today?"*
—No, **no creo** que **vaya** hoy.	*"No, **I don't think she's going** today."*
—¿Qué le va a pedir el agente?	*"What is the agent going to ask for?"*
—**Creo** que le **va** a pedir la tarjeta de embarque.	*"**I think** he **is** going to ask her for the boarding pass."*

¡ATENCIÓN!

Creer is followed by the indicative in affirmative sentences where it expresses belief.

Ellos creen que **es** bueno estudiar otro idioma. *They think it'**s** important to study another language.*

Lise Gagne/Getty Images

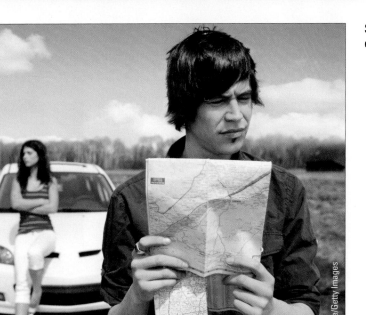

Sara duda que Manolo pueda encontrar la ruta necesaria.

Práctica y conversación

A. El Sr. Contreras

Mr. Contreras always contradicts everyone. How would he react to these statements?

- **MODELO:** Creo que esa aerolínea es muy buena.
  No creo que (esa aerolínea) sea muy buena.

1. No creo que el pasaje sea caro.
2. Creo que todos los aviones tienen asientos cómodos.
3. Creo que Silvia tiene que viajar en primera clase.
4. No creo que estén allí.
5. No creo que él necesite el pasaporte.
6. Creo que necesita hacer escala.

B. En la universidad

Use your imagination to complete each statement, using the subjunctive or the indicative, as appropriate. Compare your statements to those of your partner.

1. Yo creo que el profesor (la profesora)…
2. No es verdad que yo…
3. Es cierto que los estudiantes…
4. No creo que en la cafetería de la universidad…
5. No es verdad que la clase de español…
6. No es cierto que los canadienses…
7. Dudo que yo…
8. No estoy seguro(a) de que esta universidad…

C. Opiniones

Use the illustrations to complete the following sentences.

Raymond Forbes/Getty Images

1. Yo creo que Buenos Aires __________ (ser) el mejor lugar para aprender a bailar el tango.

Gerardo Somoza/Mira.com

2. No es verdad que la gente __________ (tener) corridas de toros en Cataluña. Esta prohibido.

Gabe Rogel/Getty Images

3. Carlos duda que yo __________ (poder) esquiar en el centro de esquí Portillo en Chile este año.

Neale Cousland/Shutterstock.com

4. No es cierto que nosotros __________ (ver) fantasmas en el cementerio de la Recoleta en Buenos Aires.

Lisa Strachan/Shutterstock.com

5. Es verdad que en la Isla de Pascua *(Easter Island)* __________ (haber) monolitos de hombres enormes.

Danita Delimont/Getty Images

6. Dudo que tú no __________ (beber) mate en Uruguay.

Krzysztof Dydynski/Getty Images

7. Es verdad que en Punta del Este, Uruguay, ustedes ____________________ (ir) a ver una playa sorprendente.

Travelstock44/Juergen Held/Getty Images

8. Ellos dudan que ____________________ (haber) otro lugar como la librería Aténeo en Buenos Aires. Fue un teatro famoso en el pasado.

Alexander Chaikin/Shutterstock.com

9. Nosotros no creemos que esta casa en Valparaíso, Chile ____________________ (estar) en un lugar muy seguro.

Rafael Campillo/Age fotostock

10. Yo dudo que Carmela ____________________ (ganar) la lotería.

D. Viajando

The following statements are made by someone who doesn't necessarily know what he or she is talking about. With a partner, take turns saying whether or not you think the comments are true. Use **creo, no creo, dudo, estoy seguro(a), es verdad,** or **no es verdad.**

1. Hay vuelos directos de Montreal a Madrid.
2. El pasaje a Madrid cuesta 200 dólares.
3. Los estudiantes siempre viajan en primera clase.
4. Puedo viajar por España en tren.
5. Todas las ciudades españolas son muy pequeñas.
6. Hay hoteles elegantes en Barcelona.
7. En los hoteles de Madrid, todas las habitaciones tienen vista al mar.
8. Podemos viajar de Charlottetown a Madrid en tren.

Grammar Tutorial

2 Some uses of the prepositions *a*, *de*, and *en*
(Algunos usos de las preposiciones a, de *y* en*)*

FLASHBACK

You may wish to review pronouns as objects of prepositions, p. 128.

DETALLES CULTURALES

El tango tuvo su origen en los suburbios de Buenos Aires a finales del siglo *(century)* XIX. Para muchos, Argentina es la tierra del tango, y se considera la música típica del país. Hoy la música argentina es muy variada e incluye diferentes tipos de ritmos.

¿Hay un tipo de música típica en Canadá? ¿Qué tipo de música prefieres escuchar?

- The preposition **a** *(to, at, in)* expresses direction toward a point in space or a moment in time. It is used for the following purposes:
  - to indicate the time (hour) of day

    A las cinco salimos para Lima. — ***At** five we leave for Lima.*
  - after verbs of motion, when followed by an infinitive, a noun, or a pronoun

    Siempre vengo **a** comprar ropa aquí. — *I always come to buy clothes here.*
  - after the verbs **aprender, comenzar, empezar,** and **enseñar,** and when followed by an infinitive

    Ellos empezaron **a** salir. — *They began to go out.*

    Te enseñé **a** bailar el tango. — *I taught you to dance the tango.*
  - after the verb **llegar**

    Cuando él llegó **a** su casa, le dieron los pasajes. — *When he arrived **at** his house, they gave him the tickets.*
  - before a direct object noun that refers to a specific person. It may also be used to personify an animal or a thing.

    Yo no conozco **a** ese profesor. — *I don't know that professor.*

    Bañé **a** mi perro. — *I bathed my dog.*

¡ATENCIÓN!

If the direct object is not a definite person, the personal **a** is not used.

Busco un buen médico. — *I'm looking for a good doctor.*

En Buenos Aires muchas personas aprenden a bailar tango.

- The preposition **de** *(of, from, about, with, in)* indicates possession, material, and origin. It is also used in the following ways:
  - to refer to a specific period of the day or night when telling time

    El sábado pasado trabajamos hasta las ocho **de** la noche. — *Last Saturday we worked until 8 P.M.*

- after the superlative to express *in* or *of*

Orlando es el más simpático **de** la familia.	*Orlando is the nicest* ***in*** *the family.*

- to describe personal physical characteristics

Es morena, **de** ojos negros.	*She is brunette,* ***with*** *dark eyes.*

- as a synonym for **sobre** or **acerca de** *(about)*

Hablaban **de** todo menos **del** viaje.	*They were talking* ***about*** *everything except* ***about*** *the trip.*

- The preposition **en** *(at, in, on, inside, over)* in general situates someone or something within an area of time or space. It is used for the following purposes:
  - to refer to a definite place

Él siempre se queda **en** casa.	*He always stays* ***at*** *home.*

  - as a synonym for **sobre** *(on)*

Está sentada **en** la silla.	*She is sitting* ***on*** *the chair.*

  - to indicate means of transportation

Nunca he viajado **en** autobús.	*I have never travelled* ***by*** *bus.*

Práctica y conversación

Quiz

A. La carta de Isabel

Complete the following letter, adding the missing prepositions **a, de,** or **en.**

Querida Alicia:

Como te prometí, te escribo en seguida. Ayer llegamos (1) ________ Quito. Es una (2) ________ las ciudades más antiguas (3) ________ Sudamérica. Llegamos (4) ________ las tres (5) ________ la tarde y fuimos (6) ________ buscar hotel. (7) ________ el hotel conocimos (8) ________ unos chicos muy simpáticos que nos invitaron a salir con ellos. Yo salí con Carlos, que es alto, moreno y (9) ________ ojos verdes. Me ha dicho que me va (10) ________ enseñar (11) ________ bailar salsa. Espero aprender (12) ________ bailar otros bailes también. Mañana vamos (13) ________ ir (14) ________ visitar los museos. Vamos (15) ________ ir (16) ________ el coche (17) ________ Carlos.

Bueno, (18) ________ la próxima carta espero poder contarte más (19) ________ mi vida (20) ________ esta hermosa ciudad.

Un abrazo,

Isabel

B. Entre amigos

Use the illustrations to complete the following information about a group of friends. Use appropriate prepositions.

1. Delia va…

2. Sergio y Toña están…

3. Beatriz es rubia…

4. Teresa se quedó…

5. Rogelio quiere ir al club…

6. Tito salió de su casa…

7. Julio es… grupo.

8. Eva llega…

C. Charlemos *(Let's chat)*

With a partner, talk about someone you met recently or someone you went out with. Include information about where you went, what time you left and returned home, what the person is like, and what you talked about. Your partner will ask you pertinent questions and make comments.

D. Alejandra

Image Source/Getty Images

With a classmate, use your imagination to provide the following information about Alejandra.

1. the time when she arrives at the university
2. the time when she starts studying in the library
3. what she wants to learn how to do
4. whether or not she's the most intelligent in the family
5. what she and her friends talk about
6. what days she stays home
7. whom she visits sometimes
8. whether she likes guys who are brunette, with dark eyes, or blue-eyed blonds

Now write two or three paragraphs about Alejandra.

ammar
utorial

3 Formal commands: *Ud.* and *Uds.*

(Mandatos formales: Ud. *y* Uds.*)*

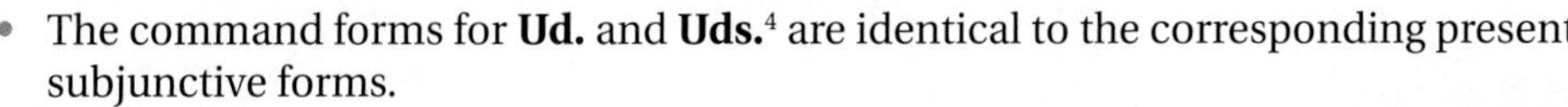

- The command forms for **Ud.** and **Uds.**[4] are identical to the corresponding present subjunctive forms.

FLASHBACK

Review the formation of the subjunctive in **Lección 10**. See p. 252.

Infinitive	First-Person Sing. Present Indicative	Stem	Commands *Ud.*	Commands *Uds.*
habl**ar**	yo habl**o**	habl-	habl**e**	habl**en**
com**er**	yo com**o**	com-	com**a**	com**an**
abr**ir**	yo abr**o**	abr-	abr**a**	abr**an**
cerr**ar**	yo cierr**o**	cierr-	cierr**e**	cierr**en**
volv**er**	yo vuelv**o**	vuelv-	vuelv**a**	vuelv**an**
ped**ir**	yo pid**o**	pid-	pid**a**	pid**an**
dec**ir**	yo dig**o**	dig-	dig**a**	dig**an**

—¿Con quién debo hablar? *"With whom must I speak?"*
—**Hable** con el cajero. *"**Speak** with the teller."*

—¿Cuándo debemos volver? *"When must we come back?"*
—**Vuelvan** mañana. *"**Come back** tomorrow."*

[4]The command form for **tú** will be studied in **Lección 12.**

- The command forms of the following verbs are irregular.

	dar	estar	ser	ir	saber
Ud.	**dé**	**esté**	**sea**	**vaya**	**sepa**
Uds.	**den**	**estén**	**sean**	**vayan**	**sepan**

—¿Vamos a la agencia de viajes ahora? *"Shall we go to the travel agency now?"*
—No, no **vayan** ahora; **vayan** a las dos. *"No, don't **go** now; **go** at two o'clock."*

- With all direct *affirmative* commands, object pronouns are placed after the verb and are attached to it, thus forming only one word. With all *negative* commands, the object pronouns are placed in front of the verb.

—¿Dónde pongo las cartas? *"Where shall I put the letters?"*
—**Póngalas** aquí; **no las ponga** allí. *"**Put them** here; **don't put them** there."*

¡ATENCIÓN!

Note the use of the written accent in **póngalas.**

En zonas remotas la gente crea sus propios carteles avisando de los peligros de la zona.

Quiz

Práctica y conversación

A. Instrucciones

A travel agent is giving his customers instructions. Following the model, change each sentence to the appropriate command.

- **MODELO:** Tiene que leer la información.
Lea la información.

1. Tienen que llegar al aeropuerto temprano.
2. Tienen que hacer cola.
3. Tienen que hablar con el agente de la aerolínea.
4. Tiene que facturar su equipaje.
5. Tiene que sentarse y esperar unos minutos.
6. Tiene que pasar por la aduana.
7. Tiene que darle su pasaporte al agente.
8. Tiene que subir al avión y abrocharse el cinturón de seguridad.
9. Tienen que poner su bolso de mano en el compartimiento de equipaje.
10. Tiene que divertirse en las vacaciones.

B. Mamá (Papá) y nosotros

Two teenagers are are discussing a trip with their Mom (Dad) and asking what to do. Take the role of the parent and answer their questions. Use the command forms and the cues provided.

1. ¿Adónde vamos ahora? (al aeropuerto)
2. ¿Qué compramos? (los pasajes)
3. ¿A quién le damos el dinero? (al agente de viajes)
4. ¿Qué más traemos? (el equipaje)
5. ¿Qué coche llevamos? (el mío)
6. ¿A qué hora salimos para el aeropuerto? (a las tres)
7. ¿Qué hacemos en el avión? (abrocharse el cinturón de seguridad)

C. ¿Que sí o que no?

Andrés says yes to everything, while Ana always says no. With your partner, play the roles of Andrés and Ana. Answer each question as he or she would, using a formal command and a direct object pronoun to replace each direct object.

1. ¿Llamo al señor García? (Andrés)
2. ¿Compramos los pasajes hoy? (Ana)
3. ¿Llevo dos maletas? (Ana)
4. ¿Compramos una excursión especial? (Andrés)
5. ¿Ahorro mucho dinero? (Andrés)
6. ¿Llamamos a nuestros amigos? (Ana)
7. ¿Compro una maleta nueva? (Andrés)
8. ¿Hacemos un crucero? (Ana)

D. A mis compañeros de casa

Using commands, tell your roommates what to do before you leave on your trip.

1. *Darle* la llave a la vecina *(neighbour)*, no *darle* la llave a Beto.
2. *Escribirles* correos electrónicos a sus padres.
3. *Ponerse* zapatos cómodos para el viaje. No *ponerse* ropa elegante.
4. *Traerme* el equipaje al aeropuerto, pero no *traerme* el maletín verde.
5. *Decirle* "Adiós" a Isabel, pero no *decirle* "Adiós" a Teresa.
6. *Esperarme* en la sala de espera, no *esperarme* en la puerta de salida.

E. Una nota

You and your partner are going to be gone for a few days. Write a note to your irresponsible roommates, telling them four things to do and four things not to do in your absence.

Grammar Tutorial

4 First-person plural commands

(El imperativo de la primera persona del plural)

- In Spanish, the first-person plural of an affirmative command (e.g. *let's* + *verb*) can be expressed in two ways:
  - by using the first-person plural command, formed like the **Ud.** and **Uds.** commands, except with the addition of **"emos"** for **-ar** verbs and **"amos"** for **-er** and **-ir** verbs.

Preguntemos el precio de los pasajes.	***Let's ask*** *the price of the tickets.*

  - or, by using the expression **vamos a** + *infinitive.*

Vamos a preguntar el precio de los pasajes.	***Let's ask*** *the price of the tickets.*

- The verb **ir** does not use an irregular form in the first-person plural affirmative command; it just uses the present-tense form.

Vamos al teatro.	***Let's go*** *to the theatre.*

- In a negative command, however, the irregular form is used.

No vayamos a la agencia de viajes.	***Let's not go*** *to the travel agency.*

- In all direct, affirmative commands, object pronouns are attached to the verb, and a written accent is then placed on the stressed syllable.

Comprémos**lo.**	*Let's buy* ***it.***
Llamémos**los.**	*Let's call* ***them.***

- If the pronouns **nos** or **se** are attached to the verb, the final **-s** of the verb is dropped before adding the pronoun.

Sentémo**nos** aquí.	***Let's sit*** *here.*
Vistámo**nos** ahora.	***Let's get dressed*** *now.*
Démo**selo** a los niños.	***Let's give it*** *to the children.*
—Vamos a Chile. —No, no vayamos a Chile; **quedémonos** en Argentina.	*"Let's go to Chile."* *"No, let's not go to Chile;* ***let's stay*** *in Argentina."*
—¿Dónde queda la Casa Rosada? —No sé. **Preguntémoselo** a ese señor.	*"Where's the Casa Rosada?"* *"I don't know.* ***Let's ask*** *that gentleman."*

Práctica y conversación

Quiz

A. ¿Qué hacemos?

You have arrived at your destination. Take turns with a partner saying what you and your friends should do in the following situations. Use the first-person plural command. Use pronouns wherever possible.

1. Tenemos mucha hambre.
2. Estamos en un restaurante y necesitamos el menú.
3. No queremos salir hoy.
4. No sabemos qué hacer este fin de semana.
5. Un amigo quiere ir al museo.
6. Queremos saber el precio de una excursión.
7. Estamos cansados.
8. Hace mucho frío y vamos a salir.

B. ¡Vamos a Chile!

You and a classmate are making plans to go on a trip to Chile. Take turns answering the following questions, using the clues provided and using the first-person plural command.

1. ¿A qué ciudad vamos? (Santiago)
2. ¿Cómo viajamos? (por avión)
3. ¿Qué día y a qué hora salimos? (el sábado / a las ocho de la mañana)
4. ¿Cuántas maletas llevamos? (solamente una)
5. ¿Nos hospedamos en un hotel elegante? (sí)
6. ¿Pedimos unos asientos de ventanilla o de pasillo en el avión? (de ventanilla)
7. ¿Cuántos días nos quedamos en la ciudad? (5 días)
8. ¿Comemos en un restaurante tradicional? (sí)
9. ¿Visitamos muchos museos? (pocos)
10. ¿Cuándo volvemos? (el 18 de mayo)

Práctica y traducción

Review the vocabulary and grammatical concepts studied in **Lección 11**, as you translate the following sentences.

1. Ana and her husband bought tickets for a cruise. They saved money for two years to travel.
2. If you don't want to pay for excess luggage, you have to bring fewer clothes.
3. The flight attendants ask all passengers for the boarding pass when they board the plane.
4. Travelling in tourist class is cheaper than travelling in first class, but is not as comfortable.
5. I doubt that you and your sister can agree on a destination. She prefers big cities and you like the beach.

ENTRE NOSOTROS

¡Conversemos!

Para conocernos mejor

Get to know your partner better by asking each other the following questions.

1. ¿Adónde piensas ir de vacaciones el verano que viene? ¿Con quién vas?
2. ¿Prefieres viajar solo(a) o con tu familia?
3. ¿Compras los pasajes en una agencia de viajes o por la Internet?
4. Generalmente, ¿viajas en clase turista o en primera clase?
5. ¿Prefieres un asiento de ventanilla o de pasillo?
6. ¿Hiciste un crucero el verano pasado?
7. ¿Cuántas maletas llevaste la última vez que viajaste?
8. ¿Has tenido que pagar exceso de equipaje alguna vez?
9. ¿Dónde pones tu bolso de mano cuando viajas?
10. ¿Conoces un(a) auxiliar de vuelo?

Búsqueda de gente

Interview your classmates to identify who fits the following descriptions. Include your instructor, but remember to use the **Ud.** form when addressing him or her.

NOMBRE	
1.	hace muchos viajes.
2.	le gusta viajar los fines de semana.
3.	conoce muchos lugares de interés en Canadá.
4.	prefiere volar por la noche.
5.	tuvo que hacer escala la última vez que viajó.
6.	necesita ahorrar más.
7.	siempre lleva su computadora portátil cuando va de viaje.
8.	lleva mucho equipaje cuando viaja.
9.	no fue de vacaciones el año pasado.
10.	fue de excursión el mes pasado.

Y ahora...

Write a brief summary, indicating what you have learned about your classmates.

¿Cómo lo decimos?

What would you say in the following situations? What might the other person say? Act out these scenes with a partner.

1. You want to find out how much a round-trip ticket to Barcelona costs.
2. You ask the travel agent to give you information on several types of tours.
3. You need to know if there are flights to Buenos Aires on Sundays.
4. A friend of yours is travelling abroad for the first time. Give him or her suggestions and advice about what to do and what not to do.

¿Qué dice aquí?

Answer the questions about the new flight of Aerolíneas del Sur using the information provided in the ad.

1. ¿Qué ofrece Aerolíneas del Sur?
2. ¿Qué puedo acumular si viajo con Aerolíneas del Sur?
3. ¿De qué ciudad sale el nuevo vuelo?
4. ¿Había antes vuelos a Buenos Aires de Toronto? ¿Cuándo comienza el nuevo vuelo?
5. Si tomo ese vuelo, ¿tengo que hacer escala?
6. ¿Qué puedo hacer para obtener más información y para hacer la reservación?
7. ¿Puedo llamar cualquier *(any)* día y a cualquier hora?
8. ¿Qué ventajas me ofrece Aerolíneas del Sur?

Más viajes a Latinoamérica

Viaje por Aerolíneas del Sur y acumule millas más rápido.

Toronto – Buenos Aires

Aerolíneas del Sur le ofrece desde el 15 de enero un vuelo diario más, sin escala.

Para reservaciones consulte a su agente de viajes, visite nuestro sitio en la Internet o llame gratis al teléfono 1-800-342-4538, 24 horas al día, siete días a la semana.

Aerolíneas del Sur

Precios más bajos. Mejor servicio.

Para escribir

Un viaje especial

Think about a destination in a region of Argentina where you would like to go on holidays for one week. After you have selected the place, research the attractions the region offers and map out the different activities for each day. Upon completion of your research, prepare a brochure that includes the following information of the region: pictures, key destinations to visit, best restaurants and hotels, and any other information you may think is pertinent. Prepare the brochure in Spanish and be ready to fly away!

UN DICHO

Martes 13, ni te cases ni te embarques.

This saying advises you not to get married or take a trip ... on what day? If you are superstitious, you now have two days to worry about!

El aeropuerto de Bilbao (España), diseñado por el famoso arquitecto, Santiago Calatrava.

ASÍ SOMOS

Vamos a escuchar

A. Arturo y Vicente planean sus vacaciones

You will hear a conversation between Arturo and Vicente, two roommates who are planning a vacation for spring break. Pay close attention to what they say. You will then hear ten statements about what you heard. Indicate whether each statement is true **(V)** or false **(F)**.

1.	□ V	□ F	**6.**	□ V	□ F
2.	□ V	□ F	**7.**	□ V	□ F
3.	□ V	□ F	**8.**	□ V	□ F
4.	□ V	□ F	**9.**	□ V	□ F
5.	□ V	□ F	**10.**	□ V	□ F

Vamos a leer

ESTRATEGIA

Using the title to predict
Since the title of the story is **"La muerte** *(Death)*," and it tells about a hitchhiker, what do you think might happen? Read the description of the driver of the car. What impression do you get?

B. Al leer

As you read the story, try to find the answers to each of the following questions.

1. ¿Cómo era la automovilista? ¿Qué tenía puesto *(on)*?
2. ¿A quién vio la automovilista en el camino?
3. ¿Hasta dónde quiere ir la muchacha?
4. ¿Cómo arrancó la automovilista?
5. ¿Qué le preguntó la muchacha a la automovilista? ¿Qué le dijo ella?
6. ¿Cómo eran los ojos de la muchacha?
7. ¿Quién dijo la muchacha que ella era?
8. ¿Qué pasó en la primera curva? ¿Qué le pasó a la muchacha?
9. ¿Qué hizo la automovilista? ¿Qué pasó al llegar a un cactus?
10. ¿Quién era la automovilista?

Sobre el autor

Enrique Anderson-Imbert (Argentina, 1910–2000)

Enrique Anderson-Imbert fue un distinguido profesor, narrador y crítico. Pertenecía a un grupo bastante numeroso de ensayistas y cuentistas hispanoamericanos que viven y enseñan en los Estados Unidos. La siguiente selección es uno de sus famosos cuentos (short stories).

La muerte (El grimorio)

La automovilista (negro el vestido, negro el pelo, negros los ojos, pero con la cara tan pálida que a pesar del mediodía parecía que en su tez° se hubiese detenido un relámpago°), la automovilista vio en el camino a una muchacha que hacía señas° para que parara°. Paró.

—¿Me llevas? Hasta el pueblo°, no más —dijo la muchacha.

—Sube —dijo la automovilista. Y el auto arrancó° a toda velocidad por el camino que bordeaba la montaña.

—Muchas gracias —dijo la muchacha, con un gracioso mohín° pero ¿no tienes miedo de levantar° por el camino a personas desconocidas°? Podrían hacerte daño°. ¡Esto está tan desierto!

—No, no tengo miedo.

—¿Y si levantas a alguien que te atraca°?

—No tengo miedo.

—Y ¿si te matan?°

—No tengo miedo.

—¿No? Permíteme presentarme° —dijo entonces la muchacha, que tenía los ojos grandes, límpidos, imaginativos. Y, en seguida, conteniendo la risa°, fingió° una voz cavernosa.

—Soy la Muerte, la M-u-e-r-t-e. La automovilista sonrió° misteriosamente. En la próxima curva el auto se desbarrancó°. La muchacha quedó muerta° entre las piedras°. La automovilista siguió y al llegar a un cactus desapareció°.

complexión / **se...** *lightning had stopped*
hacía... *was gesturing / so that she would stop*
town
started (the vehicle), sped up
charming pout
give a ride to / unknown
harm
holds you up
Y... *And if they kill you?*
Permíteme... *Let me introduce myself*
laughter / feigned
smiled
went over a cliff / was left dead
rocks / disappeared

Anderson-Imbert, Enrique, El Grimorio, *Cuentos 1, Obras Completas*, Buenos Aires, Corregidor, 1999. Used with permission.

C. Díganos

Answer the following questions, based on your own thoughts and experience.

1. ¿Ha parado Ud. un coche para que lo (la) lleven a algún lado *(somewhere)*?
2. ¿Ud. maneja a toda velocidad o maneja con cuidado?
3. ¿Ud. ha levantado por el camino a personas desconocidas?
4. ¿Ud. confía en las personas que no conoce bien?
5. ¿Tiene Ud. miedo a veces o toma parte en actividades peligrosas *(dangerous)*?

DETALLES CULTURALES

En los países hispanos no existe tanta separación entre *(among)* las generaciones como en Canadá. Los niños, los padres y los abuelos frecuentemente viajan y van a fiestas juntos.

Generalmente, ¿tú viajas con otros miembros de tu familia o prefieres ir con tus amigos?

LECCIÓN 12 ¿DÓNDE NOS HOSPEDAMOS?

© Kevin Foy / Alamy

Estrella y Mariana, dos chicas argentinas, están de vacaciones en Viña del Mar, Chile.

Estrella: Tenemos que encontrar un hotel que no sea muy caro y que quede cerca de la playa.

Mariana: ¡Estrella! ¡No hicimos reservaciones! ¡Y no hay ningún hotel que tenga habitaciones libres!

Estrella: No seas pesimista. A ver…queremos un hotel que tenga aire acondicionado, teléfono, televisor, servicio de habitación y, si es posible, vista al mar.

Mariana: ¡Qué optimista! Hay muchos hoteles que tienen todo eso, pero están llenos. Hay un montón de turistas, y muchas convenciones.

Estrella: ¡Espera! Ahí hay un hotel…

Mariana: Pero, dime una cosa: ¿No ves que es un hotel de lujo? Probablemente cobran cincuenta mil pesos por noche. Nosotras necesitamos uno que cobre mucho menos…

Estrella: Pero tú tienes una tarjeta de crédito, ¿no? Bueno, ven. Vamos a buscar un taxi que nos lleve a un hotel que no esté en la playa. Allí va a haber hoteles más baratos…

Mariana: O una pensión. ¡Acuérdate de que las pensiones son más baratas…!

Estrella y Mariana están hablando con el Sr. Ruiz, el dueño de la pensión.

Estrella: ¿Tiene un cuarto libre para dos personas?

Sr. Ruiz: Sí, hay uno disponible en el segundo piso, con dos camas chicas. Cobramos cien mil pesos por semana…

Mariana: ¿Eso incluye las comidas?

Sr. Ruiz: Sí, es pensión completa.

Estrella: ¿Los cuartos tienen baño privado y televisor?

Sr. Ruiz:	No, señorita. Hay tres baños en el segundo piso.Tienen bañadera y ducha con agua caliente y fría...y hay un televisor en el comedor.
Mariana:	*[A Estrella]* ¿Por qué no nos quedamos aquí? La pensión parece limpia y está en un lugar céntrico.
Estrella:	¿Hay alguna playa que esté cerca de aquí?
Sr. Ruiz:	Sí, hay una a cuatro cuadras. ¡Ah!, señorita, necesito el número de su pasaporte.
Mariana:	*[A Estrella]* ¡Uf! Estoy muy cansada. Ayúdame con las maletas, ¿quieres? Aquí no hay botones. Lo primero que voy a hacer es dormir un rato.
Estrella:	Bueno, pero después te voy a mostrar unos folletos sobre Buenos Aires.
Mariana:	¡Ay! ¡Ya estás planeando nuestras próximas vacaciones!

© Louis Fox/Digital Vision/Getty Images

© Zefa RF / Alamy

Hablemos

Sobre el diálogo

With a classmate, take turns asking and answering the following questions. Base your answers on the dialogue.

1. ¿En qué ciudad están de vacaciones las chicas?
2. ¿Qué están buscando ellas?
3. ¿Estrella quiere un cuarto con vista al jardín?
4. ¿Por qué están llenos los hoteles?
5. ¿En qué piso está la habitación disponible?
6. ¿Qué tienen los baños?
7. ¿Cómo es la pensión?
8. ¿Dónde está la playa?
9. ¿Qué es lo primero que va a hacer Mariana?
10. ¿Qué le va a mostrar Estrella a Mariana?

Entrevista a tu compañero(a)

With a classmate, take turns asking and answering these questions.

1. ¿Adónde vas de vacaciones?
2. En un hotel, ¿en qué piso prefieres tener tu habitación?
3. ¿Tú viajas con mucho equipaje?
4. Cuando estás de vacaciones, ¿a quiénes les mandas correos electrónicos?
5. ¿Es importante que haya un televisor en tu habitación? ¿Por qué?
6. ¿Prefieres hoteles, pensiones o hostales cuando viajas?
7. En lugares nuevos, ¿te gusta probar comida diferente?
8. ¿Qué te gusta hacer cuando estás de vacaciones?

DETALLES CULTURALES

Cuando los jóvenes canadienses viajan a países hispanos muchas veces prefieren hospedarse en hostales *(hostels)* que se pueden encontrar en muchas ciudades. En los hostales los jóvenes pueden conocer a personas de todas partes del mundo porque son populares con los extranjeros *(foreigners)*, pero también muchos jóvenes hispanos los usan.

Cuando viajas, ¿te hospedas en hostales o prefieres un hotel de lujo?

VOCABULARIO

Audio Flashcards

COGNADOS

la convención
el (la) optimista
el (la) pesimista
posible
privado(a)
probablemente
la reservación
el taxi
el (la) turista

SUSTANTIVOS

el aire acondicionado	*air conditioning*
el ascensor*	*elevator*
la calefacción	*heating*
la cama	*bed*
— chica	*twin bed*
la cédula de identidad*	*I.D. card*
el (la) dueño(a), propietario(a)	*owner*
la escalera	*staircase*
el hostal	*hostel*
el lujo	*luxury*
la pensión	*boarding house*
la persona	*person*
el piso	*floor*
el puesto de revistas*	*magazine stand*
el servicio de habitación, de cuarto	*room service*
la tienda de regalos	*souvenir shop*
el vestíbulo	*lobby*
la vista al mar	*ocean or sea view*

VERBOS

acordarse (de) (o > ue)	*to remember*
casarse (con)	*to marry, to get married (to)*
cobrar	*to charge*
comprometerse con	*to get engaged to*
confiar en	*to trust*
convenir en	*to agree on*
darse cuenta de	*to realize*
desocupar	*to vacate*
despegar	*to take off*
enamorarse de	*to fall in love with*
fijarse en	*to notice*
insistir en	*to insist on*
mostrar (o > ue)	*to show*
olvidarse de	*to forget*
parecer (yo parezco)	*to seem*
soñar con	*dream about*

ADJETIVOS

caliente	*hot*
céntrico(a)	*central*
libre, disponible	*vacant, available*
lleno(a)	*full*
segundo(a)	*second*

OTRAS PALABRAS Y EXPRESIONES

allí	*there*
dime una cosa	*tell me something*
en seguida	*right away*
hoy mismo	*this very day*
lo primero	*the first thing*
otra vez	*again*
la pensión completa	*room and board*
por suerte, afortunadamente	*luckily, fortunately*
próximo(a)	*next*
— día (lunes, mes, semana, año...)	*next day (Monday, month, week, year ...)*
¿Quieres...?	*Will you ...?*
si	*if*
sobre	*about*
un montón de	*a bunch of, many*
va a haber	*there is going to be*

DE PAÍS A PAÍS

el ascensor el elevador *(Méx., Cuba, Puerto Rico)*

la cédula de identidad el carnet de identidad *(Esp.)*

el puesto de revistas el quiosco, kiosco *(Arg., Esp.)*

la piscina la alberca *(Méx.)*

la bañadera la bañera *(Cono Sur)*; el baño *(Esp.)*

la ducha la regadera *(Méx.)*

Amplía tu vocabulario

Más sobre los hoteles

no funciona	*it doesn't work*
ocupado(a)	*occupied*
el precio	*price*

Quiero una habitación con vista
- **al jardín** *garden*
- **a la piscina*** *swimming pool*
- **al patio**
- **al mar** *sea*
- **a la playa** *beach*

Quiero una habitación
- **interior**
- **exterior**

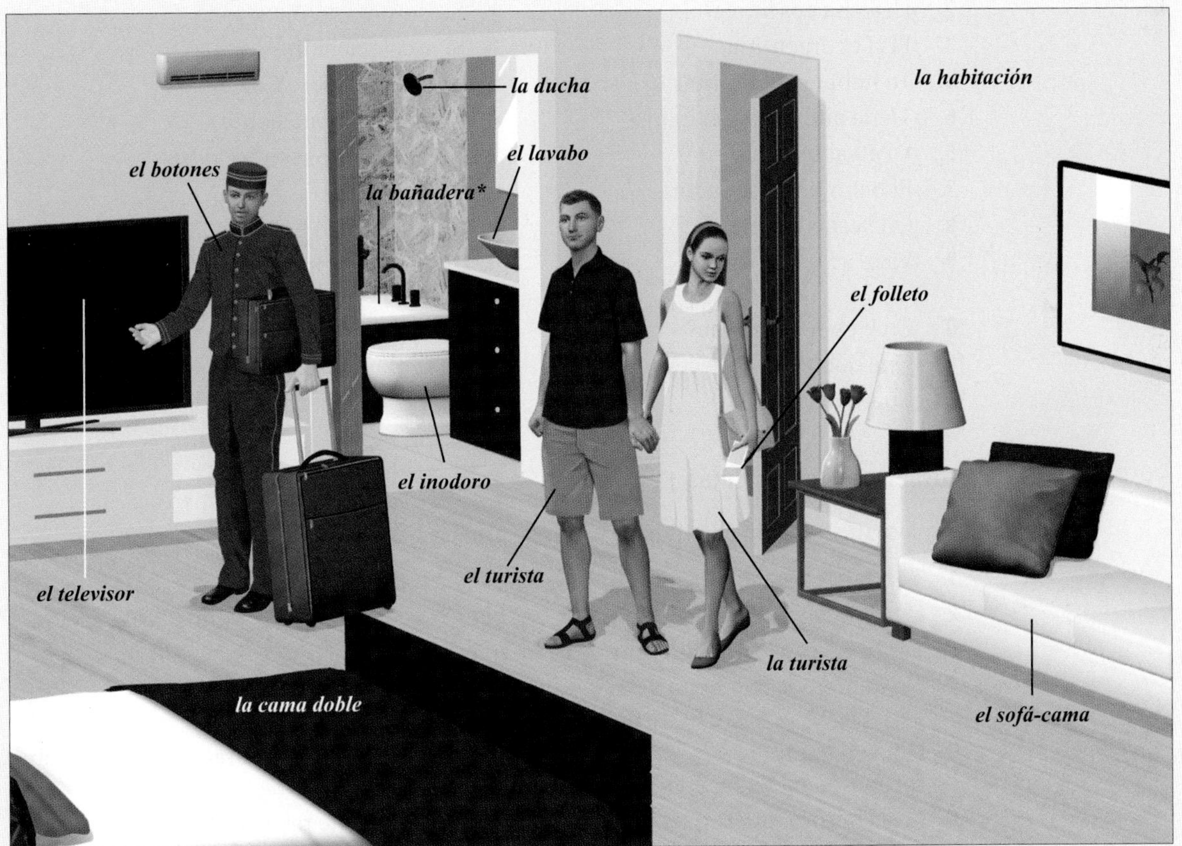

Para practicar el vocabulario

A. Palabras

Quiz Circle the word or phrase that doesn't belong in each group.

1. almuerzo / cena / escalera
2. jardín / dueño / botones
3. ducha / llave / bañadera
4. jabón / toalla / vestíbulo
5. cédula de identidad / piscina / pasaporte
6. televisor / revista / folleto
7. por suerte / hoy mismo / afortunadamente
8. inodoro / lavabo / céntrico

B. Preguntas y respuestas

Match the questions in column A with the answers in column B.

A	B
1. ¿Tenemos que ir a un restaurante?	a. No, con vista al mar.
2. ¿Hay cuartos libres?	b. Sí, pero yo no pienso ir.
3. ¿Elsa es argentina?	c. Sí, y calefacción.
4. ¿Tu habitación es interior?	d. Un folleto sobre Cuzco.
5. ¿Tiene aire acondicionado?	e. No, el hotel está lleno.
6. ¿Va a haber una fiesta?	f. Sí, y hablamos por un rato.
7. ¿El baño tiene bañadera?	g. Sí, es de Buenos Aires.
8. ¿Qué estás leyendo?	h. El inodoro no funciona.
9. ¿Viste a Susana?	i. Sí, porque el hotel no tiene servicio de habitación.
10. ¿Cuál es el problema?	j. No, tiene ducha.
11. ¿Qué documento necesita?	k. La semana próxima.
12. ¿Cuándo llegan?	l. Una cédula de identidad.

C. Oraciones incompletas

Complete the following sentences with vocabulary from **Lección 12**.

1. Mi cuarto está en el quinto *(fifth)* piso. Voy a tomar el ____________________.
2. Hace mucho calor. Necesitamos poner el ____________________ no la calefacción.
3. Ese hotel cuesta mucho porque es un hotel de ____________________.
4. No queremos comer en el restaurante del hotel. Vamos a pedir ____________________ de habitación.
5. Hoy tengo un ____________________ de cosas que hacer: preparar la cena, limpiar mi cuarto, hacer la tarea…
6. Elsa compró una revista en el ____________________ de revistas de la esquina.
7. Quieren una habitación con ____________________ al mar.
8. Nosotros vamos a dormir en la cama ____________________ y nuestro hijo duerme en el ____________________.
9. En el hotel no hay muchas habitaciones ____________________ este fin de semana porque hay una convención.
10. ¡Hoy ____________________ hay un concierto en el parque y es gratis!

D. En el hotel

What is the solution to these problems?

1. Quiero leer *Maclean's* pero no hay una copia en mi habitación.
2. No me gustan las habitaciones interiores.
3. Somos tres y sólo hay una cama doble en el cuarto.
4. Quiero comprar algo para llevarles a mis padres.
5. No sé cuánto cobran en el hotel.
6. No quiero recibir a mi amigo(a) en la habitación del hotel.
7. Tengo que subir a mi cuarto, que está en el décimo *(tenth)* piso.
8. Nos dieron una habitación con vista al patio, pero a nosotros no nos gusta.

E. Para conversar

Working with a classmate, pick one of the two scenarios below and create a dialogue between two people.

- A tourist wants to get a room at a hotel and an employee answers his or her questions about the services the hotel offers its guests.
- A hotel guest is unhappy about everything at the hotel and an employee tries to suggest solutions to all the problems.

Christopher Herwig/Getty Images

Don Alfonso es el dueño de un hostal pequeño en Lima. ¿Qué hay en el vestíbulo de su hotel? ¿Cómo es don Alfonso y cómo es su hotel? ¿Qué piensas que hay en las habitaciones?

Pronunciación

Pronunciation in context

In this lesson, there are some words or phrases that may be challenging to pronounce. Listen to the correct pronunciation; then say the following sentences out loud.

1. A ver… queremos un hotel que tenga **aire acondicionado.**
2. Vamos a buscar un taxi que nos lleve a Santiago. **Allí va a haber** hoteles más baratos.
3. ¿Por qué no nos quedamos aquí? La **pensión** parece limpia y está en un lugar **céntrico**.
4. Necesito el número de su **cédula** de **identidad**.
5. Después te voy a mostrar unos **folletos** sobre **Buenos Aires**.

PUNTOS PARA RECORDAR

Grammar Tutorial

1 Subjunctive to express indefiniteness and nonexistence

(El subjuntivo para expresar lo indefinido y lo no existente)

- The subjunctive is always used in the subordinate clause when the main clause refers to something or someone that is indefinite, unspecified, hypothetical, or nonexistent.

FLASHBACK

You may want to review the subjunctive formation pp. 252–253, as well as the conjugation of **incluir,** p. 274 (footnote).

—¿**Hay algún** paquete turístico que **incluya** el hotel?	*"**Is there any tour** that **includes** the hotel?"*
—No, **no hay ninguno** que lo **incluya**.	*"No, **there is not any** that **includes** it."*
—**Necesito un secretario** que **hable** francés.	*"**I need a secretary** who **speaks** French."*
—**No conozco a nadie** que **hable** francés.	*"**I don't know anyone** who **speaks** French."*
—**Estamos buscando un restaurante** donde sirvan comida italiana.	*"**We're looking for a restaurant** where **they serve** Italian food."*
—**Hay varios restaurantes** donde **sirven** comida italiana.	*"**There are several restaurants** where **they serve** Italian food."*

¡ATENCIÓN!

If the subordinate clause refers to existent, definite, or specified persons or things, the indicative is used instead of the subjunctive.

¿Hay un restaurante que sirva buenas tapas en la Plaza Mayor?

Práctica y conversación

Quiz

A. Minidiálogos

Complete the following dialogues, using the indicative or the subjunctive, as appropriate.

1. —¿Hay algún hotel que ________________ (quedar) cerca de la playa?
   —Sí, el hotel El Sol ________________ (quedar) a una cuadra de la playa.
2. —¿Sabes si hay algún cuarto libre que ________________ (tener) vista al mar?
   —No, pero hay uno que ________________ (tener) vista a la piscina.
3. —¿Hay alguien aquí que no ________________ (tener) pasaporte?
   —No, todos ________________ (tener) pasaporte y visa.
4. —Necesito un botones que ________________ (poder) llevar las maletas.
   —Tenemos un botones que ________________ (estar) ocupado en este momento, pero puede ayudarlos en unos minutos.

B. Vienen los argentinos

A family from Argentina has recently moved into your neighbourhood. Answer their questions.

1. ¿Hay alguien que quiera vender su casa?
2. ¿Hay algún restaurante que sirva comida argentina?
3. ¿Hay alguien que sepa español y quiera trabajar de traductor?
4. ¿Hay algún mercado que venda productos de Sudamérica?
5. Nuestro hijo es agente de viajes. ¿Sabe si hay alguna agencia que necesite empleados?
6. Queremos vender nuestro coche. ¿Conoce Ud. a alguien que necesite un auto?

C. En la pensión

Use your imagination to complete each statement.

1. Nuestro cuarto tiene vista al jardín, pero preferimos uno…
2. El baño tiene bañadera, pero yo quiero uno…
3. Esta pensión no incluye las comidas, pero yo necesito una…
4. Esta pensión es buena pero no está en un lugar céntrico; queremos una…
5. Este folleto es sobre Viña del Mar, pero nosotras necesitamos uno…

D. Dime una cosa

You and a classmate want to find out about each other's relatives and friends. Ask each other questions about the following, always beginning with:

¿Hay alguien en tu familia o entre *(among)* tus amigos que...?

1. jugar al béisbol
2. viajar a México todos los veranos
3. bailar muy bien
4. tener una piscina en su casa
5. celebrar su aniversario de bodas este mes
6. ser muy optimista
7. conocer España
8. hablar portugués
9. saber varios idiomas
10. trabajar para un hotel
11. ser empleado(a) de banco
12. ser argentino(a)

E. Nuestro viaje a España

In groups of three or four, play the role of very wealthy and lazy travellers who want to make arrangements for a trip to Spain. Say what you need people to do for you.

- **MODELO:** *Necesitamos a alguien que vaya a la agencia de viajes.*

2 Familiar commands *(Las formas imperativas de* tú *y de* vosotros)

Grammar Tutorial

- Regular affirmative commands in the **tú** form have exactly the same forms as the third-person singular (**él** form) of the present indicative.

FLASHBACK

You may wish to review the formal commands and first-person plural commands on pp. 287–288 and 290, in order to understand how they differ from familiar commands.

Verb	Present Indicative Third-Person Sing.	Familiar Command **(tú)**
hablar	él habla	**habla**
comer	él come	**come**
abrir	él abre	**abre**
cerrar	él cierra	**cierra**
volver	él vuelve	**vuelve**
pedir	él pide	**pide**
traer	él trae	**trae**

—¿Qué quieres que haga ahora?
—**Compra** los billetes para el viaje.

"What do you want me to do now?"
*"**Buy** the tickets for the trip."*

—¿Vas a poner el equipaje aquí?
—Sí, **tráeme** las maletas y el bolso de mano.

"Are you going to put the luggage here?"
*"Yes, **bring me** the suitcases and the carry-on bag."*

- Eight Spanish verbs are irregular in the affirmative command for the **tú** form. They are listed below.

decir	**di**
hacer	**haz**
ir	**ve**[1]
poner	**pon**
salir	**sal**
ser	**sé**
tener	**ten**
venir	**ven**

—**Dime**, ¿a qué hora quieres que venga?
—**Ven** a las ocho.

*"**Tell me**, at what time do you want me to come?"*
*"**Come** at eight."*

—**Haz**me un favor: **pon** estos folletos en la mesa.
—Sí, en seguida.

*"**Do** me a favour: **put** these brochures on the table."*
"Yes, right away."

¡ATENCIÓN!

As with the formal commands, direct, indirect, and reflexive pronouns are always placed *after* an affirmative command and are attached to it. A written accent must be placed on the stressed syllable.

Dámelo ahora. — *Give it to me now.*
¿La chaqueta? **Quítatela.** — *The jacket? Take it off.*

[1]Note that **ir** and **ver** have the same affirmative **tú** command: **ve**.

- The affirmative command form for **vosotros** is formed by changing the final **-r** of the infinitive to **d.**

Infinitive	Familiar Command **(vosotros)**
habla**r**	habla**d**
come**r**	come**d**
escribi**r**	escribi**d**
i**r**	i**d**
sali**r**	sali**d**

- When the affirmative command of **vosotros** is used with the reflexive pronoun **os,** the final **-d** is dropped.

bañar	baña**d**	**bañaos**
poner	poned	**poneos**
vestir	vesti**d**	**vestíos**[2]

Bañaos antes de cenar. — ***Bathe*** *before dinner.*

Poneos los zapatos. — ***Put*** *your shoes* ***on.***

Vestíos aquí. — ***Get dressed*** *here.*

- Only one verb doesn't drop the final **-d** when the **os** is added.

irse — **¡Idos!** — ***Go away!***

- The negative commands of **tú** and **vosotros** use the corresponding forms of the present subjunctive.

hablar	no **hables** tú	no **habléis** vosotros
vender	no **vendas** tú	no **vendáis** vosotros
decir	no **digas** tú	no **digáis** vosotros
salir	no **salgas** tú	no **salgáis** vosotros

—**No vayas** a la agencia de viajes hoy.
—Entonces voy mañana.

"Don't go *to the travel agency today."*
"Then I'll go tomorrow."

—**No** me **esperes** para comer.
—**¡No** me **digas** que hoy también tienes que trabajar!

"Don't wait for *me to eat."*
"Don't tell *me you have to work today also!"*

¡ATENCIÓN!

In a negative command, all object pronouns are placed before the verb.

No **me** esperes para comer. *Do not expect me to eat.*

[2]Note that the **-ir** verbs take a written accent over the **i** when the reflexive pronoun **os** is added.

Práctica y conversación

A. Órdenes

Quiz

Using command forms, tell your friend what to do.

- **MODELO:** Tienes que hablar con el dueño ahora.
  Habla con el dueño ahora.

1. Tienes que llamarme este fin de semana.
2. Tienes que hacer las camas.
3. Tienes que tener paciencia *(be patient)* con él.
4. Tienes que decirle que no venga hoy.
5. Tienes que ir a la agencia de viajes y comprar los pasajes.
6. Tienes que salir en seguida.
7. Tienes que quedarte aquí.
8. Tienes que venir dentro de quince días.

B. Órdenes negativas

Now make all of the commands above negative.

C. A mi hermanito

You are going away for the day. Tell your younger brother what to do and what not to do.

1. levantarse temprano y bañarse
2. preparar el desayuno
3. no tomar refrescos
4. hacer la tarea
5. no abrirle la puerta a nadie
6. limpiar su cuarto
7. no mirar la televisión y no traer a sus amigos a la casa
8. traer pan y ponerlo en la mesa
9. ir al mercado y comprar frutas
10. llamar a papá y decirle que venga temprano

D. Haz esto... haz lo otro... *(Do this ... do that ...)*

With a partner, take turns giving two commands, one affirmative and one negative, that the following people would likely give.

1. una madre (un padre) a su hijo de quince años
2. un(a) estudiante a su compañero(a) de cuarto (de clase)
3. un muchacho a su novia (una muchacha a su novio)
4. un(a) doctor(a) a una niña
5. un(a) profesor(a) a un estudiante
6. un esposo a su esposa (una esposa a su esposo)

E. De viaje

With a classmate, play the role of two friends who are planning to travel together. Tell each other what you should do to prepare for the trip, using familiar commands. You may wish to talk about what you should or shouldn't pack for the trip, who you should contact before you go, what tasks should be taken care of prior to the trip, etc.

RODEO Summary of the Command Forms
(Resumen de las formas del imperativo)

Usted	Ustedes	Tú		Nosotros
		Affirmative	*Negative*	
hab**le**	hab**len**	hab**la**	no hab**les**	hab**lemos**
co**ma**	co**man**	co**me**	no co**mas**	co**mamos**
ab**ra**	ab**ran**	ab**re**	no ab**ras**	ab**ramos**
cier**re**	cier**ren**	cier**ra**	no cier**res**	cer**remos**
vay**a**	vay**an**	**ve**	no vay**as**	**vamos**[3]

Grammar Tutorial

3 Verbs and prepositions *(Verbos y preposiciones)*

The prepositions **con, de,** and **en** can be used with verbs to form certain expressions. Some of the idioms are as follows:

acordarse de	*to remember*
alegrarse de	*to be glad*
casarse con	*to marry, to get married (to)*
comprometerse con	*to get engaged to*
confiar en	*to trust*
convenir en	*to agree on / to*
darse cuenta de	*to realize*
enamorarse de	*to fall in love with*
entrar en (a)	*to go (come) into*
fijarse en	*to notice*
insistir en[4]	*to insist on*
olvidarse de	*to forget*
soñar con	*to dream about*

—Celia **se comprometió con** David.	*"Celia* ***got engaged to*** *David."*
—Yo creía que iba a **casarse con** Alberto.	*"I thought* ***she*** *was going* ***to marry*** *Alberto."*
—No, ella se **enamoró de** David.	*"No, she* ***fell in love with*** *David."*
—**Insistieron en** venir esta noche.	*"****They insisted on*** *coming tonight."*
—Sí, no **se dieron cuenta de** que teníamos que trabajar.	*"Yes,* ***they didn't realize*** *that we had to work."*

¡ATENCIÓN!

Notice that the English translation of these expressions may not use an equivalent preposition.

[3]Remember that the affirmative command uses the indicative form **vamos**, but the negative command uses the subjunctive form **no vayamos**.

[4]The subjunctive is commonly used with the verb **insistir**.

Insisten en que tú vengas a visitarlos. *They insist that you come to visit them.*

Práctica y conversación

Quiz

A. Lo que pasa…

Look at the pictures below and complete each statement.

1. Marisa decidió ____________________ ____________________ Daniel.

2. Mirta y Raúl ____________________. Piensan casarse en junio.

3. Graciela no ___________ del número de teléfono de Pepe.

4. Marisol ________________ ________________ de ver a Tito.

5. Rodolfo ____________________ la casa de Eva.

6. Pedro ____________________ ir con Alina.

B. Entrevista a tu compañero(a)

Interview your partner by asking the following questions.

1. ¿En quién confías?
2. ¿De qué te alegras?
3. ¿Algún amigo tuyo se ha comprometido últimamente? ¿Con quién?
4. ¿Te fijaste en los apéndices del libro? ¿Qué información tienen?
5. ¿Te acordaste de traer tus libros a clase? ¿De qué te olvidaste?
6. ¿Te alegras de estar en esta universidad? ¿Por qué?
7. ¿A qué hora entró el (la) profesor(a) en la clase?
8. ¿Sueñas con viajar a un país hispano? ¿A cuál país?

4 Ordinal numbers *(Números ordinales)*

primero(a)[5]	*first*	**sexto(a)**	*sixth*
segundo(a)	*second*	**séptimo(a)**	*seventh*
tercero(a)	*third*	**octavo(a)**	*eighth*
cuarto(a)	*fourth*	**noveno(a)**	*ninth*
quinto(a)	*fifth*	**décimo(a)**	*tenth*

- Ordinal numbers agree in gender and number with the nouns they modify.

el segundo **chico** — la segunda **chica**

los primeros **días** — las primeras **semanas**

¡ATENCIÓN!

The ordinal numbers **primero** and **tercero** drop the final **-o** before masculine singular nouns.

el **primer**[6] día — el **tercer**[7] año

- Ordinal numbers are seldom used after **décimo.**

—Nosotros estamos en el **segundo** piso. ¿Y Uds.? — *"We are on the* ***second*** *floor. And you?"*
—Estamos en el **tercer** piso. — *"We are on the* ***third*** *floor."*

Práctica y conversación

Quiz

A. Los meses del año

With a partner, quiz each other on the order of the first ten months of the year. Follow the model.

- **MODELO:** —Septiembre.
  —Septiembre es el noveno mes del año.

B. ¿Cómo se expresa en español?

Complete the sentences below expressing the ordinal numbers indicated in Spanish.

1. El día de Canadá es el ________________ (1st) día de julio.
2. Yo no conozco a la ________________ (3rd) chica que entró en la clase.
3. Nosotros vivimos en la ________________ (5th) calle a la derecha.
4. ¿Tú tienes el ________________ (7th) libro que escribió ese autor?
5. Ellos están en el ________________ (10th) piso del hotel.
6. Anita fue la ________________ (2nd) estudiante que terminó el examen.
7. Decidieron quedarse en la ________________ (4th) pensión que encontraron.
8. Roberto compró el ________________ (8th) suéter que se probó.

[5]Abbreviated as **1°, 2°, 3°,** and so on.
[6]Abbreviated as **1er**.
[7]Abbreviated as **3er**.

Elena y Mario quieren ver la ciudad. ¿Qué quiere hacer Elena primero? Y después, ¿qué van a hacer?

Fuse/Getty Images

Grammar Tutorial

5 Future tense *(Futuro)*

- Most Spanish verbs are regular in the future, and the infinitive serves as the stem of almost all verbs. The endings are the same for all three conjugations.

FLASHBACK

Review the present indicative of **haber** on p. 248. Compare the endings with those of the future tense. What are the similarities?

Formation of the Future Tense			
Infinitive		*Stem*	*Endings*
trabajar	yo	trabajar-	**é**
aprender	tú	aprender-	**ás**
escribir	Ud., él, ella	escribir-	**á**
entender	nosotros(as)	entender-	**emos**
ir	vosotros(as)	ir-	**éis**
dar	Uds., ellos, ellas	dar-	**án**

¡ATENCIÓN!

Note that all the endings, except that of the **nosotros(as)** form, take accent marks.

— ¿Adónde **irán** Uds. esta tarde? *"Where **will** you **go** this afternoon?"*
— **Iremos** al museo de arte. *"**We will go** to the art gallery."*

- A small number of Spanish verbs are irregular in the future tense. These verbs have an irregular stem; however, the endings are the same as those for regular verbs.

Irregular Future Stems		
Infinitive	*Stem*	*First-Person Sing.*
decir	dir-	**diré**
hacer	har-	**haré**
haber	habr-	**habré**
querer	querr-	**querré**
saber	sabr-	**sabré**
poder	podr-	**podré**
poner	pondr-	**pondré**
salir	saldr-	**saldré**
tener	tendr-	**tendré**
venir	vendr-	**vendré**

—¿A qué hora **saldrán** para el concierto? | *"At what time* ***will you leave*** *for the concert?"*
—**Saldremos** a las siete. | *"****We will leave*** *at seven."*

—¿**Podrás** venir mañana? | *"****Will you be able*** *to come tomorrow?"*
—Sí, **vendré** después de comer. | *"Yes,* ***I will come*** *after I eat."*

¡ATENCIÓN!

The future of **hay** (impersonal form of **haber**) is **habrá**.

¿**Habrá** una conferencia? — ***Will there be*** a lecture?

Uses of the future tense

- The English equivalent of the Spanish future tense is *will* or *shall* plus a verb. As you have already learned, Spanish also uses the construction **ir a** plus an infinitive, or the present tense with a time expression, to refer to future actions, events, or states.

  Esta noche **iremos** al cine. — *Tonight* ***we will go*** *to the movies.*

  Esta noche **vamos a ir** al cine. — *Tonight* ***we're going to go*** *to the movies.*

  Esta noche **vamos** al cine. — *Tonight* ***we're going*** *to the movies.*

- Unlike English, the Spanish future is *not* used to express willingness. In Spanish, willingness is expressed by the verb querer.

  —¿**Quieres** llamar a Eva? — *"****Will you*** *call Eva?"*
  —Ahora no puedo. — *"I can't now."*

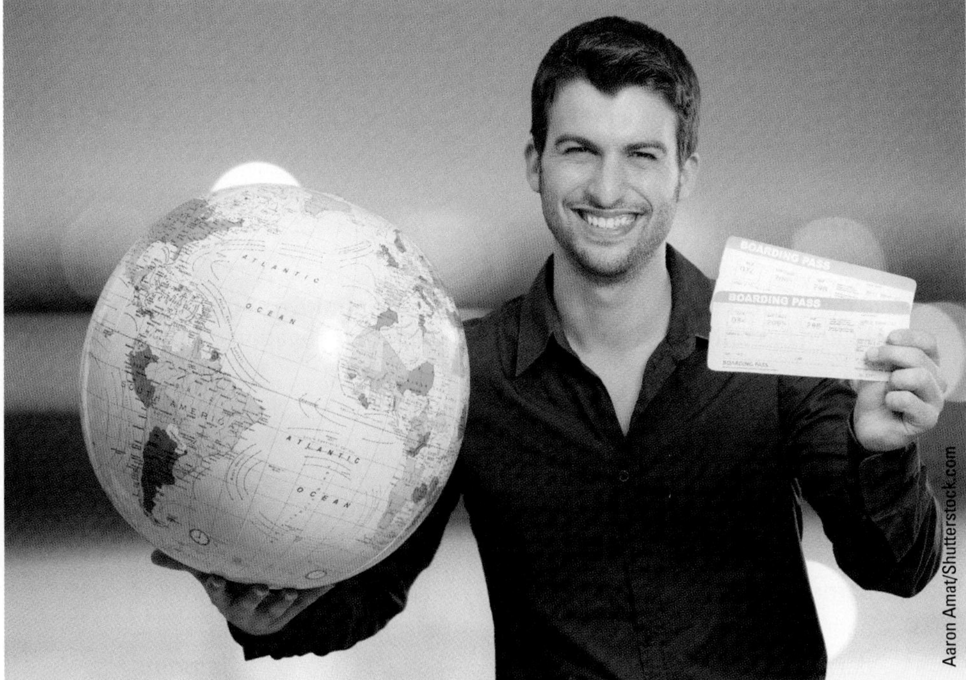

Luis Felipe irá a Argentina en enero. ¿Qué hará allí?

Práctica y conversación

Quiz

A. ¿Qué harán?

Rewrite the following sentences, using the future tense. Follow the model.

• **MODELO:** Voy a viajar a Sudamérica en mayo.
Viajaré a Sudamérica en mayo.

1. Clara, Rebeca y yo vamos a buscar un hotel barato.
2. El botones va a llevar las maletas a la habitación.
3. Después Clara va a poder tomar una siesta.
4. Rebeca va a escribir unas tarjetas postales.
5. Yo voy a salir a caminar por la ciudad.
6. A las siete nosotras vamos a ir a un restaurante para cenar.
7. El próximo día vamos a pagar con una tarjeta de crédito.
8. Clara y Rebeca van a regresar a Canadá, pero yo voy a seguir viajando en Sudamérica.

B. El verano pasado

The following paragraph describes what happened last summer. Change all the verbs to the future to indicate what will happen in the upcoming summer.

En el verano, mi familia y yo **fuimos** a California. **Estuvimos** en San Diego por una semana. **Alquilamos** un apartamento cerca de la playa y unos amigos madrileños **vinieron** a quedarse con nosotros. Diego y Jaime **hicieron** surf. Mi padre **pasó** un par de días pescando, y Gloria y yo **buceamos, tomamos** el sol y por la noche **salimos** con unos amigos. **Nos divertimos** mucho pero **tuvimos** que volver para empezar las clases.

C. Planes para las vacaciones

In groups of three, tell each other three or four things you plan to do during your summer vacation, using the future tense. Your classmates may ask for more details.

Grammar Tutorial

6 Conditional tense *(Condicional)*

• Like the future, the Spanish conditional uses the infinitive as the stem for most verbs and has only one set of endings for all three conjugations.

—Me **gustaría** ir al parque. *"I **would like** to go to the park."*

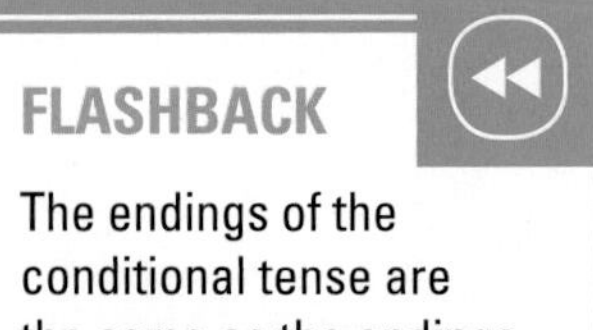

FLASHBACK

The endings of the conditional tense are the same as the endings for **-er** / **-ir** verbs in the imperfect. See pp. 201–202.

Formation of the Conditional Tense			
Infinitive		*Stem*	*Endings*
trabajar	yo	trabajar-	**ía**
aprender	tú	aprender-	**ías**
escribir	Ud., él, ella	escribir-	**ía**
dar	nosotros(as)	dar-	**íamos**
hablar	vosotros(as)	hablar-	**íais**
preferir	Uds., ellos, ellas	preferir-	**ían**

—Me **gustaría** ir al parque. *"I **would like** to go to the park."*
—Nosotros **preferiríamos** ir a la piscina. *"We **would prefer** to go to the pool."*

—Voy a invitar a Julia. *"I'm going to invite Julia."*
—Yo no la **invitaría.** *"I **would** not **invite** her."*

- The verbs that are irregular in the future tense have the same irregular stems in the conditional. The endings are the same as those for regular verbs.

Irregular Conditional Stems		
Infinitive	*Stem*	*First-Person Sing.*
decir	dir-	**diría**
hacer	har-	**haría**
haber	habr-	**habría**
querer	querr-	**querría**
saber	sabr-	**sabría**
poder	podr-	**podría**
poner	pondr-	**pondría**
salir	saldr-	**saldría**
tener	tendr-	**tendría**
venir	vendr-	**vendría**

—¿Qué **podría** hacer yo para ayudarte? *"What **could** I do to help you?"*
—**Podrías** lavar los platos. *"You **could** wash the dishes."*

¡ATENCIÓN!

The conditional of **hay** (impersonal form of **haber**) is **habría**.

Dijo que **habría** una reunión. *He said **there would be** a meeting.*

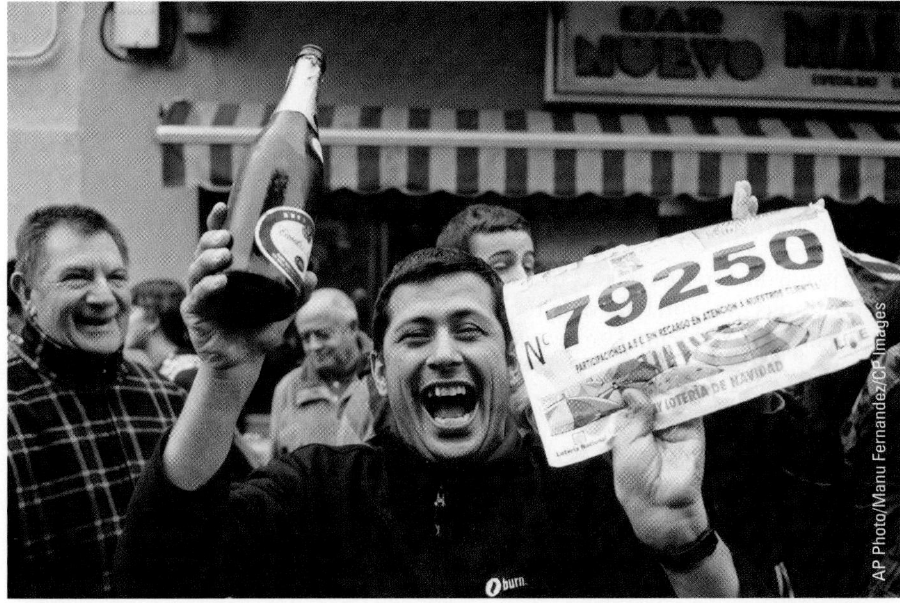

AP Photo/Manu Fernandez/CP Images

Este señor ganó El Gordo, una lotería español. ¿Qué harías tú con un millón de dólares?

Uses of the conditional

- The Spanish conditional is equivalent to the English *would* plus a verb.

—¿Qué **harías** tú?	*"What **would** you **do?**"*
—Yo **iría** a una pensión.	*"I **would** go to a boarding house."*

- In Spanish, the conditional is also used to soften a request or to express politeness.

—¿Podrías venir un momento?	*"Could you come for a minute?"*
—Sí, en seguida.	*"Yes, right away."*

Quiz

Práctica y conversación

A. ¿Qué harían ustedes?

You and your friends are not like your sister and her friends. Say what you would do differently from them and explain why.

- **MODELO:** Mi hermana viaja en primera clase.
  Yo viajaría en segunda clase para ahorrar dinero.

1. Mi hermana pide una cama chica. Yo ...
2. Ella y sus amigas compran revistas en una tienda. Nosotros las ...
3. Mi hermana nada en la piscina. Yo ...
4. Ella y sus amigas salen a un restaurante por la noche. Nosotros ...
5. Mi hermana hace una paella para la cena. Yo ...
6. Ella y sus amigas ponen música canadiense. Nosotros ...
7. Mi hermana se acuesta a las once. Yo me ...
8. Mi hermana y sus amigas estudian por la noche. Yo ...

B. Sugerencias

With a classmate, discuss what would you do in the following circumstances.

¿Qué harías...

- para sacar mejores notas?
- para conseguir un buen empleo?
- para impresionar a un chico (una chica)?
- para ayudar a un amigo (una amiga) enfermo(a)?
- para prepararte para una visita de tus padres?

C. Un viaje maravilloso

You have just won two free tickets to Spain for you and a friend. With a classmate say at least three things that you would do to prepare for the trip and then three things that you would do once in Spain. Use a variety of verbs. **Primero yo...**

RODEO Summary of the Tenses of the Indicative *(Resumen de los tiempos del indicativo)*

Simple Tenses

	-ar	-er	-ir
Presente	hablo	como	viv**o**
Pretérito	hablé	comí	viv**í**
Imperfecto	hablaba	comía	viv**ía**
Futuro	hablaré	comeré	vivir**é**
Condicional	hablaría	comería	vivir**ía**

Compound Tenses

Pretérito perfecto	**he** habl**ado**	**he** com**ido**	**he** viv**ido**
Pretérito pluscuamperfecto	**había** habl**ado**	**había** com**ido**	**había** viv**ido**

Práctica y conversación

Entrevista a tu compañero(a)

Interview your partner, asking the following questions.

1. ¿Quién fue tu profesor(a) de español el semestre pasado?
2. ¿Hablaste con el (la) profesor(a) antes de comenzar esta clase?
3. ¿Sabías un poco de español antes de venir a la universidad?
4. ¿Continuarás estudiando español?
5. ¿Qué tendrás que hacer para hablar español perfectamente?
6. ¿Has visitado algún país de habla hispana?
7. ¿En qué país de habla hispana te gustaría vivir?
8. ¿Qué ciudades interesantes de Canadá has visitado?
9. ¿Qué te gustaba hacer cuando estabas en la escuela secundaria?
10. ¿Qué películas has visto últimamente?
11. ¿Qué tuviste que hacer hoy antes de venir a la clase?
12. ¿Vives cerca o lejos de la universidad?

Práctica y traducción

Review the vocabulary and grammatical concepts studied in **Lección 12** as you translate the following sentences.

1. They need a room that is big and has air conditioning.
2. Paquito, get up early tomorrow and make your bed.
3. Claudia fell in love with Daniel in the third month of classes.
4. I will go to Chile next year and I'll be able to speak Spanish. *(Use the future form.)*
5. Tito wants a hotel with a pool. I would prefer a small boarding house.

ENTRE NOSOTROS

¡Conversemos!

Para conocernos mejor

Get to know your partner better by asking each other the following questions.

1. Cuando viajas, ¿te hospedas en un hotel o en una pensión?
2. Generalmente, ¿haces reservaciones en los hoteles antes de viajar?
3. ¿Prefieres un hotel que esté en un lugar céntrico o uno que quede lejos de todo?
4. Cuando vas a un hotel, ¿tú llevas tus maletas al cuarto o las lleva el botones?
5. En un hotel, ¿qué tipo de cuarto prefieres?
6. Si tu cuarto en el hotel está en el segundo piso, ¿usas el ascensor o la escalera?
7. Cuando vas a un hotel, ¿a qué hora desocupas el cuarto?
8. ¿Tu casa tiene aire acondicionado y calefacción?
9. ¿Tenías televisor en tu cuarto cuando eras niño(a)?
10. En tu cuarto, ¿tienes una cama chica o una cama doble?

Búsqueda de gente

Interview your classmates to identify who fits the following descriptions. Include your instructor, but remember to use the **Ud.** form when addressing him or her.

NOMBRE	
1.	tiene una piscina en su casa.
2.	tiene un sofá-cama en su casa.
3.	generalmente usa la ducha y no la bañadera.
4.	compró algo en una tienda de regalos la semana pasada.
5.	piensa viajar el próximo verano.
6.	probablemente va a viajar con su familia.
7.	nunca paga más de 100 dólares por noche en un hotel.
8.	fue a una convención el año pasado.
9.	es una persona organizada.
10.	tiene un montón de cosas que hacer.

Y ahora…

Write a brief summary indicating what you have learned about your classmates.

¿Cómo lo decimos?

What would you say in the following situations? What might the other person say? Act out these scenes with a partner.

1. You need a room for two people with a private bathroom and air conditioning. Find out the price, when you have to check out, whether the room overlooks the street, and whether the hotel has room service.
2. At a boarding house, find out what meals the price includes.
3. A friend will be staying at your house while you are away. Tell him or her what to do.

¿Qué dice aquí?

Answer the questions about the Hotel Tabaré. Base your answers on the information provided in the ad.

1. ¿Cómo se llama el hotel? ¿Está en un lugar céntrico? ¿Es un hotel de lujo?
2. ¿Cómo son las habitaciones?
3. ¿Vamos a tener calor en la habitación?
4. ¿Podemos ver la tele en nuestro cuarto?
5. Si necesitamos mandar mensajes electrónicos, ¿podemos hacerlo desde el hotel?
6. ¿Qué clase de comida sirven? ¿Tienen servicio de habitación?
7. Nos gusta hacer ejercicio y nadar todos los días, ¿podemos hacerlo en el hotel?
8. ¿El hotel está cerca del aeropuerto? ¿Podemos dejar el coche en el hotel?
9. ¿Con qué podemos pagar en el hotel?

Hotel Tabaré

En el centro de Madrid

- ✦ Habitaciones dobles y sencillas con baño privado
- ✦ Aire acondicionado y TV por cable
- ✦ Acceso a la Internet
- ✦ Restaurante con comida típica e internacional
- ✦ Servicio de habitación las 24 horas del día
- ✦ Música en vivo sábados y domingos, de 8 P.M. a 11 P.M.
- ✦ Piscina y gimnasio
- ✦ Amplio estacionamiento

Se aceptan tarjetas de crédito

Avenido Artigas, 214 a 20 minutos del aeropuerto llame: 990-73-32

Para escribir

En un hotel

Write a conversation between you and a hotel clerk. Make reservations and ask about prices and accommodations.

UN DICHO

Dime con quién andas, y te diré quién eres.

Find out what the English equivalent of this saying is.

Dos estudiantes de viaje en Buenos Aires, Argentina

ASÍ SOMOS

Vamos a ver

¡Suban al avión!

ESTRATEGIA

Special vocabulary

Before you do the first activity with a classmate, find all the words and phrases that relate to travelling, and make them part of your vocabulary. Read the **Avance** to see what the video is about, and try to determine what is going to happen.

Antes de ver el video

 A. **Preparación**

Take turns with a partner asking and answering the following questions.

1. ¿Te gusta viajar en avión o prefieres viajar en coche? ¿Cuál crees tú que es más seguro?
2. ¿Te gusta la idea de ser piloto? ¿Quieres ser auxiliar de vuelo?
3. ¿Crees que es una buena idea sentarse cerca de la salida de emergencia?
4. Cuando viajas en avión, ¿te levantas de tu asiento frecuentemente?
5. ¿Qué es necesario hacer cuando el avión va a despegar?
6. Si tú decides viajar, ¿hay alguien que pueda viajar contigo?
7. Generalmente, ¿cuánto tiempo estudias antes de tomar los exámenes finales?
8. ¿Qué piensas hacer después de terminar las clases?

El video

Avance

Marisa tiene la oportunidad de viajar a Miami con su mamá, que tiene dos pasajes. Marisa le pide a Pablo que la ayude a convencer a su mamá de que ella puede viajar en avión.

Después de ver el video

B. ¿Quién lo dice?

Who said the following sentences? Take turns with a partner answering.

Pablo **Marisa** **La mamá de Marisa**

1. ¡Ay, Marisa! No me digas que tienes una de tus ideas... Dile simplemente que el avión es más seguro que el carro...
2. No hay nadie que pueda ir ahora. Los exámenes finales son en dos semanas.
3. Señorita, ¿tiene un asiento cerca de la salida de emergencia?
4. Mamá insiste en que invite a una de mis amigas...
5. Está bien. A las cuatro estoy allí.
6. ¡No! No quiero mirar por la ventanilla. Además, necesito levantarme...

C. ¿Qué pasa?

Take turns with a partner asking and answering the following questions. Base your answers on the video.

1. ¿Qué no quiere hacer la mamá de Marisa?
2. ¿Qué quiere Pablo que Marisa le diga a su mamá?
3. ¿Por qué está nerviosa la mamá de Marisa?
4. ¿Quién le regaló dos pasajes a la mamá de Marisa?
5. Además de los pasajes, ¿qué incluye el paquete?
6. ¿A qué hora va a estar Pablo en el apartamento de Marisa?
7. ¿La mamá de Marisa quiere un asiento de ventanilla?
8. Pablo dice que el avión va a despegar. ¿Qué tienen que abrocharse los pasajeros?
9. ¿Qué quiere hacer la mamá de Marisa?
10. ¿A quién puede invitar Marisa?
11. ¿Cuántas amigas de Marisa pueden ir con ella?
12. ¿Qué sabía Marisa?

D. Más tarde

With a partner, use your imaginations to talk about what might happen after the scenes depicted in the video. Take turns asking and answering the following questions.

1. La mamá de Marisa decide viajar a otra ciudad. ¿Adónde va? ¿Cómo viaja?
2. ¿Qué asientos reserva Marisa?
3. ¿Cómo se llama la amiga que va a viajar con ella?
4. Marisa va a Miami. ¿Qué le trae a su mamá? ¿Y a Pablo?
5. ¿A Marisa le fue bien en los exámenes finales?
6. ¿En qué fecha terminaron los exámenes finales?
7. ¿Qué hizo Pablo mientras *(while)* Marisa estaba en Miami?
8. Cuando Marisa volvió de Miami, ¿quién fue a buscarla *(to pick her up)* al aeropuerto?

EL MUNDO HISPÁNICO

Soren Egeberg Photography/Shutterstock.com

Sunsinger/Shutterstock.com

1. La estación de esquí Portillo está a dos horas de la capital de Chile, Santiago.

2. Un pingüino de penacho amarillo *(Rockhopper penguin)* en Puerto Deseado, Patagonia, Argentina. Durante sus viajes en el *HMS Beagle*, Charles Darwin visitó Puerto Deseado en 1833.

3. El Faro de José Ignacio. Este pueblo está muy cerca del centro turístico Punta del Este, Uruguay.

4. La Alhambra en Granada, España, fue construida por los moros cuando ocuparon la península. Ahora es uno de los lugares más visitados de España.

CHILE 

- La cordillera de los Andes atraviesa *(goes through)* el país de norte a sur. En Chile encontramos algunas de las montañas más altas de Sudamérica, y por eso los deportes de invierno son muy populares. Muy cerca de la capital, Santiago, hay excelentes lugares para esquiar.
- Chile exporta tanta fruta que se le considera la frutería del mundo. Sus vinos tienen fama internacional.
- Dos escritores chilenos de fama internacional son Pablo Neruda y Gabriela Mistral, ganadores del Premio Nobel de Literatura. Una escritora chilena de gran fama es Isabel Allende, autora de *La casa de los espíritus,* entre otras novelas.

ARGENTINA 

- Argentina, por su extensión, es el país más grande de habla hispana. La mayor parte de sus habitantes son de origen europeo, principalmente italianos.
- En este país se encuentra el pico más alto del mundo occidental: el Aconcagua. Muchos turistas vistan Argentina por su naturaleza increíble.
- Su capital, Buenos Aires, es la ciudad más grande del hemisferio sur. Buenos Aires es la tierra del tango, del mate y del fútbol. Tiene marcadas influencias europeas y se la conoce como "El París de Sudamérica". Un lugar famoso de gran atracción turística es La Boca, por ser el lugar donde nació el tango.

CHILE

ARGENTINA

URUGUAY

ESPAÑA

3

Ksenia Ragozina/Shutterstock.com

4

lotsostock/Shutterstock.com

URUGUAY 

- Uruguay, uno de los países más pequeños de Sudamérica, ha contribuido mucho al mundo de la literatura hispana. Unos de sus grandes escritores son Juana de Ibarbourou, Horacio Quiroga, Mario Benedetti, Cristina Peri Rossi y Eduardo Galeano.
- Uruguay es uno de sólo cinco países que ha ganado la Copa Mundial de la FIFA dos veces o más.
- Montevideo, la capital, es una de las ciudades más cosmopolitas de Hispanoamérica, y es el centro administrativo, económico y cultural del país. Allí vive casi la mitad de su población, que es de unos tres millones y medio de habitantes.
- Punta del Este, uno de los centros turísticos más famosos de América Latina, es muy popular por sus hermosas playas y por los festivales de cine que allí se celebran.

ESPAÑA 

- España es un país impresionante por su historia y cultura. Además tiene una diversidad geográfica increíble, montañas y playas espectaculares.
- Cada provincia tiene su música, artesanía y cocina típica. Por ejemplo, Andalucía es famosa por el flamenco, Valencia por la paella y la Rioja por su vino.
- Madrid, la capital, es un centro de negocios importante. En el norte están Barcelona, la segunda ciudad más grande del país, y Pamplona, conocida por sus encierros y sus corridas de toros. En el sur, la Alhambra de Granada, la Giralda de Sevilla y la Mezquita *(Mosque)* de Córdoba son verdaderos tesoros construidas por los árabes.
- Entre sus famosos escritores está Miguel de Cervantes, creador de *Don Quijote*, una de las obras literarias que más ha influido en todo el mundo. En el Museo del Prado se conserva la colección más grande de las obras de pintores como Murillo, Velázquez, El Greco y Goya, entre otros. Tres grandes pintores del siglo XX son españoles: Salvador Dalí, Joan Miró y Pablo Picasso.

El mundo hispano y tú 

With a partner, discuss the following questions.

1. ¿Cómo se llama el centro turístico más importante de Uruguay? ¿Hay playas famosas en Canadá? ¿Alguna vez has viajado a una playa en un país del mundo hispánico?
2. ¿Qué cordillera atraviesa Chile? ¿Cuáles son dos cosas que exporta Chile? ¿Qué montañas importantes hay en Canadá? ¿Canadá importa algo de Chile?
3. ¿Cuál es el país más grande de habla hispana? ¿Cómo es su capital, Buenos Aires? ¿Conoces el tango? ¿Canadá tiene un baile nacional?
4. ¿Por qué es impresionante España? ¿Cómo es Madrid? ¿Cuáles son otras ciudades importantes de España? ¿Alguna vez has visitado este país? ¿Te gustaría visitar España algún día?

TOMA ESTE EXAMEN

Lesson Review

LECCIÓN 11

A. Subjunctive to express doubt, denial, and disbelief

Complete the following sentences, using the subjunctive or the indicative of the verbs in parentheses.

1. Estoy seguro de que el avión ________________ (salir) a las seis de la mañana.
2. Dudo que este hotel ________________ (tener) servicio de habitación.
3. No estoy seguro de que Ana ________________ (venir) con nosotros a Madrid.
4. Ellos no dudan que mi mamá ________________ (servir) el almuerzo a la una.
5. Yo niego que mi hermano ________________ (ser) un trabajador perezoso *(lazy)*.
6. No es cierto que Humberto ________________ (estar) en Winnipeg ahora.
7. Es verdad que los estudiantes ________________ (empezar) los exámenes en abril.
8. No creo que tú ________________ (poder) ir al cine con nosotros.
9. Dudamos que los pasajeros ________________ (llegar) al aeropuerto tarde.
10. Tú sabes que mañana yo ________________ (volver) a la universidad a las nueve.

B. More practice with subjunctive to express doubt, denial, and disbelief

Rewrite each sentence using the subjunctive or the indicative, as appropriate.

1. Están llamando a los pasajeros. (No es cierto que…)
2. El piloto nos va a ayudar a pagar el exceso de equipaje. (No creo que…)
3. Ella prefiere venir con nosotros. (Es verdad que ella…)
4. Cobran $1.000 por el pasaje de Toronto a Buenos Aires. (Creo que…)
5. En la sala de espera hay sándwiches. (Dudamos que…)
6. Ellos no se abrochan el cinturón de seguridad. (Estoy seguro(a) que…)

C. Some uses of the prepositions *a, de,* and *en*

Complete with **a, de,** or **en,** as necessary.

1. Anoche llamé _____ mi hermano por teléfono y hablamos _____ nuestros planes para el fin de semana. Pensamos ir _____ Chile.
2. Él quiere viajar _____ tren pero yo prefiero ir _____ coche. Mi hermana no quiere ir con nosotros; prefiere quedarse _____ casa porque no tiene con quién dejar _____ su perro.
3. Ayer Marta llegó _____ la agencia _____ las ocho y media _____ la mañana, pero no empezó _____ trabajar hasta las diez.
4. Mi hija es muy bonita; es morena, _____ ojos verdes y yo pienso que es la más inteligente _____ todos mis hijos.
5. Mañana tengo que salir de casa _____ las ocho. Empiezo _____ trabajar temprano. Trabajo hasta las tres _____ la tarde. Espero estar _____ casa a las cinco.

D. Formal commands: *Ud.* and *Uds.*

Complete each sentence, using the command form of the verb in parentheses. Use the **Ud.** or **Uds.** form, as needed.

1. __________ a la agencia de viajes, Sr. García. (llamar)
2. __________, Sr. Vega. (sentarse)

3. __________ en seguida, señoritas. (salir)
4. __________ en el aeropuerto a las dos, señora. (estar)
5. No __________ ahora, Sr. Sosa. (venir)
6. __________ a la izquierda, señores. (ir)
7. __________ Ud. el crucero en mayo. (hacer)
8. Señor, no me __________ su tarjeta de embarque. (dar)
9. Chicos, __________ buenos, por favor. No __________ al avión todavía. (ser / subir)
10. ¿La maleta? __________ aquí. Srta. Pérez. (ponerla)

E. First-person plural commands

Rewrite the following sentences using the first-person plural commands instead of the **ir a** construction.

1. Vamos a salir esta noche.
2. No vamos a ir al club.
3. Vamos a comer en un restaurante.
4. Hace frío, vamos a ponernos el abrigo.
5. Vamos a pagar la cuenta con una tarjeta de crédito.
6. Si el camarero es bueno, vamos a dejarle una propina grande.
7. Después, vamos a beber un café. Vamos a beberlo en un café pequeño.
8. No vamos a llegar a casa muy tarde.

F. Vocabulary

Complete the following sentences, using vocabulary from **Lección 11**.

1. No quiero un ______________ de pasillo; quiero uno de ______________.
2. Voy a poner el bolso de ______________ en el ______________ de equipaje.
3. Voy a la______________ de viajes para comprar los pasajes.
4. Tiene que darle la tarjeta de ______________ a la ______________ de vuelo.
5. Tengo que pagar ______________ de equipaje porque tengo cuatro maletas.
6. Quiero sentarme cerca de la ______________ de emergencia.
7. Los paquetes ______________ el pasaje, el hotel y algunas ______________.
8. ¿A cuánto está el ______________ de moneda?
9. No podemos viajar hoy. Tenemos que ______________ la reservación.
10. Cuando viajo siempre llevo un ______________ pequeño en el avión.
11. Este verano vamos a hacer un ______________ por el Caribe.
12. Necesito una lista de los ______________ de interés de la ______________ de Chile.

G. Translation

Express the following in Spanish.

1. I doubt that Sofia will find a good seat on the plane.
2. We are sure that they are going to travel to Buenos Aires in January.
3. It's not true that Gustavo is from Uruguay, he's from Argentina.
4. Let's travel to Spain. Let's go in May.
5. Mr. Salinas, take only one suitcase and don't arrive at the airport late.
6. We don't doubt that the tickets cost more than one thousand dollars.

H. Culture

Complete the following sentences based on the cultural notes you have read.

1. Un famoso balneario *(resort)* de Chile es ______________.
2. La música típica de Argentina es el ______________.

LECCIÓN 12

Lesson Review

LECCIÓN 12

A. Subjunctive to express indefiniteness and nonexistence

Rewrite each sentence, using the subjunctive or the indicative, as appropriate.

1. El agente habla español. (Necesitamos un agente que...)
2. Ese viaje incluye el hotel. (Aquí no hay ningún viaje que...)
3. No hay ningún pasaje que no sea caro. (Tenemos unos pasajes que...)
4. No hay ningún vuelo que salga a las seis. (Hay varios vuelos que...)
5. Hay una señora que puede reservar los pasajes. (¿Hay alguien que...?)

B. Familiar commands

Change the following negative commands to the affirmative.

1. No compres el televisor.
2. No se lo digas.
3. No viajes mañana.
4. No salgas con esa persona.
5. No pongas la maleta debajo del asiento.
6. No lo invites.
7. No te vayas.
8. No vengas entre semana.
9. No regreses tarde.
10. No hagas la reservación.
11. No me traigas el folleto.
12. No le pidas los pasaportes ahora.

C. Verbs and prepositions

Complete each sentence with the Spanish equivalent of the words in parentheses.

1. Olga ______________ Daniel pero ______________ Luis. *(fell in love with / she married)*
2. Mi papá ______________ que yo compre los billetes hoy. *(insists on)*
3. Paco, ______________ buscar los pasaportes. ______________ que viajas el lunes. *(don't forget / Remember)*
4. Yo ______________ que mis padres ______________ él. *(didn't realize / didn't trust)*

D. Ordinal numbers

Write the ordinal numbers that correspond to the following.

2nd	______________	**8th**	______________	**3rd**	______________
7th	______________	**4th**	______________	**6th**	______________
5th	______________	**9th**	______________	**10th**	______________
1st	______________				

E. Future tense

Complete each sentence using the future form of the verb in the first sentence.

1. Hoy leo el periódico. Mañana ______________ una revista.
2. Hoy Antonio le escribe a su padre. Mañana le ______________ a su hermano.
3. Nosotros tenemos que trabajar. Mañana ______________ el día libre.
4. Tú sales por la noche. Mañana ______________ por la tarde.
5. Hoy ellos juegan al básquetbol. Mañana ______________ al hockey.
6. La profesora nos dice que hay un examen. Mañana nos ______________ que tenemos una tarea fácil.
7. Julio y tú ponen la mesa para la cena. Mañana no ______________ la mesa, yo la ______________.
8. Nos divertimos en la clase. Mañana ______________ en una fiesta.

LECCIÓN 12

F. Conditional tense

Complete the following sentences with the conditional form of the verb indicated.

Con mil dólares:

1. Isabel ______________________ (viajar) a México.
2. Usted ______________________ (ir) a España.
3. Tú ______________________ (poder) tomar una clase de fotografía.
4. Carlos ______________________ (venir) de Halifax a visitarnos.
5. Nosotros ______________________ (comer) en restaurantes buenos.
6. El profesor ______________________ (descansar) por dos semanas.
7. Mis padres ______________________ (buscar) un televisor nuevo.
8. Y, yo, ¡no ______________________ (saber) qué hacer!

G. Vocabulary

Complete the following sentences, using vocabulary from **Lección 12**.

1. El baño no tiene bañadera; tiene _____________.
2. El _____________ no funciona. Tiene que _____________ por la escalera.
3. Tengo mucho frío y este cuarto no tiene _____________.
4. Mi esposo(a) y yo queremos una _____________ doble.
5. El _____________ de la pensión incluye todas las comidas.
6. Hay mucha gente porque hay un _____________ de convenciones.
7. ¿A qué hora debemos _____________ el cuarto?
8. Mi cuarto no es con _____________ a la calle; es interior.
9. La pensión no tiene _____________ de habitación.
10. Quiero una habitación exterior con _____________ acondicionado.
11. Primero fui al _____________ de revistas y después a la tienda de _____________.
12. Un sinónimo de "dueño" es _____________.
13. Reservé un hotel con pensión _____________.
14. No hay ninguna habitación _____________. El hotel está lleno.
15. ¿En qué _____________ está tu habitación?

H. Translation

Express the following in Spanish.

1. We want a hotel that has a sea view and a pool.
2. Rosita, put the plates on the table and don't watch television.
3. Last year Carlos got married to Gloria.
4. His room is on the third floor of the boarding house.
5. I'm dreaming about going to Spain. I will leave next month.
6. My friend is staying at a luxury hotel, but I would look for a small hotel and I would save my money.

I. Culture

Circle the correct answer, based on the cultural notes you have read.

1. La capital de España es (Barcelona / Madrid).
2. La Avenida 9 de Julio en Buenos Aires es la (menos / más) ancha del mundo.
3. Barcelona es la (primera / segunda) ciudad más grande de España.
4. Chile se considera la (panadería / frutería) del mundo.
5. Uruguay es uno de los países más (pequeños / grandes) de Sudamérica.

UN POCO MÁS *(Material suplementario)*

Grammar Tutorial

1 Subjunctive with certain conjunctions

(El subjuntivo con ciertas conjunciones)

Subjunctive after conjunctions of time

The subjunctive is used after conjunctions of time when the main clause refers to a future action or is a command. Some conjunctions of time are:

cuando	*when*	**en cuanto**	*as soon as*
hasta que	*until*	**tan pronto como**	*as soon as*

Note in the following examples that the action in the subordinate clause has not yet taken place.

—¿Vamos a la pensión ahora?	*"Are we going to the boarding house now?"*
—No, vamos a esperar **hasta que venga** Eva.	*"No, we're going to wait* ***until*** *Eva* ***comes.****"*
—Bueno, llámame **en cuanto llegue.**	*"Okay, call me* ***as soon as she arrives.****"*
—¿Cuándo vas a comprar las maletas?	*"When are you going to buy the suitcases?"*
—**Cuando** mi papá me **dé** el dinero.	*"****When*** *my dad* ***gives*** *me the money."*
—¿Ya llamaste a Rodolfo?	*"Did you already call Rodolfo?"*
—Sí, lo llamé **en cuanto llegué.**	*"Yes, I called him* ***as soon as I arrived.****"*
—¿Cuándo llamas a Joaquin?	*"When do you call Joaquin?"*
—Siempre lo llamo **cuando llego** del trabajo.	*"I always call him* ***when I arrive*** *from work."*

Conjunctions that always take the subjunctive

Certain conjunctions by their very meaning imply uncertainty or condition; they are therefore always followed by the subjunctive. Examples include:

a menos que	*unless*	**con tal (de) que**	*provided that*
antes de que	*before*	**para que**	*in order that, so that*
en caso de que	*in case*	**sin que**	*without*

—Voy a llamar a la agencia de viajes **para que** me manden los boletos.	*"I'm going to call the travel agency* ***so that they'll send*** *me the tickets."*
—Llámelos **antes de que se vayan.**	*"Call them* ***before they leave.****"*
—No puedo comprar los libros **sin que** tú me **des** el dinero.	*"I can't buy the books* ***without you giving*** *me the money."*
—Puedo dártelo ahora.	*"I can give it to you now."*

¡ATENCIÓN!

If the action has already taken place or if the speaker views the action of the subordinate clause as a habitual occurrence, the indicative is used after the conjunction of time.

Práctica y conversación

Quiz

A. Minidiálogos

Complete the following dialogues, using the indicative or the subjunctive of each verb.

1. **irse / llegar**
   —¿Podemos limpiar el cuarto ahora?
   —No, no podemos limpiarlo hasta que mi compañero de cuarto ______________________.
   —¿Cuándo se va?
   —En cuanto ______________________ el taxi.
2. **salir / comprar**
   —¿Cuándo van al cine?
   —En cuanto ______________________ la nueva película de Almodóvar.
   —Te daré dinero para que nos ______________________ entradas.
3. **llamar**
   —¿Cuándo van a venir tus amigos?
   —Tan pronto como yo los ______________________.
4. **traer**
   —¿Cuándo cantaron?
   —No cantaron hasta que yo ______________________ la torta de cumpleaños.
5. **hablar / ver**
   —Cuando Ud. ______________________ con el profesor, dígale que el estudiante no se siente bien.
   —Voy a decírselo en cuanto lo ______________________.
6. **venir / estar**
   —¿Tú puedes escribirle a Gloria antes de que ella ______________________ de Montreal?
   —Sí, a menos que (ella) no ______________________ en casa.

B. Entrevista a tu compañero(a)

Interview your partner, using the following questions.

1. ¿Siempre desayunas en cuanto te levantas?
2. ¿Siempre te lavas la cabeza cuando te bañas?
3. ¿Tú puedes salir de tu casa sin que nadie te vea?
4. ¿Qué le vas a decir a tu mejor amigo(a) cuando lo (la) veas?
5. ¿Tú llegas a veces a clase antes de que llegue el profesor (la profesora)?
6. ¿Qué recomiendas que hagan tus amigos para que tengan un buen semestre en la universidad?
7. ¿A veces te quedas en la biblioteca hasta que la cierran?
8. ¿Qué vas a hacer tan pronto como llegues a tu casa?

Grammar Tutorial

2 The imperfect subjunctive

(El imperfecto de subjuntivo)

Forms

- To form the imperfect subjunctive of all Spanish verbs—regular and irregular—drop the **-ron** ending of the third-person plural of the preterite and add the following endings to the stem.

Imperfect Subjunctive Endings	
-ra	-´ramos
-ras	-rais
-ra	-ran

¡ATENCIÓN!

Notice that an accent mark is required in the **nosotros(as)** form:

[...] que nosotros **habláramos**
[...] que nosotros **fuéramos**

Forms of the Imperfect Subjunctive

Verb	*Third-Person Preterite*	*Stem*	*First-Person Sing. Imperf. Subjunctive*
			(-ra form)
hablar	habla**ron**	habla-	**hablara**
aprender	aprendie**ron**	aprendie-	**aprendiera**
vivir	vivie**ron**	vivie-	**viviera**
dejar	deja**ron**	deja-	**dejara**
ir	fue**ron**	fue-	**fuera**
saber	supie**ron**	supie-	**supiera**
decir	dije**ron**	dije-	**dijera**
poner	pusie**ron**	pusie-	**pusiera**
pedir	pidie**ron**	pidie-	**pidiera**
estar	estuvie**ron**	estuvie-	**estuviera**

¡ATENCIÓN!

The imperfect subjunctive of **hay** (impersonal form of **haber**) is **hubiera.**

Quiz

Práctica

Conjugación

Supply the imperfect subjunctive forms of the following verbs.

1. *que yo:* llenar, comer, vivir, decir, ir, admitir
2. *que tú:* dejar, atender, abrir, poner, estar, elegir
3. *que él:* volver, dormir, pedir, tener, alquilar, traer

4. *que nosotros:* ver, ser, entrar, saber, hacer, pedir
5. *que ellas:* leer, salir, llegar, sentarse, aprender, poder

Uses

- The imperfect subjunctive is always used in a subordinate clause when the verb of the main clause calls for the subjunctive and is in the past or the conditional.

—¿Por qué no compraste los billetes?	*"Why didn't you buy the tickets?"*
—**Temía** que no **pudiéramos** viajar hoy.	*"**I was afraid we wouldn't be able** to travel today."*

- When the verb of the main clause is in the present, but the subordinate clause refers to the past, the imperfect subjunctive is often used.

—Oscar es un muchacho muy simpático.	*"Oscar is a very charming young man."*
—¡Sí! **Me alegro** de que **viniera** a vernos ayer.	*"Yes! **I'm glad** (that) **he came** to see us yesterday."*

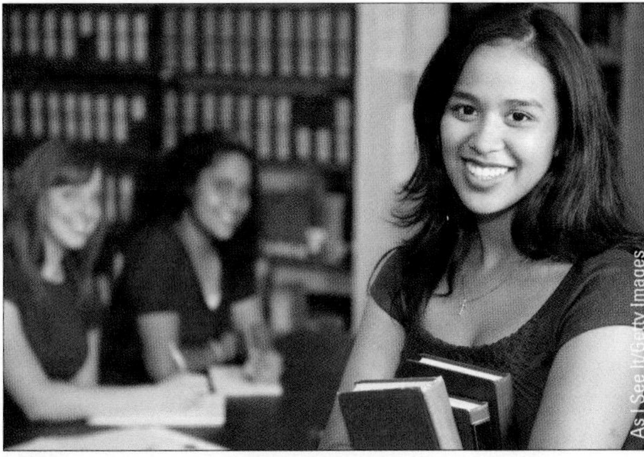

Las chicas querían que Raquel estudiara con ellas.

Práctica y conversación

A. Instrucciones

Indicate what Dr. Peña told some of her students to do. Follow the model.

- **MODELO:** Leticia, habla más español.
  Le dijo a Leticia que hablara más español.

1. Julio, compra el libro para la clase.
2. Elena y Sara, pidan las respuestas correctas.
3. Tina, ve a la pizarra.
4. Ignacio, escribe las traducciones.
5. Paquito, no llegues tarde mañana.
6. Miguel y Pablo, tráiganle el cuaderno a Marisa.
7. Estudiantes, espérenme unos minutos.
8. Todos, asistan a clase y sepan el vocabulario.
9. Juanito, no discutas con Julio.
10. Estudiantes, traigan las tareas a clase.

B. Una noche memorable

In groups of three, talk about what your parents told you to do and not to do when you were first allowed to stay out very late.

 Grammar Tutorial

3 *If*-clauses *(Cláusulas que comienzan con* si*)*

- When a clause introduced by **si** refers to a situation that is hypothetical or contrary to fact, **si** is always followed by the imperfect subjunctive.

Contrary-to-fact

—**Si** yo **tuviera** dinero, le daría 1.000 dólares a mi hijo.	*"**If** I **had** money, I would give my son a thousand dollars."*
—**Si** yo **fuera** tú, no le daría nada.	*"**If** I **were** you, I wouldn't give him anything."*

Hypothetical

Si yo **hablara** con el Primer Ministro…	***If** I **were to speak** to the Prime Minister …*
Si tú **fueras** la profesora...	***If you were** the professor ...*

- When the *if*-clause refers to something that is likely to happen or possible, the indicative is used.

—¿**Puedes** llevar a mi amigo al aeropuerto?	*"**Can you** take my friend to the airport?"*
—Lo llevaré si **tengo** tiempo.	*"I will take him if **I have** time."*

- The imperfect subjunctive is always used after the expression **como si** *(as if)* because it implies a condition that is contrary to fact.

—Marcos dice que necesito más dinero.	*"Marcos says that I need more money."*
—Sí, él habla **como si supiera** algo de tus problemas económicos.	*"Yes, he talks **as if he knew** something about your financial problems."*

¡ATENCIÓN!

Note that the imperfect subjunctive is used in the *if*-clause, while the conditional is used in the main clause.

¡ATENCIÓN!

The present subjunctive is never used in an *if*-clause.

Práctica y conversación

Quiz

A. ¿Promesas o excusas?

Complete each of the following statements with the correct form of the verb in parentheses. Use the imperfect subjunctive or the present indicative.

1. Si yo ____________________ (tener) tiempo, te llevaré al aeropuerto.
2. Si nosotros ____________________ (poder), compraríamos las entradas al concierto.
3. Si Elba ____________________ (comprar) los ingredientes, haremos paella.
4. Si mis padres me ____________________ (dar) dinero, yo podría pagar por todos mis libros.
5. Si tú ____________________ (venir) temprano, podemos ir al cine.
6. Si Uds. ____________________ (traer) a Nora, saldríamos todos juntos.

B. Si...

Look at the illustrations and describe what these people would do if they could. Follow the model.

- **MODELO:** Yo no tengo dinero. Si...
  Si yo tuviera dinero, viajaría.

1. Ellos no tienen hambre. Si...

2. Nosotros no podemos estudiar hoy. Si...

3. Tú tienes que trabajar. Si no...

4. Uds. no van a la fiesta. Si...

5. Hoy es sábado. Si...

6. El coche funciona. Si...

7. Laura no está enferma. Si...

8. La señora Soto no tiene el periódico. Si...

 C. **Si las cosas fueran diferentes**

In groups of three or four, discuss what you would do if circumstances in your lives were different. Include place of residence, schooling, work, and so on.

RODEO Summary of the Uses of the Subjunctive
(Resumen de los usos del subjuntivo)

Subjunctive vs. Infinitive

Use the subjunctive ...

1. After verbs of volition (where there is a change of subject).
   Yo quiero que **él salga.**
2. After verbs of emotion (when there is a change of subject).
   Me alegro de que **tú estés** aquí.
3. After impersonal expressions (when there is a subject).
   Es necesario que **él estudie.**

Use the infinitive ...

1. After verbs of volition (when there is no change of subject).
   Yo quiero **salir.**
2. After verbs of emotion (when there is no change of subject).
   Me alegro de **estar** aquí.
3. After impersonal expressions (when speaking in general).
   Es necesario **estudiar.**

Subjunctive vs. Indicative

Use the subjunctive ...

1. To refer to something indefinite or nonexistent.
   Busco una casa que **sea** grande.
   No hay nadie que lo **sepa.**
2. If the action is to occur at some indefinite time in the future as a condition of another action.
   Cenarán cuando él **llegue.**
3. To express doubt, disbelief, and denial.
   Dudo que **pueda** venir.
   Niego que él **esté** aquí.
   No creo que él **venga.**
4. In an *if*-clause, to refer to something contrary to fact, impossible, or very improbable.
   Si **pudiera,** iría.
   Si el Primer Ministro me **invitara** a Ottawa, yo aceptaría.

Use the indicative ...

1. To refer to something that exists or is specific.
   Tengo una casa que **es** grande.
   Hay alguien que lo **sabe.**
2. If the action has been completed or is habitual.
   Cenaron cuando él **llegó.**
   Siempre cenan cuando él **llega.**
3. When there is no doubt, disbelief, or denial.
   No dudo que **puede** venir.
   No niego que él **está** aquí.
   Creo que él **viene.**
4. In an *if*-clause, when referring to something that is factual, probable, or very possible.
   Si **puedo,** iré.
   Si Juan me **invita** a su casa, aceptaré.

Práctica y conversación

A. La carta de Marisa

Marisa wrote this letter to her parents from Sevilla. Complete it, using the subjunctive, indicative, or infinitive of the verbs that appear in parentheses.

Sevilla, 10 de junio

Queridos papá y mamá:

Recibí la tarjeta que me mandaron de Acapulco. Me alegro de que se (1) ____________________ (estar) divirtiendo; cuando yo (2) ____________________ (volver) a México el año próximo, yo quiero (3) ____________________ (ir) con Uds. También me gustaría que Uds. (4) ____________________ (visitar) Sevilla, porque es una ciudad magnífica.

Ana y yo encontramos un piso que (5) ____________________ (estar) en el centro, cerca de la universidad. Si Uds. (6) ____________________ (decidir) venir a visitarme, tenemos un dormitorio extra. No creo que los padres de Ana (7) ____________________ (poder) venir, como nos habían dicho, porque no les dan vacaciones.

Mamá, es verdad que la comida de aquí (8) ____________________ (ser) muy buena, pero no hay nadie que (9) ____________________ (cocinar) tan bien como tú, así que en cuanto yo (10) ____________________ (llegar) a casa, quiero que me (11) ____________________ (hacer) tu famoso pollo con mole[1].

Ayer fuimos con unos amigos a visitar la mezquita y después fuimos a un café en el barrio Santa Cruz. ¡Me estoy enamorando de Sevilla! Si (12) ____________________ (poder), me quedaría a vivir aquí. ¡No se rían! Ya sé que no puedo vivir lejos de Uds.

Díganle a Héctor que quiero que me (13) ____________________ (escribir) y me (14) ____________________ (contar) cómo le va en la universidad.

Besos,

Marisa

B. ¿Qué recuerdan Uds.?

With a partner, prepare five or six questions about Marisa's letter. Then join two classmates and ask them your questions and answer theirs.

[1] **Mole**, a sauce made with many spices and unsweetened chocolate, is used in Mexican cuisine.

Grammar Tutorial

4 Compound tenses of the indicative
(Tiempos compuestos del indicativo)

Future perfect *(El futuro perfecto)*

FORMS

- The future perfect tense in Spanish corresponds closely in formation and meaning to the same tense in English. The Spanish future perfect is formed with the future tense of the auxiliary verb **haber** + past participle of the main verb.

Formation of the Future Perfect Tense			
	Future of **haber**	+ *Past Participle*	
yo	**habré**	**terminado**	*I will have finished*
tú	**habrás**	**vuelto**	*you (fam.) will have returned*
Ud., él, ella	**habrá**	**comido**	*you (form.), he, she will have eaten*
nosotros(as)	**habremos**	**escrito**	*we will have written*
vosotros(as)	**habréis**	**dicho**	*you (fam.) will have said*
Uds., ellos, ellas	**habrán**	**salido**	*you (form., fam.), they will have left*

USE

- Like its English equivalent, the Spanish future perfect tense is used to express an action that will have taken place by a certain time in the future.

—¿Tus padres estarán aquí para el dos de junio? — *"Will your parents be here by June second?"*

—Sí, para esa fecha ya **habrán vuelto** de Madrid. — *"Yes, by that date **they will have returned** from Madrid."*

Quiz

Práctica y conversación

A. ¿Qué habrán hecho?

Complete each sentence with the corresponding form of the future perfect tense.

1. Para junio nosotros ______________________ (volver) del viaje, pero Carlos no ______________________ (llegar) de México todavía.
2. Para las nueve yo ______________________ (servir) la cena y ellos ______________________ (comer).
3. ¿A qué hora ______________________ (terminar) tú el trabajo?
4. ¿Ya ______________________ (leer) Uds. la novela para la próxima semana?
5. Para las doce la secretaria ______________________ (escribir) todas las cartas.

 B. **Entrevista a tu compañero(a)**

Interview a partner, using the following questions.

1. ¿Habremos terminado esta lección para la semana que viene?
2. ¿Las clases habrán terminado para el 15 de junio?
3. ¿Te habrás graduado *(graduate)* para el año que viene?
4. ¿Tú habrás vuelto a tu casa para las diez de la noche?
5. ¿Tú y tu familia habrán terminado de cenar para las siete de la noche?
6. ¿Te habrás acostado para las once de la noche?

C. Planes para el futuro

Use your imagination to complete each statement, using the future perfect tense.

1. Para el próximo año yo...
2. Para diciembre mis padres...
3. Para el sábado mi mejor amigo(a)...
4. Para la próxima semana el (la) profesor(a)...
5. Para el verano nosotros(as)...
6. Para esta noche tú...

Conditional perfect (El condicional perfecto)

FORMS

- The conditional perfect tense is formed with the conditional of the verb **haber** + past participle of the main verb.

Formation of the Conditional Perfect Tense			
	Conditional of **haber** +	*Past Participle*	
yo	**habría**	**hablado**	*I would have spoken*
tú	**habrías**	**comido**	*you (fam.) would have eaten*
Ud., él, ella	**habría**	**vuelto**	*you (form.), he, she would have returned*
nosotros(as)	**habríamos**	**dicho**	*we would have said*
vosotros(as)	**habríais**	**roto**	*you (fam.) would have broken*
Uds., ellos, ellas	**habrían**	**hecho**	*you (form., fam.), they would have done, made*

USES

- The conditional perfect (expressed in English by *would have* + past participle of the main verb) is used:
- To indicate an action that *would have taken place (but didn't),* if a certain condition had been true.

De haber sabido[2] que venía, lo **habría llamado.**	*Had I known that he was coming,* ***I would have called*** *him.*

- To refer to a future action in relation to the past.

Él dijo que para mayo **habrían terminado** la clase.	*He said that by May* ***they would have finished*** *the class.*

Práctica y conversación

A. Lo que habríamos hecho

Complete each sentence, using the conditional perfect tense of the verbs given in parentheses.

1. De haber sabido que él no estaba aquí, yo no ______________________ (venir).
2. De haber sabido que yo no tenía dinero, él me lo ______________________ (comprar).
3. Él dijo que para mayo nosotros ______________________ (volver).
4. Carlos nos dijo que para septiembre tú ______________________ (terminar).
5. De haber sabido que Uds. tenían los libros, ellos se los ______________________ (pedir).
6. Él me dijo que para esta noche ellos ______________________ (llamar).

B. Yo no soy tú

Using the conditional perfect tense and the cues provided, tell what you and the other people would have done differently.

- **MODELO:** Tú fuiste de vacaciones a México. (yo)
  Yo habría ido a España.

1. Ellos comieron hamburguesas. (yo)
2. Teresa salió con Ernesto. (tú)
3. Yo preparé pollo para la cena. (ellos)
4. Uds. estuvieron en México por una semana. (nosotras)
5. Nosotros invitamos a muchas personas. (Marta)
6. Yo escribí las cartas en español. (Uds.)

C. Compartiendo información

With a classmate, discuss what you did last summer. Say whether you would have done the same thing as your partner or if you would have done something different.

---

[2]**De haber sabido** is an impersonal expression.

rammar Tutorial

5 Compound tenses of the subjunctive

(Tiempos compuestos del subjuntivo)

Present perfect subjunctive *(El pretérito perfecto de subjuntivo)*

FORMS

- The present perfect subjunctive tense is formed with the present subjunctive of the auxiliary verb **haber** + past participle of the main verb.

Formation of the Present Perfect Subjunctive				
	Present Subjunctive of **haber**	+	*Past Participle*	
yo	**haya**		**hablado**	*I have spoken*
tú	**hayas**		**comido**	*you (fam.) have eaten*
Ud., él, ella	**haya**		**vivido**	*you (form), he, she have lived*
nosotros(as)	**hayamos**		**hecho**	*we have done*
vosotros(as)	**hayáis**		**ido**	*you (fam.) gone*
Uds., ellos, ellas	**hayan**		**puesto**	*you (form., fam.), they have put*

Práctica

Quiz

Conjugación

For each subject below, conjugate the following verbs in the present perfect subjunctive.

1. *que yo:* escuchar, oír, divertirse, decir
2. *que tú:* llenar, despertarse, volver, pedir
3. *que ella:* celebrar, poner, estacionar, escribir
4. *que nosotros:* hacer, decidir, vestirse, ayudar
5. *que ellos:* conversar, abrir, morir, irse

USES

- The Spanish present perfect subjunctive tense is used in the same way as the present perfect tense in English, but only in sentences that call for the subjunctive in the subordinate clause.

—Espero que Eva **haya comprado** el libro.	*"I hope (that) Eva **has bought** the book."*
—Sí, y también que **haya comprado** un cuaderno.	*"Yes, and she **has** also **bought** a notebook."*
—Álvaro prometió llevar a los niños al cine.	*"Álvaro promised to take the children to the movies."*
—Dudo que lo **haya hecho.**	*"I doubt that he **has done** it."*

Práctica

A. Lo que espero

Rewrite the following sentences, using the cues in parentheses. Make any necessary changes.

- **MODELO:** Ha llevado a los niños al parque. (Espero)
  Espero que haya llevado a los niños al parque.

1. Ha estado aquí sólo un momento. (Dudo)
2. Han comprado una casa nueva. (Espero)
3. Ha podido celebrar su aniversario. (No creo)
4. Has perdido tus guantes. (Es posible)
5. No hemos comprado la alfombra. (Siento)
6. Te has divertido mucho en la fiesta. (No es verdad)
7. Han pasado unos días felices. (Me alegro de)
8. Le han dado la dirección del teatro. (Espero)
9. Nos han mandado el dinero. (No creo)
10. Han ido al concierto. (No es cierto)

B. Minidiálogos

Complete the following dialogues by supplying the present perfect subjunctive of the verbs given.

1. —Espero que los chicos ________________________ (volver).
   —Dudo que ya ________________________ (regresar) porque es muy temprano.
   —Temo que ________________________ (tener) un accidente.
   —Tú te preocupas demasiado.
2. —¿Hay alguien que ________________________ (estar) en Madrid alguna vez?
   —No, aquí no hay nadie que ________________________ (ir) a España.
3. —Siento que Uds. no ________________________ (poder) terminar el trabajo.
   —No es verdad que no lo ________________________ (terminar).
4. —¿Ellos van a vivir en Edmonton?
   —Sí, pero no creo que ya ________________________ (alquilar) un apartamento.
5. —Me alegro de que tú ________________________ (conseguir) el puesto.
   —Yo también.

C. En mi opinión

Use your imagination to complete each statement, using the present perfect subjunctive tense.

1. Me alegro mucho de que mis padres…
2. Siento mucho que los invitados…
3. Espero que la clase de español…
4. No creo que los estudiantes…
5. No es cierto que yo…
6. Me sorprende que el concierto…
7. Dudo que el (la) profesor(a)…
8. No es verdad que él…

Pluperfect subjunctive *(El pluscuamperfecto de subjuntivo)*

FORMS

- The Spanish pluperfect subjunctive is formed with the imperfect subjunctive of the auxiliary verb **haber** + past participle of the main verb.

Formation of the Pluperfect Subjunctive Tense			
	Imperfect Subjunctive of **haber** +	*Past Participle*	
yo	**hubiera**	**hablado**	*I had spoken*
tú	**hubieras**	**comido**	*you (fam.) had eaten*
Ud., él, ella	**hubiera**	**vivido**	*you (form.), he, she had lived*
nosotros(as)	**hubiéramos**	**visto**	*we had seen*
vosotros(as)	**hubierais**	**hecho**	*you (fam.) done*
Uds., ellos, ellas	**hubieran**	**vuelto**	*you (form., fam.), they had returned*

USE

- The Spanish pluperfect subjunctive tense is used in the same way the past perfect is used in English, but in sentences in which the main clause calls for the subjunctive.

Yo dudaba que ellos **hubieran llegado.**	*I doubted that they **had arrived.***
Yo esperaba que tú **hubieras pagado** tus cuentas.	*I was hoping that you **had paid** your bills.*

Práctica

A. La semana pasada

Rewrite the following sentences telling what happened last week, using the cues in parentheses. Make any necessary changes.

- **MODELO:** Él se alegra de que ellos hayan hecho el trabajo. (Él se alegró)
  Él se alegró de que ellos hubieran hecho el trabajo.

1. Nosotros sentimos que hayas estado solo en Lima. (Nosotros sentíamos)
2. Yo espero que Uds. hayan hecho el trabajo. (Yo esperaba)
3. Siente que yo no haya podido venir el sábado. (Sintió)
4. No creo que hayas comprado esas sábanas. (No creí)
5. Me sorprende que no hayas cambiado el pasaje. (Me sorprendió)
6. Me alegro de que hayamos conseguido la reservación. (Me alegré)
7. Es probable que ellos hayan tenido que transbordar. (Era probable)
8. No es verdad que él haya llegado tarde. (No era verdad)

B. ¿Cómo se dice en español?

Write the following sentences in Spanish.

1. We were hoping that they had done the work.
2. I was sorry you had been sick.
3. They were glad that he had bought the tickets for the trip.
4. I didn't think that they hadn't gotten a discount.
5. We were glad that you had brought your driver's licence.

C. Y tú, ¿qué piensas?

Use the pluperfect subjunctive to finish the following sentences in an original manner.

1. Mis padres se alegraron de que yo…
2. Yo esperaba que mis amigos…
3. Ellos sintieron que nosotros…
4. Aquí no había nadie que…
5. ¿Había alguien en esa familia que…?
6. Mi compañero de cuarto dudaba que yo…

SPANISH SOUNDS

Vowels

There are five distinct vowels in Spanish: **a, e, i, o, u.** Each vowel has only one basic, constant sound. The pronunciation of each vowel is constant, clear, and brief. The length of the sound is practically the same whether it is produced in a stressed or unstressed syllable.[1]

While producing the sounds of the English stressed vowels that most closely resemble the Spanish ones, the speaker changes the position of the tongue, lips, and lower jaw, so that the vowel actually starts as one sound and then *glides* into another. In Spanish, however, the tongue, lips, and jaw keep a constant position during the production of the sound.

English: ban*a*na **Spanish:** ban*a*na

The stress falls on the same vowel and syllable in both Spanish and English, but the English stressed *a* is longer than the Spanish stressed **a.**

English: ban*a*na **Spanish:** ban*a*na

Note also that the English stressed *a* has a sound different from the other *a*'s in the word, while the Spanish **a** sound remains constant.

a in Spanish sounds similar to the English *a* in the word *father.*

alta casa palma Ana cama Panamá alma apagar

e is pronounced like the English *e* in the word *get.*

mes entre este deje ese encender teme prender

i has a sound similar to the English *e* in the word *me.*

fin ir sí sin dividir Trini difícil

o is similar to the English *o* in the word *no,* but without the glide.

toco como poco roto corto corro solo loco

u is pronounced like the English [*oo*] sound in the word *shoot* or the [*ue*] sound in the word *Sue.*

su Lulú Úrsula cultura un luna sucursal Uruguay

Diphthongs and triphthongs

When unstressed **i** or **u** falls next to another vowel in a syllable, it unites with that vowel to form what is called a *diphthong.* Both vowels are pronounced as one syllable. Their sounds do not change; they are only pronounced more rapidly and with a glide. For example:

tr**ai**ga	Lid**ia**	tr**ei**nta	**sie**te	**oi**go	ad**ió**s
Aurora	ag**ua**	**bue**no	antig**uo**	**ciu**dad	L**ui**s

A *triphthong* is the union of three vowels, a stressed vowel between two unstressed ones (**i** or **u**) in the same syllable. For example: Parag**uay,** estud**iéi**s.

NOTE: Stressed **i** and **u** do not form diphthongs with other vowels, except in the combinations **iu** and **ui**. For example: **rí**-o, sa-**bí**-ais.

In syllabication, diphthongs and triphthongs are considered a single vowel; their components cannot be separated.

[1]In a stressed syllable, the prominence of the vowel is indicated by its loudness.

Consonants

p Spanish **p** is pronounced in a manner similar to the English [*p*] sound, but without the puff of air that follows after the English sound is produced.

pesca	pude	puedo	parte	papá
postre	piña	puente	Paco	

k The Spanish [*k*] sound, represented by the letters **k**; **c** before **a, o, u** or a consonant (except **h**), and **qu,** is similar to the English [*k*] sound, but without the puff of air.

casa	comer	cuna	clima	acción	que
quinto	queso	aunque	quiosco	kilómetro	

t Spanish **t** is produced by touching the back of the upper front teeth with the tip of the tongue. It has no puff of air as in the English *t*.

todo	antes	corto	Guatemala	diente
resto	tonto	roto	tanque	

d The Spanish consonant **d** has two different sounds depending on its position. At the beginning of an utterance and after **n** or **l,** the tip of the tongue presses the back of the upper front teeth.

día	doma	dice	dolor	dar
anda	Aldo	el deseo	un domicilio	

In all other positions, the sound of **d** is similar to the [*th*] sound in the English word *they,* but softer.

medida	todo	nada	nadie	medio
puedo	moda	queda	nudo	

g The Spanish consonant **g** is similar to the English [*g*] sound in the word *guy* except before **e** or **i.**

goma	glotón	gallo	gloria	lago	alga
gorrión	garra	guerra	angustia	algo	Dagoberto

j The sound of Spanish **j** (or **g** before **e** and **i**) is similar to a strongly exaggerated English [*h*] sound.

gemir	juez	jarro	gitano	agente
juego	giro	bajo	gente	

b, v There is no difference in sound between Spanish **b** and **v.** Both letters are pronounced alike. At the beginning of an utterance or after **m** or **n, b** and **v** have a sound identical to the English [*b*] sound in the word *boy.*

vivir	beber	vamos	barco	enviar
hambre	batea	bueno	vestido	

When pronounced between vowels, the Spanish [*b*] and [*v*] sound is produced by bringing the lips together but not closing them, so that some air may pass through.

sábado   autobús   yo voy   su barco

ll, y In most countries, Spanish **ll** and **y** have a sound similar to the English [*y*] sound in the word *yes.*

el llavero	un yelmo	el yeso	su yunta	llama	yema
oye	trayecto	trayectoria	mayo	milla	bella

NOTE: When it stands alone or is at the end of a word, Spanish **y** is pronounced like the vowel **i.**

rey   hoy   y   doy   buey   muy   voy   estoy   soy

r The sound of Spanish **r** is similar to the English [*r*] sound in the word *rabbit.*

crema	aroma	cara	arena	aro
harina	toro	oro	eres	portero

rr Spanish **rr** and also **r** in an initial position and after **n, l,** or **s** are pronounced with a very strong trill. This trill is produced by bringing the tip of the tongue near the alveolar ridge and letting it vibrate freely while the air passes through the mouth.

rama	carro	Israel	cierra	roto
perro	alrededor	rizo	corre	Enrique

s Spanish **s** is represented in most of the Spanish world by the letters **s, z,** and **c** before **e** or **i.** The sound is very similar to the English sibilant *s* in the word *sink.*

sale	sitio	presidente	signo
salsa	seda	suma	vaso
sobrino	ciudad	cima	canción
zapato	zarza	cerveza	centro

h The letter **h** is silent in Spanish.

hoy	hora	hilo	ahora
humor	huevo	horror	almohada

ch Spanish **ch** is pronounced like the English *ch* in the word *chief.*

hecho	chico	coche	Chile
mucho	muchacho	salchicha	

f Spanish **f** is identical in sound to the English *f.*

difícil	feo	fuego	forma
fácil	fecha	foto	fueron

l Spanish **l** is similar to the English *l* in the word *let.*

dolor	lata	ángel	lago	sueldo
los	pelo	lana	general	fácil

m Spanish **m** is pronounced like the English *m* in the word *mother.*

mano	moda	mucho	muy
mismo	tampoco	multa	cómoda

n In most cases, Spanish **n** has a sound similar to the English *n.*

nada	nunca	ninguno	norte
entra	tiene	sienta	

The sound of Spanish **n** is often affected by the sounds that occur around it. When it appears before **b, v,** or **p,** it is pronounced like an **m.**

tan bueno	toman vino	sin poder
un pobre	comen peras	siguen bebiendo

ñ Spanish **ñ** is similar to the English [*ny*] sound in the word *canyon.*

señor	otoño	ñoño	uña
leña	dueño	niños	años

x Spanish **x** has two pronunciations depending on its position. Between vowels the sound is similar to English *ks.*

examen	exacto	boxeo	éxito
oxidar	oxígeno	existencia	

When it occurs before a consonant, Spanish **x** sounds like *s*.

expresión	explicar	extraer	excusa
expreso	exquisito	extremo	

NOTE: When **x** appears in **México** or in other words of Mexican origin, it is pronounced like the Spanish letter **j.**

Rhythm

Rhythm is the variation of sound intensity that we usually associate with music. Spanish and English each regulate these variations in speech differently, because they have different patterns of syllable length. In Spanish the length of the stressed and unstressed syllables remains almost the same, while in English stressed syllables are considerably longer than unstressed ones. Pronounce the following Spanish words, enunciating each syllable clearly.

es-tu-dian-te	bue-no	Úr-su-la
com-po-si-ción	di-fí-cil	ki-ló-me-tro
po-li-cí-a	Pa-ra-guay	

Because the length of the Spanish syllables remains constant, the greater the number of syllables in a given word or phrase, the longer the phrase will be.

Linking

In spoken Spanish, the different words in a phrase or a sentence are not pronounced as isolated elements but combined together. This is called *linking*.

Pepe come pan.	Pe-pe-co-me-pan.
Tomás toma leche.	To-más-to-ma-le-che.
Luis tiene la llave.	Luis-tie-ne-la-lla-ve.
la mano de Roberto	la-ma-no-de-Ro-ber-to

1. The final consonant of a word is pronounced together with the initial vowel of the following word.

Carlos anda	Car-lo-san-da
un ángel	u-nán-gel
el otoño	e-lo-to-ño
unos estudios interesantes	u-no-ses-tu-dio-sin-te-re-san-tes

2. A diphthong is formed between the final vowel of a word and the initial vowel of the following word. A triphthong is formed when there is a combination of three vowels (see rules for the formation of diphthongs and triphthongs on p. 341).

su hermana	suher-ma-na
Roberto y Luis	Ro-ber-toy-Luis
negocio importante	ne-go-cioim-por-tan-te
lluvia y nieve	llu-viay-nie-ve
ardua empresa	ar-duaem-pre-sa

3. When the final vowel of a word and the initial vowel of the following word are identical, they are pronounced slightly longer than one vowel.

Ana alcanza	A-n*a*l-can-za	tiene eso	tie-n*e*-so
lo olvido	l*o*l-vi-do	Ada atiende	Ad*a*-tien-de

The same rule applies when two identical vowels appear within a word.

crees	cr*e*s
Teherán	T*e*-rán
coordinación	c*o*r-di-na-ción

4. When the final consonant of a word and the initial consonant of the following word are the same, they are pronounced like one consonant with slightly longer than normal duration.

el lado	e-*l*a-do	tienes sed	tie-ne-*s*ed
Carlos salta	Car-lo-*s*al-ta		

Intonation

Intonation is the rise and fall of pitch in the delivery of a phrase or sentence. In general, Spanish pitch tends to change less than English, giving the impression that the language is less emphatic.

As a rule, the intonation for normal statements in Spanish starts in a low tone, raises to a higher one on the first stressed syllable, maintains that tone until the last stressed syllable, and then goes back to the initial low tone, with still another drop at the very end.

Tu amigo viene mañana.	José come pan.
Ada está en casa.	Carlos toma café.

Syllable formation in Spanish

Below are general rules for dividing words into syllables:

Vowels

1. A vowel or a vowel combination can constitute a syllable.

   a-lum-no a-bue-la Eu-ro-pa

2. Diphthongs and triphthongs are considered single vowels and cannot be divided.

   bai-le puen-te Dia-na es-tu-diáis an-ti-guo

3. Two strong vowels (**a, e, o**) do not form a diphthong and are separated into two syllables.

   em-ple-ar vol-te-ar lo-a

4. A written accent on a weak vowel (**i** or **u**) breaks the diphthong, separating the vowels into two syllables.

   trí-o dú-o Ma-rí-a

Consonants

1. A single consonant forms a syllable with the vowel that follows it.

   po-der ma-no mi-nu-to

   NOTE: **ch, ll,** and **rr** are considered single consonants: **a-ma-ri-llo, co-che, pe-rro.**

2. When two consonants appear between two vowels, they are separated into two syllables.

   al-fa-be-to cam-pe-ón me-ter-se mo-les-tia

   EXCEPTION: When a consonant cluster composed of **b, c, d, f, g, p,** or **t** with **l** or **r** appears between two vowels, the cluster joins the following vowel: **so-bre, o-tros, ca-ble, te-lé-gra-fo.**

3. When three consonants appear between two vowels, only the last one goes with the following vowel.

   ins-pec-tor trans-por-te trans-for-mar

   EXCEPTION: When there is a cluster of three consonants in the combinations described in rule 2, the first consonant joins the preceding vowel and the cluster joins the following vowel: **es-cri-bir, ex-tran-je-ro, im-plo-rar, es-tre-cho.**

APPENDIX A

Accentuation

In Spanish, all words are stressed according to specific rules. Words that do not follow the rules must have a written accent to indicate the change of stress. The basic rules for accentuation are as follows.

1. Words ending in a vowel, **n,** or **s** are stressed on the next-to-the-last syllable.

hi-jo	**ca**-lle	**me**-sa	fa-**mo**-sos
flo-**re**-cen	**pla**-ya	**ve**-ces	

2. Words ending in a consonant, except **n** or **s,** are stressed on the last syllable.

ma-**yor** a-**mor** tro-pi-**cal** na-**riz** re-**loj** co-rre-**dor**

3. All words that do not follow these rules must have a written accent.

ca-**fé**	sa-**lió**	rin-**cón**	fran-**cés**	sa-**lón**
án-gel	**lá**-piz	**dé**-bil	a-**zú**-car	**Víc**-tor
sim-**pá**-ti-co	**lí**-qui-do	**mú**-si-ca	e-**xá**-me-nes	de-**mó**-cra-ta

4. Pronouns and adverbs of interrogation and exclamation have a written accent to distinguish them from relative pronouns.

¿Qué comes?	*What are you eating?*
La pera que él no comió.	*The pear that he did not eat.*
¿Quién está ahí?	*Who is there?*
El hombre a quien tú llamaste.	*The man whom you called.*
¿Dónde está él?	*Where is he?*
En el lugar donde trabaja.	*At the place where he works.*

5. Words that have the same spelling but different meanings take a written accent to differentiate one from the other.

el	*the*	él	*he, him*	te	*you*	té	*tea*
mi	*my*	mí	*me*	si	*if*	sí	*yes*
tu	*your*	tú	*you*	mas	*but*	más	*more*

VERBS

Regular verbs

Model *-ar, -er, -ir* verbs

INFINITIVE

amar *(to love)*	**comer** *(to eat)*	**vivir** *(to live)*

PRESENT PARTICIPLE

amando *(loving)*	**comiendo** *(eating)*	**viviendo** *(living)*

PAST PARTICIPLE

amado *(loved)*	**comido** *(eaten)*	**vivido** *(lived)*

Simple Tenses

Indicative Mood

Present

(I love)		*(I eat)*		*(I live)*	
am**o**	am**amos**	com**o**	com**emos**	viv**o**	viv**imos**
am**as**	am**áis**	com**es**	com**éis**	viv**es**	viv**ís**
am**a**	am**an**	com**e**	com**en**	viv**e**	viv**en**

Imperfect

(I used to love)		*(I used to eat)*		*(I used to live)*	
am**aba**	am**ábamos**	com**ía**	com**íamos**	viv**ía**	viv**íamos**
am**abas**	am**abais**	com**ías**	com**íais**	viv**ías**	viv**íais**
am**aba**	am**aban**	com**ía**	com**ían**	viv**ía**	viv**ían**

Preterite

(I loved)		*(I ate)*		*(I lived)*	
am**é**	am**amos**	com**í**	com**imos**	viv**í**	viv**imos**
am**aste**	am**asteis**	com**iste**	com**isteis**	viv**iste**	viv**isteis**
am**ó**	am**aron**	com**ió**	com**ieron**	viv**ió**	viv**ieron**

Future

(I will love)		*(I will eat)*		*(I will live)*	
amar**é**	amar**emos**	comer**é**	comer**emos**	vivir**é**	vivir**emos**
amar**ás**	amar**éis**	comer**ás**	comer**éis**	vivir**ás**	vivir**éis**
amar**á**	amar**án**	comer**á**	comer**án**	vivir**á**	vivir**án**

Conditional

(I would love)		*(I would eat)*		*(I would live)*	
amar**ía**	amar**íamos**	comer**ía**	comer**íamos**	vivir**ía**	vivir**íamos**
amar**ías**	amar**íais**	comer**ías**	comer**íais**	vivir**ías**	vivir**íais**
amar**ía**	amar**ían**	comer**ía**	comer**ían**	vivir**ía**	vivir**ían**

Subjunctive Mood

Present

([that] I [may] love)		*([that] I [may] eat)*		*([that] I [may] live)*	
am**e**	am**emos**	com**a**	com**amos**	viv**a**	viv**amos**
am**es**	am**éis**	com**as**	com**áis**	viv**as**	viv**áis**
am**e**	am**en**	com**a**	com**an**	viv**a**	viv**an**

Imperfect

([that] I [might] love)	*([that] I [might] eat)*	*([that] I [might] live)*
am**ara(-ase)**	com**iera(-iese)**	viv**iera(-iese)**
am**aras(-ases)**	com**ieras(-ieses)**	viv**ieras(-ieses)**
am**ara(-ase)**	com**iera(-iese)**	viv**iera(-iese)**
am**áramos(-ásemos)**	com**iéramos(-iésemos)**	viv**iéramos(-iésemos)**
am**arais(-aseis)**	com**ierais(-ieseis)**	viv**ierais(-ieseis)**
am**aran(-asen)**	com**ieran(-iesen)**	viv**ieran(-iesen)**

Imperative Mood

(love)	*(eat)*	*(live)*
am**a** (tú)	com**e** (tú)	viv**e** (tú)
am**e** (Ud.)	com**a** (Ud.)	viv**a** (Ud.)
am**emos** (nosotros)	com**amos** (nosotros)	viv**amos** (nosotros)
am**ad** (vosotros)	com**ed** (vosotros)	viv**id** (vosotros)
am**en** (Uds.)	com**an** (Uds.)	viv**an** (Uds.)

Compound Tenses

PERFECT INFINITIVE

haber amado	**haber comido**	**haber vivido**

PERFECT PARTICIPLE

habiendo amado	**habiendo comido**	**habiendo vivido**

Indicative Mood

Present Perfect

(I have loved)		*(I have eaten)*		*(I have lived)*	
he amado	hemos amado	he comido	hemos comido	he vivido	hemos vivido
has amado	habéis amado	has comido	habéis comido	has vivido	habéis vivido
ha amado	han amado	ha comido	han comido	ha vivido	han vivido

Past Perfect (Pluperfect)

(I had loved)	*(I had eaten)*	*(I had lived)*
había amado	había comido	había vivido
habías amado	habías comido	habías vivido
había amado	había comido	había vivido
habíamos amado	habíamos comido	habíamos vivido
habíais amado	habíais comido	habíais vivido
habían amado	habían comido	habían vivido

Future Perfect

(I will have loved)	*(I will have eaten)*	*(I will have lived)*
habré amado	habré comido	habré vivido
habrás amado	habrás comido	habrás vivido
habrá amado	habrá comido	habrá vivido
habremos amado	habremos comido	habremos vivido
habréis amado	habréis comido	habréis vivido
habrán amado	habrán comido	habrán vivido

Conditional Perfect

(I would have loved)	*(I would have eaten)*	*(I would have lived)*
habría amado	habría comido	habría vivido
habrías amado	habrías comido	habrías vivido
habría amado	habría comido	habría vivido
habríamos amado	habríamos comido	habríamos vivido
habríais amado	habríais comido	habríais vivido
habrían amado	habrían comido	habrían vivido

Subjunctive Mood

Present Perfect		
([that] I [may] have loved)	*([that] I [may] have eaten)*	*([that] I [may] have lived)*
haya amado	haya comido	haya vivido
hayas amado	hayas comido	hayas vivido
haya amado	haya comido	haya vivido
hayamos amado	hayamos comido	hayamos vivido
hayáis amado	hayáis comido	hayáis vivido
hayan amado	hayan comido	hayan vivido
Past Perfect (Pluperfect)		
([that] I [might] have loved)	*([that] I [might] have eaten)*	*([that] I [might] have lived)*
hubiera(-iese) amado	hubiera(-iese) comido	hubiera(-iese) vivido
hubieras(-ieses) amado	hubieras(-ieses) comido	hubieras(-ieses) vivido
hubiera(-iese) amado	hubiera(-iese) comido	hubiera(-iese) vivido
hubiéramos(-iésemos) amado	hubiéramos(-iésemos) comido	hubiéramos(-iésemos) vivido
hubierais(-ieseis) amado	hubierais(-ieseis) comido	hubierais(-ieseis) vivido
hubieran(-iesen) amado	hubieran(-iesen) comido	hubieran(-iesen) vivido

Stem-changing verbs

The *-ar* and *-er* stem-changing verbs

Stem-changing verbs are those that have a spelling change in the root of the verb. Verbs that end in **-ar** and **-er** change the stressed vowel **e** to **ie,** and the stressed **o** to **ue.** These changes occur in all persons, except the first- and second-persons plural of the present indicative, present subjunctive, and imperative.

Infinitive	Indicative	Imperative	Subjunctive
cerrar *(to close)*	cierro	—	cierre
	cierras	cierra	cierres
	cierra	cierre	cierre
	cerramos	cerremos	cerremos
	cerráis	cerrad	cerréis
	cierran	cierren	cierren
perder *(to lose)*	pierdo	—	pierda
	pierdes	pierde	pierdas
	pierde	pierda	pierda
	perdemos	perdamos	perdamos
	perdéis	perded	perdáis
	pierden	pierdan	pierdan
contar *(to count; to tell)*	cuento	—	cuente
	cuentas	cuenta	cuentes
	cuenta	cuente	cuente
	contamos	contemos	contemos
	contáis	contad	contéis
	cuentan	cuenten	cuenten
volver *(to return)*	vuelvo	—	vuelva
	vuelves	vuelve	vuelvas
	vuelve	vuelva	vuelva
	volvemos	volvamos	volvamos
	volvéis	volved	volváis
	vuelven	vuelvan	vuelvan

Verbs that follow the same pattern are:

acordarse	*to remember*	empezar	*to begin*	probar	*to prove; to taste*
acostar(se)	*to go to bed*	encender	*to light; to turn on*	recordar	*to remember*
almorzar	*to have lunch*	encontrar	*to find*	rogar	*to beg*
atravesar	*to go through*	entender	*to understand*	sentar(se)	*to sit down*
cocer	*to cook*	llover	*to rain*	soler	*to be in the habit of*
colgar	*to hang*	mover	*to move*	soñar	*to dream*
comenzar	*to begin*	mostrar	*to show*	tender	*to stretch; to unfold*
confesar	*to confess*	negar	*to deny*	torcer	*to twist*
costar	*to cost*	nevar	*to snow*		
demostrar	*to demonstrate, show*	pensar	*to think; to plan*		
despertar(se)	*to wake up*				

The *-ir* stem-changing verbs

There are two types of stem-changing verbs that end in **-ir:** one type changes stressed **e** to **ie** in some tenses and to **i** in others, and stressed **o** to **ue** or **u;** the second type changes stressed **e** to **i** only in all the irregular tenses.

Type I: *-ir:e > ie / o > ue*

These changes occur as follows.

Present Indicative: all persons except the first- and second-persons plural change **e** to **ie** and **o** to **ue.** *Preterite:* third-person singular and plural, changes **e** to **i** and **o** to **u.** *Present Subjunctive:* all persons change **e** to **ie** and **o** to **ue,** except the first- and second-persons plural, which change **e** to **i** and **o** to **u.** *Imperfect Subjunctive:* all persons change **e** to **i** and **o** to **u.** *Imperative:* all persons except the first- and second-persons plural change **e** to **ie** and **o** to **ue;** first-person plural changes **e** to **i** and **o** to **u.** *Present Participle:* changes **e** to **i** and **o** to **u.**

Infinitive	Indicative		Imperative	Subjunctive	
	Present	Preterite		Present	Imperfect
sentir *(to feel)*	siento	sentí		sienta	sintiera(-iese)
Present Participle	sientes	sentiste	siente	sientas	sintieras
sintiendo	siente	sintió	sienta	sienta	sintiera
	sentimos	sentimos	sintamos	sintamos	sintiéramos
	sentís	sentisteis	sentid	sintáis	sintierais
	sienten	sintieron	sientan	sientan	sintieran
dormir *(to sleep)*	duermo	dormí		duerma	durmiera(-iese)
Present Participle	duermes	dormiste	duerme	duermas	durmieras
durmiendo	duerme	durmió	duerma	duerma	durmiera
	dormimos	dormimos	durmamos	durmamos	durmiéramos
	dormís	dormisteis	dormid	durmáis	durmierais
	duermen	durmieron	duerman	duerman	durmieran

Other verbs that follow the same pattern are:

advertir	*to warn*	divertir(se)	*to amuse (oneself)*	morir	*to die*
arrepentirse	*to repent*	herir	*to wound, hurt*	preferir	*to prefer*
consentir	*to consent; to pamper*	mentir	*to lie*	referir	*to refer*
convertir(se)	*to turn into*			sugerir	*to suggest*

Type II: *-ir*: *e > i*

The verbs in the second category are irregular in the same tenses as those of the first type. The only difference is that they have just one change: **e** to **i** in all irregular persons.

Infinitive	Indicative		Imperative	Subjunctive	
pedir *(to ask for, request)*	Present	Preterite		Present	Imperfect
	pido	pedí		pida	pidiera(-iese)
Present Participle	pides	pediste	pide	pidas	pidieras
pidiendo	pide	pidió	pida	pida	pidiera
	pedimos	pedimos	pidamos	pidamos	pidiéramos
	pedís	pedisteis	pedid	pidáis	pidierais
	piden	pidieron	pidan	pidan	pidieran

Verbs that follow this pattern:

competir	*to compete*	impedir	*to prevent*	repetir	*to repeat*
concebir	*to conceive*	perseguir	*to pursue*	seguir	*to follow*
despedir(se)	*to say good-bye*	reír(se)	*to laugh*	servir	*to serve*
elegir	*to choose*	reñir	*to fight*	vestir(se)	*to dress*

Orthographic-changing verbs

Some verbs undergo a change in the spelling of the stem in some tenses in order to maintain the sound of the final consonant. The most common ones are those with the consonants **g** and **c.** Remember that **g** and **c** in front of **e** or **i** have a soft sound, and in front of **a, o,** or **u** have a hard sound. In order to keep the soft sound in front of **a, o,** or **u,** **g** and **c** change to **j** and **z,** respectively. In order to keep the hard sound of **g** or **c** in front of **e** and **i, u** is added to the **g (gu)** and the **c** changes to **qu.** The following are the most important verbs of this type that are regular in all tenses but change in spelling.

1. Verbs ending in **-gar** change **g** to **gu** before **e** in the first-person singular of the preterite and in all persons of the present subjunctive.

   pagar *to pay*
   Preterite: pa**gué**, pagaste, pagó, etc.
   Pres. Subj.: pa**gue**, pa**gues**, pa**gue**, pa**gue**mos, pa**gué**is, pa**gu**en

   Verbs that follow the same pattern: **colgar, jugar, llegar, navegar, negar, regar, rogar.**

2. Verbs ending in **-ger** or **-gir** change **g** to **j** before **o** and **a** in the first-person singular of the present indicative and in all the persons of the present subjunctive.

   proteger *to protect*
   Pres. Ind.: prote**jo**, proteges, protege, etc.
   Pres. Subj.: prote**ja**, prote**ja**s, prote**ja**, prote**j**amos, prote**já**is, prote**j**an

   Verbs that follow the same pattern: **coger, corregir, dirigir, elegir, escoger, exigir, recoger.**

3. Verbs ending in **-guar** change **gu** to **gü** before **e** in the first-person singular of the preterite and in all persons of the present subjunctive.

   averiguar *to find out*
   Preterite: averi**güé**, averiguaste, averiguó, etc.
   Pres. Subj.: averi**güe**, averi**güe**s, averi**güe**, averi**güe**mos, averi**güé**is, averi**güe**n

   The verb **apaciguar** follows the same pattern.

4. Verbs ending in **-guir** change **gu** to **g** before **o** and **a** in the first-person singular of the present indicative and in all persons of the present subjunctive.

 conseguir *to get*
 Pres. Ind.: consi**g**o, consi**g**ues, consi**g**ue, etc.
 Pres. Subj.: consi**g**a, consi**g**as, consi**g**a, consi**g**amos, consi**g**áis, consi**g**an

 Verbs that follow the same pattern: **distinguir, perseguir, proseguir, seguir.**

5. Verbs ending in **-car** change **c** to **qu** before **e** in the first-person singular of the preterite and in all persons of the present subjunctive.

 tocar *to touch; to play (a musical instrument)*
 Preterite: to**qu**é, tocaste, tocó, etc.
 Pres. Subj.: to**qu**e, to**qu**es, to**qu**e, to**qu**emos, to**qu**éis, to**qu**en

 Verbs that follow the same pattern: **atacar, buscar, comunicar, explicar, indicar, pescar, sacar.**

6. Verbs ending in **-cer** or **-cir** preceded by a consonant change **c** to **z** before **o** and **a** in the first-person singular of the present indicative and in all persons of the present subjunctive.

 torcer *to twist*
 Pres. Ind.: tuer**z**o, tuerces, tuerce, etc.
 Pres. Subj.: tuer**z**a, tuer**z**as, tuer**z**a, tor**z**amos, tor**z**áis, tuer**z**an

 Verbs that follow the same pattern: **convencer, esparcir, vencer.**

7. Verbs ending in **-cer** or **-cir** preceded by a vowel change **c** to **zc** before **o** and **a** in the first-person singular of the present indicative and in all persons of the present subjunctive.

 conocer *to know, be acquainted with*
 Pres. Ind.: cono**zc**o, conoces, conoce, etc.
 Pres. Subj.: cono**zc**a, cono**zc**as, cono**zc**a, cono**zc**amos, cono**zc**áis, cono**zc**an

 Verbs that follow the same pattern: **agradecer, aparecer, carecer, entristecer** *(to sadden)*, **establecer, lucir, nacer, obedecer, ofrecer, padecer, parecer, pertenecer, reconocer, relucir.**

8. Verbs ending in **-zar** change **z** to **c** before **e** in the first-person singular of the preterite and in all persons of the present subjunctive.

 rezar *to pray*
 Preterite: re**c**é, rezaste, rezó, etc.
 Pres. Subj.: re**c**e, re**c**es, re**c**e, re**c**emos, re**c**éis, re**c**en

 Verbs that follow the same pattern: **abrazar, alcanzar, almorzar, comenzar, cruzar, empezar, forzar, gozar.**

9. Verbs ending in **-eer** change the unstressed **i** to **y** between vowels in the third-person singular and plural of the preterite, in all persons of the imperfect subjunctive, and in the present participle.

 creer *to believe*
 Preterite: creí, creíste, cre**y**ó, creímos, creísteis, cre**y**eron
 Imp. Subj.: cre**y**era(-ese), cre**y**eras, cre**y**era, cre**y**éramos, cre**y**erais, cre**y**eran
 Pres. Part.: cre**y**endo
 Past Part.: creído

 Verbs that follow the same pattern: **leer, poseer.**

10. Verbs ending in **-uir** change the unstressed **i** to **y** between vowels (except **-quir,** which has the silent **u**) in the following tenses and persons.

huir *to escape; to flee*
Pres. Part.: huyendo
Pres. Ind.: huyo, huyes, huye, huimos, huís, huyen
Preterite: huí, huiste, huyó, huimos, huisteis, huyeron
Imperative: huye, huya, huyamos, huid, huyan
Pres. Subj.: huya, huyas, huya, huyamos, huyáis, huyan
Imp. Subj.: huyera(-ese), huyeras, huyera, huyéramos, huyerais, huyeran

Verbs that follow the same pattern: **atribuir, concluir, constituir, construir, contribuir, destituir, destruir, disminuir, distribuir, excluir, incluir, influir, instruir, restituir, sustituir.**

11. Verbs ending in **-eír** lose the **e** in all but the first- and second-persons plural of the present indicative, in the third-person singular and plural of the preterite, in all persons of the present and imperfect subjunctive, and in the present participle.

reír *to laugh*
Pres. Ind.: río, ríes, ríe, reímos, reís, ríen
Preterite: reí, reíste, rió, reímos, reísteis, rieron
Pres. Subj.: ría, rías, ría, riamos, riáis, rían
Imp. Subj.: riera(-ese), rieras, riera, riéramos, rierais, rieran
Pres. Part.: riendo

Verbs that follow the same pattern: **sonreír, freír.**

12. Verbs ending in **-iar** add a written accent to the **i,** except in the first- and second-persons plural of the present indicative and subjunctive.

fiar(se) *to trust*
Pres. Ind.: (me) fío, (te) fías, (se) fía, (nos) fiamos, (os) fiáis, (se) fían
Pres. Subj.: (me) fíe, (te) fíes, (se) fíe, (nos) fiemos, (os) fiéis, (se) fíen

Verbs that follow the same pattern: **ampliar, criar, desviar, enfriar, enviar, guiar, telegrafiar, vaciar, variar.**

13. Verbs ending in **-uar** (except **-guar**) add a written accent to the **u,** except in the first- and second-persons plural of the present indicative and subjunctive.

actuar *to act*
Pres. Ind.: actúo, actúas, actúa, actuamos, actuáis, actúan
Pres. Subj.: actúe, actúes, actúe, actuemos, actuéis, actúen

Verbs that follow the same pattern: **acentuar, continuar, efectuar, exceptuar, graduar, habituar, insinuar, situar.**

14. Verbs ending in **-ñir** lose the **i** of the diphthongs **ie** and **ió** in the third-person singular and plural of the preterite and all persons of the imperfect subjunctive. They also change the **e** of the stem to **i** in the same persons and in the present indicative and present subjunctive.

teñir *to dye*
Pres. Ind.: tiño, tiñes, tiñe, teñimos, teñís, tiñen
Preterite: teñí, teñiste, tiñó, teñimos, teñisteis, tiñeron
Pres. Subj.: tiña, tiñas, tiña, tiñamos, tiñáis, tiñan
Imp. Subj.: tiñera(-ese), tiñeras, tiñera, tiñéramos, tiñerais, tiñeran

Verbs that follow the same pattern: **ceñir, constreñir, desteñir, estreñir, reñir.**

APPENDIX B

Some common irregular verbs

Only tenses with irregular forms are given below.

adquirir *to acquire*
Pres. Ind.: adquiero, adquieres, adquiere, adquirimos, adquirís, adquieren
Pres. Subj.: adquiera, adquieras, adquiera, adquiramos, adquiráis, adquieran
Imperative: adquiere, adquiera, adquiramos, adquirid, adquieran

andar *to walk*
Preterite: anduve, anduviste, anduvo, anduvimos, anduvisteis, anduvieron
Imp. Subj.: anduviera (anduviese), anduvieras, anduviera, anduviéramos, anduvierais, anduvieran

avergonzarse *to be ashamed, embarrassed*
Pres. Ind.: me avergüenzo, te avergüenzas, se avergüenza, nos avergonzamos, os avergonzáis, se avergüenzan
Pres. Subj.: me avergüence, te avergüences, se avergüence, nos avergoncemos, os avergoncéis, se avergüencen
Imperative: avergüénzate, avergüéncese, avergoncémonos, avergonzaos, avergüéncense

caber *to fit; to have enough room*
Pres. Ind.: quepo, cabes, cabe, cabemos, cabéis, caben
Preterite: cupe, cupiste, cupo, cupimos, cupisteis, cupieron
Future: cabré, cabrás, cabrá, cabremos, cabréis, cabrán
Conditional: cabría, cabrías, cabría, cabríamos, cabríais, cabrían
Imperative: cabe, quepa, quepamos, cabed, quepan
Pres. Subj.: quepa, quepas, quepa, quepamos, quepáis, quepan
Imp. Subj.: cupiera (cupiese), cupieras, cupiera, cupiéramos, cupierais, cupieran

caer *to fall*
Pres. Ind.: caigo, caes, cae, caemos, caéis, caen
Preterite: caí, caíste, cayó, caímos, caísteis, cayeron
Imperative: cae, caiga, caigamos, caed, caigan
Pres. Subj.: caiga, caigas, caiga, caigamos, caigáis, caigan
Imp. Subj.: cayera (cayese), cayeras, cayera, cayéramos, cayerais, cayeran
Past Part.: caído

conducir *to guide; to drive* (All verbs ending in **-ducir** follow this pattern.)
Pres. Ind.: conduzco, conduces, conduce, conducimos, conducís, conducen
Preterite: conduje, condujiste, condujo, condujimos, condujisteis, condujeron
Imperative: conduce, conduzca, conduzcamos, conducid, conduzcan
Pres. Subj.: conduzca, conduzcas, conduzca, conduzcamos, conduzcáis, conduzcan
Imp. Subj.: condujera (condujese), condujeras, condujera, condujéramos, condujerais, condujeran

convenir *to agree* (see **venir**)

dar *to give*
Pres. Ind.: doy, das, da, damos, dais, dan
Preterite: di, diste, dio, dimos, disteis, dieron
Imperative: da, dé, demos, dad, den
Pres. Subj.: dé, des, dé, demos, deis, den
Imp. Subj.: diera (diese), dieras, diera, diéramos, dierais, dieran

decir *to say, tell*
Pres. Ind.: digo, dices, dice, decimos, decís, dicen
Preterite: dije, dijiste, dijo, dijimos, dijisteis, dijeron
Future: diré, dirás, dirá, diremos, diréis, dirán
Conditional: diría, dirías, diría, diríamos, diríais, dirían
Imperative: di, diga, digamos, decid, digan
Pres.Subj.: diga, digas, diga, digamos, digáis, digan

Imp.Subj.: dijera (dijese), dijeras, dijera, dijéramos, dijerais, dijeran
Pres. Part.: diciendo
Past Part.: dicho

detener *to stop; to hold; to arrest* (see **tener**)

entretener *to entertain, amuse* (see **tener**)

errar *to err; to miss*
Pres. Ind.: yerro, yerras, yerra, erramos, erráis, yerran
Imperative: yerra, yerre, erremos, errad, yerren
Pres.Subj.: yerre, yerres, yerre, erremos, erréis, yerren

estar *to be*
Pres. Ind.: estoy, estás, está, estamos, estáis, están
Preterite: estuve, estuviste, estuvo, estuvimos, estuvisteis, estuvieron
Imperative: está, esté, estemos, estad, estén
Pres. Subj.: esté, estés, esté, estemos, estéis, estén
Imp. Subj.: estuviera (estuviese), estuvieras, estuviera, estuviéramos, estuvierais, estuvieran

haber *to have*
Pres. Ind.: he, has, ha, hemos, habéis, han
Preterite: hube, hubiste, hubo, hubimos, hubisteis, hubieron
Future: habré, habrás, habrá, habremos, habréis, habrán
Conditional: habría, habrías, habría, habríamos, habríais, habrían
Pres. Subj.: haya, hayas, haya, hayamos, hayáis, hayan
Imp. Subj.: hubiera (hubiese), hubieras, hubiera, hubiéramos, hubierais, hubieran

hacer *to do, make*
Pres. Ind.: hago, haces, hace, hacemos, hacéis, hacen
Preterite: hice, hiciste, hizo, hicimos, hicisteis, hicieron
Future: haré, harás, hará, haremos, haréis, harán
Conditional: haría, harías, haría, haríamos, haríais, harían
Imperative: haz, haga, hagamos, haced, hagan
Pres. Subj.: haga, hagas, haga, hagamos, hagáis, hagan
Imp. Subj.: hiciera (hiciese), hicieras, hiciera, hiciéramos, hicierais, hicieran
Past Part.: hecho

imponer *to impose; to deposit* (see **poner**)

ir *to go*
Pres. Ind.: voy, vas, va, vamos, vais, van
Imp. Ind.: iba, ibas, iba, íbamos, ibais, iban
Preterite: fui, fuiste, fue, fuimos, fuisteis, fueron
Imperative: ve, vaya, vayamos, id, vayan
Pres. Subj.: vaya, vayas, vaya, vayamos, vayáis, vayan
Imp. Subj.: fuera (fuese), fueras, fuera, fuéramos, fuerais, fueran

jugar *to play*
Pres. Ind.: juego, juegas, juega, jugamos, jugáis, juegan
Imperative: juega, juegue, juguemos, jugad, jueguen
Pres. Subj.: juegue, juegues, juegue, juguemos, juguéis, jueguen

obtener *to obtain* (see **tener**)

oír *to hear*
Pres. Ind.: oigo, oyes, oye, oímos, oís, oyen
Preterite: oí, oíste, oyó, oímos, oísteis, oyeron
Imperative: oye, oiga, oigamos, oíd, oigan
Pres. Subj.: oiga, oigas, oiga, oigamos, oigáis, oigan
Imp. Subj.: oyera (oyese), oyeras, oyera, oyéramos, oyerais, oyeran
Pres. Part.: oyendo
Past Part.: oído

oler *to smell*
Pres. Ind.: huelo, hueles, huele, olemos, oléis, huelen
Imperative: huele, huela, olamos, oled, huelan
Pres. Subj.: huela, huelas, huela, olamos, oláis, huelan

poder *to be able to*
Preterite: pude, pudiste, pudo, pudimos, pudisteis, pudieron
Future: podré, podrás, podrá, podremos, podréis, podrán
Conditional: podría, podrías, podría, podríamos, podríais, podrían
Imperative: puede, pueda, podamos, poded, puedan
Imp. Subj.: pudiera (pudiese), pudieras, pudiera, pudiéramos, pudierais, pudieran
Pres. Part.: pudiendo

poner *to place, put*
Pres. Ind.: pongo, pones, pone, ponemos, ponéis, ponen
Preterite: puse, pusiste, puso, pusimos, pusisteis, pusieron
Future: pondré, pondrás, pondrá, pondremos, pondréis, pondrán
Conditional: pondría, pondrías, pondría, pondríamos, pondríais, pondrían
Imperative: pon, ponga, pongamos, poned, pongan
Pres. Subj.: ponga, pongas, ponga, pongamos, pongáis, pongan
Imp. Subj.: pusiera (pusiese), pusieras, pusiera, pusiéramos, pusierais, pusieran
Past Part.: puesto

querer *to want, wish; to like, love*
Preterite: quise, quisiste, quiso, quisimos, quisisteis, quisieron
Future: querré, querrás, querrá, querremos, querréis, querrán
Conditional: querría, querrías, querría, querríamos, querríais, querrían
Imp. Subj.: quisiera (quisiese), quisieras, quisiera, quisiéramos, quisierais, quisieran

resolver *to decide on, to solve*
Past Part.: resuelto

saber *to know*
Pres. Ind.: sé, sabes, sabe, sabemos, sabéis, saben
Preterite: supe, supiste, supo, supimos, supisteis, supieron
Future: sabré, sabrás, sabrá, sabremos, sabréis, sabrán
Conditional: sabría, sabrías, sabría, sabríamos, sabríais, sabrían
Imperative: sabe, sepa, sepamos, sabed, sepan
Pres. Subj.: sepa, sepas, sepa, sepamos, sepáis, sepan
Imp. Subj.: supiera (supiese), supieras, supiera, supiéramos, supierais, supieran

salir *to leave; to go out*
Pres. Ind.: salgo, sales, sale, salimos, salís, salen
Future: saldré, saldrás, saldrá, saldremos, saldréis, saldrán
Conditional: saldría, saldrías, saldría, saldríamos, saldríais, saldrían
Imperative: sal, salga, salgamos, salid, salgan
Pres. Subj.: salga, salgas, salga, salgamos, salgáis, salgan

ser *to be*
Pres. Ind.: soy, eres, es, somos, sois, son
Imp. Ind.: era, eras, era, éramos, erais, eran
Preterite: fui, fuiste, fue, fuimos, fuisteis, fueron
Imperative: sé, sea, seamos, sed, sean
Pres. Subj.: sea, seas, sea, seamos, seáis, sean
Imp. Subj.: fuera (fuese), fueras, fuera, fuéramos, fuerais, fueran

suponer *to assume* (see **poner**)

tener *to have*
Pres. Ind.: tengo, tienes, tiene, tenemos, tenéis, tienen
Preterite: tuve, tuviste, tuvo, tuvimos, tuvisteis, tuvieron
Future: tendré, tendrás, tendrá, tendremos, tendréis, tendrán
Conditional: tendría, tendrías, tendría, tendríamos, tendríais, tendrían
Imperative: ten, tenga, tengamos, tened, tengan
Pres. Subj.: tenga, tengas, tenga, tengamos, tengáis, tengan
Imp. Subj.: tuviera (tuviese), tuvieras, tuviera, tuviéramos, tuvierais, tuvieran

traducir *to translate* (see **conducir**)

traer *to bring*
Pres. Ind.: traigo, traes, trae, traemos, traéis, traen
Preterite: traje, trajiste, trajo, trajimos, trajisteis, trajeron
Imperative: trae, traiga, traigamos, traed, traigan
Pres. Subj.: traiga, traigas, traiga, traigamos, traigáis, traigan
Imp. Subj.: trajera (trajese), trajeras, trajera, trajéramos, trajerais, trajeran
Pres. Part.: trayendo
Past Part.: traído

valer *to be worth*
Pres. Ind.: valgo, vales, vale, valemos, valéis, valen
Future: valdré, valdrás, valdrá, valdremos, valdréis, valdrán
Conditional: valdría, valdrías, valdría, valdríamos, valdríais, valdrían
Imperative: vale, valga, valgamos, valed, valgan
Pres. Subj.: valga, valgas, valga, valgamos, valgáis, valgan

venir *to come*
Pres. Ind.: vengo, vienes, viene, venimos, venís, vienen
Preterite: vine, viniste, vino, vinimos, vinisteis, vinieron
Future: vendré, vendrás, vendrá, vendremos, vendréis, vendrán
Conditional: vendría, vendrías, vendría, vendríamos, vendríais, vendrían
Imperative: ven, venga, vengamos, venid, vengan
Pres. Subj.: venga, vengas, venga, vengamos, vengáis, vengan
Imp. Subj.: viniera (viniese), vinieras, viniera, viniéramos, vinierais, vinieran
Pres. Part.: viniendo

ver *to see*
Pres. Ind.: veo, ves, ve, vemos, veis, ven
Imp. Ind.: veía, veías, veía, veíamos, veíais, veían
Preterite: vi, viste, vio, vimos, visteis, vieron
Imperative: ve, vea, veamos, ved, vean
Pres. Subj.: vea, veas, vea, veamos, veáis, vean
Imp. Subj.: viera (viese), vieras, viera, viéramos, vierais, vieran
Past Part.: visto

volver *to return*
Past Part.: vuelto

APPENDIX C

GLOSSARY OF GRAMMATICAL TERMS

adjective: A word that is used to describe a noun: *tall* girl, *difficult* lesson.

adverb: A word that modifies a verb, an adjective, or another adverb. It answers the questions "How?", "When?", "Where?": She walked *slowly.* She'll be here *tomorrow.* She is *here.*

agreement: A term applied to changes in form that nouns cause in the words that surround them. In Spanish, verb forms agree with their subjects in person and number (***yo* habl*o*, *él* habl*a*, etc.**). Spanish adjectives agree in gender and number with the noun they describe. Thus, a feminine plural noun requires a feminine plural ending in the adjective that describes it (**cas*as* amarill*as***), and a masculine singular noun requires a masculine singular ending in the adjective (**libr*o* negr*o***).

auxiliary verb: A verb that helps in the conjugation of another verb: I *have* finished. He *was* called. She *will* go. He *would* eat.

command form: The form of the verb used to give an order or direction: *Go! Come back! Turn* to the right!

conjugation: The process by which the forms of the verb are presented in their different moods and tenses: I *am,* you *are,* he *is,* she *was,* we *were,* etc.

contraction: The combination of two or more words into one: *isn't, don't, can't.*

definite article: A word used before a noun indicating a definite person or thing: *the* woman, *the* money.

demonstrative: A word that refers to a definite person or object: *this, that, these, those.*

diphthong: A combination of two vowels forming one syllable. In Spanish, a diphthong is composed of one *strong* vowel (**a, e, o**) and one *weak* vowel (**i, u**) or two *weak* vowels: **ei, au, ui.**

exclamation: A word used to express emotion: How strong! What beauty!

gender: A distinction of nouns, pronouns, and adjectives, based on whether they are masculine or feminine.

indefinite article: A word used before a noun that refers to an indefinite person or object: *a* child, *an* apple.

infinitive: The base form of the verb generally preceded in English by the word *to* and showing no subject or number: *to do, to bring.*

interrogative: A word used in asking a question: *Who?, What?, Where?*

main clause: A group of words that includes a subject and a verb and that by itself has complete meaning: *They saw me. I go now.*

noun: A word that names a person, place, or thing: *Ann, London, pencil,* etc.

number: Number refers to singular and plural: *chair, chairs.*

object: Generally a noun or a pronoun that is the receiver of the verb's action. A **direct object** answers the question "What?" or "Whom?": We know *her.* Take *it.* An **indirect object** answers the question "To whom?" or "To what?": Give the money to *John.* Nouns and pronouns can also be **objects of prepositions**: The letter is *from Rick.* I'm thinking *about you.*

past participle: Past forms of a verb: *gone, worked, written,* etc.

person: The form of the pronoun and of the verb that shows the person referred to: I (first-person singular), *you* (second-person singular), *she* (third-person singular), etc.

possessive: A word that denotes ownership or possession: This is *our* house. The book isn't *mine.*

preposition: A word that introduces a noun or pronoun and indicates its function in the sentence: They were *with* us. She is *from* Manitoba.

pronoun: A word that is used to replace a noun: *she, them, us,* etc. A **subject pronoun** refers to the person or thing spoken of: *They* work. An **object pronoun** receives the action of the verb: They arrested *us* (direct object pronoun). She spoke to *him* (indirect object pronoun). A pronoun can also be the **object of a preposition**: The children stayed with *us.*

reflexive pronoun: A pronoun that refers back to the subject: *myself, yourself, himself, herself, itself, ourselves,* etc.

subject: The person, place, or thing spoken of: *Robert* works. *Our car* is new.

subordinate clause: A clause that has no complete meaning by itself but depends on a main clause: They knew *that I was here.*

tense: The group of forms in a verb that show the time in which the action of the verb takes place: *I go* (present indicative), *I'm going* (present progressive), *I went* (past), *I was going* (past progressive), *I will go* (future), *I would go* (conditional), *I have gone* (present perfect), *I had gone* (past perfect), *that I may go* (present subjunctive), etc.

verb: A word that expresses an action or a state: We *sleep.* The baby *is* sick.

ANSWER KEY TO *TOMA ESTE EXAMEN*

Lección Preliminar & Lección 1

A. 1. los; unos 2. los; unos 3. el; un 4. las; unas 5. la; una 6. la; una 7. los; unos 8. los; unos

B. 1. nosotras 2. ellos 3. ella 4. ustedes 5. ellas 6. él 7. usted 8. tú

C. 1. soy; es 2. son 3. somos 4. son 5. eres 6. es

D. 1. El alumno es canadiense. 2. Los lápices son verdes. 3. Las mesas son blancas. 4. Es un hombre español. 5. Las profesoras son inglesas. 6. Los muchachos son ricos. 7. Es una mujer inteligente. 8. Los señores son muy simpáticos.

E. 1. De-í-a-zeta 2. Jota-i-eme-é-ene-e-zeta 3. Ve-a-ere-ge-a-ese 4. Pe-a-ere-ere-a 5. Efe-e-ele-i-ú 6. A-ce-u-eñe-a

F. 1. ocho 2. catorce 3. veintiséis 4. once 5. treinta y cinco 6. diez 7. trece 8. cero 9. veintiocho 10. diecisiete 11. treinta y nueve 12. quince

G. 1. llama; dónde 2. gusto 3. dice 4. cuarto; muy 5. alumnos (estudiantes) 6. habla 7. está 8. Saludos 9. es 10. nada

H. 1. Buenos días, señorita Moreno. ¿Cómo está (Ud.)? 2. Sergio habla con Ana en la clase. 3. ¿Cuál es tu número de teléfono, Anita? 4. Lupe es inteligente y simpática. 5. ¿Cómo es Viviana?

I. 1. es 2. solteras

Lección 2

A. 1. tomas / bebes 2. habla (conversa) 3. hablamos 4. deseo 5. estudia 6. trabajan 7. necesita 8. terminamos

B. 1. a. ¿Hablan ellos inglés con los estudiantes? (¿Ellos hablan inglés con los estudinates?) b. Ellos no hablan inglés con los estudiantes. 2. a. ¿Es ella de México? (¿Ella es de México? / ¿Es de México ella?) b. Ella no es de México. 3. a. ¿Terminan Uds. hoy? (¿Uds. terminan hoy?) b. Uds. no terminan hoy.

C. 1. tu 2. su 3. nuestra 4. mis 5. sus 6. nuestros 7. su 8. su

D. 1. las 2. los 3. el 4. las 5. los 6. el 7. la 8. la

E. 1. ochenta bolígrafos 2. cuarenta y seis mochilas 3. setenta y dos relojes 4. treinta y tres ventanas 5. doscientas sillas 6. ciento quince cuadernos 7. sesenta y ocho estudiantes (alumnos) 8. cincuenta mapas 9. noventa y cinco computadoras

F. 1. Es la una 2. a las nueve y media (treinta) de la mañana 3. por la tarde 4. Son 5. a las tres menos cuarto (quince) (a las dos y cuarenta y cinco)

G. martes; miércoles; viernes; sábado

1. el primero de marzo 2. el diez de junio 3. el trece de agosto 4. el veintiséis de diciembre 5. el tres de septiembre 6. el veintiocho de octubre 7. el diecisiete de julio 8. el cuatro de abril 9. el dos de enero 10. el cinco de febrero

1. invierno 2. primavera 3. otoño 4. verano

H. 1. hora 2. horario; Aquí 3. solamente (sólo) 4. taza / vaso 5. toman 6. semestre 7. primavera 8. asignatura (materia) 9. copa 10. jugo

I. 1. —Clara, ¿qué clases tomas? —Tomo inglés, historia y español. 2. El profesor Salinas es de México. (Él) Es nuestro profesor de biología. 3. Martina desea estudiar, pero Jorge desea una taza de café. 4. —¿Qué hora es? —Son las diez y media (treinta). 5. El primero de julio es el Día de Canadá.

J. 1. 1.000.000 2. El Salvador 3. Toronto

Lección 3

A. 1. escribe 2. vivimos 3. deben 4. corres 5. bebo 6. come 7. abre 8. Reciben

B. 1. la amiga de David 2. la ropa de mi hermano 3. la casa de la señora Peña 4. los padres de Eva

C. 1. vienes 2. venimos; tenemos 3. tienen; vienen 4. vengo; tengo 5. tiene 6. tiene

D. 1. tengo mucho calor. 2. tiene mucha hambre. 3. tiene mucha sed. 4. tienes mucho frío. 5. tenemos mucho sueño. 6. tienen mucho miedo. 7. tengo mucha prisa.

E. 1. a. esas b. esos 2. a. esta b. este 3. a. aquel b. aquella 4. a. esa b. ese 5. a. estos b. estas

F. 1. quinientos sesenta y siete 2. setecientos noventa 3. mil 4. trescientos cuarenta y cinco 5. seiscientos quince 6. ochocientos setenta y cuatro 7. novecientos sesenta y cinco 8. ochocientos veinticinco 9. cuatrocientos ochenta y uno 10. trece mil ochocientos dieciséis

G. 1. trabajos 2. rato 3. Quién 4. césped (zacate) 5. cosas 6. platos (vasos, cubiertos) 7. sacudir 8. puerta; abrir 9. sacar 10. vienen; momento 11. bebo; sed 12. pasar

H. 1. Juan tiene que sacar la basura. 2. —Tenemos mucha hambre. —¿Por qué no comen? 3. Héctor limpia la sala de estar, pero no lava los platos. 4. —¿Cuántos años tienes (tiene)? —Tengo dieciocho años. 5. Esta casa es grande. Aquella es pequeña.

I. 1. Son populares en Rusia, Japón y Canadá. 2. A veces se presentan temas sociales importantes.

Lección 4

A. 1. salgo 2. conduzco 3. traigo 4. traduzco 5. hago 6. conozco 7. sé 8. veo 9. pongo

B. 1. conoces; Sabes 2. sé 3. conocemos 4. conocen 5. sabe

C. 1. Yo conozco a la tía de Julio. 2. Luis tiene tres tíos y dos tías. 3. Ana lleva a su prima a la fiesta. 4. Uds. conocen San Salvador. 5. El profesor tiene veinte estudiantes. 6. Aurora conoce a Rita, a Carlos y a María. 7. Nosotros invitamos a Teresa y a su familia. 8. Ellas llaman un taxi.

D. 1. No conocemos al Sr. Vega. 2. Es la hermana del profesor. 3. Venimos del club. 4. Voy al laboratorio. 5. Vengo de la playa.

E. 1. das; doy; da 2. van; voy; va 3. Estoy 4. dan; damos 5. están; estamos 6. vas; voy; vamos

F. 1. ¿Dónde vas a estudiar? 2. ¿Qué van a comer Uds.? 3. ¿Con quién va a ir Roberto? 4. ¿A qué hora va a terminar Ud.? 5. ¿Cuándo van a trabajar ellos?

G. 1. reproductor 2. algo 3. castaños (verdes, azules, negros...) 4. pelirroja 5. estatura 6. cumpleaños 7. soltera 8. pareja 9. entremeses 10. bailar 11. levantan; Salud 12. éxito

H. 1. El novio de mi prima tiene ojos verdes. 2. (Yo salgo) Salgo mucho por la noche pero no conduzco. 3. —Tina, ¿(tú) conoces a Roberto? —Sí, y también sé dónde (él) vive. 4. Los hijos del señor Rivera van al club. 5. Vamos a dar una fiesta mañana porque es mi cumpleaños.

I. 1. Tenochtitlán 2. momias 3. primavera 4. El Salvador 5. no tiene

Lección 5

A. 1. estamos sirviendo 2. estoy leyendo 3. está bailando 4. estás comiendo 5. está durmiendo

B. 1. es; está 2. está; Es 3. son 4. estás 5. es 6. es 7. estamos 8. Son 9. son 10. están

C. 1. prefieres; quiere 2. empiezan (comienzan) 3. pensamos 4. prefieren 5. queremos 6. entiendo

D. 1. mucho mayor que 2. tan alto como 3. la más inteligente de 4. tan bien como 5. el mejor de 6. mucho más bonita que

E. 1. conmigo; contigo; con ellos (ellas) 2. para ti; para mí; para ella

F. 1. pagar; propina 2. sopa; coctel 3. tostado; mantequilla; mermelada 4. asado 5. especialidad 6. helado 7. puré; ensalada 8. travieso 9. jamón 10. hamburguesa; caliente

G. 1. ¿Quién es más inteligente que Beto? 2. ¿Vas a ir a la fiesta conmigo o con Andrea? 3. Prefiero comer frutas y vegetales. 4. La sopa en la cafetería está muy sabrosa hoy. (Hoy la sopa está muy sabrosa en la cafetería.) 5. Carlos Alberto tiene más de veinte años.

H. 1. después de 2. principal

Lección 6

A. 1. recuerdo 2. vuelve 3. cuestan 4. puedo 5. encontramos 6. podemos 7. duerme

B. 1. piden; consiguen 2. servimos 3. consigues; pides 4. dice 5. sirve; pide 6. digo 7. pedimos 8. consigue

C. 1. No, no voy a leerlos. (No, no los voy a leer.) 2. No, no lo (la) conoce. 3. No, no me llevan. 4. No, ella no te llama mañana. 5. No, no lo necesito. 6. No, no la tengo. 7. No, (ellos) no nos conocen. 8. No, no las conseguimos.

D. 1. Tengo algo aquí. 2. ¿Quiere algo más? 3. Siempre vamos al supermercado. 4. Quiero (o) la pluma roja o la pluma verde. 5. Siempre llamo a alguien.

E. 1. Hace cinco años que (yo) vivo en Honduras. 2. ¿Cuánto tiempo hace que (Ud.) estudia español, Sr. Smith? 3. Hace dos horas que (ellos) escriben. 4. Hace dos días que (ella) no come.

F. 1. azúcar 2. chuletas 3. panadería 4. almorzamos 5. vuelven 6. muertos 7. recién 8. cerca 9. cangrejo; langosta 10. docena; salsa

G. 1. En el mercado compramos apio, zanahorias y pepinos.; Compramos apio, zanahorias y pepinos en el mercado. 2. ¡Estoy muerto(a) de hambre! ¿A qué hora sirven el almuerzo? 3. Hugo pide chuletas de cerdo. Las quiere con espaguetis. 4. Nunca habla con nadie. 5. —¿Cuánto tiempo hace que (tú) vives aquí? —Hace cuatro años que (yo) vivo aquí. 6. Ellos pueden venir a la fiesta el viernes. 7. No tenemos papel higiénico. Necesito ir al supermercado. 8. El señor Vega es un cocinero. Trabaja en un restaurante famoso.

H. 1. San José 2. las operaciones del Canal 3. playas 4. Botero

Lección 7

A. 1. Yo llegué a casa y busqué los libros, pero no los encontré. 2. ¿Tú visitaste a tus abuelos y merendaste con ellos? 3. Estela comió en la cafetería, estudió en la biblioteca y volvió a su casa a las dos de la tarde. 4. Yo escribí muchas cartas *(letters)*, y hablé por teléfono con mis amigos. Salí de mi casa a la una. 5. Nosotros bebimos café y ellos bebieron té. Nadie bebió agua. 6. Yo empecé a trabajar a las ocho y ustedes empezaron a las nueve.

B. 1. fue 2. Dieron 3. fue 4. fui 5. fueron 6. Di 7. fui 8. fuimos

C. 1. les digo 2. nos mandó 3. le pregunta 4. me dieron 5. te escribe 6. comprarles

D. 1. Me gusta; no me gusta 2. Te gusta 3. A mi mamá le gusta más 4. Nos gusta 5. A mi hermano le gusta

E. 1. se levantan; se acuestan 2. afeitarme 3. te pruebas 4. se sienta 5. nos bañamos 6. vestirse

F. 1. fin 2. divertí 3. se levantan 4. partido 5. cine 6. rompió 7. zoológico 8. escalar 9. montar 10. medianoche 11. nadar 12. vez

G. 1. —¿Va(s) a ir al teatro con tus (sus) amigos? —No, no puedo. Tengo que estudiar. 2. Me levanto a las siete y me acuesto a las once. 3. ¿Te dan tus abuelos dinero para comprar ropa? (¿Te dan dinero tus abuelos para comprar ropa?) 4. Nos gusta mucho el español, pero no nos gusta estudiar matemáticas. 5. Pagué setenta y cinco dólares por un florero. ¿Piensas que es mucho?

H. 1. béisbol (fútbol) 2. populares

Lección 8

A. 1. trajeron; traje 2. Tuve 3. hizo 4. dijiste; dijeron 5. vino; viniste 6. estuvimos; estuvieron 7. hicieron 8. supe 9. condujeron; conduje 10. quiso

B. 1. Sí, te (se) las compré. 2. Sí, se los trajimos. 3. Sí, me lo van a dar. (Sí, van a dármelo.) 4. Sí, nos los va a traer. (Sí, va a traérnoslos.) 5. Sí, se la va a comprar. (Sí, va a comprársela.) 6. Sí, me las traen.

C. 1. se divirtieron, siguieron, durmieron 2. pidió 3. murió 4. consiguió 5. sirvió

D. 1. ibas 2. era 3. hablaban 4. veíamos 5. pescaban 6. comía

E. 1. fácilmente 2. especialmente 3. lentamente 4. rápidamente 5. lenta y claramente 6. francamente

F. 1. aire 2. raqueta 3. armar 4. cesta 5. remar 6. pelo 7. frecuentemente 8. acuático 9. tomar 10. tabla 11. hacer 12. encanta

G. 1. El sábado no pudimos ir a acampar con nuestros amigos. 2. Ana me prestó su tabla de mar. Me la prestó ayer. 3. En el restaurante Eduardo y Marisol pidieron café. El (La) camarero(a) se lo sirvió. 4. Cuando era pequeño(a), frecuentemente (a menudo) jugaba al aire libre. 5. A los estudiantes les gusta la profesora Guzmán. Ella habla lenta y claramente. 6. Acabamos de regresar (volver) de nuestras vacaciones. 7. —Isabel, ¿acampas con nosotros este fin de semana? —¡Espero que sí! 8. Ellos compraron una caña de pescar y una raqueta de tenis en la tienda.

H. 1. mayor 2. merengue 3. Yunque 4. petróleo

Lección 9

A. 1. para 2. por 3. por 4. por 5. para 6. para; por 7. para; por; por 8. por

B. 1. hace; calor 2. hace; frío; nieva 3. llueve 4. hay; niebla 5. hace; sol

C. 1. celebramos 2. Eran; salí; Llegué 3. dijo; era; pedí 4. era; vivía 5. estaba; vi 6. fue; estaba; Prefirió 7. hice 8. estábamos; llamaste

D. 1. Hace tres horas que llegué. 2. Hace cuatro meses que ellos vinieron. 3. Hace media hora que empecé a trabajar. 4. Hace cinco días que (ellos) terminaron. 5. Hace catorce años que tú llegaste.

E. 1. el tuyo 2. mías 3. los tuyos 4. nuestros 5. El suyo (El de ellos) 6. mío, suyo (de ella)

F. 1. baratos 2. zapatería 3. facultad 4. par 5. mangas 6. servirle 7. moda 8. descalzo 9. ponerme 10. ojo; cara 11. calza 12. húmedo

G. 1. Ayer fui a su casa para hablar con él. 2. ¿Dónde vivías cuando eras niño(a)? 3. ¿Cuándo fue la última vez que fuiste a la tienda? 4. —¿Qué dijo la profesora? —Dijo que teníamos que estudiar más. 5. No hace buen tiempo hoy. Está lloviendo y necesito un impermeable.

H. 1. métrico 2. sol

Lección 10

A. 1. cerradas 2. abierta 3. roto 4. dormidos 5. escritas 6. hecha

B. 1. ha llegado 2. he leído 3. han vuelto; hemos podido 4. ha muerto 5. han traído 6. has dicho

C. 1. habían vuelto 2. había firmado 3. habías hecho 4. habíamos escrito 5. había puesto 6. habían ido

D. 1. Yo quiero que ella vaya a Viña del Mar. 2. Nosotros deseamos viajar en avión. 3. Ella me sugiere que yo vaya a Buenos Aires. 4. El agente quiere venderme el pasaje. 5. Ellos nos aconsejan que compremos seguro. 6. Yo no quiero llevar muchas maletas. 7. Ellos no quieren que ella los lleve en su coche. 8. Nosotros no queremos ir contigo. 9. ¿Tú me sugieres que venga luego? 10. Ella necesita que Uds. le den la maleta.

E. 1. que ella se vaya pronto. 2. que los pasajes sean muy caros. 3. estar aquí. 4. irse de vacaciones. 5. que mamá se sienta bien hoy. 6. que ellos no puedan ir a la fiesta.

F. 1. firmar; fechar 2. depositar 3. abierto; feriado 4. saldo 5. conjunta 6. cuadras 7. cola 8. talonario 9. sucursal 10. cajero / débito 11. préstamo 12. efectivo 13. caja 14. estampillas (sellos) 15. diligencias

G. 1. En el aula la puerta está abierta, pero las ventanas están cerradas. 2. —Gustavo, ¿has escrito las cartas? —Sí, pero no las he firmado. 3. Isabel nunca había ido a Argentina antes del año pasado. 4. Señora Peña, quiero que firme el cheque y que lo deposite hoy. 5. —¿Adónde vamos para abrir una cuenta corriente? —Tiene que ir al banco! 6. Necesito un laptop (una computadora portátil). Vamos a comprarlo en la tienda de computadoras de la universidad. 7. Sacan cien dólares del cajero automático.

H. 1. Galápagos 2. Cuzco 3. Sucre 4. Asunción 5. Ecuador

Lección 11

A. 1. sale 2. tenga 3. venga 4. sirve 5. sea 6. esté 7. empiezan 8. puedas 9. lleguen 10. vuelvo

B. 1. estén llamando a los pasajeros 2. el piloto nos ayude a pagar el exceso de equipaje 3. prefiere venir con nosotros 4. cobran $1.000 dólares por el pasaje de Toronto a Buenos Aires 5. haya sándwiches en la sala de espera 6. ellos se abrochan el cinturón de seguridad.

C. 1. a; de; a 2. en; en; en; a 3. a; a; de; a 4. de; de 5. a; a; de; en

D. 1. Llame 2. Siéntese 3. Salgan 4. Esté 5. venga 6. Vayan 7. Haga 8. dé 9. sean; suban 10. Póngala

E. 1. Salgamos. 2. No vayamos al club. 3. Comamos en un restaurante. 4. Pongámonos el abrigo. 5. Paguemos la cuenta con una tarjeta de crédito. 6. Dejémosle una propina grande. 7. Bebamos un café. Bebámoslo en un café pequeño. 8. No lleguemos a casa muy tarde.

F. 1. asiento; ventanilla 2. mano; compartimiento 3. agencia 4. embarque; auxiliar 5. exceso 6. salida 7. incluyen; excursiones 8. cambio 9. cancelar 10. maletín 11. crucero 12. lugares; capital

G. 1. Dudo que Sofía encuentre un buen asiento en el avión. 2. Estamos seguros que ellos van a viajar a Buenos Aires en enero. 3. No es verdad que Gustavo sea de Uruguay, es de Argentina. 4. Viajemos a España. Vayamos en mayo. 5. —Señor Salinas, lleve sólo una maleta y no llegue tarde al aeropuerto. 6. No dudamos que los pasajes cuestan más de mil dólares.

H. 1. Viña del Mar 2. tango

Lección 12

A. 1. hable español. 2. incluya el hotel. 3. no son caros. 4. salen a las seis. 5. pueda reservar los pasajes?

B. 1. Compra el televisor. 2. Díselo. 3. Viaja mañana. 4. Sal con esa persona. 5. Pon la maleta debajo del asiento. 6. Invítalo. 7. Vete. 8. Ven entre semana. 9. Regresa tarde. 10. Haz la reservación. 11. Tráeme el folleto. 12. Pídele los pasaportes ahora.

C. 1. se enamoró de; se casó con 2. insiste en 3. no te olvides de; Acuérdate de 4. no me di cuenta de; no confiaban en

D. 2. segundo 7. séptimo 5. quinto 1. primero 8. octavo 4. cuarto 9. noveno 3. tercero 6. sexto 10. décimo

E. 1. leeré 2. escribirá 3. tendremos 4. saldrás 5. jugarán 6. dirá 7. pondrán; pondré 8. nos divertiremos

F. 1. viajaría 2. iría 3. podrías 4. vendría 5. comeríamos 6. descansaría 7. buscarían 8. sabría

G. 1. ducha 2. ascensor (elevador); subir 3. calefacción 4. cama 5. precio 6. montón 7. desocupar 8. vista 9. servicio 10. aire 11. puesto (quiosco / kiosko); regalos 12. propietario 13. completa 14. libre 15. piso

H. 1. Queremos (Deseamos) un hotel que tenga vista al mar y una piscina. 2. Rosita, pon los platos en la mesa y no mires la televisión. 3. El año pasado Carlos se casó con Gloria. 4. Su cuarto está en el tercer piso de la pensión. 5. Sueño con ir a España. Saldré (Voy a salir) el mes próximo (el próximo mes). 6. Mi amigo se queda en un hotel de lujo, pero yo buscaría un hotel pequeño y ahorraría mi dinero.

I. 1. Madrid 2. más 3. segunda 4. frutería 5. pequeños

VOCABULARIES

These vocabulary lists include all the words and expressions included in *Vocabulario* and in the *Vamos a leer* sections.

The number following each vocabulary item indicates the lesson in which it first appears (LP = Lección preliminar; UPM = Un poco más).

All words are alphabetized in accordance with the Real Academia's 1994 decision that *ch* and *ll* are no longer considered separate letters of the alphabet.

The following abbreviations are used:

adj.	adjective	*form.*	formal	*pron.*	pronoun
adv.	adverb	*inf.*	infinitive	*R. Dom.*	La República Dominicana
Arg.	Argentina	*LAm*	Latinoamérica	*rel. pron.*	relative pronoun
Col.	Colombia	*Méx.*	México	*sing.*	singular
conj.	conjunction	*Par.*	Paraguay	*sust. f.*	feminine substantive
exp.	expression	*pl.*	plural	*sust. m.*	masculine substantive
Esp.	España	*P.R.*	Puerto Rico	*v.*	verb
fam.	familiar	*prep.*	preposition	*Ven.*	Venezuela

Spanish–English

A

a (*prep.*) at (*with time of day*); to, 2; **a eso de** (*exp.*) at about…, 3; **a menudo** (*exp.*) often, 8; **¿A qué hora…?** (*exp.*) (At) What time…?, 2; **¿A quién(es)…?** (*exp.*) Whom?, 4; **a veces** (*exp.*) sometimes, 2; **a ver** (*exp.*) let's see, 6
abierto(-a) (*adj.*) open, 10
abogado(-a) (*sust. m./f.*) lawyer, 1
abordar (*v.*) to board (*a plane*), 11
abrazo (*sust. m.*) hug, embrace, 8
abrigo (*sust. m.*) coat, 3, 9
abril (*sust. m.*) April, 2
abrir (*v.*) to open, 3
abrochar (*v.*) to fasten
abrocharse el cinturón de seguridad (*exp.*) to fasten the seat belt, 11
abuelo(-a) (*sust. m./f.*) grandfather, grandmother, 4
abuelos (*sust. m. pl.*) grandparents, 4
abundancia (*sust. f.*) abundance
aburrido(-a) (*adj.*) boring, 2
aburrirse (*v.*) to be bored, 7
acá (*adv.*) here, 8
acabar de (+ *inf.*) (*exp.*) to have just (*done something*), 8
acampar (*v.*) to camp, 8
aceite (*sust. m.*) oil, 6; **aceite de oliva** (*sust. m.*) olive oil, 6
acerca de (*exp.*) about, 11
aconsejar (*v.*) to advise, 10
acordarse (de) (o>ue) (*v.*) to remember, 12
acostarse (o>ue) (*v.*) to go to bed, 7
acostumbrado(-a) (*adj.*) accustomed, used to, 8
actividad (*sust. f.*) activity, 8; **actividad al aire libre** (*exp.*) outdoor activity, 8
además (*adv.*) besides, 2; **además de** (*exp.*) in addition to, 9;
Adiós. (*exp.*) Good-bye., 1
administración (*sust. f.*) administration, 2; **administración de empresas** (*sust. f.*) business administration, 2
adónde (*adv.*) where, 4
aduana (*sust. f.*) customs, 11
aerolínea (*sust. f.*) airline, 11
aeropuerto (*sust. m.*) airport, 11
afeitarse (*v.*) to shave, 7
afortunadamente (*adv.*) luckily, fortunately, 12
agencia (*sust. f.*) agency, 11; **agencia de viajes** (*sust. f.*) travel agency, 11
agente (*sust. m./f.*) agent, 11
agosto (*sust. m.*) August, 2
agradable (*adj.*) nice
agua (*sust. f.*) water, 2; **agua con hielo** (*sust. f.*) water with ice, 2; **agua mineral** (*sust. f.*) mineral water, 2
aguacate (*sust. m.*) avocado, 6
ahí (*adv.*) there, 8
ahora (*adv.*) now, 4
ahorrar (*v.*) to save (*money*), 10
aire acondicionado (*sust. m.*) air conditioning, 12
ají (*sust. m.*) sweet pepper, 6
al (a + el) (*prep.*) to the, 4; **al día** (*exp.*) per day, 6
alberca (*sust. f.*) swimming pool (*Méx.*), 12
albóndiga (*sust. f.*) meatball, 6
álbum (*sust. m.*) album
alcohólico(-a) (*adj.*) alcoholic (*drinks*), 5
alegrarse (de) (*v.*) to be glad (about), 10
alemán (*sust. m.*) German (*language*), 7
alfabeto (*sust. m.*) alphabet, 1
algo (*pron.*) something, 5; **¿Algo más?** (*exp.*) Anything else?, 10; **comer algo** (*exp.*) to have something to eat, 4
alguien (*pron.*) someone, anyone, 6
algún, algúno(-a)(-s) (*adj.*) some, any, 6; **algún lado** (*exp.*) somewhere, 11; **alguna parte** (*exp.*) somewhere, anywhere, 8; **alguna vez, algunas veces** (*exp.*) sometime(s), 6
alivio (*sust. m.*) relief, 10
allí (*adv.*) there, 5, 12
almorzar (o>ue) (*v.*) to have lunch, 2, 6
almuerzo (*sust. m.*) lunch, 5
alquilar (*v.*) to rent, 8
alrededor (*adv.*) around, 9
alto(-a) (*adj.*) tall, 1; (*adj.*) high, 9
alumno(-a) (*sust. m./f.*) student, 1
amarillo(-a) (*sust. m./adj.*) yellow, 1
amigo(-a) (*sust. m./f.*) friend, 2; **mejor amigo(-a)** (*exp.*) best friend, 2
analfabeto(-a) (*sust. m./f.*) illiterate person, Unit 3
anaranjado(-a) (*adj.*) orange, 1
andar descalzo(-a) (*exp.*) to go barefoot, 9
andar en bicicleta (*exp.*) to ride a bicycle (*Arg.*), 7
anfitrión(-a) (*sust. m./f.*) host, hostess, 1
animado(-a) (*adj.*) in good spirits, 4
aniversario (*sust. m.*) anniversary, 5
año (*sust. m.*) year, 2
anoche (*adv.*) last night, 7
anteayer (*adv.*) the day before last, 7
anteojos de sol (*sust. m. pl.*) sunglasses (LAm), 8

antes (de) (*exp.*) before, 2, 3
antipático(-a) (*adj.*) unpleasant, 1
antropología (*sust. f.*) anthropology, 2
aparatos electrodomésticos (*sust. m. pl.*) home appliances, 3
aparecer (*v.*) to appear, 2
apariencia (*sust. f.*) appearance, 7
apartamento (*sust. m.*) apartment, 6
apellido (*sust. m.*) surname, 1
apio (*sust. m.*) celery, 6
aprender (*v.*) to learn, 3
apretado(-a) (*adj.*) tight, tiny, cramped, 9
apretar (e>ie) (*v.*) to be tight, 9
aquel, aquello(-a)(-s) (*pron.*) that, those, 3
aquí (*adv.*) here, 5; **Aquí está.** (*exp.*) Here it is., 2; **Aquí las tiene.** (*exp.*) Here you are., 10
archivar (*v.*) to file, to store away; **archivar la información** (*exp.*) to store information, 10
arena (*sust. f.*) sand, 8
arete(-s) (*sust. m. sing./m. pl.*) earring(s), 9
argentino(-a) (*adj.*) Argentinian
armar (*v.*) to pitch, to put together (*a tent*), 8
aro(-s) (*sust. m. sing./m. pl.*) earring(s) (*Par., Arg.*), 9
arrancar (*v.*) to start (*a vehicle*), 11
arreglar (*v.*) to tidy up, 3
arriba (*adv.*) above, 9
arroba (*sust. f.*) e-mail symbol for *at* (@), 1
arroz (*sust. m.*) rice, 5; **arroz con leche** (*sust. m.*) rice pudding, 5
arrugado(-a) (*adj.*) wrinkled, 9
arte (*sust. m.*) art, 2
asado(-a) (*adj.*) baked, roasted, 5
ascensor (*sust. m.*) elevator, 12
así (*adv.*) like that, like this
asiento (*sust. m.*) seat; **asiento de pasillo** (*sust. m.*) aisle seat, 11; **asiento de ventanilla** (*sust. m.*) window seat, 11
asignatura (*sust. f.*) course, subject, 2
asistir a (*v.*) to attend, 9
aspiradora (*sust. f.*) vacuum, 3
aspirina (*sust. f.*) aspirin
atracar (*v.*) to hold up, 11
aula (*sust. f.*) classroom, 2
aunque (*conj.*) although, 4
auto (*sust. m.*) car, automobile
autobús (*sust. m.*) bus, 8
automóvil (*sust. m.*) car, automobile
automóvilista (*sust. m./f.*) motorist, driver
auxiliar de vuelo (*sust. m./f.*) flight attendant, 11
avena (*sust. f.*) oats, porridge, 9
averiguar (*v.*) to find out, 11
avión (*sust. m.*) airplane, 2, 11
ayer (*adv.*) yesterday, 7
ayuda (*sust. f.*) help, 8
ayudar (*v.*) to help, 3
azafata (*sust. f.*) flight attendant (*Esp.*), 11
azúcar (*sust. m.*) sugar, 6
azul (*sust. m./adj.*) blue, 1

B

bailar (*v.*) to dance, 2; **¿Bailamos?** (*exp.*) Shall we dance?, 4
bajo (*prep.*) under, 8
bajo(-a) (*adj.*) short, 1
balneario (*sust. m.*) seaside resort (*LAm*), 11
banana (*sust. f.*) banana (*Cono Sur*), 6
banco (*sust. m.*) bank, 10
bañadera (*sust. f.*) bathtub, 12
bañador (*sust. m.*) bathing suit (*Esp.*), 8
bañarse (*v.*) to bathe, 7
bañera (*sust. f.*) bathtub (*Cono Sur*), 12
baño (*sust. m.*) bathroom, 3; (*sust. m.*) bath (*Esp.*), 3; (*sust. m.*) bathtub (*Esp.*), 12; **cuarto de baño** (*sust. m.*) bathroom, 3; **traje de baño** (*sust. m.*) bathing suit, 8
barato(-a) (*adj.*) inexpensive, 6
barrer (*v.*) to sweep, 3
barrio (*sust. m.*) neighbourhood
basura (*sust. f.*) garbage, 3
bata (*sust. f.*) robe, 9; **bata de dormir** (*sust. f.*) nightgown (*Cuba*), 9
batería de cocina (*sust. f.*) kitchen utensils, 2
batido (*sust. m.*) milkshake, 3
beber (*v.*) to drink, 3
bebida (*sust. f.*) beverage, 2
béisbol (*sust. m.*) baseball, 7
belleza (*sust. f.*) beauty, 9
biblioteca (*sust. f.*) library, 1
bicicleta: montar en bicicleta (*exp.*) to ride a bicycle, 7
bien (*adv.*) well; **Bien, gracias.** (*exp.*) Fine, thank you., LP; **está bien** (*exp.*) all right, o.k., 6; **Muy bien.** (*exp.*) Very well., LP; **no muy bien** (*exp.*) not very well
billete (*sust. m.*) round-trip ticket (*Esp.*), 11
billetera (*sust. f.*) wallet, 9
biología (*sust. f.*) biology, 2
bisabuelo(-a) (*sust. m./f.*) great-grandfather, great-grandmother, 4
bistec (*sust. m.*) steak, 5
blanco(-a) (*sust. m./adj.*) white, 1
bloqueador solar (*sust. m.*) sunscreen, 8
blusa (*sust. f.*) blouse, 9
boca (*sust. f.*) mouth, 7
bocadillo (*sust. m.*) sandwich, 4
boda (*sust. f.*) wedding, 5
boleto (*sust. m.*) ticket (for event), 7
bolígrafo (*sust. m.*) ball-point pen, 1
bolsa (*sust. f.*) handbag, purse, 9; **bolsa de dormir** (*sust. f.*) sleeping bag, 8
bolso de mano (*sust. m.*) carry-on bag, 11
bonito(-a) (*adj.*) pretty, 1
borrador (*sust. m.*) eraser, 1
bosque (*sust. m.*) woods, forest, Unit 2, Unit 3, 8
bota (*sust. f.*) boot, 9
bote de vela (*sust. m.*) sailboat (*Cuba, Arg.*), 8
botella (*sust. f.*) a bottle, 2
botones (*sust. m. sing./m. pl.*) bellhop(s), 12
bragas (*sust. f. pl.*) panties, 9
brazo (*sust. m.*) arm, 7
breve (*adj.*) brief, 7
brindar (*v.*) to toast, 4
brindis (*sust. m.*) toast (*e.g., at a celebration*), 4
brócoli (*sust. m.*) broccoli, 6
bromear (*v.*) to kid, to joke, 7
bucear (*v.*) to scuba dive, 8
buen, bueno(-a) (*adj.*) good, 2; **Buenas noches.** (*exp.*) Good evening. Good night., LP; **buenas notas** (*exp.*) good marks, 5; **Buenas tardes.** (*exp.*) Good afternoon., LP; **Bueno...** (*exp.*) Well..., 1; **Buenos días.** (*exp.*) Good morning., LP;
bufanda (*sust. f.*) scarf, 9
buscar (*v.*) to look for, to get, 9; **fue a buscar (a alguién)** (*exp.*) to go to pick up (someone), 12

C

caballero (*sust. m.*) gentleman, 9; **departamento de caballeros** (*sust. m.*) men's department, 9
caballo: montar a caballo (*exp.*) to ride horseback, 7
cabello (*sust. m.*) hair, 7
caber (*v.*) to fit, 4
cabeza (*sust. f.*) head, 7
cacerola (*sust. f.*) saucepan, 3
cadena (*sust. f.*) chain, 9
café (*adj.*) brown (*Méx.*), 1; (*sust. m.*) coffee, 2; **café con leche** (*sust. m.*) coffee with milk, 2
cafetera (*sust. f.*) coffeepot, 3
cafetería (*sust. f.*) cafeteria, 1
caja de seguridad (*sust. f.*) safe-deposit box, 10
cajero(-a) (*sust. m./f.*) teller, cashier, 10; **cajero automático** (*sust. m.*) automatic teller machine, 10
calcetín(-ines) (*sust. m. sing./m. pl.*) sock(s), 9
calefacción (*sust. f.*) heating, 12

cálido(-a) (*adj.*) hot, 9
caliente (*adj.*) hot, 12
calle (*sust. f.*) street, 1; **calle... número...** (*exp.*) ... street, number ..., 1
calvo (*adj.*) bald, 7
calzar (*v.*) to wear a certain shoe size, 9
calzoncillos (*sust. m. pl.*) underpants, 9
cama (*sust. f.*) bed, 12; **cama chica** (*sust. f.*) twin bed, 12; **cama doble** (*sust. f.*) double bed, 12
camarero(-a) (*sust. m./f.*) waiter, waitress, 5
camarón(-ones) (*sust. m.*) shrimp, 5
cambiar (*v.*) to change, 7
cambio (*sust. m.*) change; **¿A cuánto está el cambio de moneda?** (*exp.*) What's the rate of exchange?, 11; **en cambio** (*exp.*) on the other hand, 8
caminar (*v.*) to walk, 4; **caminar al perro** (*exp.*) to walk the dog, 8
camisa (*sust. f.*) shirt, 3, 9
camiseta (*sust. f.*) T-shirt, 9
camisón (*sust. m.*) nightgown, 9
campo (*sust. m.*) countryside, 8
cana (*sust. f.*) white hair, 7
canadiense (*adj.*) Canadian, 1
cancelar (*v.*) to cancel, 11
cangrejo (*sust. m.*) crab, 6
canoa (*sust. f.*) canoe, 8
cansado(-a) (*adj.*) tired, 4
cansarse (*v.*) to get tired, 11
cantar (*v.*) to sing, 4, 7
cantidad (*sust. f.*) quantity, amount
caña de pescar (*sust. f.*) fishing rod, 8
capital (*sust. f.*) capital city, 11
cara (*sust. f.*) face, 7
¡Caramba! (*exp.*) Gee!, 6, 9, 12
caravana(-s) (*sust. f. sing./f. pl.*) earring(s) (*Cono Sur*), 9
carmelito (*adj.*) brown (*Cuba*), 1
carne (*sust. f.*) meat, 6
carnet de identidad (*sust. m.*) I.D. card (*Esp.*), 12
caro(-a) (*adj.*) expensive, 6
carro (*sust. m.*) car (*Méx.*), 4
carta (*sust. f.*) letter, 3, 10
cartera (*sust. f.*) handbag, purse, wallet, 9
casa (*sust. f.*) house, 1, 2, 3; **casa central** (*sust. f.*) headquarters, main office, 10 **en casa** (*exp.*) at home, 3
casado(-a) (*adj.*) married, 4
casarse (con) (*v.*) to get married (to), 7, 12
caso (*sust. m.*) case; **en caso de (que)** (*conj.*) in case of; **en este caso** (*exp.*) in this case; **por si acaso** (*exp.*) just in case, 8
castaño(-a) (*adj.*) brown (*eyes, hair*), 4
castellano (*sust. f.*) Spanish language (*Esp., Cono Sur*), 1
catarata (*sust. f.*) waterfall
catorce (*sust. m*) fourteen, 2
cebolla (*sust. f.*) onion, 5
cédula de identidad (*sust. f.*) I.D. card, 12
celebrar (*v.*) to celebrate, 4
celoso(-a) (*adj.*) jealous, 2
cena (*sust. f.*) dinner, 3, 5
cenar (*v.*) to dine, 2
céntrico(-a) (*adj.*) central, 12
centro (*sust. m.*) downtown, centre of town, 7
cerca (de) (*adv.*) near, close, 3, 4
cerdo: chuleta de cerdo (*sust. f.*) pork chop, 6
cereza (*sust. f.*) cherry, 6
cero (*sust. m.*) zero, LP
cerrado(-a) (*adj.*) closed, 10
cerrar (e>ie) (*v.*) to close, 3, 5
certificado(-a) (*adj.*) certified, 10
cerveza (*sust. f.*) beer, 2
césped (*sust. m.*) lawn, 3; **cortar el césped** (*exp.*) to mow the lawn, 3
cesta (*sust. f.*) basket, 8
cesto de papeles (*sust. m.*) wastebasket, 1
chaleco (*sust. m.*) vest, 9
chamarra (*sust. f.*) jacket (*Méx.*), 9
champán (*sust. m.*) champagne, 4
chaqueta (*sust. f.*) jacket, 9
Chau. (*exp.*) Bye., LP
cheque (*sust. m.*) cheque, 10
chico(-a) (*sust. m./f.*) young man/woman, 1; (*adj.*) little, 8
china (*sust. f.*) orange (*fruit*) (Puerto Rico), 2
chocolate (*sust. m.*) chocolate; **chocolate caliente** (*sust. m.*) hot chocolate, 2
chuleta (*sust. f.*) chop, 6; **chuleta de cerdo** (*sust. f.*) pork chop, 6; **chuleta de cordero** (*sust. f.*) lamb chop, 6; **chuleta de ternera** (*sust. f.*) veal chop, 6
cielo (*sust. m.*) sky, 8, 9; **El cielo está despejado.** (*exp.*) The sky is clear., 9; **El cielo está nublado.** (*exp.*) The sky is cloudy., 9
cien, ciento (*sust. m.*) one hundred, 2; **por ciento** (*exp.*) percent
ciencias políticas (*sust. f. pl.*) political science, 2
cierto (*adj.*) certain; **(no) es cierto** (*exp.*) it's (not) certain, 11
cinco (*sust. m.*) five, LP
cincuenta (*sust. m.*) fifty, 2
cine (*sust. m.*) cinema, movie theatre, 4
cinto (*sust. m.*) belt, 9
cinturón (*sust. m.*) belt, 9; **abrocharse el cinturón de seguridad** (*exp.*) to fasten the seat belt, 11
ciudad (*sust. f.*) city, 3
clase (*sust. f.*) class, 1; **(de) clase turista** (*exp.*) tourist class, 11; **(de) primera clase** (*exp.*) first class, 11; **compañero(-a) de clase** (*sust. m./f.*) classmate, 1
clima (*sust. m.*) climate, 9
club (*sust. m.*) club, 4; **club nocturno** (*sust. m.*) nightclub, 7
cobrar (*v.*) to cash, 10, 12; (*v.*) to earn, 11; **cobrar un cheque** (*exp.*) to cash a cheque
coche (*sust. m.*) car, 4
cocina (*sust. f.*) kitchen, stove, 3
cocinar (*v.*) to cook, 6
cocinero(-a) (*sust. m./f.*) cook, 6
coctel / cóctel (*sust. m.*) cocktail, 5
codo (*sust. m.*) elbow, 7
colador (*sust. m.*) strainer, 3
colar (o>ue) (*v.*) to strain, 3
colgar (o>ue) (*v.*) to hang up, 3
color (*sust. m.*) colour, 1
comedor (*sust. m.*) dining room, 3
comenzar (e>ie) (*v.*) to begin, to start, 5
comer (*v.*) to eat, 3; **comer algo** (*exp.*) to have something to eat, 4; **Vamos a comer.** (*exp.*) Let's eat., 8
comida (*sust. f.*) meal, food, 3
como (*prep.*) like, 9
cómo (*adv.*) how, why, what, 1; **¿Cómo?** (*exp.*) Excuse me? (*when one doesn't understand or hear what is being said*), 1; **¿Cómo es...?** (*exp.*) What is ... like?, 1;**¿Cómo está usted?** (*exp.*) How are you? (*form.*), LP; **¿Cómo están ustedes?** (*exp.*) How are you? (*when addressing two or more people*), LP; **¿Cómo estás?** (*exp.*) How are you? (*fam.*), LP; **¿Cómo se dice...?** (*exp.*) How do you say ...?, 1;**¿Cómo se llama usted?** (*exp.*) What's your name? (*form.*), 1; **¿Cómo te llamas?** (*exp.*) What's your name? (*fam.*), LP
cómodo(-a) (*adj.*) comfortable, 9
compañero(-a) (*sust. m./f.*) companion, 1; **compañero(-a) de clase** (*sust. m./f.*) classmate, 1; **compañero(-a) de cuarto** (*sust. m./f.*) roommate, 1
comparativo(-a) (*adj.*) comparative, 5
compartimiento de equipaje (*sust. m.*) luggage compartment, 11
compartir (*v.*) to share, 3, 11
complicado(-a) (*adj.*) complicated, 11
comprar (*v.*) to buy, 2
comprometerse con (*v.*) to get engaged (to), 12
computadora (*sust. f.*) computer, 1, 10; **computadora personal** (*sust. f.*) personal computer, 10; **computadora portátil** (*sust. f.*) laptop, 1, 10

con (*prep.*) with, 1; **¿Con quién...?** (*exp.*) With whom...?; **con vista a la piscina** (*exp.*) with a view of the swimming pool, 12
concierto (*sust. m.*) concert, 7
conducir (*v.*) to drive, to conduct, 4
confiar en (*v.*) to trust, 12
confirmar (*v.*) to confirm, 11
conmigo (*prep.pron.*) with me, 3
conocer (*v.*) to know, to be familiar with, 4; **conocer a** (*v.*) to meet (someone), 2
conocido(-a) (*adj.*) known
conseguir (e>i) (*v.*) to get, to obtain, 6
contabilidad (*sust. f.*) accounting, 2
contento(-a) (*adj.*) happy, content, 4
contigo (*prep. pron.*) with you (*fam.*), 5
contraste (*sust. m.*) contrast
convención (*sust. f.*) convention, 12
convenir (en) (e>ie) (*v.*) to agree (on), 12
conversar (*v.*) to talk, to converse, 2
copa (*sust. f.*) wineglass, 2, 5
corazón (*sust. m.*) heart, 7
corbata (*sust. f.*) tie, 9
cordero (*sust. m.*) lamb, 5; **chuleta de cordero** (*sust. f.*) lamb chop, 6
correa (*sust. f.*) belt (*P.R.*), 9
correo (*sust. m.*) mail; (*sust. m.*) post office; **correo electrónico** (*sust. m.*) e-mail, 1, 3
correr (*v.*) to run, 3
cortar (*v.*) to cut, to mow, 3; **cortar el césped** (*exp.*) to mow the lawn, 3
cortesía (*sust. f.*) courtesy, politeness, 1; **de cortesía** (*adj.*) polite, 1
cortina (*sust. f.*) curtain, drape, 9
corto(-a) (*adj.*) short (*in length*), 9
cosa (*sust. f.*) thing, 3; **cosas que hacer** (*exp.*) things to do, 3
costar (o>ue) (*v.*) to cost, 5, 6; **costar un ojo de la cara** (*exp.*) to cost an arm and a leg, 9
costumbre (*sust. f.*) custom, 6
creer (*v.*) to believe, 3
crema (*sust. f.*) cream, 5
criado(-a) (*sust. m./f.*) servant, 9
crucero (*sust. m.*) cruise, 11
cuaderno (*sust. m.*) notebook, 1
cuadra (*sust. f.*) block, 10
¿Cuál? (*adv.*) Which? What?, 1; **¿Cuál es?** (*exp.*) What is? Which one is?, 1; **¿Cuál es tu dirección?** (*exp.*) What's your address?, 1; **¿Cuál es tu número de teléfono?** (*exp.*) What's your phone number?, LP
cualquier(-a) (*adj.*) any, 11
cuando (*conj.*) when, 3
¿Cuándo? (*adv.*) When?, 2
cuanto: en cuanto (*exp.*) as soon as, 9
¿Cuántos(-as)? (*exp.*) How many?, 2; **¿A cuánto está el cambio de moneda?** (*exp.*) What's the rate of exchange?, 11; **¿Cuánto tiempo..?** (*exp.*) How long...?; **¿Cuánto tiempo hace que..?** (*exp.*) How long has it been since...?, 6
cuarenta (*sust. m.*) forty, 2
cuarto(-a) (*adj.*) fourth, 12
cuarto (*sust. m.*) room, 3; **compañero(-a) de cuarto** (*sust. m./f.*) roommate, 1; **cuarto de baño** (*sust. m.*) bathroom, 3; **servicio de cuarto** (*sust. m.*) room service, 12
cuatro (*sust. m.*) four, LP
cuatrocientos (*sust. m.*) four hundred, 3
cubano(-a) (*sust. m./f.*) Cuban
cuchara (*sust. f.*) spoon, 5
cucharita (*sust. f.*) teaspoon, 5
cuchillo (*sust. m.*) knife, 5
cuello (*sust. m.*) neck, 7; **cuello** (*sust. m.*) collar, 9
cuenta (*sust. f.*) check (*in a restaurant*), bill, 5; (*sust. f.*) account, 10; **cuenta conjunta** (*sust. f.*) joint account, 10; **cuenta corriente** (*sust. f.*) chequing account, 10; **cuenta de ahorros** (*sust. f.*) savings account, 10
cuento (*sust. m.*) short story, 11
cuerpo (*sust. m.*) body, 9
cumpleaños (*sust. m. sing.*) birthday, 4
cuñado(-a) (*sust. m./f.*) brother-in-law, sister-in-law, 4

D

daño (*sust. m.*) damage, harm, 11
danza (*sust. f.*) dance
dar (*v.*) to give, 4; **dar una película** (*exp.*) to show a movie (*Ecuador, Cono Sur*), 7
darse cuenta de (*v.*) to realize, 12
de (*prep.*) of, about, in, 2; **de estatura mediana** (*exp.*) of medium height, 4; **de manera que** (*exp.*) so, 6; **de modo que** (*exp.*) so, 6; **de viaje** (*exp.*) on a trip, 9
debajo (de) (*adv.*) under, 9
deber (*v.*) to have to, must, 3
debido (a) (*adj.*) due (to), 2
decidir (*v.*) to decide, 4
décimo(-a) (*adj.*) tenth, 12
decir (e>i) (*v.*) to say, to tell, 6; **¿Cómo se dice...?** (*exp.*) How do you say ...?, 1; **Dime una cosa.** (*exp.*) Tell me something., 12; **Se dice...** (*exp.*) You say ..., 1;
dedo (*sust. m.*) finger, 7; **dedo del pie** (*sust. m.*) toe, 7
dejar (*v.*) to leave (behind), 3, 5; (*v.*) to allow, 11
deletrear (*v.*) to spell, 1; **¿Cómo se deletrea?** (*exp.*) How is it spelled?
delgado(-a) (*adj.*) slender, 1
delicioso(-a) (*adj.*) delicious, 5
demasiado (*adv.*) too much, 7, 10, UPM
demora (*sust. f.*) delay, 11
demostrativo(-a) (*adj.*) demonstrative, 2
dentro (de) (*adv.*) within, 3
departamento (*sust. m.*) apartment (*Méx., Arg.*), 6; **departamento de caballeros** (*sust. m.*) men's department, 9
dependiente(-a) (*sust. m./f.*) salesclerk, 9
deporte (*sust. m.*) sport, 8
depositar (*v.*) to deposit, 10
derecho(-a) (*adj.*) right
desaparecer (*v.*) to disappear, 11
desastre (*sust. m.*) disaster, 3
desayunar (*v.*) to have breakfast, 5
desayuno (*sust. m.*) breakfast, 5
desbarrancar (*v.*) to go over a precipice, 11
descalzo(-a) (*adj.*) barefoot; **andar descalzo(-a)** (*exp.*) to go barefoot, 9
descansar (*v.*) to rest, 3
desconocido(-a) (*adj.*) unknown, 11
desde (*prep.*) from, 11
desear (*v.*) to wish, to want, 2
desocupar (*v.*) to vacate, 12
despedida (*sust. f.*) good-bye, farewell, LP
despegar (*v.*) to take off (*airplane*), 11
despejado(-a) (*adj.*) clear (*sky*), 9
despertarse (e>ie) (*v.*) to wake up, 7
después (*adv.*) afterwards, 3; **después (de)** (*exp.*) after, 6
destino (*sust. m.*) destination, 11
detergente (*sust. m.*) detergent, 6
día (*sust. m.*) day, 1; **al día** (*exp.*) per day, 2; **al día siguiente** (*exp.*) the next day, 5; **día feriado** (*exp.*) holiday, 10; **día libre** (*exp.*) the day off, 6; **¿Qué día es hoy?** (*exp.*) What day is it today?, 2
diariamente (*adv.*) daily, 10
diario (*sust. m.*) newspaper, 10
dicho (*sust. m.*) saying
diciembre (*sust. m.*) December, 2
diecinueve (*sust. m.*) nineteen, 2
dieciocho (*sust. m.*) eighteen, 2
dieciséis (*sust. m.*) sixteen, 2
diecisiete (*sust. m.*) seventeen, 2
diente (*sust. m.*) tooth, 7
dieta: estar a dieta (*exp.*) to be on a diet, 6
diez (*sust. m.*) ten, LP
difícil (*adj.*) difficult, 1
diligencia (*sust. f.*) errand; **hacer diligencias** (*exp.*) to run errands, 10
dinero (*sust. m.*) money, 2

dirección (*sust. f.*) address, 1; **dirección electrónica** (*exp.*) e-mail address, 1
directamente (*adv.*) directly, 10
directo(-a) (*adj.*) direct, 11
disco compacto (*sust. m.*) CD, 4
disco duro (*sust. m.*) hard drive, 10
disponible (*adj.*) vacant, available, 12
divertirse (e>ie) (*v.*) to have a good time, 7
dividir (*v.*) to divide, 3
docena (*sust. f.*) dozen, 6
doctor(-a) (*sust. m./ f.*) doctor (Dr./ Dra.), LP
documento (*sust. m.*) document
dólar (*sust. m.*) dollar, 2
dolor de cabeza (*sust. m.*) headache, 4
domicilio (*sust. m.*) address (*Méx.*), 1
domingo (*sust. m.*) Sunday, 2
don (*sust. m.*) a title of respect, used with a man's first name, 4
doña (*sust. f.*) a title of respect, used with a woman's first name, 4
¿Dónde? (*adv.*) Where?, 1;**¿De dónde eres?** (*exp.*) Where are you from? (*fam.*), 1; **¿De dónde es usted?** (*exp.*) Where are you from? (*form.*), 1
dormir (o>ue) (*v.*) to sleep, 4, 6
dormirse (o>ue) (*v.*) to fall asleep, 7
dormitorio (*sust. m.*) bedroom, 3
dos (*sust. m.*) two, LP
doscientos (*sust. m.*) two hundred, 2
ducha (*sust. f.*) shower, 12
ducharse (*v.*) to shower, 7
dudar (*v.*) to doubt, 11
dueño(-a) (*sust. m./f.*) owner, 4, 12
durante (*prep.*) during, in, for, per
durazno (*sust. m.*) peach (*Méx., Cono Sur*), 6

E

edad (*sust. f.*) age
edad mediana (*sust.f.*) middle age, 7
educación física (*sust. f.*) physical education, 2
efectivo (*sust. m.*) cash; **en efectivo** (*exp.*) in cash, 10
ejercicio (*sust. m.*) exercise, 4, 12
elegante (*adj.*) elegante
elegir (e>i) (*v.*) to choose, 6
elevador (*sust. m.*) elevator (*Méx., Cuba, P.R.*), 12
emergencia (*sust. f.*) emergency, 11
empezar (e>ie) (*v.*) to begin, to start, 5
empleado(-a) (*sust. m./ f.*) clerk, 9
empresas: administración de empresas (*sust. f.*) business administration, 2
en (*prep.*) at, in, on, 1; **en cambio** (*exp.*) on the other hand, 8; **en casa** (*exp.*) at home; **en cuanto** (*exp.*) as soon as, 9; **en efectivo** (*exp.*) in cash, 10; **en parte** (*exp.*) in part, 11; **en seguida** (*exp.*) right away, 12; **en vez de** (*exp.*) instead of, 7
enamorado(-a) (*adj.*) in love, 4
enamorarse de (*v.*) to fall in love with, 12
encaje (*sust. m.*) lace, 9
encanecer (*v.*) to turn grey, 7
Encantado(-a). (*exp.*) It's a pleasure to meet you. (*Arg., Cuba*), LP
encantador(-a) (*adj.*) charming, 4
encantar (*v.*) to love, to like very much, 8
encargado(-a) de (*adj.*) in charge of, 10
encontrar (o>ue) (*v.*) to find, 6
enero (*sust. m.*) January, 2
enfermero(-a) (*sust. m./f.*) nurse, 2
enfermo(-a) (*adj.*) sick, 4
ensalada (*sust. f.*) salad, 3; **ensalada mixta** (*sust. f.*) mixed salad, 6
enseñar (*v.*) to teach, 2
entender (e>ie) (*v.*) to understand, 5
entonces (*adv.*) then, 2
entrada (*sust. f.*) ticket (*for an event*), 7
entrar (en), entrar (a) (*v.*) to enter, to go in, 7
entre (*prep.*) between, 5, 10; **entre semana** (*exp.*) during the week
entregarse (*v.*) to surrender, to give up, 7
entremés(-es) (*sust. m. sing./m. pl.*) appetizer(s), finger food, 4
entusiasmo (*sust. m.*) enthusiasm, 11
enviar (*v.*) to send, 4
equipaje (*sust. m.*) luggage, 11; **exceso de equipaje** (*exp.*) excess luggage, 11
equipo (*sust. m.*) team, 7
escalar una montaña (*exp.*) to climb a mountain, 7
escalera (*sust. f.*) staircase, 12
esclavitud (*sust. f.*) slavery, 7
esclusa (*sust. f.*) lock (*in a canal*), Unit 3
escoger (*v.*) to choose, 6
esconder (*v.*) to hide, 4
escribir (*v.*) to write, 3
escritor(-a) (*sust. m./f.*) writer, 9
escritorio (*sust. m.*) desk, 1
escuchar (*v.*) to listen to, 2
escuela (*sust. f.*) school, 8, 9
eso (*pron.*) that, 3; **a eso de** (*exp.*) at about..., 3
espaguetis (*sust. m. pl.*) spaghetti, 6
espalda (*sust. f.*) back, 7
español (*sust. m.*) Spanish (*language*), 1
español(-a) (*sust. m./f.*) Spaniard
especialidad (*sust. f.*) specialty, 5; **especialidad de la casa** (*exp.*) house specialty, 5
especialización (*sust. f.*) specialization, major (*university*), 1
especialmente (*adv.*) especially, 3
espejo (*sust. m.*) mirror, 7
esperar (*v.*) to wait, 5; (*v.*) to hope, 10; **Espero que sí.** (*exp.*) I hope so., 8
espontáneo(-a) (*adj.*) spontaneous, 10
esposo(-a) (*sust. m./f.*) spouse, husband (*m.*), wife (*f.*), 4
esquí acuático (*sust. m.*) waterskiing, 8
esquiar (*v.*) to ski, 7
esquina (*sust. f.*) corner, 10, 12
estación (*sust. f.*) season, 2
estacionar (*v.*) to park, 10
estampilla (*sust. f.*) stamp, 10
estar (*v.*) to be, 4; **estar a dieta** (*exp.*) to be on a diet, 6; **estar de moda** (*exp.*) to be in style, 9; **estar listo(-a)** (*exp.*) to be ready; **estar muerto(-a) de hambre** (*exp.*) to be starving, 6; **estar seguro(-a)** (*exp.*) to be sure, 11
estatura: de estatura mediana (*exp.*) of medium height, 4
este(-a) (*adj.*) this, 3
estómago (*sust. m.*) stomach, 7
estrella (*sust. f.*) star, 8
estudiante (*sust. m./f.*) student, 1; **estudiante graduado(-a)** (*sust. m./f.*) graduate student, 1
estudiar (*v.*) to study, 2
exactamente (*adv.*) exactly, 9
excelente (*adj.*) excellent, 8
excepto (*prep.*) except, 6
exceso (*sust. m.*) excess
exclusivo(-a) (*adj.*) exclusive
excursión (*sust. f.*) tour, 11
excusa (*sust. f.*) excuse, 3
éxito (*sust. m.*) success, 4; **todo un éxito** (*exp.*) quite a success, 4
experiencia (*sust. f.*) experience, 11
experto(-a) (*adj.*) expert, 8
expresión (*sust. f.*) expression, 1
exterior (*sust. m.*) exterior, 12
extrañar (*v.*) to miss, to grow apart, 8
extranjero(-a) (*adj.*) foreign, 7; (*sust. m./f.*) foreigner, 7, 8; **al extranjero** (*exp.*) abroad, Unit 4
extraño(-a) (*sust. m./f.*) stranger

F

fácil (*adj.*) easy, 1
fácilmente (*adv.*) easily, 8
facturar el equipaje (*exp.*) to check luggage, 11
facultad (*sust. f.*) college, 9
falda (*sust. f.*) skirt, 9
falso(-a) (*adj.*) false, LP
familia (*sust. f.*) family, 3
famoso(-a) (*adj.*) famous, 6
fantástico(-a) (*adj.*) fantastic, 1
farmacia (*sust. f.*) pharmacy
favorito(-a) (*adj.*) favourite, 3

febrero (*sust. m.*) February, 2
fecha (*sust. f.*) date, 12; **¿Qué fecha es hoy?** (*exp.*) What is the date today?, 2
fechar (*v.*) to date (*a document*), 10
feliz (*adj.*) happy, 4
feo(-a) (*adj.*) ugly, 1
fiesta (*sust. f.*) party, 4
fijarse en (*v.*) to notice, 12
fin (*sust. m.*) end, 2; **fin de semana** (*sust. m.*) weekend, 4, 7
fingir (*v.*) to feign, 11
firmar (*v.*) to sign, 10
física (*sust. f.*) physics, 2; **educación física** (*sust. f.*) physical education, 2
flan (*sust. m.*) caramel custard, 5
flor (*sust. f.*) flower, 7
florería (*sust. f.*) flower shop
florero (*sust. m.*) vase, 7
fogata (*sust. f.*) bonfire, 8
folleto (*sust. m.*) brochure, 12
formulario (*sust. m.*) form, 10; **formulario de solicitud** (*sust. m.*) application form, 10
fortaleza (*sust. f.*) fortress
fotografía (*sust. f.*) photograph
francés (*sust. m.*) French (*language*), 5, 6, 7, 12
frecuentemente (*adv.*) often, 8
frente (*sust. f.*) forehead, 7, (*sust. m.*) front
fresa (*sust. f.*) strawberry, 6
frijol (*sust. m.*) bean, 7
frío(-a) (*adj.*) cold, 9
frito(-a) (*adj.*) fried, 8
fruncir (*v.*) to frown; **fruncir el ceño** (*exp.*) to frown, to scowl, 9
fruta (*sust. f.*) fruit, 5, 6
frutilla (*sust. f.*) strawberry (*Cono Sur*), 6
fuente de ingresos (*sust. f.*) source of income, Unit 2
funcionar (*v.*) to work, to function; **no funciona** (*exp.*) it doesn't work, 12
fundado(-a) (*adj.*) founded
fútbol (*sust. m.*) soccer (football), 8

G

gafas (*sust. f. pl.*) glasses; **gafas de sol** (*sust. f. pl.*) sunglasses, 8
galleta (*sust. f.*) cookie, 5
gamba (*sust. f. sing.*) shrimp (*Esp.*), 5
ganador(-a) (*sust. m./f.*) winner
garaje (*sust. m.*) garage, 3
gastar (*v.*) to spend (*money*), 9
gato (*sust. m.*) cat, 3
general (*adj.*) general, 8
generalmente (*adv.*) generally, 8
género (*sust. m.*) kind, type, 1
gente (*sust. f. sing.*) people (**gente** *is considered singular in Spanish*), 10
geografía (*sust. f.*) geography, 2
geología (*sust. f.*) geology, 2
gerente (*sust. m./f.*) manager, 11
giro postal (*sust. m.*) money order, 10
gobierno (*sust. m.*) government
gordo(-a) (*adj.*) fat, 1
gracias (*sust. f. pl.*) thanks; **Muchas gracias.** (*exp.*) Thank you very much., 1
grado (*sust. m.*) degree (*temperature*), 9; **Hay...grados.** (*exp.*) It's...degrees, 9
grande (*adj.*) big, 1
gratis (*adj.*) free, 10
gris (*sust. m./adj.*) grey, 1; **está poniendo gris** (*exp.*) it's turning grey, 7
gritar (*v.*) to shout, 4
grupo (*sust. m.*) group
guagua (*sust. f.*) bus (*Cuba*), 8
guante(-s) (*sust. m. sing./m. pl.*) glove(s), 9
guapo(-a) (*adj.*) handsome, beautiful, 1
guatemalteco(-a) (*sust. m./f.*) Guatemalan, 4
gustar (*v.*) to like, to appeal, 7
gusto (*sust. m.*) pleasure; **El gusto es mío.** (*exp.*) The pleasure is mine., 1; **Mucho gusto.** (*exp.*) It's a pleasure to meet you. (*Arg., Cuba*), LP

H

Habana (La Habana) (*sust. f.*) Havana
haber (*v.*) to have (*auxiliary verb used in compound verb tenses*); **había una vez** (*exp.*) once upon a time, 9; **va a haber** (*exp.*) there is going to be, 12
habitación (*sust. f.*) room, 10; **habitación exterior** (*exp.*) an exterior room, 12; **habitación interior** (*exp.*) an interior room, 12; **servicio de habitación** (*sust. m.*) room service, 12
habitante (*sust. m.*) inhabitant
hablar (*v.*) to speak, 2
hacer (*v.*) to do, to make, 3; **hace...** (*exp.*) ...ago, 9; **hacer buen tiempo** (*exp.*) to have good weather, 9; **hacer calor** (*exp.*) to be hot, 9; **hacer cola** (*exp.*) to stand in line, 10; **hacer diligencias** (*exp.*) to run errands, 10; **hacer ejercicio** (*exp.*) to exercise, 4, 12; **hacer escala** (*exp.*) to make a stop over, 11; **hacer frío** (*exp.*) to be cold outside, 9; **hacer mal tiempo** (*exp.*) to be bad weather, 9; **hacer sol** (*exp.*) to be sunny, 9; **hacer surf** (*exp.*) to surf, 8; **hacer un crucero** (*exp.*) to take a cruise, 11; **hacer una caminata** (*exp.*) to go hiking, 8; **hacer viento** (*exp.*) to be windy, 9
hambre (*sust. f.*) hunger; **estar muerto(-a) de hambre** (*exp.*) to be starving, 6; **tener hambre** (*exp.*) to be hungry, 3
hamburguesa (*sust. f.*) hamburger, 5
hasta (*prep.*) until, 2, 3, 7; **Hasta la vista.** (*exp.*) (I'll) see you around., 1; **Hasta luego.** (*exp.*) (I'll) see you later., 1; **Hasta mañana.** (*exp.*) (I'll) see you tomorrow., LP
hay (*exp.*) there is, there are, 1
heladera (*sust. f.*) refrigerator (*Méx., Cono Sur*), 3
helado(-a) (*adj.*) frozen, iced; **helado** (*sust. m.*) ice cream, 5; **té helado** (*sust. m.*) iced tea, 2
hermanastro(-a) (*sust. m./f.*) stepbrother, stepsister, 4
hermano(-a) (*sust. m./f.*) brother, sister, 3, 4
hielo (*sust. m.*) ice, 2; **agua con hielo** (*sust. f.*) water with ice, 2
higiénico: papel higiénico (*sust. m.*) toilet paper, 6
hijastro(-a) (*sust. m./f.*) stepson, stepdaughter, 4
hijo(-a) (*sust. m./f.*) son, daughter, 3, 4; **hijos** (*sust. m. pl.*) children
hispanocanadiense (*sust. m./f.*) Hispanic-Canadian, 2
historia (*sust. f.*) history, 2
hogar (*sust. m.*) home
Hola. (*exp.*) Hello. Hi., LP
hombre (*sust. m.*) man, 1
hombro (*sust. m.*) shoulder, 7
hora (*sust. f.*) time, 2; **hora** (*sust. f.*) hour, 10; **horas extras** (*exp.*) extra hours, overtime, 2; **¿Qué hora es?** (*exp.*) What time is it?, 2
horario de clases (*sust. m.*) class schedule, 2
horno (*sust. m.*) oven, 3; **al horno** (*exp.*) baked; **horno de microondas** (*sust. m.*) microwave oven, 3
horrible (*adj.*) horrible, 1
hospedarse (*v.*) to stay (*e.g., at a hotel*), 8
hostal (*sust. m.*) hostel, 12
hotel (*sust. m.*) hotel, 8
hoy (*adv.*) today, 2; **hoy mismo** (*exp.*) this very day, 12; **¿Qué día es hoy?** (*exp.*) What day is it today?, 2; **¿Qué fecha es hoy?** (*exp.*) What is the date today?, 2
huevo (*sust. m.*) egg, 5
húmedo(-a) (*adj.*) humid, 9

I

ida (*sust. f.*) outward journey; **pasaje de ida** (*sust. m.*) one-way ticket, 11; **pasaje de ida y vuelta** (*sust. m.*) round-trip ticket, 11
idea (*sust. f.*) idea, 2
identificación (*sust. f.*) identification, 10
idioma (*sust. m.*) language, 2

iglesia (*sust. f.*) church
Igualmente. (*adv.*) Likewise., LP
impermeable (*sust. m.*) raincoat, 9
no importa (*exp.*) it doesn't matter
importante (*adj.*) important, 2
importar (*v.*) to matter; **importarle (a uno)** (*exp.*) to matter (to someone), 7
imposible (*adj.*) impossible, 2
impresora (*sust. f.*) printer, 10
incluir (*v.*) to include, 11
incómodo(-a) (*adj.*) uncomfortable, 9
inculcar (*v.*) to instill, 7
individual (*adj.*) individual, 10
información (*sust. f.*) information, 11
informática (*sust. f.*) computer science, 2
inglés (*sust. m.*) English (*language*), 2
ingreso (*sust. m.*) income, revenue, Unit 2, Unit 3, Unit 4; **fuente de ingresos** (*sust. f.*) source of income, Unit 2
inodoro (*sust. m.*) toilet, 12
insistir en (*v.*) to insist on, 12
inteligente (*adj.*) intelligent, 1
interés (*sust. m.*) interest
interesante (*adj.*) interesting, 1
interior (*adj.*) interior
internacional (*adj.*) international, 2
interrogativo(-a) (*adj.*) interogative, 2
invierno (*sust. m.*) winter, 2
invitación (*sust. f.*) invitation, 4
invitado(-a) (*sust. m.*) guest, 4
invitar (*v.*) to invite, 4
iPod (*sust. m.*) iPod, 1
ir (*v.*) to go, 4; **fue a buscar (a alguién)** (*exp.*) to go to pick up (someone), 12; **ir a acampar** (*exp.*) to go camping, 8; **ir a patinar** (*exp.*) to go skating, 7; **ir de compras** (*exp.*) to go shopping, 9; **Me voy.** (*exp.*) I'm leaving., 2; **no vamos** (*exp.*) we are not going, 2
irse (*v.*) to leave, to go away, 7
istmo (*sust. m.*) isthmus, Unit 2
italiano (*sust. m.*) Italian (*language*), 7
izquierdo(-a) (*adj.*) left

J

jabón (*sust. m.*) soap
jamás (*adv.*) never, 6
jamón (*sust. m.*) ham, 5
japonés (*sust. m.*) Japanese (*language*), 7
jardín (*sust. m.*) garden, 12
jefe(-a) (*sust. m./f.*) boss, manager, 10
jitomate (*sust. m.*) tomato (*Mex.*), 6
joven (*adj.*) young, 1
joya (*sust. f.*) jewel, gem
joyería (*sust. f.*) jewellery store
juego (*sust. m.*) game, 2
jueves (*sust. m.*) Thursday, 2
jugador(-a) (*sust. m./f.*) player, 8
jugar (u>ue) (*v.*) to play, 8; **jugar al golf** (*exp.*) to play golf, 8; **jugar al tenis** (*exp.*) to play tennis, 8
jugo (*sust. m.*) juice, 2; **jugo de manzana** (*sust. m.*) apple juice, 2; **jugo de naranja** (*sust. m.*) orange juice, 2; **jugo de tomate** (*sust. m.*) tomato juice, 2; **jugo de toronja** (*sust. m.*) grapefruit juice, 2; **jugo de uvas** (*sust. m.*) grape juice, 2
julio (*sust. m.*) July, 2
junio (*sust. m.*) June, 2
juntarse (*v.*) to get together, 8
juntos(-as) (*adj.*) together, 2
justo(-a) (*adj.*) fair, 7

K

kiosko (*sust. m.*) magazine stand (*Arg., Esp.*), 12

L

laboratorio (*sust. m.*) laboratory
ladera (*sust. f.*) hillside, Unit 5
lago (*sust. m.*) lake, 8
langosta (*sust. f.*) lobster, 5, 6
lápiz (*sust. m.*) pencil, 1
laptop (*sust. m.*) laptop, 1, 10
largo(-a) (*adj.*) long, 9
Latinoamérica (*sust. f.*) Latin America
latinoaméricano(-a) (*adj.*) Latin American
lavabo (*sust. m.*) washbasin, 12
lavadora (*sust. f.*) washing machine, 3
lavaplatos (*sust. m.*) dishwasher, 3
lavar (*v.*) to wash, 3
lavarse (*v.*) to wash oneself, 7
lección (*sust. f.*) lesson, 2
leche (*sust. f.*) milk, 2
lechuga (*sust. f.*) lettuce, 6
lector de MP3 (*sust. m.*) MP3 player, 4
leer (*v.*) to read, 3
lejía (*sust. f.*) bleach
lejos (de) (*adv.*) far (from), 4
lengua (*sust. f.*) tongue, 7
lentamente (*adv.*) slowly, 8
lento(-a) (*adj.*) slow, 8
letrero (*sust, m.*) sign, 10
levantar (*v.*) to raise, 4; (*v.*) to pick up, 11
levantarse (*v.*) to get up, 7
libertad (*sust. f.*) liberty, 2
libre (*adj.*) off, free (available), 6; (*adj.*) vacant, available, 12
librería (*sust. f.*) bookstore
libreta de ahorros (*sust. f.*) passbook, 10
libro (*sust. m.*) book, 1
licencia de (para) conducir (*sust. f.*) driver's licence, 10
licuadora (*sust. f.*) blender, 3
limonada (*sust. f.*) lemonade, 3
limpiar (*v.*) to clean, 3; **limpiar el polvo** (*v.*) to dust (*Esp.*), 3
limpio(-a) (*adj.*) clean, 3, 12
lindo(-a) (*adj.*) pretty, 1
liquidación (*sust. f.*) sale, 9
lista (*sust. f.*) list, 5
lista de espera (*sust. f.*) waiting list, 11
listo(-a) (*adj.*) ready; **estar listo(-a)** (*exp.*) to be ready
literatura (*sust. f.*) literature, 2
llamada (*sust. f.*) call, 11
llamar (*v.*) to call, 4; **llamar a la puerta** (*exp.*) to knock at the door, 3; **llamar por** (*exp.*) to call, to phone
llamarse (*v.*) to be called; **¿Cómo te llamas?** (*exp.*) What's your name? (*fam.*), LP; **¿Cómo se llama usted?** (*exp.*) What's your name? (*form.*), 1; **Me llamo…** (*exp.*) My name is …, LP
llave (*sust. f.*) the key, 4
llegar (*v.*) to arrive, 3; **llegar tarde** (*exp.*) to arrive late; **llegar temprano** (*exp.*) to arrive early, 3, 9, 11
llenar (*v.*) to fill, to fill out, 10
lleno(-a) (*adj.*) full, 12
llevar (*v.*) to wear, to take (someone or something somewhere), 4
llover (o>ue) (*v.*) to rain, 9
lluvia (*sust. f.*) rain, 9
lo **lo más pronto posible** (*exp.*) as soon as possible, 10; **lo mismo** (*exp.*) the same thing, 11; **lo primero** (*exp.*) the first thing, 12; **lo que** (*rel. pron.*) what, that, which, 9; **Lo siento.** (*exp.*) I'm sorry., 1
los (las) dos (*adj. inv./pron.*) both, 2
luego (*adv.*) later
lugar (*sust. m.*) place, 12; **en lugar de** (*exp.*) in place of, instead of, 1, 10; **lugar(-es) de interés** (*sust. m. sing./m. pl.*) place(s) of interest, 11
lujo (*sust. m.*) luxury, 8, 12
lunes (*sust. m.*) Monday, 2
luz (*sust. f.*) light, 1

M

madrastra (*sust. f.*) stepmother, 4
madre (*sust. m.*) mother, 4
madrina (*sust. f.*) godmother, 4
maestro(-a) (*sust. m./f.*) teacher, Unit 3
magnífico(-a) (*adj.*) magnificent
mal (*adv.*) poorly, badly, 1
maleta (*sust. f.*) suitcase, 11
maletín (*sust. m.*) small suitcase, hand luggage, 11
malla (*sust. f.*) bathing suit (*Cono Sur*), 8
malo(-a) (*adj.*) bad, 5
mamá (*sust. f.*) mom, 3, 4
mañana (*adv.*) tomorrow, 2
mandar (*v.*) to send, 4; (*v.*) to order, 10
mandón(-a) (*adj.*) bossy, 3
manejar (*v.*) to drive, 4

manera: de manera que (*exp.*) so, 6
manga (*sust. f.*) sleeve, 9
mano (*sust. f.*) hand, 1, 7
manteca (*sust. f.*) butter (*Cono Sur*), 5
mantel (*sust. m.*) tablecloth, 5
mantequilla (*sust. f.*) butter, 5
manzana (*sust. f.*) apple, 2; (*sust. f.*) block (*Esp.*), 10; **jugo de manzana** (*sust. m.*) apple juice, 2
mapa (*sust. m.*) map, 1
mar (*sust. m.*) ocean, sea, 8
marca (*sust. f.*) mark
marcador (*sust. m.*) felt-tip pen, 1
marisco (*sust. m.*) shellfish, seafood, 5, 6
marrón (*sust. m./adj.*) brown, 1
martes (*sust. m.*) Tuesday, 2
marzo (*sust. m.*) March, 2
más (*adv.*) more, 5; **Más despacio, por favor.** (*exp.*) More slowly, please., 1; **Más o menos.** (*exp.*) More or less., So-so., LP; **más tarde** (*exp.*) later, 5; **¿Qué más…?** (*exp.*) What else …?, 5
matar (*v.*) to kill, 9, 11
matemáticas (*sust. f. pl.*) mathematics, 2
materia (*sust. f.*) course, subject (*Arg., Esp.*), 2
mayo (*sust. m.*) May, 2
mayor (*adj.*) older, oldest, 5
mediano(-a) (*adj.*) medium, 9; **de estatura mediana** (*exp.*) of medium height, 4
medianoche (*sust. f.*) midnight, 7
medicina (*sust. f.*) medicine
médico(a) (*sust. m./f.*) medical doctor, MD, 7
medida (*sust. f.*) measure, measurement, 9; **a la medida** (*exp.*) tailor-made, made-to-measure, 9
medio(-a) (*adj.*) half, 10
medio(-a) hermano(-a) (*sust. m./f.*) half brother, half sister, 4
mediodía (*sust. m.*) noon, 2
medir (e>i) (*v.*) to measure, 5
mejor (*adj./adv.*) better, best, 5
melocotón (*sust. m.*) peach, 6
melón de agua (*sust. m.*) watermelon (*Cuba, P.R.*), 6
memoria (*sust. f.*) memory, 10
menor (*adj.*) youngest, 5
menos (*adv.*) less, 5
mensaje (*sust. m.*) message; **mensaje electrónico** (*sust. m.*) e-mail, 8, 10; **mensaje de texto** (*sust. m.*) text message, 9
mentir (e>ie) (*v.*) to lie, 10
menú (*sust. m.*) menu, 5
mercado (*sust. m.*) market, 6; **mercado al aire libre** (*sust. m.*) outdoor market, 6
merendar (e>ie) (*v.*) to have an afternoon snack, 7
mermelada (*sust. f.*) jam, 5
mes (*sust. m.*) month, 2
mesa (*sust. f.*) table, 5
mesero(-a) (*sust. m./f.*) waiter, waitress (*Méx.*), 5
mesonero(-a) (*sust. m./f.*) waiter, waitress (*Ven.*), 5
mexicano(-a) (*adj.*) Mexican, 1
mezcla (*sust. f.*) mixture, 9
mezclar (*v.*) to mix
mientras (*conj.*) while, 3, 12
miércoles (*sust. m.*) Wednesday, 2
mil (*sust. m.*) a thousand, 3
minuto (*sust. m.*) minute
mío(-a)(-s) (*pron.*) mine, 9
mirar (*v.*) to watch, to look at, 3
lo mismo (*exp.*) the same thing, 11
mismo(-a) (*adj.*) same, 5
mochila (*sust. f.*) backpack, 1
moda: estar de moda (*exp.*) to be in style, 9
moderno(-a) (*adj.*) modern, 7
modista (*sust. m./f.*) tailor, seamstress, 9
modo (*sust. m.*) way, manner, mood; **de modo que** (*exp.*) so, 6
mohín (*sust. m.*) pout, 11
momento (*sust. m.*) moment, 3
moneda (*sust. f.*) coin, currency
monitor (*sust. m.*) monitor, 10
moneda (*sust. f.*) currency; **¿A cuánto está el cambio de moneda?** (*exp.*) What's the rate of exchange?, 11
montar (*v.*) to ride; **montar a caballo** (*exp.*) to ride horseback, 7; **montar en bicicleta** (*exp.*) to ride a bicycle, 7
montón (*sust. m.*) loads; **un montón de** (*exp.*) a bunch of, many, 12
morado(-a) (*sust. m./adj.*) purple, 1
moraleja (*sust. f.*) moral, 7
moreno(-a) (*adj.*) dark, brunet, 4
morir (o>ue) (*v.*) to die, 8
mostrar (o>ue) (*v.*) to show, 12
móvil (*sust. m.*) cellphone, 1
mozo(-a) (*sust. m./f.*) waiter, waitress (*Cono Sur*), 5
muchacho(-a) (*sust. m./f.*) young man/woman, 1
mucho(-a)(-s) (*adj.*) much, many, Unit 1; **Muchas gracias.** (*exp.*) Thank you very much., 1; **Mucho gusto.** (*exp.*) It's a pleasure to meet you. (*Arg., Cuba*), LP; **No mucho.** (*exp.*) Not much., 1
mudarse (*v.*) to move (relocate), 9
mueble(-s) (*sust. m. sing./m. pl.*) furniture, 3
muerto(-a) (*adj.*) dead, 10; **estar muerto(-a) de hambre** (*exp.*) to be starving, 6
mujer (*sust. f.*) woman, 1
muñeca (*sust. f.*) wrist, 7
mural (*sust. m.*) mural
museo (*sust. m.*) museum, 7
música (*sust. f.*) music, 2
muy (*adv.*) very, 1; **Muy bien.** (*exp.*) Very well., LP

N

nada (*pron.*) nothing, 6; **De nada.** (*exp.*) You're welcome., 1; **Por nada.** (*exp.*) You're welcome. (*Méx.*), 1
nadar (*v.*) to swim, 7
nadie (*pron.*) nobody, no one, 6
naranja (*sust. f.*) orange (*fruit*), 2; **jugo de naranja** (*sust. m.*) orange juice, 2
nariz (*sust. f.*) nose, 7
navegar (*v.*) to navigate; **navegar la Red** (*exp.*) to surf the net, 10
Navidad (*sust. f.*) Christmas, 2
necesitar (*v.*) to need, 2
negar (e>ie) (*v.*) to deny, 11
negativo(-a) (*adj.*) negative, 2
negro(-a) (*sust. m./adj.*) black, 1
nervios (*sust. m. pl.*) nerves, 11
nevada (*sust. f.*) snowfall
nevar (e>ie) (*v.*) to snow, 9
nevera (*sust. f.*) refrigerator (*Esp.*), 3
ni… ni (*exp.*) neither… nor, 6
niebla (*sust. f.*) fog, 9
nieto(-a) (*sust. m./f.*) grandson / granddaughter, 4
nieve (*sust. f.*) snow, 9; **nieve** (*sust. f.*) ice cream (*Méx.*), 5
ningún, ninguno(-a) (*adj.*) none, not any; no one, 6
niño(-a) (*sust. m./f.*) child, 5
no (*adv.*) no, not, 1
noche (*sust. f.*) night, 2; **esta noche** (*exp.*) tonight, 1; **por la noche** (*exp.*) at night, 2; **por noche** (*exp.*) per night, 9
norteamericano(-a) (*adj.*) North American, 1
nota (*sust. f.*) mark, grade, 5; **buenas notas** (*exp.*) good marks, 5
novecientos (*sust. m.*) nine hundred, 3
noveno(-a) (*adj.*) ninth, 12
noventa (*sust. m.*) ninety, 2
noviembre (*sust. m.*) November, 2
novio(-a) (*sust. m./f.*) boyfriend / girlfriend, 4
nublado(-a) (*adj.*) cloudy, 9
nuera (*sust. f.*) daughter-in-law, 4
nuestro(-a)(-s) (*adj.*) our, 2
nueve (*sust. m.*) nine, LP
nuevo(-a) (*adj.*) new, 2
número (*sust. m.*) number, LP; **número de teléfono** (*sust. m.*) phone number, LP; **número de Seguro Social** (*exp.*) Social Insurance Number, 10
nunca (*adv.*) never, 6, 12

O

o... o (*exp.*) either... or, 6
obra (*sust. f.*) work (of art)
ochenta (*sust. m.*) eighty, 2
ocho (*sust. m.*) eight, LP
ochocientos (*sust. m.*) eight hundred, 3
octavo(-a) (*adj.*) eighth, 12
octubre (*sust. m.*) October, 2
ocupación (*sust. f.*) occupation, 3
ocupado(-a) (*adj.*) busy, 3; **ocupado(-a)** (*adj.*) occupied, 12
odio (*sust. m.*) hatred, 9
oficina (*sust. f.*) office, 2; **oficina de administración** (*sust. f.*) administration office, 2; **oficina de correo** (*sust. f.*) post office, 10
ojalá (*exp.*) I hope, 10
ojo(-s) (*sust. m. sing./m. pl.*) eye(s), 4, 7; **de ojos castaños** (*exp.*) with brown eyes, 4
olor (*sust. m.*) smell, 9
olvidarse (de) (*v.*) to forget, 12
ómnibus (*sust. m.*) bus (*Cono Sur*), 8
optimista (*sust. m./f.*) optimist, 12
ordenador (*sust. m.*) computer (*Esp.*), 1, 10; **ordenador personal** (*sust. m.*) personal computer (*Esp.*), 10
oreja (*sust. f.*) ear (external), 7
original (*sust. m./adj.*) original
orilla (*sust. f.*) bank (*of a body of water*), shore
oro (*sust. m.*) gold, 9
orquesta (*sust. f.*) orchestra, band, 5
oso (*sust. m.*) bear, 9
otoño (*sust. m.*) autumn, 2
otra vez (*exp.*) again, 12
otro(-a) (*adj.*) another, other, 10
oye (*exp.*) listen, 1

P

paciencia (*sust. f.*) patience, 12; **tener paciencia** (*exp.*) to have patience, 12
padrastro (*sust. m.*) stepfather, 4
padre (*sust. m.*) father, 4
padres (*sust. m. pl.*) parents, 3, 4
padrino (*sust. m.*) godfather, 4
pagar (*v.*) to pay, 5
país (*sust. m.*) country, nation, 10, 11
pájaro (*sust. m.*) bird, Unit 2
palabra (*sust. f.*) word, 1
palo de golf (*sust. m.*) golf club, 8
palta (*sust. f.*) avocado (*Cono Sur*), 6
pan (*sust. m.*) bread, 3, 5; **pan tostado** (*sust. m.*) toast, 5
panadería (*sust. f.*) bakery, 6
panqué (*sust. m.*) pancake (*Méx.*), 5
panqueque (*sust. m.*) pancake, 5
pantalla (*sust. f.*) screen, 10
pantallas (*sust. f. pl.*) earrings (*P.R.*), 9
pantalón (pantalones) (*sust. m. sing./m. pl.*) pants, trousers, 9; **pantalones cortos** (*sust. m. pl.*) shorts, 9
papa (*sust. f.*) potato, 5
papá (*sust. m.*) dad, 3, 4; **puré de papas** (*sust. m.*) mashed potatoes, 5
papel (*sust. m.*) paper, 1; **papel higiénico** (*sust. m.*) toilet paper, 6
paquete (*sust. m.*) package, 11
par (*sust. m.*) pair, 9
para (*prep.*) for, in order to, 3
parado(-a) (*adj.*) standing, 9
paraguas (*sust. m.*) umbrella, 9
parar (*v.*) to stop, 11
parecer (*v.*) to seem, 12
pared (*sust. f.*) wall, 1
pareja (*sust. f.*) couple, 4
pariente (*sust. m./f.*) relative, 3, 4
parilla (*sust. f.*) grill; **a la parrilla** (*exp.*) grilled, 5
parque (*sust. m.*) park; **parque de atracciones** (*sust. m.*) amusement park (*Esp.*), 7; **parque de diversiones** (*sust. m.*) amusement park, 7
parquear (*v.*) to park (*Antillas*), 10
parte (*sust. f.*) part, 7; **en parte** (*exp.*) in part, 11
partido (*sust. m.*) game, match, 2
pasado(-a) (*adj.*) last, 7
pasaje (*sust. m.*) ticket, 11; **pasaje de ida** (*sust. m.*) one-way ticket, 11; **pasaje de ida y vuelta** (*sust. m.*) round-trip ticket, 11
pasajero(-a) (*sust. m.*) passenger, 11
pasaporte (*sust. m.*) passport, 11
pasar (*v.*) to spend (*time*), 8; **pasar la aspiradora** (*exp.*) to vacuum, 3; **pasar una película** (*exp.*) to show a movie, 7; **pasarlo bien** (*exp.*) to have a good time, 4; **Pase.** (*exp.*) Come in., 1
pasillo (*sust. m.*) aisle, 11; **asiento de pasillo** (*sust. m.*) aisle seat, 11
paso (*sust. m.*) step, 9
pastel (*sust. m.*) pie, 5; cake (*Méx.*), 4
pastilla (*sust. f.*) pill
pasto (*sust. m.*) lawn (*Cono Sur*), 3
patata (*sust. f.*) potato (*Esp.*), 5
patilla (*sust. f.*) watermelon (*Col., P.R., R. Dom., Ven.*), 6
patinar (*v.*) to skate, 7; **ir a patinar** (*exp.*) to go skating, 7
patio (*sust. m.*) patio, 12
pecho (*sust. m.*) chest, 7
pedir (e>i) (*v.*) to order, to ask for, 6; **pedir prestado(-a)** (*exp.*) to borrow, 8
película (*sust. f.*) movie, film, 3, 4
peligro (*sust. m.*) danger, 3
peligroso(-a) (*adj.*) dangerous, 11
pelirrojo(-a) (*adj.*) red-haired, 4
pelo (*sust. m.*) hair, 7
pelota (*sust. f.*) ball, 8
pendiente(-s) (*sust. m. sing./m. pl.*) earring(s) (*Esp.*), 9
pensar (e>ie) (*v.*) to think, to plan, 3, 4, 5
pensión (*sust. f.*) boarding house, 12; **pensión completa** (*exp.*) room and board, 12
peor (*adj./adv.*) worse, 5
pepino (*sust. m.*) cucumber, 6
pequeño(-a) (*adj.*) small, 1; **pequeño(-a)** (*adj.*) little, 8
pera (*sust. f.*) pear, 6
perder (e>ie) (*v.*) to lose
Perdón. (*exp.*) Sorry, pardon me., 1
perfecto(-a) (*adj.*) perfect, 1
periódico (*sust. m.*) newspaper, 10
permiso (*sust. m.*) permission, 7; **Permiso.** (*exp.*) Excuse me. (*e.g., when going through a crowded room*), 1; **Con permiso.** (*exp.*) Excuse me. (*e.g., when going through a crowded room*), 1
pero (*conj.*) but, 2
perro (*sust. m.*) dog; **caminar al perro** (*exp.*) to walk the dog, 3; **perro caliente** (*sust. m.*) hot dog, 5
persona (*sust. f.*) person, 12
personaje (*sust. m.*) character (*in a book, play*), 7
peruano(-a) (*adj.*) Peruvian
pescadería (*sust. f.*) fish market, 6
pescado (*sust. m.*) fish, 5
pescar (*v.*) to fish, to catch fish, 8; **caña de pescar** (*sust. f.*) fishing rod, 8
pesimista (*sust. m./f.*) pessimist, 12
pestañas (*sust. f. pl.*) eyelashes, 7
petróleo (*sust. m.*) oil, petroleum
picnic (*sust. m.*) picnic, 7
pie (*sust. m.*) foot, 7
piedra (*sust. f.*) rock, 11
pierna (*sust. f.*) leg, 7
pijama(-s) (*sust. m. sing./m. pl.*) pajamas, 9
piloto (*sust. m.*) pilot, 11
pimienta (*sust. f.*) ground pepper, 6
pimiento (*sust. m.*) sweet pepper, 5
piña (*sust. f.*) pineapple, 6
pintor(-a) (*sust. m./f.*) painter, 1
pintura (*sust. f.*) painting
piscina (*sust. f.*) swimming pool, 7, 12
piso (*sust. m.*) floor, 12; (*sust. m.*) apartment (*Esp.*), 6
pizarra (*sust. f.*) chalkboard, 1; **pizarra blanca** (*sust. f.*) whiteboard, 1
pizarrón (*sust. m.*) chalkboard (*Cono Sur*), 1
placer (*sust. m.*) pleasure, 7; **Un placer.** (*exp.*) A pleasure (to meet you). (Centroamérica), LP
plan (*sust. m.*) plan, 7
plancha (*sust. f.*) iron, 3
planchar (*v.*) to iron, 3
planear (*v.*) to plan, 4
planilla (*sust. f.*) form, 10
plata (*sust. f.*) money (*Cono Sur, Cuba*), 2

plátano (*sust. m.*) banana, 6
platicar (*v.*) to talk, converse (*Méx.*), 2
platillo (*sust. m.*) saucer, 5
plato (*sust. m.*) plate, dish, 3, 5; **plato hondo** (*sust. m.*) soup plate, 5; **plato llano** (*sust. m.*) dinner plate, 5
playa (*sust. f.*) beach, 2, 7, 12
pluma (*sust. f.*) ball-point pen, 1; **pluma de bolígrafo** (*sust. f.*) ball-point pen, 1
plumero (*sust. m.*) duster, 3
población (*sust. f.*) population
pobre (*adj.*) poor, 7
poco (*adj.*) a few, 5; **un poco (de)** (*exp.*) a little, 4, 6
poder (o>ue) (*v.*) to be able to, can, 6
poema (*sust. m.*) poem, 2
pollo (*sust. m.*) chicken, 3, 5
ponche (*sust. m.*) punch (*drink*)
poner (*v.*) to put, to place, 3, 4; **poner una película** (*exp.*) to show a movie, 7; **poner la mesa** (*exp.*) to set the table, 5
ponerse (*v.*) to put on, 7
ponerse de acuerdo (*exp.*) to come to an agreement, to agree upon, 11
por (*prep.*) during, in, for, per, 9, 12; **Por favor.** (*exp.*) Please., 1; **por fin** (*exp.*) finally, 10; **por la mañana** (*exp.*) in the morning, 2; **por la noche** (*exp.*) at night, 2; **por la tarde** (*exp.*) in the afternoon, 2; **por noche** (*exp.*) per night, 9; **por semana** (*exp.*) per week, 2; **por si acaso** (*exp.*) just in case, 8; **por suerte** (*exp.*) luckily, fortunately, 12
¿Por qué? (*exp.*) Why?, 2
porque (*conj.*) because, 2
portugués (*sust. m.*) Portuguese (*language*), 7
posesivo(-a) (*adj.*) possessive, 3
posible (*adj.*) possible, 12
postre (*sust. m.*) dessert, 5; **de postre** (*exp.*) for dessert, 5
practicar (*v.*) to practise, to exercise, 1
precio (*sust. m.*) price, 12
preferir (e>ie) (*v.*) to prefer, 5
preguntar (*v.*) to ask (*a question*), 7
procuparse (*v.*) to worry
preparar (*v.*) to prepare, 3
prepararse (*v.*) to prepare, to make
presentarse (*v.*) to introduce, 11
préstamo (*sust. m.*) loan; **solicitar un préstamo** (*exp.*) to apply (ask) for a loan, 10
prestar (*v.*) to lend, 8
primavera (*sust. f.*) spring, 2
primer, primero(-a) (*adj.*) first, 12; **lo primero** (*exp.*) the first thing, 12; **(de) primera clase** (*exp.*) first class, 11
primo(-a) (*sust. m.*) cousin, 4
privado(-a) (*adj.*) private, 12
probablemente (*adv.*) probably, 12
probador (*sust. m.*) fitting room, 9
probarse (o>ue) (*v.*) to try on, 7
problema (*sust. m.*) problem, 2
profesor(-a) (*sust. m./f.*) professor, LP
programa (*sust. m.*) program, 2
prometer (*v.*) to promise, 8
pronto (*adv.*) soon, 8
propietario(-a) (*sust. m.*) owner, 12
propina (*sust. f.*) tip, 5
provincia (*sust. f.*) province
próximo(-a) (*adj.*) next, 2, 4, 12; **próxima semana** (*exp.*) next week, 12; **próximo año** (*exp.*) next year, 12; **próximo día** (*exp.*) next day, 12; **próximo lunes** (*exp.*) next Monday, 12; **próximo mes** (*exp.*) next month, 12
proyecto (*sust. m.*) project, 10
psicología (*sust. f.*) psychology, 2
pueblo (*sust. m.*) town, 11
puerta (*sust. f.*) door, 1; **puerta de salida** (*sust. f.*) gate (*at the airport*), 11
puertorriqueño(-a) (*sust. m./f.*) Puerto Rican, 8
pues (*conj.*) then, well, 2
puesto (*sust. m.*) stand, stall, booth; **puesto de revistas** (*sust. m.*) magazine stand, 12; **puesto de vegetales** (*sust. m.*) vegetable stand, Unit 3
pupitre (*sust. m.*) desk, 1
puré de papas (*sust. m.*) mashed potatoes, 5

Q

que (*conj./pron.*) who, that, 2
¿Qué? (*pron.*) What?, 1; **¡Qué lástima!** (*exp.*) What a pity!, 2; **¡Qué sorpresa!** (*exp.*) What a surprise!, 4; **¿En qué puedo servirle?** (*exp.*) How may I help you?, 9; **¿Qué día es hoy?** (*exp.*) What day is it today?, 2; **¿Qué es?** (*exp.*) What is?, 1; **¿Qué fecha es hoy?** (*exp.*) What is the date today?, 2; **¿Qué hay de nuevo?** (*exp.*) What's new?, 1; **¿Qué hora es?** (*exp.*) What time is it?, 2; **¿Qué hubo?** (*exp.*) How is it going? (*Col., Méx.*), LP; **¿Qué más... ?** (*exp.*) What else ...?, 6; **¿Qué más... ?** (*exp.*) What else ...?, 5; **¿Qué pasa?** (*exp.*) What's new?/What's happening? (*Esp.*), LP; **¿Qué tal?** (*exp.*) How is it going?, LP; **¿Qué temperatura hace?** (*exp.*) What's the temperature?, 9; **¿Qué tiempo hace hoy?** (*exp.*) What's the weather like today?, 9
quebrar (e>ie) (*v.*) to break (*Méx.*), 7
quedar (*v.*) to fit, to suit; **quedarle chico(-a) (a alguien)** (*exp.*) to be too small on someone, 9; **quedarle grande (a alguien)** (*exp.*) to be too big on someone, 9
quedarse (*v.*) to stay (*e.g., at a hotel*), 8
quehacer (*sust. m.*) job, task, household chore, 3
quejarse (*v.*) to complain, 7
querer (e>ie) (*v.*) to want, to wish, 5; **¿Quieres?** (*exp.*) Will you?, 12
querido(-a) (*adj.*) dear, 11
queso (*sust. m.*) cheese, 6
¿Quién? (*pron.*) Who?, 1; **¿Con quién...?** (*exp.*) With whom...?; **¿Quién es?** (*exp.*) Who is it?, 3
química (*sust. f.*) chemistry, 2
quince (*sust. m.*) fifteen, 2
quinientos (*sust. m.*) five hundred, 3
quinto(-a) (*adj.*) fifth, 12
quiosco (*sust. m.*) magazine stand (*Arg., Esp.*), 12
quitarse (*v.*) to take off, 7
quizás (*adv.*) maybe, perhaps, 9

R

raíz (*sust. f.*) root, 5
ramo (*sust. m.*) a bouquet, a bunch, 9
rápidamente (*adv.*) quickly, 3
rápido(-a) (*adj.*) rapid, fast, 9
raqueta (*sust. f.*) racket, 8
rasurarse (*v.*) to shave, 7
un rato (*exp.*) a while, 3
ratón (*sust. m.*) mouse, 10
rebajas (*sust. f. pl.*) sale, 9
recámara (*sust. f.*) bedroom (*Méx.*), 3
recepción (*sust. f.*) reception, 7
receta (*sust. f.*) recipe, 3
recibir (*v.*) to receive, 3
recibo (*sust. m.*) receipt, 10
recién casado(-a)(-s) (*sust. m./f. pl.*) newlywed(s), 6
reciente (*adj.*) recent, 8
recientemente (*adv.*) recently, 8
recomendar (e>ie) (*v.*) to recommend, 10
recordar (o>ue) (*v.*) to remember, 6
refresco (*sust. m.*) soft drink, 5
refrigerador (*sust. m.*) refrigerator, 3
regalar (*v.*) to give a gift, 9
regalo (*sust. m.*) gift, 3, 9
regardera (*sust. f.*) shower (*Mex.*), 12
regatear (*v.*) to bargain, 6
regazo (*sust. m.*) lap, 9
regresar (*v.*) to return, to come back
regular (*adj.*) so-so, LP
reina (*sust. f.*) queen, Unit 1
reírse (e>i) (*v.*) to laugh, 7
relámpago (*sust. m.*) flash of lightening, 11
reloj (*sust. m.*) clock, watch, 1
remar (*v.*) to row, 8
remo (*sust. m.*) oar, 8
rentar (*v.*) to rent (*Méx.*), 8
reproductor mp3 (*sust, m.*) MP3 player, 4
requisito (*sust. m.*) requirement, 2

reservación (*sust. f.*) reservation, 12
reservar (*v.*) to reserve, to book
residencia universitaria (*sust. f.*) university residence, 2
respuesta (*sust. f.*) answer, LP
restaurante (*sust. m.*) restaurant, 5
retrato (*sust. m.*) portrait, 9
revista (*sust. f.*) magazine; **puesto de revistas** (*sust. m.*) magazine stand, 12
rico(-a) (*adj.*) rich, 1
río (*sust. m.*) river, 8
risa (*sust. f.*) laugh, 11
rodilla (*sust. f.*) knee, 7
rojo(-a) (*sust. m./adj.*) red, 1
romántico(-a) (*adj./sust. m./f.*) romantic, 7
romper (*v.*) to break, 7
romperse (*v.*) to break (*an arm, bone, etc.*), 7
ropa (*sust. f.*) clothes, 3
rosado(-a) (*sust. m./adj.*) pink, 1; **vino rosado** (*sust. m.*) rosé wine, 2
rubio(-a) (*adj.*) blond, 4
ruinas (*sust. f. pl.*) ruins
ruso (*sust. m.*) Russian (*language*), 7

S

sábado (*sust. m.*) Saturday, 2
saber (*v.*) to know, 4
sabiduría (*sust. f.*) wisdom, 7
sabroso(-a) (*adj.*) tasty, 5
sacar (*v.*) to take out, 3
saco de dormir (*sust. m.*) sleeping bag (*Col., Cono Sur*), 8
sacudir (*v.*) to dust, 3
sal (*sust. f.*) salt, 5
sala (*sust. f.*) living room, 3; **sala de estar** (*sust. f.*) living room, 3
saldo (*sust. m.*) account balance, 10
salida (*sust. f.*) exit, 11; **puerta de salida** (*sust. f.*) gate (*at the airport*), 11; **salida de emergencia** (*sust. f.*) emergency exit, 11
salir (*v.*) to go out, to leave, 4
salonero(-a) (*sust. m./f.*) waiter, waitress (Costa Rica), 5
salsa (*sust. f.*) salsa (*dance*), 4; sauce, 6
¡Salud! (*exp.*) Cheers!, 4
saludo (*sust. m.*) greeting, LP; **Saludos a...** (*exp.*) Say hi to ..., 1
salvavidas (*sust. m./f.*) lifeguard, 8
sandalia (*sust. f.*) sandal, 9
sandía (*sust. f.*) watermelon, 6
sándwich (*sust. m.*) sandwich, 8
sartén (*sust. f.*) frying pan, 3
sastre (*sust. m.*) tailor, 9
se (*pron.*) herself, himself, itself, thenselves, yourself, yourselves, 7
secadora (*sust. f.*) dryer, clothes dryer, 3
secar (*v.*) to dry, 3
sección (*sust. f.*) section
seco(-a) (*adj.*) dry, 9
seguir (e>i) (*v.*) to follow, to continue, 6
según (*prep.*) according to, 1, 9
segundo(-a) (*adj.*) second, 12
seguridad (*sust. f.*) security; **abrocharse el cinturón de seguridad** (*exp.*) to fasten the seat belt, 11; **control de seguridad** (*exp.*) security check, 11
seguro(-a) (*adj.*) sure, certain; **seguro** (*sust. m.*) insurance, 10; **estar seguro(-a)** (*exp.*) to be certain, 11
seis (*sust. m.*) six, LP
seiscientos (*sust. m.*) six hundred, 3
selva (*sust. f.*) rainforest, Unit 3
semana (*sust. f.*) week, 7; **fin de semana** (*sust. m.*) weekend, 2; **por semana** (*exp.*) per week, 2
semestre (*sust. m.*) semester, 2; **este semestre** (*exp.*) this semester, 2
seña (*sust. f.*) sign, 11
señor (Sr.) (*sust. m.*) Mr., sir, gentleman, LP
señora (Sra.) (*sust. f.*) Mrs., madam, lady, LP
señorita (Srta.) (*sust. f.*) miss, young lady, LP
sentarse (e>ie) (*v.*) to sit down, 7
sentir (e>ie) (*v.*) to regret, 10; **Lo siento.** (*exp.*) I'm sorry., 1
sentirse (e>ie) (*v.*) to feel, 7
septiembre (*sust. m.*) September, 2
séptimo(-a) (*adj.*) seventh, 12
ser (*v.*) to be, 1; **Soy de...** (*exp.*) I am from ..., 1
ser (*sust. m.*) being; **ser humano** (*sust. m.*) human being, 7
servicio (*sust. m.*) service; **servicio de cuarto** (*sust. m.*) room service, 12; **servicio de habitación** (*sust. m.*) room service, 12
servilleta (*sust. f.*) napkin, 5
servir (e>i) (*v.*) to serve, 4, 5, 6; **¿En qué puedo servirle?** (*exp.*) How may I help you?, 9
sesenta (*sust. m.*) sixty, 2
setecientos (*sust. m.*) seven hundred, 3
setenta (*sust. m.*) seventy, 2
sexto(-a) (*adj.*) sixth, 12
si (*conj.*) if, 12
sí (*adv.*) yes, 1
siempre (*adv.*) always, 3
siete (*sust. m.*) seven, LP
siglo (*sust. m.*) century, 11
siguiente (*adj.*) following, 3, 5
silla (*sust. f.*) chair, 1
simpático(-a) (*adj.*) charming, nice, fun to be with, 1
sin (*prep.*) without, 5
sino (*conj.*) but, Unit 1
sinónimo (*sust. m.*) synonym
sistema (*sust. m.*) system, 2
situación (*sust. f.*) situation, 1
sobre (*prep.*) on, 11; (*prep.*) about, 12
sobrino(-a) (*sust. m./f.*) nephew, niece, 4
sociología (*sust. f.*) sociology, 2
sofá (*sust. m.*) sofa; **sofá-cama** (*sust. m.*) sleeper sofa, 12
solamente (*adv.*) only, 2
solicitar (*v.*) to apply for, to ask for, to request; **solicitar un préstamo** (*exp.*) to apply (ask) for a loan, 10
sollozar (*v.*) to weep, 9
solo(-a) (*adj.*) alone, 3
sólo (*adv.*) only, 2
soltero(-a) (*adj.*) single, 4
solución (*sust. f.*) solution
solucionar (*v.*) to solve
sombrero (*sust. m.*) hat, 9
sombrilla (*sust. f.*) parasol, sunshade
soñar (o>ue) (*v.*) to dream, 9; **soñar con** (*v.*) to dream about, 12
sonreír (*v.*) to smile, 11
sopa (*sust. f.*) soup, 3, 5
sorpresa (*sust. f.*) surprise, 4; **¡Qué sorpresa!** (*exp.*) What a surprise!, 4
sostén (*sust. m.*) bra, 9
su(-s) (*adj.*) his, hers, its, their, your (*form.*), 2
subir (*v.*) to board, 11
subtítulos (*sust. m. pl.*) subtitles
suceder (*v.*) to happen, 7
sucio(-a) (*adj.*) dirty, 3
sucursal (*sust. f.*) branch office, 10
suegro(-a) (*sust. m./f.*) father-in-law, mother-in-law, 4
suerte (*sust. f.*) luck; **¡Buena suerte!** (*exp.*) Good luck!, 1
suéter (*sust. m.*) sweater, 9
sugerir (e>ie) (*v.*) to suggest, 10
sujetador (*sust. m.*) bra, 9
sujetar (*v.*) to hold, 9
sujetarse (*v.*) to hold, 9
superlativo(-a) (*adj.*) superlative, 5
supermercado (*sust. m.*) supermarket, 6
suyo(-a)(-s) (*adj./pron.*) his, hers, its, their, your (*form.*), 9

T

tabla de mar (*sust. f.*) surfboard, 8
tablilla de anuncios (*sust. f.*) bulletin board, 1
tacaño(-a) (*adj.*) frugal, stingy, 9
taco (*sust. m.*) heel (*Arg.*), 9
tacón (*sust. m.*) heel, 9
tal vez (*exp.*) maybe, perhaps, 9
talla (*sust. f.*) size (*of clothing*), 9
taller (*sust. m.*) workshop
talonario de cheques (*sust. m.*) cheque book, 10
también (*adv.*) also, too, 2
tampoco (*adv.*) neither, 6
tan (*adv.*) so, as, such, 5
tanto(-a)(-s) (*adj.*) so much, so many, 6; (*adj.*) as much, as many, 5

tarde (*sust. f.*) afternoon, 2; **llegar tarde** (*exp.*) to arrive late; **más tarde** (*exp.*) later, 5; **ya es tarde** (*exp.*) it's already late, 2
tarea (*sust. f.*) homework, 2
tarjeta (*sust. f.*) card, 9, 10; **tarjeta de crédito** (*sust. f.*) credit card, 10; **tarjeta de cumpleaños** (*sust. f.*) birthday card, 9; **tarjeta de débito** (*sust. f.*) debit card, 10; **tarjeta de embarco** (*sust. f.*) boarding pass (*Arg.*), 11; **tarjeta de embarque** (*sust. f.*) boarding pass, 11; **tarjeta postal** (*sust. f.*) postcard, 10
tarta (*sust. f.*) cake (*Esp.*), 4
taxi (*sust. m.*) taxi, 12
taza (*sust. f.*) cup, 2, 5
tazón (*sust. m.*) bowl, 3
té (*sust. m.*) tea, 2; **té frío** (*sust. m.*) iced tea, 2; **té helado** (*sust. m.*) iced tea, 2
teatro (*sust. m.*) theatre, 7
teclado (*sust. m.*) keyboard, 10
tecnología (*sust. f.*) technology, 10
tela (*sust. f.*) fabric, 9
tele (*sust. f.*) television, 2
teléfono (*sust. m.*) teléfono; **teléfono celular** (*sust. m.*) cellphone, 1; **¿Cuál es tu número de teléfono?** (*exp.*) What's your phone number?, LP
telenovela (*sust. f.*) soap opera, 3
televisión (*sust. f.*) television, 2
televisor (*sust. m.*) TV set, 12
tema (*sust. m.*) theme, 3
temer (*v.*) to fear, to be afraid, 10
temperatura (*sust. f.*) temperature, 9; **¿Qué temperatura hace?** (*exp.*) What's the temperature?, 9
templado(-a) (*adj.*) warm, 9
temprano (*adv.*) early, 7; **llegar temprano** (*exp.*) to arrive early, 3, 9, 11
tenedor (*sust. m.*) fork, 5
tener (*v.*) to have, 3; **tener… años (de edad)** (*exp.*) to be … years old, 3; **no tener nada que ponerse** (*exp.*) to have nothing to wear, 9; **no tener razón** (*exp.*) to be wrong, 3; **tener acceso a la Red** (*exp.*) to have access to the Internet, 10; **tener calor** (*exp.*) to be hot, 3; **tener cuidado** (*exp.*) to be careful, 3; **tener éxito** (*exp.*) to be successful, 3; **tener frío** (*exp.*) to be cold, 3; **tener ganas de (+ *inf.*)** (*exp.*) to feel like (*doing something*), 3; **tener hambre** (*exp.*) to be hungry, 3; **tener inconveniente** (*exp.*) to have a problem, 10; **tener miedo** (*exp.*) to be afraid, scared, 3; **tener paciencia** (*exp.*) to have patience, 12; **tener prisa** (*exp.*) to be in a hurry, 3; **tener que (+ *inf.*)** (*exp.*) to have to (*doing something*), 3; **tener razón** (*exp.*) to be right, 3; **tener sed** (*exp.*) to be thirsty, 3; **tener sueño** (*exp.*) to be sleepy, 3; **tener suerte** (*exp.*) to be lucky, 3
teñirse (e>i) (*v.*) to dye, 7
tercer, tercero(-a) (*adj.*) third, 12
terminar (*v.*) to end, to finish, to get through, 2
termo (*sust. m.*) thermos, 8
ternera (*sust. f.*) veal; **chuleta de ternera** (*sust. f.*) veal chop, 6
terrible (*adj.*) terrible, 1
tez (*sust. f.*) complexion, 11
ti (*pron.*) you, 5
tiempo (*sust. m.*) time, weather, 3; **¿Cuánto tiempo..?** (*exp.*) How long…?; **¿Cuánto tiempo hace que..?** (*exp.*) How long has it been since…?, 6; **¿Qué tiempo hace hoy?** (*exp.*) What's the weather like today?, 9
tienda (*sust. f.*) store, 3, 9; **tienda de campaña** (*sust. f.*) tent, 8; **tienda de regalos** (*sust. f.*) souvenir shop, 12
tierra (*sust. f.*) earth, Unit 2
timbre (*sust. m.*) stamp (*Méx.*), 10
tímido(-a) (*adj.*) shy, 5
tinto (*adj.*) red (*wine*), 2
tintorería (*sust. f.*) dry-cleaner's, 10
tío(-a) (*sust. m./f.*) uncle / aunt, 4
tipo (*sust. m.*) type, kind, sort
título (*sust. m.*) title, LP
tiza (*sust. f.*) chalk, 1
tobillo (*sust. m.*) ankle, 7
tocar (*v.*) to touch, to play an instrument, to play music, 5; **tocar a la puerta** (*exp.*) to knock at the door, 3
tocino (*sust. m.*) bacon, 6
todavía (*adv.*) still, 3
todo(-a)(-s) (*adj.*) all, every, 2; **todo un éxito** (*exp.*) quite a success, 4
tomar (*v.*) to take (*a class*); to drink, 2; **tomar el sol** (*exp.*) to sunbathe, 8; **tomar una decisión** (*exp.*) to make a decision, 11; **tomarle el pelo a alguien** (*exp.*) to pull someone's leg, 8; **Tome asiento.** (*exp.*) Have a seat., 1
tomate (*sust. m.*) tomato, 2, 6; **jugo de tomate** (*sust. m.*) tomato juice, 2
tonto(-a) (*adj.*) dumb, 1
toronja (*sust. f.*) grapefruit, 2; **jugo de toronja** (*sust. m.*) grapefruit juice, 2
torta (*sust. f.*) cake, 4
tostadora (*sust. f.*) toaster, 3
trabajar (*v.*) to work, 2
trabajo (*sust. m.*) work, 3; **trabajos de la casa** (*sust. m. pl.*) housework, 3
traducir (*v.*) to translate, 4
traer (*v.*) to bring, 4; **tráigame** (*exp.*) bring me, 5; **tráiganos** (*exp.*) bring us, 5
tráfico (*sust. m.*) traffic, 9
traje (*sust. m.*) suit, 9; **traje de baño** (*sust. m.*) bathing suit, 8
transportar (*v.*) to transport
tratar (de) (*v.*) to try to, 8
travieso(-a) (*adj.*) mischievous, 5
treinta (*sust. m.*) thirty, 2
tren (*sust. m.*) train, 2, 11
tres (*sust. m.*) three, LP
trescientos (*sust. m.*) three hundred, 3
trigueño(-a) (*adj.*) dark, brunet (*Cuba, Par.*), 4
triste (*adj.*) sad, 4
trusa (*sust. f.*) bathing suit (*Cuba*), 8
tu(-s) (*adj.*) your, 1
tú (*pron.*) you (*fam.*), 2; **¿Y tú?** (*exp.*) And you? (*fam.*), LP
turista (*sust. m./f.*) tourist, 12; **clase turista** (*exp.*) tourist class, 11
turno (*sust. m.*) turn
tuyo(-a)(-s) (*pron.*) yours (*fam.*), 9

U

últimamente (*adv.*) lately, 10
último(-a) (*adj.*) last, 2, 7; **la última vez** (*exp.*) the last time
un(-a) (*ind. art.*) a, an, 1
universidad (*sust. f.*) university, 1
universitario(-a) (*adj.*) (related to) university, 1
uno (*sust. m.*) one, LP
unos(-as) (*ind. art.*) some, 1
urbano(-a) (*adj.*) urban
usar (*v.*) to use, to wear, 9
usted (Ud.) (*pron.*) you (*form.*), 1; **¿Y usted?** (*exp.*) And you? (*form.*), LP
ustedes (Uds.) (*pron.*) you (*pl.*), 1
útil (*adj.*) useful, 1
uva(s) (*sust. f. sing./f. pl.*) grape(s), 2; **jugo de uvas** (*sust. m.*) grape juice, 2

V

vacaciones (*sust. f. pl.*) holidays, 5; **de vacaciones** (*exp.*) on vacation, 5; **estar de vacaciones** (*exp.*) to be on vacation
vainilla (*sust. f.*) vanilla, 5
valija (*sust. f.*) suitcase (*Cono Sur*), 11
valor (*sust. m.*) value, 9
vaqueros (*sust. m. pl.*) jeans, 9
vaso (*sust. m.*) (drinking) glass, 2
vecino(-a) (*sust. m./f.*) neighbour, 11
vegetal (*sust. m.*) vegetable, 5
vegetariano(-a) (*sust. m./f.*) vegetarian, 6
veinte (*sust. m.*) twenty, 2
velero (*sust. m.*) sailboat, 8
veliz (*sust. m.*) suitcase (*Méx.*), 11
vendedor(-a) (*sust. m./f.*) salesperson, 6
vender (*v.*) to sell, 8
venir (e>ie) (*v.*) to come, 3
ventaja (*sust. f.*) advantage, 7
ventana (*sust. f.*) window, 1

ventanilla (*sust. m.*) small window (*bank, ticket booth, etc.*), 11; **asiento de ventanilla** (*sust. m.*) window seat, 11
ver (*v.*) to see, 4; **a ver** (*exp.*) let's see, 6; **Nos vemos.** (*exp.*) (I'll) see you., LP
verano (*sust. m.*) summer, 2
verdad (*sust. f.*) truth; **¿Verdad?** (*exp.*) Right?, True?, 2; **es verdad** (*exp.*) it's true, 11
verde (*sust. m./adj.*) green, 1
verdura (*sust. f.*) vegetable, 5
vestíbulo (*sust. m.*) lobby, 12
vestido (*sust. m.*) dress, suit (*Col.*), 9
vestir(se) (e>i) (*v.*) to dress (oneself), 8
vez (*sust. f.*) time, 7; **a veces** (*exp.*) sometimes, 2; **alguna vez, algunas veces** (*exp.*) sometime(s), 6; **en vez de** (*exp.*) instead of, 7; **había una vez** (*exp.*) once upon a time, 9; **tal vez** (*exp.*) maybe, perhaps, 9; **la última vez** (*exp.*) the last time
viajar (*v.*) to travel, 11
viaje (*sust. m.*) trip, 11; **¡Buen viaje!** (*exp.*) Have a good trip!, 11; **de viaje** (*exp.*) on a trip, 9
vida (*sust. f.*) life, 2
viejo(-a) (*adj.*) old, 1
viernes (*sust. m.*) Friday, 2
vinagre (*sust. m.*) vinegar, 6
vino (*sust. m.*) wine, 2; **vino blanco** (*sust. m.*) white wine, 2; **vino rosado** (*sust. m.*) rosé wine, 2; **vino tinto** (*sust. m.*) red wine, 2
violeta (*adj./sust. f.*) purple, 1
visita (*sust. f.*) visit, 7
visitar (*v.*) to visit, 4, 7
vista (*sust. f.*) view
vista al mar (*sust. f.*) ocean/sea view, 12
vivir (*v.*) to live, 3
vocabulario (*sust. m.*) vocabulary, 1
volver (o>ue) (*v.*) to return, 6
vosotros(-as) (*pron.*) you (*familiar pl.*), 1
voz (*sust. f.*) voice, 10
vuelo (*sust. m.*) flight, 9, 11
vuestro(-a)(-s) (*adj.*) yours (*familiar pl.*), 9

Y

y (*conj.*) and, 1; **¿Y tú?** (*exp.*) And you? (*fam.*), LP; **y media** (*exp.*) half past, 2
ya (*adv.*) already, 4; **ya es tarde** (*exp.*) it's already late, 2
yerno (*sust. m.*) son-in-law, 4
yo (*pron.*) I, 1

Z

zacate (*sust. m.*) lawn (*Méx.*), 3
zanahoria (*sust. f.*) carrot, 6
zapatería (*sust. f.*) shoe store, 9
zapatilla(-s) (*sust. f. sing./f. pl.*) slipper(s), 9
zapato(-s) (*sust. m. sing./m. pl.*) shoe(s), 9
zoológico (*sust. m.*) zoo, 7
zumo (*sust. m.*) juice (*Esp.*), 2

English–Spanish

A

@ arroba (*sust. f.*), 1
a, an un(-a) (*ind. art.*), 1; **a day** al día (*exp.*), 2
about acerca de (*prep.*), 11; de (*prep.*), 2; sobre (*prep.*), 12; **at about...** a eso de (*exp.*), 3
above arriba (*adv.*), 9
abroad al extranjero (*exp.*), Unit 4
access to the Internet acceso a la Red (*exp.*), 10
according to según (*prep.*), 1, 9
account cuenta (*sust. f.*), 10; **chequing account** cuenta corriente (*sust. f.*), 10; **joint account** cuenta conjunta (*sust. f.*), 10; **on account of** por (*prep.*), 9; **savings account** cuenta de ahorros (*sust. f.*), 10
accounting contabilidad (*sust. f.*), 2
accustomed acostumbrado(-a) (*adj.*), 8
activity actividad (*sust. f.*), 8; **outdoor activity** actividad al aire libre (*exp.*), 8
addition: in addition to además de (*exp.*), 9
address dirección (*sust. f.*), 1; domicilio (*sust. m.*) (*Méx.*), 1; **What's your address?** ¿Cuál es tu dirección? (*exp.*), 1
administration administración (*sust. f.*), 2; **administration office** oficina de administración (*sust. f.*), 2; **business administration** administración de empresas (*sust. f.*), 2
advise aconsejar (*v.*), 10
advantage ventaja (*sust. f.*), 7
after después (de) (*prep.*), 6
afternoon tarde (*sust. f.*), 2; **Good afternoon.** Buenas tardes. (*exp.*), LP; **in the afternoon** por la tarde (*exp.*), 2
afterwards después (*adv.*), 3
again otra vez (*exp.*), 12
age edad (*sust. f.*); **middle age** edad mediana (*sust. f.*), 7
agency agencia (*sust. f.*), 11; **travel agency** agencia de viajes (*sust. f.*), 11
agent agente (*sust. m./f.*), 11
ago hace... (*exp.*), 9
agree (on) convenir (en) (*v.*), 12; **agree upon** ponerse de acuerdo (*exp.*), 11
air aire (*sust. m.*); **air conditioning** aire acondicionado (*sust. m.*), 12
airline aerolínea (*sust. f.*), 11
airplane avión (*sust. m.*), 2, 11
airport aeropuerto (*sust. m.*), 11
aisle pasillo (*sust. m.*), 11; **aisle seat** asiento de pasillo (*sust. m.*), 11
alcoholic alcohólico(-a) (*adj.*), 5
all todo(-a)(-s) (*adj.*), 2
allow dejar (*v.*), 11
alone solo(-a) (*adj.*), 3
along por (*prep.*), 9
alphabet alfabeto (*sust. m.*), 1
already ya (*adv.*), 4; **it's already late** ya es tarde (*exp.*), 2
although aunque (*conj.*), 4
always siempre (*adv.*), 3
amount cantidad (*sust. f.*)
amusement park parque de diversiones (*sust. m.*), 7; parque de atracciones (*sust. m.*) (*Esp.*), 7
and y (*conj.*), 1; **And you?** ¿Y tú? (*exp. fam.*), LP; ¿Y usted? (*exp. form.*), LP
ankle tobillo (*sust. m.*), 7
anniversary aniversario (*sust. m.*), 5
answer respuesta (*sust. f.*), LP
anthropology antropología (*sust. f.*), 2
any algún, algúno(-a)(-s) (*adj.*), 6; cualquier(-a) (*adj.*), 11
anyone alguien (*pron.*), 6
anything algo (*pron.*), 5; **Anything else?** ¿Algo más? (*exp.*), 10
anywhere en alguna parte (*exp.*), 8
apartment apartamento (*sust. m.*), 6; departamento (*sust. m.*) (*Méx., Arg.*), 6; piso (*sust. m.*) (*Esp.*), 6
appeal gustar (*v.*), 7
appearance apariencia (*sust. f.*), 7
appear aparecer (*v.*), 2
appetizer entremés(-es) (*sust. m.*), 4
apple manzana (*sust. f.*), 2; **apple juice** jugo de manzana (*sust. m.*), 2
appliances aparatos electrodomésticos (*sust. m. pl.*), 3
application form formulario de solicitud (*sust. m.*), 10
apply for a loan solicitar un préstamo (*exp.*), 10
April abril (*sust. m.*), 2
Argentinian argentino(-a) (*adj.*)
arm brazo (*sust. m.*), 7
around alrededor (*adv.*), 9
arrive llegar (*v.*), 3; **arrive early** llegar temprano (*exp.*), 3, 9, 11; **arrive late** llegar tarde (*exp.*)
art arte (*sust. m.*), 2
as tan (*adv.*), 5; **as many** tanto(-a)(-s) (*adj.*), 5; **as soon as** en cuanto (*exp.*), 9; **as soon as possible** lo más pronto posible (*exp.*), 10
ask (for) pedir (e>i) (*v.*), 6, solicitar (*v.*); **ask a question** preguntar (*v.*), 7
aspirin aspirina (*sust. f.*)
assist ayudar (*v.*)
assistance ayuda (*sust. f.*)
at en (*prep.*), 1; **at** (*in e-mail addresses: @*) arroba (*sust. f.*), 1; **at about...** a eso de... (*exp.*), 3; **at home** en casa (*exp.*); **at night** por la noche (*exp.*), 2; **At what time...?** ¿A qué hora...? (*exp.*), 2
attend asistir (*v.*), 9
August agosto (*sust. m.*), 2
aunt tía (*sust. f.*), 4
automatic teller machine cajero automático (*sust. m.*), 10
automobile auto (*sust. m.*); automóvil (*sust. m.*); carro (*sust. m.*), 4; coche (*sust. m.*), 4
autumn otoño (*sust. m.*), 2
available libre (*adj.*), 6; disponible (*adj.*), 12
avocado aguacate (*sust. m.*), 6; palta (*sust. f.*) (*Cono Sur*), 6

B

back espalda (*sust. f.*), 7
backpack mochila (*sust. f.*), 1
bacon tocino (*sust. m.*), 6
bad malo(-a) (*adj.*), 5
badly mal (*adv.*), 1
bag (purse) bolso de mano (*sust. m.*), 11
baked al horno (*exp.*)
bakery panadería (*sust. f.*), 6
balance saldo (*sust. m.*), 10
bald calvo(-a) (*adj.*), 7
ball pelota (*sust. f.*), 8
banana plátano (*sust. m.*), 6; banana (*sust. f.*) (*Cono Sur*), 6
band orquesta (*sust. f.*), 5
bank banco (*sust. m.*), 10
barefoot descalzo(-a) (*adj.*); **to go barefoot** andar descalzo(-a) (*exp.*), 9
bargain regatear (*v.*), 6
baseball béisbol (*sust. m.*), 7
basket cesta (*sust. f.*), 8
bath baño (*sust. m.*) (*Esp.*), 3; bañera (*sust. f.*) (*Cono Sur*), 12
bathe bañarse (*v.*), 7
bathing suit traje de baño (*sust. m.*), 8; bañador (*sust. m.*) (*Esp.*), 8; malla (*sust. f.*) (*Cono Sur*), 8; trusa (*sust. f.*) (*Cuba*), 8
bathroom baño(*sust. m.*), 3; cuarto de baño (*sust. m.*), 3
bathtub bañadera (*sust. f.*), 12, baño (*sust. m.*) (*Esp.*), 12
be ser (*v.*), 1, estar (*v.*), 4; **be able to** poder (o>ue) (*v.*), 6; **be acquainted with** conocer (*v.*), 4; **be afraid** tener miedo (*exp.*), 3; temer (*v.*), 10; **be bad weather** hacer mal tiempo (*exp.*), 9; **be bored** aburrirse (*v.*), 7; **be careful** tener cuidado (*exp.*), 3; **be certain** estar seguro(-a) (*exp.*), 11; **be called** llamarse (*v.*); **be cold**

(weather) hacer frío (*exp.*), 9; **be (feel) cold** tener frío (*exp.*), 3; **be (arrive) early** llegar temprano (*exp.*), 3, 9, 11; **be going to (do something)** ir a + *inf.* (*exp.*), 4; **be good weather** hacer buen tiempo (*exp.*), 9; **be hot (weather)** hacer calor (*exp.*), 9; **be (feel) hot** tener calor (*exp.*), 3; **be hungry** tener hambre (*exp.*), 3; **be in a hurry** tener prisa (*exp.*), 3; **be in style** estar de moda (*exp.*), 9; **be (arrive) late** llegar tarde (*exp.*); **be lucky** tener suerte (*exp.*), 3; **be patient** tener paciencia (*exp.*), 12; **be pleasing (to someone)** gustar (*v.*), 7; **be right** tener razón (*exp.*), 3; **be scared** tener miedo (*exp.*), 3; **be sleepy** tener sueño, (*exp.*), 3; **be sorry** sentirse (e>ie), 7; **be sunny** hacer sol (*exp.*), 9; **be thirsty** tener sed (*exp.*), 3; **be tight (fitting)** apretar (e>ie), 9; **be too big (on someone)** quedarle grande (a alguien) (*exp.*), 9; **be too small (on someone)** quedarle chico(-a) (a alguien) (*exp.*), 9; **be windy** hacer viento (*exp.*), 9; **be wrong** no tener razón (*exp.*), 3; **be ... years old** tener ... años (de edad) (*exp.*), 3

beach playa (*sust. f.*), 2, 7, 12

beach resort balneario (*sust. m.*) (*LAm*), 11

bean frijol (*sust. m.*), 7

bear oso (*sust. m.*), 9

beautiful guapo(-a) (*adj.*), 1

beauty belleza (*sust. f.*), 9

because porque (*conj.*), 2; **because of** por (*prep.*), 9

bed cama (*sust. f.*), 12; **double bed** cama doble (*sust. f.*), 12; **twin bed** cama chica (*sust. f.*), 12

bedroom dormitorio (*sust. m.*), 3; recámara (*sust. f.*) (*Méx.*), 3

beer cerveza (*sust. f.*), 2

before antes (*adv.*), antes de (*prep.*), 2, 3; **the day before last** anteayer (*adv.*), 7

begin comenzar (e>ie) (*v.*), empezar (e>ie) (*v.*), 5

behalf: on behalf of por (*prep.*), 9

being ser (*sust. m.*)

believe creer (*v.*), 3

bellhop botones (*sust. m.*), 12

belt cinto (*sust. m.*), 9; cinturón (*sust. m.*), 9; correa (*sust. f.*) (*P.R.*), 9

besides además (*adv.*), 2

best mejor (*adj.*), 5; **best friend** mejor amigo(-a) (*sust. m./f.*), 2

between entre (*prep.*), 5, 10

beverage bebida (*sust. f.*), 2

bicycle bicicleta (*sust. f.*); **ride a bicycle** andar en bicicleta (*exp.*), 7; montar en bicicleta (*exp.*), 7

big grande (*adj.*), 1; **too big (on someone)** quedarle grande (a alguien) (*exp.*), 9

bigger más grande (*adj.*)

biggest el/la más grande (*adj.*)

bill cuenta (*sust. f.*), 5

biology biología (*sust. f.*), 2

bird pájaro (*sust. m.*), Unit 2

birthday cumpleaños (*sust. m. sing.*), 4; **birthday card** tarjeta de cumpleaños (*sust. f.*), 9

black negro(-a) (*sust. m./adj.*), 1

bleach lejía (*sust. f.*)

blender licuadora (*sust. f.*), 3

block cuadra (*sust. f.*), 10; manzana (*sust. f.*) (*Esp.*), 10

blond rubio(-a) (*adj.*), 4

blouse blusa (*sust. f.*), 9

blue azul (*sust. m./adj.*), 1

board (a plane, ship, etc.) abordar (*v.*), 11; subir (*v.*), 11

boarding gate puerta de salida (*sust. f.*), 11

boarding house pensión (*sust. f.*), 12

boarding pass tarjeta de embarque (*sust. f.*), 11; tarjeta de embarco (*sust. f.*) (*Arg.*), 11

body cuerpo (*sust. m.*), 9

bonfire fogata (*sust. f.*), 8

book libro (*sust. m.*), 1; reservar (*v.*)

boot bota (*sust. f.*), 9

booth puesto (*sust. m.*)

boring aburrido(-a) (*adj.*), 2

boss jefe(-a) (*sust. m./f.*), 10

bossy mandón(-a) (*adj.*), 3

both los (las) dos (*adj. inv./pron.*), 2

bottle botella (*sust. f.*), 2

bowl tazón (*sust. m.*), 3

boyfriend novio (*sust. m.*), 4

bra sostén (*sust. m.*), 9; sujetador (*sust. m.*), 9

branch office sucursal (*sust. f.*), 10

bread pan (*sust. m.*), 3, 5

break romper (*v.*), 7, romperse (*v.*), 7, quebrar (e>ie) (*v.*) (*Méx.*), 7

breakfast desayuno (*sust. m.*), 5; **have breakfast** desayunar (*v.*), 5

brief breve (*adj.*), 7

bring traer (*v.*), 4; **bring me** tráigame (*exp.*), 5; **bring us** tráiganos (*exp.*), 5

broccoli brócoli (*sust. m.*), 6

brochure folleto (*sust. m.*), 12

brother hermano (*sust. m.*), 3, 4; **brother-in-law** cuñado (*sust. m.*), 4; **half brother** medio hermano (*sust. m.*), 4

brown marrón (*sust. m./adj.*), 1; carmelito (*Cuba*), 1; café (*Méx.*), 1; **brown (eyes, hair)** castaño(-a) (*adj.*), 4

brunet(te) moreno(-a) (*adj.*), 4; trigueño(-a) (*adj.*) (*Cuba, Par.*), 4

bulletin board tablilla de anuncios (*sust. f.*), 1

bunch ramo (*sust. m.*), 9;

bunch of un montón de (*exp.*), 12

bus autobús (*sust. m.*), 8; ómnibus (*sust. m.*) (*Cono Sur*), 8; guagua (*sust. f.*) (*Cuba*), 8

business administration administración de empresas (*sust. f.*), 2

busy ocupado(-a) (*adj.*), 3

but pero (*conj.*), 2

butter mantequilla (*sust. f.*), 5; manteca (*sust. f.*) (*Cono Sur*), 5

buy comprar (*v.*), 2

by por (*prep.*), 9, 12

Bye. Chau. (*exp.*), LP

C

cafeteria cafetería (*sust. f.*), 1

cake torta (*sust. f.*), 4; tarta (*sust. f.*) (*Esp.*), 4; pastel (*sust. m.*) (*Méx.*), 4

call llamar (*v.*), 4; llamada (*sust. f.*), 11

camp acampar (*v.*), 8; **go camping** ir a acampar (*exp.*), 8

can poder (o>ue) (*v.*), 6

Canadian canadiense (*adj.*), 1

cancel cancelar (*v.*), 11

canoe canoa (*sust. f.*), 8

capital capital (*sust. f.*), 11

car coche (*sust. m.*), 4; carro (*sust. m.*) (*Méx.*), 4

caramel custard flan (*sust. m.*), 5

card tarjeta (*sust. f.*), 9, 10; **credit card** tarjeta de crédito (*sust. f.*), 10; **debit card** tarjeta de débito (*sust. f.*), 10; **I.D. card** cédula de identidad (*sust. f.*), 12; carnet de identidad (*sust. m.*) (*Esp.*), 12

carrot zanahoria (*sust. f.*), 6

carry-on bag bolso de mano (*sust. m.*), 11

case caso (*sust. m.*); **in case of** en caso de (que) (*exp.*); **in that case** en este caso (*exp.*); **in that case** entonces (*adv.*), 2; **just in case** por si acaso (*exp.*), 8

cash efectivo (*sust. m.*); cobrar (*v.*), 10, 12; **cash a cheque** cobrar un cheque (*exp.*); **in cash** en efectivo (*exp.*), 10

cashier cajero(-a) (*sust. m./f.*), 10

cat gato (*sust. m.*), 3

catch fish pescar (*v.*), 8

CD disco compacto (*sust. m.*), 4

celebrate celebrar (*v.*), 4

celery apio (*sust. m.*), 6

cellphone móvil (*sust. m.*), 1; teléfono celular (*sust. m.*), 1

central céntrico(-a) (*adj.*), 12

centre of town centro (*sust. m.*), 7

century siglo (*sust. m.*), 11

certain cierto (*adj.*), seguro (*adj.*); **it's (not) certain** (no) es cierto (*exp.*), 11; **to be certain** estar seguro(-a) (*exp.*), 11
certified certificado(-a) (*adj.*), 10
chain cadena (*sust. f.*), 9
chair silla (*sust. f.*), 1
chalk tiza (*sust. f.*), 1
chalkboard pizarra (*sust. f.*), 1; pizarrón (*sust. m.*) (*Cono Sur*), 1
champagne champán (*sust. m.*), 4
change cambiar (*v.*), 7; cambio (*sust. m.*)
character personaje (*sust. m.*), 7
charge cobrar (*v.*); **in charge of** encargado(-a) de (*adj.*), 10
charming encantador(-a) (*adj.*), 4
chat conversar (*v.*), 2; platicar (*v.*) (*Méx.*), 2
cheap barato(-a) (*adj.*), 6
check: check luggage facturar el equipaje (*exp.*), 11; **check out (of a hotel room)** desocupar (*v.*), 12
chemistry química (*sust. f.*), 2
cheque cheque (*sust. m.*), 10; **cash a cheque** cobrar un cheque (*exp.*); **cheque book** talonario de cheques (*sust. m.*), 10
chequing account cuenta corriente (*sust. f.*), 10
Cheers! ¡Salud! (*exp.*), 4
cheese queso (*sust. m.*), 6
cherry cereza (*sust. f.*), 6
chest pecho (*sust. m.*), 7
chicken pollo (*sust. m.*), 3, 5
child niño(-a) (*sust. m./f.*), 5
children hijos (*sust. m. pl.*)
chocolate chocolate (*sust. m.*); **hot chocolate** chocolate caliente (*sust. m.*), 2
choose elegir (e>i) (*v.*), 6; escoger (*v.*), 6
chop (*sust. f.*) chuleta, 6; **lamb chop** chuleta de cordero (*sust. f.*), 6; **pork chop** chuleta de cerdo (*sust. f.*), 6; **veal chop** chuleta de ternera (*sust. f.*), 6
Christmas Navidad (*sust. f.*), 2
church iglesia (*sust. f.*)
city ciudad (*sust. f.*), 3
class clase (*sust. f.*), 1; **class schedule** horario de clases (*sust. m.*), 2; **first class** (de) primera clase (*exp.*), 11
classmate compañero(-a) de clase (*sust. m./f.*), 1
classroom aula (*sust. f.*), 2
clean limpiar (*v.*), 3; limpio(-a) (*adj.*), 3, 12
clear (sky) despejado(-a) (*adj.*), 9; **The sky is clear.** El cielo está despejado. (*exp.*), 9
clerk dependiente(-a) (*sust. m./f.*), 9; empleado(-a) (*sust. m./ f.*), 9
climate clima (*sust. m.*), 9
climb a mountain escalar una montaña (*exp.*), 7
clock reloj (*sust. m.*), 1
close cerrar (*v.*), 3, 5; cerca (de) (*adv.*), 3, 4
closed cerrado(-a) (*adj.*), 10
clothes ropa (*sust. f.*), 3; **clothes dryer** secadora (*sust. f.*), 3
cloudy nublado(-a) (*adj.*), 9; **The sky is cloudy.** El cielo está nublado. (*exp.*), 9
club club (*sust. m.*), 4; **golf club** palo de golf (*sust. m.*), 8
coat abrigo (*sust. m.*), 3, 9
cocktail coctel / cóctel (*sust. m.*), 5
coffee café (*sust. m.*), 2; **coffee with milk** café con leche (*sust. m.*), 2
coffeepot cafetera (*sust. f.*), 3
coin moneda (*sust. f.*)
cold frío(-a) (*adj.*), 9; **to be cold (weather)** hacer frío (*exp.*), 9; **to be (feel) cold** tener frío (*exp.*), 3
collar cuello (*sust. m.*), 9
college facultad (*sust. f.*), 9
colour color (*sust. m.*), 1
come venir (*v.*), 3; **come back** regresar (*v.*); **Come in.** Pase. (*exp.*), 1; **come to an agreement** ponerse de acuerdo (*exp.*), 11
comfortable cómodo(-a) (*adj.*), 9
compact disk disco compacto (*sust. m.*), 4
companion compañero(-a) (*sust. m./f.*), 1
comparative comparativo(-a) (*adj.*), 5
complain quejarse (*v.*), 7
complexion tez (*sust. f.*), 11
complicated complicado(-a) (*adj.*), 11
computer computadora (*sust. f.*), 1, 10; ordenador (*sust. m.*) (*Esp.*), 1, 10; **computer science** informática (*sust. f.*), 2; **laptop computer** computadora portátil (*sust. f.*), 1, 10; **personal computer** computadora personal (*sust. f.*), 10
concert concierto (*sust. m.*), 7
conduct conducir (*v.*), 4
confirm confirmar (*v.*), 11
content contento(-a) (*adj.*), 4
continue seguir (e>i) (*v.*), 6
convention convención (*sust. f.*), 12
converse conversar (*v.*), 2, platicar (*v.*) (*Méx.*), 2
cook cocinar (*v.*), 6; cocinero(-a) (*sust. m./f.*), 6
cookie galleta (*sust. f.*), 5
corner esquina (*sust. f.*), 10, 12
cost costar (o>ue) (*v.*), 5, 6; **cost an arm and a leg** costar un ojo de la cara (*exp.*), 9
country país (*sust. m.*), 10, 11
countryside campo (*sust. m.*), 8
couple pareja (*sust. f.*), 4
course asignatura (*sust. f.*), 2; materia (*sust. f.*), 2
cousin primo(-a) (*sust. m./f.*), 4
crab cangrejo (*sust. m.*), 6
cramped apretado(-a) (*adj.*), 9
cream crema (*sust. f.*), 5
credit card tarjeta de crédito (*sust. f.*), 10
cruise crucero (*sust. m.*), 11; **to take a cruise** hacer un crucero (*exp.*), 11
Cuban cubano(-a) (*sust. m./f.*)
cucumber pepino (*sust. m.*), 6
cup taza (*sust. f.*), 2, 5
currency moneda (*sust. f.*)
custom costumbre (*sust. f.*), 6
customs (at the airport) aduana (*sust. f.*), 11
cut cortar (*v.*), 3

D

dad papá (*sust. m.*), 3, 4
daily diariamente (*adv.*), 10
dance bailar (*v.*), 2; **Shall we dance?** ¿Bailamos? (*exp.*), 4
danger peligro (*sust. m.*), 3
dangerous peligroso(-a) (*adj.*), 11
dark (complexion) moreno(-a) (*adj.*), 4; trigueño(-a) (*adj.*), 4
date fecha (*sust. f.*), 12; **date (a document)** fechar (*v.*), 10
daughter hija (*sust. f.*), 3, 4; **daughter-in-law** nuera (*sust. f.*), 4
day día (*sust. m.*), 1; **day off** día libre (*sust. m.*), 6; **the day before yesterday** anteayer (*adv.*), 7; **the next day** al día siguiente (*exp.*), 5; **per day** al día (*exp.*), 6
dead muerto(-a) (*adj.*), 10
dear querido(-a) (*adj.*), 11
debit card tarjeta de débito (*sust. f.*), 10
December diciembre (*sust. m.*), 2
decide decidir (*v.*), 4
degree (temperature) grado (*sust. m.*), 9; **It's...degrees.** Hay...grados. (*exp.*), 9
delay demora (*sust. f.*), 11
delicious delicioso(-a) (*adj.*), 5
demonstrative demostrativo(-a) (*adj.*), 2
deny negar (e>ie) (*v.*), 11
department departamento (*sust. m.*); **men's department** departamento de caballeros (*sust. m.*), 9
deposit depositar (*v.*), 10
desk escritorio (*sust. m.*), 1; pupitre (*sust. m.*), 1
dessert postre (*sust. m.*), 5; **for dessert** de postre (*exp.*), 5
destination destino (*sust. m.*), 11
detergent detergente (*sust. m.*), 6
die morir (o>ue) (*v.*), 8
diet: to be on a diet estar a dieta (*exp.*), 6

difficult difícil (*adj.*), 1
dine cenar (*v.*), 2
dining room comedor (*sust. m.*), 3
dinner cena (*sust. f.*), 3, 5; **dinner plate** plato llano (*sust. m.*), 5
direct directo(-a) (*adj.*), 11
directly directamente (*adv.*), 10
dirty sucio(-a) (*adj.*), 3
disappear desaparecer (*v.*), 11
disaster desastre (*sust. m.*), 3
dish plato (*sust. m.*), 3, 5
dishwasher lavaplatos (*sust. m.*), 3
dive: scuba dive bucear (*v.*), 8
divide dividir (*v.*), 3
do hacer (*v.*), 3
doctor doctor(-a) (*sust. m./ f.*), LP; **medical doctor** médico(-a) (*sust. m./f.*), 7
document documento (*sust. m.*)
dog perro (*sust. m.*), 4; **walk the dog** caminar al perro (*exp.*), 8
dollar dólar (*sust. m.*), 2
door puerta (*sust. f.*), 1
dormitory residencia universitaria (*sust. f.*), 2
double bed cama doble (*sust. f.*), 12
doubt dudar (*v.*), 11
dozen docena (*sust. f.*), 6
drape cortina (*sust. f.*), 9
dream soñar (o>ue) (*v.*), 9; **dream about** soñar con (*v.*),12
dress (oneself) vestir(se) (e>i) (*v.*), 8
drink beber (*v.*), 3, tomar (*v.*), 2; bebida (*sust. f.*), 2
drive conducir (*v.*), 4; manejar (*v.*), 4; **hard drive** disco duro (*sust. m.*), 10
driver automóvilista (*sust. m./f.*)
driver's licence licencia de (para) conducir (*sust. f.*), 10
dry secar (*v.*), 3; seco(-a) (*adj.*), 9
dry-cleaner's tintorería (*sust. f.*), 10
dryer: clothes dryer secadora (*sust. f.*), 3
due (to) debido (a) (*exp.*), 2
dumb tonto(-a) (*adj.*), 1
dust sacudir (*v.*), 3; limpiar el polvo (*v.*) (*Esp.*), 3
duster plumero (*sust. m.*), 3
dye teñirse (e>i) (*v.*), 7

E

ear (external) oreja (*sust. f.*), 7
early temprano (*adv.*), 7; **arrive early** llegar temprano (*exp.*), 3, 9, 11
earn cobrar (*v.*), 11
earring(s) arete(-s) (*sust. m. sing./pl.*), 9; aro(-s) (*sust. m. sing./pl.*), 9; caravana(-s) (*sust. f. sing./pl.*) (*Cono Sur*), 9; pantalla(-s) (*sust. f. sing./pl.*) (*P.R.*), 9; pendiente(-s) (*sust. m. sing./ pl.*) (*Esp.*), 9
earth tierra (*sust. f*), Unit 2
easily fácilmente (*adv.*), 8
easy fácil (*adj.*), 1
eat comer (*v.*), 3; **have something to eat** comer algo (*exp.*), 4; **Let's eat.** Vamos a comer. (*exp.*), 8
egg huevo (*sust. m.*), 5
eight ocho (*sust. m.*), LP; **eight hundred** ochocientos (*sust. m.*), 3
eighteen dieciocho (*sust. m*), 2
eighth octavo(-a) (*adj.*), 12
eighty ochenta (*sust. m*), 2
either... or o... o (*exp.*), 6
elbow codo (*sust. m.*), 7
elegant elegante (*adj.*)
elevator ascensor (*sust. m.*), 12; elevador (*sust. m.*) (*Méx., Cuba, P.R.*), 12
e-mail correo electrónico (*sust. m.*), 1, 3; mensaje electrónico (*sust. m.*), 8, 10; **e-mail address** dirección electrónica (*sust. f.*), 1
embrace abrazo (*sust. m.*), 8
emergency emergencia (*sust. f.*), 11; **emergency exit** salida de emergencia (*sust. f.*), 11
end fin (*sust. m.*), 2
English (language) inglés (*sust. m.*), 2
enter entrar (en) (*v.*); entrar (a) (*v.*), 7
enthusiasm entusiasmo(*sust. m.*), 11
eraser borrador (*sust. m.*), 1
errand diligencia (*sust. f.*); **run errands** hacer diligencias (*exp.*), 10
especially especialmente (*adv.*), 3
everything todo(-a)(-s) (*adj.*), 2
exactly exactamente (*adv.*), 9
excellent excelente (*adj.*), 8
except excepto (*prep.*), 6
excess exceso (*sust. m.*); **excess luggage** exceso de equipaje (*exp.*), 11
exchange: What's the rate of exchange? ¿A cuánto está el cambio de moneda? (*exp.*), 11
excuse excusa (*sust. f.*), 3; **Excuse me?** (*when you didn't hear what was said*) ¿Cómo? (*exp.*), 1; **Excuse me.** (*when you need to get around someone*) Permiso. (*exp.*), 1; Con permiso. (*exp.*), 1
exercise ejercicio (*sust. m.*), 4, 12; hacer ejercicio (*exp.*), 4, 12; practicar (*v.*), 1
exit salida (*sust. f.*), 11; **emergency exit** salida de emergencia (*sust. f.*), 11
expensive caro(-a) (*adj.*), 6
experience experiencia (*sust. f.*), 11
expert experto(-a) (*adj.*), 8
expression expresión (*sust. f.*), 1
exterior exterior (*sust. m.*), 12
eye ojo (*sust. m.*), 4, 7
eyelashes pestañas (*sust. f. pl.*), 7

F

fabric tela (*sust. f.*), 9
face cara (*sust. f.*), 7
fair justo(-a) (*adj.*), 7
fall asleep dormirse (o>ue) (*v.*), 7
fall in love with enamorarse de (*v.*), 12
false falso(-a) (*adj.*), LP
familiar: to be familiar with conocer (*v.*), 4
family familia (*sust. f.*), 3
famous famoso(-a) (*adj.*), 6
fantastic fantástico(-a) (*adj.*), 1
far (from) lejos (de) (*adv.*), 4
farewell despedida (*sust. f.*), LP
fashion designer modista (*sust. m./f.*), 9
fast rápido(-a) (*adj.*), 9
fasten abrochar (*v.*); **fasten the seat belt** abrocharse el cinturón de seguridad (*exp.*), 11
fat gordo(-a) (*adj.*), 1
father padre (*sust. m.*), 4; **father-in-law** suegro (*sust. m.*), 4
favourite favorito(-a) (*adj.*), 3
fear temer (*v.*), 10
February febrero (*sust. m.*), 2
feel sentirse (e>ie) (*v.*), 7; **feel like (doing something)** tener ganas de (+ *inf.*) (*exp.*), 3
feign fingir (*v.*), 11
felt-tip pen marcador (*sust. m.*), 1
few pocos(-as) (*adj.*), 5
fifteen quince (*sust. m*), 2
fifth quinto(-a) (*adj.*), 12
fifty cincuenta (*sust. m*), 2
fill out llenar (*v.*), 10
film película (*sust. f.*), 3, 4
finally por fin (*exp.*), 10
find encontrar (o>ue) (*v.*), 6; **find out** averiguar (*v.*), 11
Fine, thank you. Bien, gracias. (*exp.*), LP
finger dedo (*sust. m.*), 7; **finger food** entremés(-es) (*sust. m.*), 4
finish terminar (*v.*), 2
first primer, primero(-a) (*adj.*), 12; **first class** (de) primera clase(*exp.*), 11; **the first thing** lo primero (*exp.*), 12
fish pescado (*sust. m.*), 5; **catch a fish** pescar (*v.*), 8; **fish market** pescadería (*sust. f.*), 6
fishing rod caña de pescar (*sust. f.*), 8
fit caber (*v.*), 4; quedarse (*v.*), 8; **to fit big (on someone)** quedarle grande (a alguien) (*exp.*), 9; **to fit small (on someone)** quedarle chico(-a) (a alguien) (*exp.*), 9
fitting room probador (*sust. m.*), 9
five cinco (*sust. m.*), LP; **five hundred** quinientos (*sust. m.*), 3
flight vuelo (*sust. m.*), 9, 11; **flight attendant** auxiliar de vuelo (*sust. m./f.*), 11; azafata (*sust. f.*) (*Esp.*), 11
floor piso (*sust. m.*), 12

flower flor (*sust. f.*), 7
fog niebla (*sust. f.*), 9
follow seguir (e>i) (*v.*), 6
following siguiente (*adj.*), 3, 5
food comida (*sust. f.*), 3
foot pie (*sust. m.*), 7
football (soccer) fútbol (*sust. m.*), 8
for para (*prep.*), 3; por (*prep.*), 9, 12; durante (*prep.*)
forehead frente (*sust. f.*), 7
foreign extranjero(-a) (*adj.*), 7
foreigner extranjero(-a) (*sust. m./f.*), 7, 8
forest bosque (*sust. m.*), Unit 2, Unit 3, 8
forget olvidarse (de) (*v.*), 12
fork tenedor (*sust. m.*), 5
form formulario (*sust. m.*), 10; planilla (*sust. f.*), 10; **application form** formulario de solicitud (*sust. m.*), 10
fortress fortaleza (*sust. f.*)
fortunately afortunadamente (*adv.*), 12; por suerte (*exp.*), 12
forty cuarenta (*sust. m*), 2
founded fundado(-a) (*adj.*)
four cuatro (*sust. m.*), LP; **four hundred** cuatrocientos (*sust. m.*), 3
fourteen catorce (*sust. m*), 2
fourth cuarto(-a) (*adj.*), 12
free (available, not busy) libre (*adj.*), 6; **free (of charge)** gratis (*adj.*), 10
French (language) francés (*sust. m.*), 5, 6, 7, 12
Friday viernes (*sust. m.*), 2
fried frito(-a) (*adj.*), 8
friend amigo(-a) (*sust. m./f.*), 2; **best friend** mejor amigo(-a) (*sust. m./f.*), 2
from de (*prep.*), 2, desde (*prep.*), 11
frown fruncir (*v.*)
frozen helado(-a) (*adj.*)
fruit fruta (*sust. f.*), 5, 6
frying pan sartén (*sust. f.*), 3
full lleno(-a) (*adj.*), 12
fun to be with simpático(-a) (*adj.*), 1
function funcionar (*v.*)
furniture mueble(-s) (*sust. m. sing./pl.*), 3

G

game juego (*sust. m.*), 2; partido (*sust. m.*), 2
garage garaje (*sust. m.*), 3
garbage basura (*sust. f.*), 3
garden jardín (*sust. m.*), 12
gate (airport departure gate) puerta de salida (*sust. f.*), 11
Gee! ¡Caramba! (*exp.*), 6, 9, 12
gem joya (*sust. f.*)
general general (*adj.*), 8
generally generalmente (*adv.*), 8
gentleman señor (Sr.) (*sust. m.*), LP; caballero (*sust. m.*), 9
geography geografía (*sust. f.*), 2
geology geología (*sust. f.*), 2
German (language) alemán (*sust. m.*), 7
get conseguir (e>i) (*v.*), 6; **get acquainted with** conocer (*v.*), 4; **get dressed** vestir(se) (e>i) (*v.*), 8; **get engaged to** comprometerse con (*v.*), 12; **get married (to)** casarse (con) (*v.*), 7, 12; **get ready** prepararse (*v.*); **get through** terminar (*v.*), 2; **get together** juntarse (*v.*), 8; **get up** levantarse (*v.*), 7
gift regalo (*sust. m.*), 3, 9; **give a gift** regalar (*v.*), 9
girl chica (*sust. f.*), 1; muchacha (*sust. f.*), 1
girlfriend novia (*sust. f.*), 4
give dar (*v.*), 4; **give a gift** regalar (*v.*), 9
give up entregarse (*v.*), 7
glad: to be glad about alegrarse (de) (*v.*), 10
glass (drinking glass) vaso (*sust. m.*), 2
glasses gafas (*sust. f. pl.*)
glove(s) guante(-s) (*sust. m. sing./pl.*), 9
go ir (*v.*), 4; **go away** irse (*v.*), 7; **go barefoot** andar descalzo(-a) (*exp.*),9; **go back** volver (o>ue) (*v.*), 6; **go camping** ir a acampar (*exp.*), 8; **go hiking** hacer una caminata (*exp.*), 8; **go in** entrar, entrar a, entrar en (*v.*), 7; **go on vacation** irse de vacaciones (*exp.*); **go out** salir (*v.*), 4; **go shopping** ir de compras (*exp.*), 9; **go skating** ir a patinar (*exp.*), 7; **go to bed** acostarse (o>ue) (*v.*), 7
godfather padrino (*sust. m.*), 4
godmother madrina (*sust. f.*), 4
gold oro (*sust. m.*), 9
golf club palo de golf (*sust. m.*), 8
good buen, bueno(-a) (*adj.*), 2; **Good afternoon.** Buenas tardes. (*exp.*), LP; **Good luck!** ¡Buena suerte! (*exp.*), 1; **good marks** buenas notas (*exp.*), 5; **Good morning.** Buenos días. (*exp.*), LP; **Good night.** Buenas noches. (*exp.*), LP
Good-bye. Adiós. (*exp.*), 1
government gobierno (*sust. m.*)
grade nota (*sust. f.*), 5
graduate student estudiante graduado(-a) (*sust. m./f.*), 1
granddaughter nieta (*sust. f.*), 4
grandfather abuelo (*sust. m.*), 4
grandmother abuela (*sust. f.*), 4
grandparents abuelos (*sust. m. pl.*), 4
grandson nieto (*sust. m.*), 4
grape uva (*sust. f.*), 2; **grape juice** jugo de uvas (*sust. m.*), 2
grapefruit toronja (*sust. f.*), 2; **grapefruit juice** jugo de toronja (*sust. m.*), 2
great-grandfather bisabuelo (*sust. m.*), 4
great-grandmother bisabuela (*sust. f.*), 4
green verde (*sust. m./adj.*), 1
greeting saludo (*sust. m.*), LP
grey gris (*sust. m./adj.*), 1; **turn grey (hair)** encanecer (*v.*), 7; **it's turning grey** está poniendo gris (*exp.*), 7
grill parilla (*sust. f.*)
grilled a la parrilla (*exp.*), 5
ground pepper pimiento (*sust. m.*), 5
group grupo (*sust. m.*)
grow apart extrañar (*v.*), 8
Guatemalan guatemalteco(-a) (*sust. m./f.*), 4
guest invitado(-a) (*sust. m./f.*), 4

H

hair pelo (*sust. m.*), 7; cabello (*sust. m.*), 7
half medio(-a) (*adj.*), 10; **half brother** medio hermano (*sust. m.*), 4; **half past** y media (*exp.*), 2; **half sister** media hermana (*sust. f.*), 4
ham jamón (*sust. m.*), 5
hamburger hamburguesa (*sust. f.*), 5
hand mano (*sust. f.*), 1, 7; **hand luggage** maletín (*sust. m.*), 11; **on the other hand** en cambio (*exp.*), 8
handbag bolsa (*sust. f.*), 9; bolso de mano (*sust. m.*), 11
hang up colgar (o>ue) (*v.*), 3
happen suceder (*v.*), 7
happy feliz (*adj.*), 4
harm daño (*sust. m.*), 11
hat sombrero (*sust. m.*), 9
hatred odio (*sust. m.*), 9
Havana La Habana (*sust. f.*)
have tener (*v.*), 3; **have** (*as auxiliary verb*) haber (*v.*); **have breakfast** desayunar (*v.*), 5; **have a good time** pasarlo bien (*exp.*), 4; divertirse (e>ie) (*v.*), 7; **Have a good trip!** ¡Buen viaje! (*exp.*), 11; **have just finished (doing something)** acabar de (+ *inf.*) (*exp.*), 8; **have lunch** almorzar (o>ue) (*v.*), 2, 6; **have nothing to wear** no tener nada que ponerse (*exp.*), 9; **Have a seat.** Tome asiento. (*exp.*), 1; **have things to do** tener cosas que hacer (*exp.*), 3; **have to (do something)** tener que (+ *inf.*) (*exp.*), 3
head cabeza (*sust. f.*), 7
headache dolor de cabeza (*sust. m.*), 4
heart corazón (*sust. m.*), 7
heating calefacción (*sust. f.*), 12
heel tacón (*sust. m.*), 9; taco (*sust. m.*) (*Arg.*), 9

height estatura (*sust. f.*); **of medium height** de estatura mediana (*exp.*), 4
help ayuda (*sust. f*), 8; ayudar (*v.*), 3
here aquí (*adv.*), 5; acá (*adv.*), 8; **Here it is.** Aquí está. (*exp.*), 2; **Here you are.** Aquí las tiene. (*exp.*), 10
her su(-s) (*adj.*), 2
hers suyo(-a)(-s) (*pron.*), 9
Hi. Hola. (*exp.*), LP
hide esconder (*v.*), 4
high alto(-a) (*adj.*), 9
hiking: to go hiking hacer una caminata (*exp.*), 8
hillside ladera (*sust. f.*), Unit 5
his su(-s) (*adj.*), 2; suyo(-a)(-s) (*pron.*), 9
Hispanic-Canadian hispanocanadiense (*sust. m./f.*), 2
history historia (*sust. f.*), 2
hold sujetar (*v.*), 9; **hold up** atracar (*v.*), 11
holiday día feriado (*sust. m.*), 10; **holidays** vacaciones (*sust. f. pl.*), 5
home hogar (*sust. m.*); **at home** en casa (*exp.*); **home office (company headquarters)** casa central (*sust. f.*), 10
homework tarea (*sust. f.*), 2
hope esperar (*v.*), 10; **I hope** ojalá (*exp.*), 10; **I hope so.** Espero que sí. (*exp.*), 8
horrible horrible (*adj.*), 1
host anfitrión (*sust. m.*), 1
hostel hostal (*sust. m.*), 12
hostess anfitriona (*sust. f.*), 1
hot cálido(-a) (*adj.*), 9; caliente (*adj.*), 12; **be hot (weather)** hacer calor(*exp.*), 9; **be (feel) hot** tener calor (*exp.*), 3; **hot dog** perro caliente (*sust. m.*), 5
hotel hotel (*sust. m.*), 8
hour hora (*sust. f.*), 10
house casa (*sust. f.*), 1, 2, 3; **house specialty** especialidad de la casa (*sust. f.*), 5
household chore quehacer (*sust. m.*), 3
housework trabajos de la casa (*sust. m. pl.*), 3
how ¿cómo?; **How are you?** ¿Cómo está usted? (*exp./form.*), LP; ¿Cómo están ustedes? (*exp./pl.*), LP; ¿Cómo estás? (*exp./fam.*), LP; **How do you say ...?** ¿Cómo se dice...? (*exp.*), 1; **How's it going?** ¿Qué tal? (*exp.*), LP; ¿Qué hubo? (*exp.*), LP; **How long...?** ¿Cuánto tiempo...? (*exp.*); **How long has it been since...?** ¿Cuánto tiempo hace que..? (*exp.*), 6; **How many?** ¿Cuántos(-as)?, 2; **How may I help you?** ¿En qué puedo servirle? (*exp.*), 9
hug abrazo (*sust. m.*), 8
human being ser humano (*sust.m.*), 7
humid húmedo(-a) (*adj.*), 9
hundred: one hundred cien, ciento (*sust. m*), 2
hunger hambre (*sust. f.*)
hungry: to be hungry tener hambre (*exp.*), 3
hurry: to be in a hurry tener prisa (*exp.*), 3
husband esposo (*sust. m.*), 4

I

I yo (*pron.*), 1
I.D. card cédula de identidad (*sust. f.*), 12; carnet de identidad (*sust. m.*) (*Esp.*), 12
I'm leaving. Me voy. (*exp.*), 2
I'm sorry. Lo siento. (*exp.*), 1
ice hielo (*sust. m.*), 2; **ice cream** helado (*sust. m.*), 5; nieve (*sust. f.*) (*Méx.*), 5; **water with ice** agua con hielo (*sust. f.*), 2
iced tea té frío (*sust. m.*), 2; té helado (*sust. m.*), 2
idea idea (*sust. f.*), 2
identification identificación (*sust. f.*), 10
if si (*conj.*), 12
illiterate (person) analfabeto(-a) (*sust. m./f.*), Unit 3
important importante (*adj.*), 2
impossible imposible (*adj.*), 2
in en (*prep.*), 1; de (*prep.*), 2; por (*prep.*), 9, 12; durante (*prep.*); **in good spirits** animado(-a) (*adj.*), 4; **in order to** para (*prep.*), 3; **in part** en parte (*exp.*), 11; **in the morning** por la mañana (*exp.*), 2
include incluir (*v.*), 11
income: source of income fuente de ingresos (*sust. f.*), Unit 2
individual individual (*adj.*), 10
inexpensive barato(-a) (*adj.*), 6
information información (*sust. f.*), 11
insist on insistir en (*v.*), 12
instead of en vez de (*exp.*), 7; en lugar de (*exp.*), 1, 10
instill inculcar (*v.*), 7
insurance seguro (*sust. m.*), 10
intelligent inteligente (*adj.*), 1
interest interés (*sust. m.*)
interesting interesante (*adj.*), 1
interior interior (*adj.*)
international internacional (*adj.*), 2
interogative interrogativo(-a) (*adj.*), 2
introduce presentarse (*v.*), 11
invitation invitación (*sust. f.*), 4
invite invitar (*v.*), 4
iPod iPod (*sust. m.*), 1
iron plancha (*sust. f.*), 3; planchar (*v.*), 3
isthmus istmo (*sust. m.*), Unit 2
Italian (language) italiano (*sust. m.*), 7
its su(-s) (*adj.*), 2

J

jacket chaqueta (*sust. f.*), 9; chamarra (*sust. f.*) (*Méx.*), 9
jam mermelada (*sust. f.*), 5
January enero (*sust. m.*), 2
Japanese (language) japonés (*sust. m.*), 7
jealous celoso(-a) (*adj.*), 2
jeans vaqueros (*sust. m. pl.*), 9
joke bromear (*v.*), 7
juice jugo (*sust. m.*), 2; zumo (*sust. m.*) (*Esp.*), 2
July julio (*sust. m.*), 2
June junio (*sust. m.*), 2
just in case por si acaso (*exp.*), 8

K

key llave (*sust. f.*), 4
keyboard teclado (*sust. m.*), 10
kill matar (*v.*), 9, 11
kind tipo (*sust. m.*)
kiosk kiosko, quiosco (*sust. m.*), 12
kitchen utensils batería de cocina (*sust. f.*), 2
knee rodilla (*sust. f.*), 7
knife cuchillo (*sust. m.*), 5
knock at the door llamar a la puerta (*exp.*), 3; tocar a la puerta (*exp.*), 3
know conocer (*v.*), 4; saber (*v.*), 4
known conocido(-a) (*adj.*)

L

laboratory laboratorio (*sust. m.*)
lace encaje (*sust. m.*), 9
lady señora (Sra.) (*sust. f.*), LP
lake lago (*sust. m.*), 8
lamb cordero (*sust. m.*), 5; **lamb chop** chuleta de cordero (*sust. f.*), 6
language idioma (*sust. m.*), 2
lap regazo (*sust. m.*), 9
laptop computadora portátil (*sust. f.*), 1, 10; laptop (*sust. m.*), 1, 10
last pasado(-a) (*adj.*), 7; último(-a), (*adj.*) 7; **last name** apellido (*sust. m.*), 1; **last night** anoche (*adv.*), 7; **last time** la última vez (*exp.*)
late tarde (*adv.*); **arrive late** llegar tarde (*exp.*); **it's already late** ya es tarde (*exp.*), 2
lately últimamente (*adv.*), 10
later luego (*adv.*); más tarde (*exp.*), 5
Latin America Latinoamérica (*sust. f.*)
Latin American latinoaméricano(-a) (*adj.*)
laugh reírse (*v.*), 7
laughter risa (*sust. f.*), 11
lawn césped (*sust. m.*), 3; pasto (*sust. m.*) (*Cono Sur*), 3; zacate (*sust. m.*) (*Méx.*), 3; **mow the lawn** cortar el césped (*exp.*), 3
lawyer abogado(-a) (*sust. m./f.*), 1
learn aprender (*v.*), 3

leave salir (*v.*), 4; **leave (behind)** dejar (*v.*), 3, 5
left izquierdo(-a) (*adj.*)
leg pierna (*sust. f.*), 7
lemonade limonada (*sust. f.*), 3
lend prestar (*v.*), 8
less menos (*adv.*), 5
lesson lección (*sust. f.*), 2
let's see a ver (*exp.*), 6
letter carta (*sust. f.*), 3, 10
lettuce lechuga (*sust. f.*), 6
liberty libertad (*sust. f.*), 2
library biblioteca (*sust. f.*), 1
lie mentir (e>ie) (*v.*), 10
life vida (*sust. f.*), 2
lifeguard salvavidas (*sust. m./f.*), 8
light luz (*sust. f.*), 1
lightning relámpago (*sust. m.*), 11
like como (*prep.*), 9; **like this** así (*adv.*); **like very much** encantar (*v.*), 8
Likewise. Igualmente. (*exp.*), LP
line: stand in line hacer cola (*exp.*), 10
list lista (*sust. f.*), 5
listen escuchar (*v.*), 2
literature literatura (*sust. f.*), 2
little chico(-a) (*adj.*), 8; pequeño(-a) (*adj.*), 8; **a little** un poco (de) (*exp.*), 4, 6
live vivir (*v.*), 3
living room sala (*sust. f.*), 3; sala de estar (*sust. f.*), 3
loan préstamo (*sust. m.*); **apply for a loan** solicitar un préstamo (*exp.*), 10
lobby vestíbulo (*sust. m.*), 12
lobster langosta (*sust. f.*), 5, 6
lock (in a canal) esclusa (*sust. f.*), Unit 3
long largo(-a) (*adj.*), 9
look at mirar (*v.*), 3
lose perder (e>ie) (*v.*)
love: fall in love with enamorarse de (*v.*), 12; **in love** enamorado(-a) (*adj.*), 4
luck suerte (*sust. f.*)
lucky: to be lucky tener suerte (*exp.*), 3
luggage equipaje (*sust. m.*), 11; **check luggage** facturar el equipaje (*exp.*), 11; **excess luggage** exceso de equipaje (*exp.*), 11; **luggage compartment** compartimiento de equipaje (*sust. m.*), 11
lunch almorzar (o>ue) (*v.*), 2, 6; almuerzo (*sust. m.*), 5
luxury lujo (*sust. m.*), 8, 12

M

madam señora (Sra.) (*sust. f.*), LP
made-to-measure a la medida (*exp.*), 9
magazine revista (*sust. f.*); **magazine stand** puesto de revistas (*sust. m.*), 12
magnificent magnífico(-a) (*adj.*)
mail correo (*sust. m.*)
major (at university) especialización (*sust. f.*), 1
make hacer (*v.*), 3; **make a decision** tomar una decisión (*exp.*), 11
man hombre (*sust. m.*), 1
manager jefe(-a) (*sust. m./f.*), 10; gerente (*sust. m./f.*), 11
manner modo (*sust. m.*)
many mucho(-a)(-s) (*adj.*), Unit 1; un montón de (*exp.*), 12; **as many** tanto(-a)(-s) (*adj.*), 5; **How many?** ¿Cuántos(-as)? (*exp.*), 2
map mapa (*sust. m.*), 1
March marzo (*sust. m.*), 2
mark marca (*sust. f.*); **good marks** buenas notas (*exp.*), 5
market mercado (*sust. m.*), 6
married casado(-a) (*adj.*), 4
marry casarse (con) (*v.*), 7, 12
mashed potatoes puré de papas (*sust. m.*), 5
mathematics matemáticas (*sust. f. pl.*), 2
matter importar (*v.*); **matter to someone** importarle (a uno) (*exp.*), 7; **it doesn't matter** no importa (*exp.*)
May mayo (*sust. m.*), 2
MD médico(a) (*sust. m./f.*), 7
measure medida (*sust. f.*), 9; medir (e>i) (*v.*), 5
meat carne (*sust. f.*), 6
meatball albóndiga (*sust. f.*), 6
medicine medicina (*sust. f.*)
medium mediano(-a) (*adj.*), 9; **of medium height** de estatura mediana (*exp.*), 4
meet (someone) conocer a (alguien) (*v.*), 2
memory memoria (*sust. f.*), 10
men's department departamento de caballeros (*sust. m.*), 9
menu menú (*sust. m.*), 5
message mensaje (*sust. m.*)
Mexican mexicano(-a) (*adj.*), 1
microwave oven horno de microondas (*sust. m.*), 3
midnight medianoche (*sust. f.*), 7
milk leche (*sust. f.*), 2; **coffee with milk** café con leche (*sust. m.*), 2
milkshake batido (*sust. m.*), 3
mine mío(-a)(-s) (*pron.*), 9
minute minuto (*sust. m.*)
mirror espejo (*sust. m.*), 7
mischievous travieso(-a) (*adj.*), 5
mix mezclar (*v.*)
mixture mezcla (*sust. f.*), 9
modern moderno(-na) (*adj.*), 7
mom mamá (*sust. f.*), 3, 4
moment momento (*sust. m.*), 3
Monday lunes (*sust. m.*), 2
money dinero (*sust. m.*), 2; plata (*sust. f.*) (*Cono Sur, Cuba*), 2; **money order** giro postal (*sust. m.*), 10
monitor monitor (*sust. m.*), 10
month mes (*sust. m.*), 2
moral moraleja (*sust. f.*), 7
more más (*adv.*), 5; **More slowly, please.** Más despacio, por favor. (*exp.*), 1
morning mañana (*sust. f.*); **Good morning.** Buenos días. (*exp.*), LP; **in the morning** por la mañana (*exp.*), 2
mother madre (*sust. m.*), 4
mother-in-law suegra (*sust. f.*), 4
mountain: climb a mountain escalar una montaña (*exp.*), 7
mouse ratón (*sust. m.*), 10
mouth boca (*sust. f.*), 7
move (relocate) mudarse (*v.*), 9
movie película (*sust. f.*), 4; **movie theatre** cine (*sust. m.*), 4; **show a movie** dar una película (*exp.*), 7
mow cortar (*v.*), 3; **mow the lawn** cortar el césped (*exp.*), 3
MP3 player lector de MP3 (*sust. m.*), 4, reproductor MP3 (*sust. m.*), 4
museum museo (*sust. m.*), 7
music música (*sust. f.*), 2
must deber (*v.*), 3
My name is ... Me llamo...(*exp.*), LP

N

napkin servilleta (*sust. f.*), 5
nation país (*sust. m.*), 10, 11
navigate navegar (*v.*)
neck cuello (*sust. m.*), 7
need necesitar (*v.*), 2
negative negativo(-a) (*adj.*), 2
neighbour vecino(-a) (*sust. m./f.*), 11
neighbourhood barrio (*sust. m.*)
neither tampoco (*adv.*), 6; **neither... nor** ni... ni (*exp.*), 6
nerves nervios (*sust. m. pl.*), 11
never jamás (*adv.*), 6; nunca (*adv.*), 6, 12
new nuevo(-a) (*adj.*), 2
newlyweds recién casados(-as) (*sust. m./f. pl.*), 6
newspaper diario (*sust. m.*), 10; periódico (*sust. m.*), 10
next próximo(-a) (*adj.*), 2, 4, 12; **next day** próximo día (*sust. m.*), 12; **next Monday** próximo lunes (*exp.*), 12; **next month** próximo mes (*exp.*), 12; **next week** próxima semana(*exp.*), 12; **next year** próximo año (*exp.*), 12; **(on) the next day** al día siguiente (*exp.*), 5
nice simpático(-a) (*adj.*), 1
niece sobrina (*sust. f.*), 4
night noche (*sust. f.*), 2; **at night** por la noche (*exp.*), 2; **last night** anoche (*adv.*), 7

nightclub club nocturno (*sust.m.*), 7
nightgown camisón (*sust. m.*), 9; bata de dormir (*sust. f.*) (*Cuba*), 9
nine nueve (*sust. m.*), LP; **nine hundred** novecientos (*sust. m.*), 3
nineteen diecinueve (*sust. m*), 2
ninety noventa (*sust. m*), 2
ninth noveno(-a) (*adj.*), 12
no no (*adv.*), 1
no one nadie (*pron.*), 6; ningún, ninguno(-a) (*adj.*), 6
noon mediodía (*sust. m.*), 2
North American norteamericano(-a) (*adj.*), 1
nose nariz (*sust. f.*), 7
not no (*adv.*); **not any** ningún, ninguno(-a) (*adj.*), 6; **Not much.** No mucho. (*exp.*), 1
notebook cuaderno (*sust. m.*), 1
nothing nada (*pron.*), 6
notice fijarse en (*v.*), 12
November noviembre (*sust. m.*), 2
now ahora (*adv.*), 4
number número (*sust. m.*), LP
nurse enfermero(-a) (*sust. m./f.*), 2

O

o.k. está bien (*exp.*), 6
oar remo (*sust. m.*), 8
obtain conseguir (e>i) (*v.*), 6
occupation ocupación (*sust. f.*), 3
occupied ocupado(-a) (*adj.*), 12
October octubre (*sust. m.*), 2
off: the day off día libre (*exp.*), 6
office oficina (*sust. f.*), 2; **administration office** oficina de administración (*sust. f.*), 2; **home office (of a company)** casa central (*sust. f.*), 10; **post office** correo (*sust. m.*)
often a menudo (*adv.*), 8; frecuentemente (*adv.*), 8
oil aceite (*sust. m.*), 6; **olive oil** aceite de oliva (*sust. m.*), 6
old viejo(-a) (*adj.*), 1
oldest el/la mayor (*adj.*), 5
on en(*prep.*), 1; sobre (*prep.*), 11; **on a trip** de viaje (*exp.*), 9; **on vacation** de vacaciones (*exp.*), 5
once upon a time había una vez (*exp.*), 9
one uno (*sust. m.*), LP; **one hundred** cien, ciento (*sust. m*), 3
one-way ticket pasaje de ida (*sust. m.*), 11
onion cebolla (*sust. f.*), 5
only solamente (*adv.*), 2; sólo(-a) (*adj.*), 2
open abrir (*v.*), 3; abierto(-a) (*adj.*), 10
optimist optimista (*sust. m./f.*), 12
orange (fruit naranja (*sust. f.*), 2; china (*sust. f.*) (*P.R.*), 2; **(colour)** anaranjado(-a) (*adj.*), 1; **orange juice** jugo de naranja (*sust. m.*), 2
order mandar (*v.*), 10
other otro(-a) (*adj.*), 10
our nuestro(-a)(-s) (*adj.*), 2
outdoor market mercado al aire libre (*sust. m.*), 6
outward journey ida (*sust. f.*)
oven horno (*sust. m.*), 3
overtime horas extras (*exp.*), 2
owner dueño(-a) (*sust. m./f.*), 4, 12; propietario(-a) (*sust. m./f.*), 12

P

package paquete (*sust. m.*), 11
painter pintor(-a) (*sust. m./f.*), 1
painting pintura (*sust. f.*)
pair par (*sust. m.*), 9
pajamas pijama(-s) (*sust. m. sing./ pl.*), 9
pancake panqueque (*sust. m.*), 5; panqué (*sust. m.*) (*Méx.*), 5
panties bragas (*sust. f. pl.*), 9
pants pantalón (*sust. m. sing.*), 9; pantalones (*sust. m. pl.*), 9
paper papel (*sust. m.*), 1
Pardon me. Perdón. (*exp.*), 1
parents padres (*sust. m. pl.*), 3, 4
park parque (*sust. m.*); **park (a car)** estacionar (*v.*), 10; parquear (*v.*) (Antillas), 10; **amusement park** parque de diversiones (*sust. m.*), 7; parque de atracciones (*sust. m.*) (*Esp.*), 7
part parte (*sust. f.*), 7
party fiesta (*sust. f.*), 4
passbook libreta de ahorros (*sust. f.*), 10
passenger pasajero(-a) (*sust. m./f.*), 11
passport pasaporte (*sust. m.*), 11
patience paciencia (*sust. f.*), 12; **have patience** tener paciencia (*exp.*), 12
patio patio (*sust. m.*), 12
pay pagar (*v.*), 5
peach melocotón (*sust. m.*), 6; durazno (*sust. m.*) (*Méx., Cono Sur*), 6
pear pera (*sust. f.*), 6
pen bolígrafo (*sust. m.*), 1; **ball-point pen** bolígrafo (*sust. m.*), 1, pluma (*sust. f.*), 1, pluma de bolígrafo (*sust. f.*), 1
pencil lápiz (*sust. m.*), 1
people gente (*sust. f. sing.*), 10
pepper pimienta (*sust. f.*), 6; **ground pepper** pimiento (*sust. m.*), 5
per: per day al día (*exp.*), 2, 6; **per night** por noche (*exp.*), 9; **per week** por semana (*exp.*), 2
percent por ciento (*exp.*)
perfect perfecto(-a) (*adj.*), 1
perhaps quizás (*adv.*), 9; tal vez (*adv.*), 9
permission permiso (*sust. m.*), 7
person persona (*sust. f.*), 12
personal computer computadora personal (*sust. f.*), 10
Peruvian peruano(-a) (*adj.*)
pessimist pesimista (*sust. m./f.*), 12
petroleum petróleo (*sust. m.*)
phone llamar (por alguien) (*v.*); **phone number** número de teléfono (*sust. m.*), LP
physical education educación física (*sust. f.*), 2
physics física (*sust. f.*), 2
pick up levantar (*v.*), 11
picnic picnic (*sust. m.*), 7
pie pastel (*sust. m.*), 5
pill pastilla (*sust. f.*)
pilot piloto (*sust. m.*), 11
pineapple piña (*sust. f.*), 6
pink rosado(-da) (*sust. m./adj.*), 1
pitch (a tent) armar (*v.*), 8
place poner (*v.*), 3, 4; lugar (*sust. m.*), 12; **places of interest** lugares de interés (*sust. m. pl.*), 11
plan plan (*sust. m.*), 7; planear (*v.*), 4; **plan (to do something)** pensar (e>ie) (+ inf.) (*v.*) , 3, 4, 5
play (a game, sport) jugar (u>ue) (*v.*), 8; **play (an instrument, music)** tocar (*v.*), 5; **play golf** jugar al golf (*exp.*), 8; **play tennis** jugar al tenis (*exp.*), 8
player jugador(-a) (*sust. m./f.*), 8
Please. Por favor. (*exp.*), 1
pleasure gusto (*sust. m.*), placer (*sust. m.*), 7; **A pleasure.** Un placer. (*exp.*), LP; **The pleasure is mine.** El gusto es mío. (*exp.*), 1
poem poema (*sust. m.*), 2
polite de cortesía (*exp.*), 1
politeness cortesía (*sust. f.*), 1
political science ciencias políticas (*sust. f. pl.*), 2
pool piscina (*sust. f.*), 7, 12; alberca (*sust. f.*), 12
poor pobre (*adj.*), 7
pork chop chuleta de cerdo (*sust. f.*), 6
porridge avena (*sust. f.*), 9
portrait retrato (*sust. m.*), 9
Portuguese (language) portugués (*sust. m.*), 7
possessive posesivo(-a) (*adj.*), 3
possible posible (*adj.*), 12; **as soon as possible** lo más pronto posible (*exp.*), 10
post office correo (*sust. m.*); oficina de correo (*sust. f.*), 10
postcard tarjeta postal (*sust. f.*), 10
potato papa (*sust. f.*), 5; patata (*sust. f.*) (*Esp.*), 5
pout mohín (*sust. m.*), 11
prefer preferir (e>ie) (*v.*), 5
prepare preparar (*v.*), 3
pretty bonito(-a) (*adj.*), 1; lindo(-a) (*adj.*), 1
price precio (*sust. m.*), 12
printer impresora (*sust. f.*), 10

private privado(-a) (*adj.*), 12
probably probablemente (*adv.*), 12
problem problema (*sust. m.*), 2
professor profesor(-a) (*sust. m./ f.*), LP
program programa (*sust. m.*), 2
project proyecto (*sust. m.*), 10
promise prometer (*v.*), 8
psychology psicología (*sust. f.*), 2
Puerto Rican puertorriqueño(-a) (*sust. m./f.*), 8
pull someone's leg tomarle el pelo a alguien (*exp.*), 8
punch (drink) ponche (*sust. m.*)
purple morado(-a) (*sust. m./adj.*), 1; violeta (*adj./sust. f.*), 1
purse bolsa (*sust. f.*), 9; cartera (*sust. f.*), 9
put on ponerse (*v.*), 7

Q

queen reina (*sust. f.*), Unit 1
quick rápido(-a) (*adj.*), 9
quickly rápidamente (*adv.*), 3
quite a success todo un éxito (*exp.*), 4

R

racket raqueta (*sust. f.*), 8
rain llover (o>ue) (*v.*), 9; lluvia (*sust. f.*), 9
raincoat impermeable (*sust. m.*), 9
rainforest selva (*sust. f.*), Unit 3
raise levantar (*v.*), 4
read leer (*v.*), 3
ready listo(-a) (*adj.*); **be ready** estar listo(-a) (*exp.*)
realize darse cuenta de (*v.*), 12
receipt recibo (*sust. m.*), 10
receive recibir (*v.*), 3
recent reciente (*adj.*), 8
recently recientemente (*adv.*), 8
reception recepción (*sust. f.*), 7
recipe receta (*sust. f.*), 3
recommend recomendar (e>ie) (*v.*), 10
red rojo(-a) (*sust. m./adj.*), 1; **red wine** vino tinto (*sust. m.*), 2
red-haired pelirrojo(-a) (*adj.*), 4
refrigerator refrigerador (*sust. m.*), 3; heladera (*sust. f.*) (*Méx., Cono Sur*), 3; nevera (*sust. f.*) (*Esp.*), 3
regret sentir (e>ie) (*v.*), 10
relative pariente (*sust. m./f.*), 3, 4
relief alivio (*sust. m.*), 10
remember recordar (o>ue) (*v.*), 6; acordarse (de) (o>ue) (*v.*), 12
rent alquilar (*v.*), 8; rentar (*v.*) (*Méx.*), 8
request solicitar (*v.*)
requirement requisito (*sust. m.*), 2
reservation reservación (*sust. f.*), 12
resort: seaside resort balneario (*sust. m.*) (*LAm*), 11
rest descansar (*v.*), 3
restaurant restaurante (*sust. m.*), 5
return volver (o>ue) (*v.*), 6
revenue ingreso (*sust. m.*), Unit 2, Unit 3, Unit 4
rice arroz (*sust. m.*), 5; **rice pudding** arroz con leche (*sust. m.*), 5
rich rico(-a) (*adj.*), 1
ride montar (*v.*) ; **ride a bicycle** andar en bicicleta (*exp.*), 7; montar en bicicleta (*exp.*), 7; **ride horseback** montar a caballo (*exp.*), 7
right derecho(-a) (*adj.*); **to be right** tener razón (*exp.*), 3; **right away** en seguida (*exp.*), 12
river río (*sust. m.*), 8
roasted asado(-a) (*adj.*), 5
robe bata (*sust. f.*), 9
rock piedra (*sust. f.*), 11
romantic romántico(-a) (*adj./sust. m./f.*), 7
room cuarto (*sust. m.*), 3; habitación (*sust. f.*), 10; **dining room** comedor (*sust. m.*), 3; **exterior room** habitación exterior (*sust. f.*), 12; **interior room** habitación interior (*sust. f.*), 12; **living room** sala (*sust. f.*), 3; sala de estar (*sust. f.*), 3; **room and board** pensión completa (*exp.*), 12; **room service** servicio de cuarto (*sust. m.*), 12; servicio de habitación (*sust. m.*), 12
roommate compañero(-a) de cuarto (*sust. m./f.*), 1
root raíz (*sust. f.*), 5
rosé wine vino rosado (*sust. m.*), 2
round-trip ticket pasaje de ida y vuelta (*sust. m.*), 11
row (a boat) remar (*v.*), 8
run correr (*v.*), 3
Russian (language) ruso (*sust. m.*), 7

S

sad triste (*adj.*), 4
safe-deposit box caja de seguridad (*sust. f.*), 10
sailboat velero (*sust. m.*), 8; bote de vela (*sust. m.*) (*Cuba, Arg.*), 8
salad ensalada (*sust. f.*), 3; **mixed salad** ensalada mixta (*sust. f.*), 6
sale liquidación (*sust. f.*), 9; rebajas (*sust. f. pl.*), 9
salesperson dependiente(-a) (*sust. m./f.*), 9; vendedor(-a) (*sust. m./f.*), 6
salsa (dance) salsa (*sust. f.*), 4
salt sal (*sust. f.*), 5
same mismo(-a) (*adj.*), 5; **the same thing** lo mismo (*exp.*), 11
sand arena (*sust. f.*), 8
sandal sandalia (*sust. f.*), 9
sandwich bocadillo (*sust. m.*), 4; sándwich (*sust. m.*), 8
Saturday sábado (*sust. m.*), 2
saucepan cacerola (*sust. f.*), 3
sauce salsa (*sust. f.*), 6
saucer platillo (*sust. m.*), 5
save (money) ahorrar (*v.*), 10; **save information** archivar la información (*exp.*), 10
saying dicho (*sust. m.*)
scared: to be scared tener miedo (*exp.*), 3
scarf bufanda (*sust. f.*), 9
school escuela (*sust. f.*), 8, 9
scowl fruncir el ceño (*exp.*), 9
screen pantalla (*sust. f.*), 10
scuba dive bucear (*v.*), 8
sea mar (*sust. m.*), 8; **sea view** vista al mar (*sust. f.*), 12
seafood mariscos (*sust. m. pl.*), 5, 6
season estación (*sust. f.*), 2
seat asiento (*sust. m.*); **aisle seat** asiento de pasillo (*sust. m.*), 11; **window seat** asiento de ventanilla (*sust. m.*), 11
second segundo(-a) (*adj.*), 12
section sección (*sust. f.*)
security seguridad (*sust. f.*); **security check** control de seguridad (*sust. m.*), 11
see ver (*v.*), 4; **let's see** a ver (*exp.*), 6; **See you.** Nos vemos. (*exp.*), LP; **See you around.** Hasta la vista. (*exp.*), 1; **See you later.** Hasta luego. (*exp.*), 1; **See you tomorrow.** Hasta mañana. (*exp.*), LP
seem parecer (*v.*), 12
sell vender (*v.*), 8
semester semestre (*sust. m.*), 2
send enviar (*v.*), 4, mandar (*v.*), 4
September septiembre (*sust. m.*), 2
servant criado(-a) (*sust. m./f.*), 9
serve servir (e> i) (*v.*), 4, 5, 6
service servicio (*sust. m.*)
set the table poner la mesa (*exp.*), 5
seven siete (*sust. m.*), LP; **seven hundred** setecientos (*sust. m.*), 3
seventeen diecisiete (*sust. m*), 2
seventh séptimo(-a) (*adj.*), 12
seventy setenta (*sust. m.*), 2
share compartir (*v.*), 3, 11
shave afeitarse (*v.*), 7; rasurarse (*v.*), 7
shirt camisa (*sust. f.*), 3, 9
shoe zapato (*sust. m.*), 9; **shoe store** zapatería (*sust. f.*), 9
shore orilla (*sust. f.*)
short (in height) bajo(-a) (*adj.*), 1; **short (in length)** corto(-a) (*adj.*), 9
shorts pantalones cortos (*sust. m. pl.*), 9
should deber (*v.*), 3
shoulder hombro (*sust. m.*), 7
shout gritar (*v.*), 4
show mostrar (o>ue) (*v.*), 12; **show a movie** pasar una película (*exp.*), 7; poner una película (*exp.*), 7
shower ducha (*sust. f.*), 12; regardera (*sust. f.*) (*Mex.*), 12; **take a shower** ducharse (*v.*), 7

shrimp camarón (*sust. m. sing.*), 5; gamba (*sust. f. sing.*) (*Esp.*), 5
shy tímido(-a) (*adj.*), 5
sick enfermo(-a) (*adj.*), 4
sign firmar (*v.*), 10; letrero (*sust, m.*), 10, seña (*sust. f.*), 11
sing cantar (*v.*), 4, 7
single soltero(-a) (*adj.*), 4
sir señor (Sr.) (*sust. m.*), LP
sister hermana (*sust. f.*), 3, 4
sister-in-law cuñada (*sust. f.*), 4
sit down sentarse (e>ie) (*v.*), 7
situation situación (*sust. f.*), 1
six seis (*sust. m.*), LP; **six hundred** seiscientos (*sust. m.*), 3
sixteen dieciséis (*sust. m*), 2
sixth sexto(-a) (*adj.*), 12
sixty sesenta (*sust. m*), 2
size (of clothing) talla (*sust. f.*), 9
skate patinar (*v.*), 7
ski esquiar (*v.*), 7
skirt falda (*sust. f.*), 9
sky cielo (*sust. m.*), 8, 9; **The sky is clear.** El cielo está despejado. (*exp.*), 9; **The sky is cloudy.** El cielo está nublado. (*exp.*), 9
slavery esclavitud (*sust. f.*), 7
sleep dormir (o>ue) (*v.*), 4, 6
sleeper sofa sofá-cama (*sust. m.*), 12
sleeping bag bolsa de dormir (*sust. f.*), 8; saco de dormir (*sust. m.*) (*Col., Cono Sur*), 8
sleeve manga (*sust. f.*), 9
slender delgado(-a) (*adj.*), 1
slipper zapatilla (*sust. f.*), 9
slow lento(-a) (*adj.*), 8
slowly lentamente (*adv.*), 8
small pequeño(-a) (*adj.*), 1; **fit too small (on someone)** quedarle chico(-a) (a alguien) (*exp.*), 9
smell olor (*sust. m.*), 9
smile sonreir (*v.*), 11
snack merendar (e>ie) (*v.*), 7
snow nevar (e>ie) (*v.*), 9; nieve (*sust. f.*), 9
snowfall nevada (*sust. f.*)
so de manera que (*exp.*), 6; de modo que (*exp.*), 6; **so many** tantos(-as) (*adj.*), 6
soap jabón (*sust. m.*); **soap opera** telenovela (*sust. f.*), 3
soccer (football) fútbol (*sust. m.*), 8
Social Insurance Number número de Seguro Social (*sust. m.*), 10
sociology sociología (*sust. f.*), 2
sock calcetín (*sust. m.*), 9
sofa sofá (*sust. m.*); **sleeper sofa** sofá-cama (*sust. m.*), 12
soft drink refresco (*sust. m.*), 5
solution solución (*sust. f.*)
solve solucionar (*v.*)
some unos(-as) (*adj.*), 1
someone alguien (*pron.*), 6
something algo (*pron.*), 5; **have something to eat** comer algo (*exp.*), 4; **tell me something** dime una cosa (*exp.*), 12
sometime alguna vez (*exp.*), 6
sometimes a veces (*exp.*), 2; algunas veces (*exp.*), 6
somewhere algún lado (*exp.*), 11
son hijo (*sust. m.*), 4
son-in-law yerno (*sust. m.*), 4
soon pronto (*adv.*), 8; **as soon as** en cuanto (*exp.*), 9; **as soon as possible** lo más pronto posible (*exp.*), 10
sort tipo (*sust. m.*)
so-so más o menos (*exp.*), LP; regular (*adj.*), LP
soup sopa (*sust. f.*), 3, 5; **soup plate** plato hondo (*sust. m.*), 5
souvenir shop tienda de regalos (*sust. f.*), 12
spaghetti espaguetis (*sust. m. pl.*), 6
Spaniard español(-a) (*sust. m./f.*)
Spanish (language) español (*sust. m.*), 1; castellano (*sust. m.*) (*Esp., Cono Sur*), 1
speak hablar (*v.*), 2
specialty especialidad (*sust. f.*), 5; **house specialty** especialidad de la casa (*sust. f.*), 5
spell deletrear (*v.*), 1; **How is it spelled?** ¿Cómo se deletrea? (*exp.*)
spend (money) gastar (*v.*), 9; **spend (time)** pasar (*v.*), 8
spontaneous espontáneo(-a) (*adj.*), 10
spoon cuchara (*sust. f.*), 5
sport deporte (*sust. m.*), 8
spring primavera (*sust. f.*), 2
staircase escalera (*sust. f.*), 12
stall puesto (*sust. m.*)
stamp estampilla (*sust. f.*), 10; timbre (*sust. m.*) (*Méx.*), 10
standing parado(-a) (*adj.*), 9
star estrella (*sust. f.*), 8
start comenzar (e>ie) (*v.*), 5; empezar (e>ie) (*v.*), 5; **start (a vehicle)** arrancar (*v.*), 11
starving estar muerto(-a) de hambre (*exp.*), 6
stay (e.g. at a hotel) hospedarse (*v.*), 8; quedarse (*v.*), 8
steak bistec (*sust. m.*), 5
step paso (*sust. m.*), 9
stepbrother hermanastro (*sust. m.*), 4
stepdaughter hijastra (*sust. f.*), 4
stepfather padrastro (*sust. m.*), 4
stepmother madrastra (*sust. f.*), 4
stepsister hermanastra (*sust. f.*), 4
stepson hermanastro (*sust. m.*), 4
still todavía (*adv.*), 3
stingy tacaño(-a) (*adj.*), 9
stomach estómago (*sust. m.*), 7
stop parar (*v.*), 11; **make a stop over** hacer escala (*exp.*), 11
store tienda (*sust. f.*), 3, 9; **store away** archivar (*v.*); **store information** archivar la información (*exp.*), 10
story: short story cuento (*sust. m.*), 11
stove cocina (*sust. f.*), 3
strain colar (o>ue) (*v.*), 3
strainer colador (*sust. m.*), 3
stranger extraño(-a) (*sust. m./f.*)
strawberry fresa (*sust. f.*), 6; frutilla (*sust. f.*) (*Cono Sur*), 6
street calle (*sust. f.*), 1
student alumno(-a) (*sust. m./f.*), 1, estudiante (*sust. m./f.*), 1; **graduate student** estudiante graduado(-a) (*sust. m./f.*), 1
study estudiar (*v.*), 2
style: be in style estar de moda (*exp.*), 9
subject asignatura (*sust. f.*), 2; materia (*sust. f.*) (*Arg., Esp.*), 2
subtitles subtítulos (*sust. m. pl.*)
success éxito (*sust. m.*), 4; **quite a success** todo un éxito (*exp.*), 4
such tan (*adv.*), 5
sugar azúcar (*sust. m.*), 6
suggest sugerir (e>ie) (*v.*), 10
suit traje (*sust. m.*), 9
suitcase maleta (*sust. f.*), 11; valija (*sust. f.*) (*Cono Sur*), 11; veliz (*sust. m.*) (*Méx.*), 11
summer verano (*sust. m.*), 2
sunbathe tomar el sol (*exp.*), 8
Sunday domingo (*sust. m.*), 2
sunglasses anteojos de sol (*sust. m. pl.*), 8; gafas de sol (*sust. f. pl.*), 8
sunny: to be sunny hacer sol (*exp.*), 9
sunscreen bloqueador solar (*sust. m.*), 8
sunshade sombrilla (*sust. f.*)
superlative superlativo(-a) (*adj.*), 5
supermarket supermercado (*sust. m.*), 6
surf hacer surf (*exp.*), 8; **surf the Internet** navegar la Red (*exp.*), 10
surfboard tabla de mar (*sust. f.*), 8
surname apellido (*sust. m.*), 1
surprise sorpresa (*sust. f.*), 4
sweater suéter (*sust. m.*), 9
sweep barrer (*v.*), 3
sweet pepper ají (*sust. m.*), 6
swim nadar (*v.*), 7
swimming pool piscina (*sust. f.*), 7, 12; alberca (*sust. f.*) (*Méx.*), 12; **with a view of the swimming pool** con vista a la piscina (*exp.*), 12
synonymous sinónimo(-a) (*adj.*)
system sistema (*sust. m.*), 2

T

table mesa (*sust. f.*), 5; **set the table** poner la mesa (*exp.*), 5
tablecloth mantel (*sust. m.*), 5
tailor sastre (*sust. m.*), 9

take (a class) tomar (*v.*), 2; **take off (an airplane)** despegar (*v.*), 11; **take off (clothes)** quitarse (*v.*), 7; **take out** sacar (*v.*), 3; **take (someone or something somewhere)** llevar (*v.*), 4
tall alto(-a) (*adj.*), 1
task quehacer (*sust. m.*), 3
tasty sabroso(-a) (*adj.*), 5
taxi taxi (*sust. m.*), 12
tea té (*sust. m.*), 2; **iced tea** té frío (*sust. m.*), 2; té helado (*sust. m.*), 2
teaspoon cucharita (*sust. f.*), 5
teach enseñar (*v.*), 2
teacher maestro(-a) (*sust. m./f.*), Unit 3
team equipo (*sust. m.*), 7
technology tecnología (*sust. f.*), 10
telephone teléfono (*sust. m.*); **telephone number** número de teléfono (*sust. m.*), LP; **What's your telephone number?** ¿Cuál es tu número de teléfono? (*exp.*), LP
television televisión (*sust. f.*), 2; tele (*sust. f.*), 2; **television set** televisor (*sust. m.*), 12
tell decir (e> i) (*v.*), 6; **tell me something** dime una cosa (*exp.*), 12
temperature temperatura (*sust. f.*), 9
ten diez (*sust. m.*), LP
tent tienda de campaña (*sust. f.*), 8
tenth décimo(-a) (*adj.*), 12
terrible terrible (*adj.*), 1
text message mensaje de texto (*sust. m.*), 9
thank: Thank you very much. Muchas gracias. (*exp.*), 1; **thanks** gracias (*sust. f. pl.*)
that que (*conj./pron.*), 2; eso (*pron.*), 3; lo que (*rel. pron.*), 9
theatre teatro (*sust. m.*), 7
theme tema (*sust. m.*), 3
then entonces (*adv.*), 2
there allí (*adv.*), 5, 12; ahí (*adv.*), 8; **there is/there are** hay (*exp.*), 1
thermos termo (*sust. m.*), 8
thing cosa (*sust. f.*), 3; **things to do** cosas que hacer (*exp.*), 3
third tercer, tercero(-a) (*adj.*), 12
thirsty: to be thirsty tener sed (*exp.*), 3
thirty treinta (*sust. m*), 2
this este(-a) (*adj.*), 3; **this semester** este semestre (*exp.*), 2; **this very day** hoy mismo (*exp.*), 12
those aquellos(-as) (*pron.*), 3
thousand mil (*sust. m.*), 3
three tres (*sust. m.*), LP; **three hundred** trescientos (*sust. m.*), 3
Thursday jueves (*sust. m.*), 2
ticket boleto (*sust. m.*), 7; pasaje (*sust. m.*), 11; billete (*sust. m.*) (*Esp.*), 11; **ticket (for an event)** entrada (*sust. f.*), 7; **one-way ticket** pasaje de ida (*sust. m.*), 11; **round-trip ticket** pasaje de ida y vuelta (*sust. m.*), 11
tidy arreglar (*v.*), 3
tie corbata (*sust. f.*), 9
time hora (*sust. f.*), 2; vez (*sust. f.*), 7; **What time...?** ¿A qué hora...?(*exp.*), 2
tiny apretado(-a) (*adj.*), 9
tip propina (*sust. f.*), 5
tired cansado(-a) (*adj.*), 4; **get tired** cansarse (*v.*), 11
title título (*sust. m.*), LP
to a (*prep.*), 2; **to the** al (a + el) (*prep.*), 4
toast pan tostado (*sust. m.*), 5; **toast (at a celebration)** brindis (*sust. m.*), 4; brindar (*v.*), 4
toaster tostadora (*sust. f.*), 3
today hoy (*adv.*), 2
toe dedo del pie (*sust. m.*), 7
together juntos(-as) (*adj.*), 2
toilet inodoro (*sust. m.*), 12; **toilet paper** papel higiénico (*sust. m.*), 6
tomato tomate (*sust. m.*), 2, 6; jitomate (*sust. m.*) (*Mex.*), 6; **tomato juice** jugo de tomate (*sust. m.*), 2
tomorrow mañana (*adv.*), 2
tongue lengua (*sust. f.*), 7
tonight esta noche (*exp.*), 1
too también (*adv.*), 2; **too much** demasiado(-a) (*adj.*), 7, 10
tooth diente (*sust. m.*), 7
tour excursión (*sust. f.*), 11
tourist turista (*sust.m./f.*), 12; **tourist class** clase turista (*exp.*), 11
town pueblo (*sust. m.*), 11
traffic tráfico (*sust. m.*), 9
train tren (*sust. m.*), 2, 11
translate traducir (*v.*), 4
travel viajar (*v.*), 11; **travel agency** agencia de viajes (*sust. f.*), 11
trip viaje (*sust. m.*), 11
trouser pantalón (*sust. m. sing.*), 9; pantalones (*sust. m. pl.*), 9
True? ¿Verdad? (*exp.*), 2; **it's true** es verdad (*exp.*), 11
trust confiar en (*v.*), 12
truth verdad (*sust. f.*)
try: try on probarse (o>ue) (*v.*), 7; **try to** tratar (de) (*v.*), 8
T-shirt camiseta (*sust. f.*), 9
Tuesday martes (*sust. m*), 2
turn turno (*sust. m.*)
TV set televisor (*sust. m.*), 12
twenty veinte (*sust. m*), 2
two dos (*sust. m.*), LP; **two hundred** doscientos (*sust. m.*), 3
type género (*sust. m.*), 1

U

ugly feo(-a) (*adj.*), 1
umbrella paraguas (*sust. m.*), 9
uncomfortable incómodo(-a) (*adj.*), 9
under bajo (*prep.*), 8; debajo (de) (*prep.*), 9
underpants calzoncillos (*sust. m. pl.*), 9
understand entender (e>ie) (*v.*), 5
university universidad (*sust. f.*), 1; **university residence** residencia universitaria (*sust. f.*), 2
unknown desconocido(-a) (*adj.*), 11
unpleasant antipático(-a) (*adj.*), 1
until hasta (*prep.*), 2, 3, 7
used to acostumbrado(-a) (*adj.*), 8
useful útil (*adj.*), 1
utensil: kitchen utensils batería de cocina (*sust. f.*), 2

V

vacate desocupar (*v.*), 12
vacuum aspiradora (*sust. f.*), 3; pasar la aspiradora (*v.*), 3
value valor (*sust. m.*), 9
vanilla vainilla (*sust. f.*), 5
vase florero (*sust. m.*), 7
veal ternera (*sust. f.*); **veal chop** chuleta de ternera (*sust. f.*), 6
vegetable vegetal (*sust. m.*), 5; verdura (*sust. f.*), 5; **vegetable stand** puesto de vegetales (*sust. m.*), Unit 3
vegetarian vegetariano(-a) (*sust. m./f.*), 6
very muy (*adv.*), 1; **Very well.** Muy bien. (*exp.*), LP
vest chaleco (*sust. m.*), 9
view vista (*sust. f.*)
vinegar vinagre (*sust. m.*), 6
visit visita (*sust. f.*), 7; visitar (*v.*), 4, 7
vocabulary vocabulario (*sust. m.*), 1
voice voz (*sust. f.*), 10

W

wait esperar (*v.*), 5
waiter/waitress camarero(-a) (*sust. m./f.*), 5; mesero(-a) (*sust. m./f.*) (*Méx.*), 5; mesonero(-a) (*sust. m./f.*) (*Ven.*), 5; mozo(-a) (*sust. m./f.*) (*Cono Sur*), 5; salonero(-a) (*sust. m./f.*) (*Costa Rica*), 5
waiting list lista de espera (*sust. f.*), 11
wake up despertarse (e>ie) (*v.*), 7
walk caminar (*v.*), 4; **walk the dog** caminar al perro(*exp.*), 3, 8
wall pared (*sust. f.*), 1
wallet billetera (*sust. f.*), 9; cartera (*sust. f.*), 9
want desear (*v.*), 2
warm templado(-a) (*adj.*), 9
wash lavar(*v.*), 3; **wash oneself** lavarse (*v.*), 7
washbasin lavabo (*sust. m.*), 12
washing machine lavadora (*sust. f.*), 3
wastebasket cesto de papeles (*sust. m.*), 1
watch reloj (*sust. m.*), 1
water agua (*sust. f.*), 2; **mineral water** agua mineral (*sust. f.*), 2; **water with ice** agua con hielo (*sust. f.*), 2

watermelon sandía (*sust. f.*), 6; melón de agua (*sust. m.*) (*Cuba, P.R.*), 6; patilla (*sust. f.*) (*Col., R. Dom., Ven.*), 6
waterskiing esquí acuático (*sust. m.*), 8
wear usar (*v.*), 9; **wear a certain shoe size** calzar (*v.*), 9
weather tiempo (*sust. m.*), 3; **to be bad weather** hacer mal tiempo (*exp.*), 9; **to be have good weather** hacer buen tiempo (*exp.*), 9
wedding boda (*sust. f.*), 5
Wednesday miércoles (*sust. m.*), 2
week semana (*sust. f.*), 7; **during the week** entre semana (*exp.*)
weekend fin de semana (*sust. m.*), 4, 7
weep sollozar (*v.*), 9
well bien (*adv.*), 5; pues (*conj.*), 2; **not very well** no muy bien (*exp.*); **Very well.** Muy bien. (*exp.*), LP; **Well…** Bueno… (*exp.*), 1
What? ¿Qué?, 1; ¿Cuál?, 1; ¿Cómo? (*when you don't hear what was said*), 1; **What day is it today?** ¿Qué día es hoy? (*exp.*), 2; **What else …?** ¿Qué más… ? (*exp.*), 5; **What is?** ¿Qué es? (*exp.*), 1; ¿Cuál es? (*exp.*), 1; **What is … like?** ¿Cómo es…?(*exp.*), 1; **What is the date today?** ¿Qué fecha es hoy? (*exp.*), 2; **What a pity!** ¡Qué lástima! (*exp.*), 2; **What a surprise!** ¡Qué sorpresa! (*exp.*), 4; **What time...?** ¿A qué hora…? (*exp.*), 2; **What time is it?** ¿Qué hora es? (*exp.*), 2; **What's happening?** ¿Qué pasa? (*exp.*) (*Esp.*), LP; **What's new?** ¿Qué hay de nuevo? (*exp.*), 1; **What's the temperature?** ¿Qué temperatura hace? (*exp.*), 9; **What's the weather like today?** ¿Qué tiempo hace hoy? (*exp.*), 9; **What's your address?** ¿Cuál es tu dirección? (*exp./fam.*), 1; **What's your name?** ¿Cómo se llama usted? (*exp./form.*), 1; **What's your name?** ¿Cómo te llamas? (*exp./fam.*), LP; **What's your phone number?** ¿Cuál es tu número de teléfono? (*exp./fam.*), LP
When? ¿Cuándo?, 2; cuando (*conj.*), 3
Where? ¿Dónde?, 1; **To where?** ¿Adónde?, 4; **Where are you from?** ¿De dónde es usted? (*exp./form.*), 1; **Where are you from?** ¿De dónde eres? (*exp./fam.*), 1; **Where is?** ¿Dónde es? (*exp.*), 1
Which? ¿Cuál?, 1; **which** lo que (*exp.*), 9; **Which one is?** ¿Cuál es? (*exp.*), 1
while mientras (*conj.*), 3, 12; **a while** un rato (*exp.*), 3
white blanco(-a) (*sust. m./adj.*), 1; **white hair** cana (*sust. f.*), 7; **white wine** vino blanco (*sust. m.*), 2
whiteboard pizarra blanca (*sust. f.*), 1
Who? ¿Quién?, 1; **Who is it?** ¿Quién es? (*exp.*), 3
whom: To whom...? ¿A quién(es)...?, 4; **With whom…?** ¿Con quién…?
Why? ¿Por qué?, 2
wife esposa (*sust. f.*), 4
Will you? ¿Quieres? (*exp.*), 12
window ventana (*sust. f.*), 1; **window seat** asiento de ventanilla (*sust. m.*), 11
windy: to be windy hacer viento (*exp.*), 9
wine vino (*sust. m.*), 2; **red wine** vino tinto (*sust. m.*), 2; **rosé wine** vino rosado (*sust. m.*), 2; **white wine** vino blanco (*sust. m.*), 2
wineglass copa (*sust. f.*), 2, 5
winner ganador(-a) (*sust. m./f.*)
winter invierno (*sust. m.*), 2
wisdom sabiduría (*sust. f.*), 7
wish querer (e>ie) (*v.*), 5
with con (*prep.*), 1; **with brown eyes** de ojos castaños (*exp.*), 4; **with me** conmigo (*exp.*), 3; **with you** contigo (*exp./fam.*), 5
within dentro (de) (*prep.*), 3
without sin (*prep.*), 5
woman mujer (*sust. f.*), 1
word palabra (*sust. f.*), 1
work trabajar (*v.*), 2; trabajo (*sust. m.*), 3; **it doesn't work** no funciona (*exp.*), 12; **work (of art)** obra (*sust. f.*)
worry procuparse (*v.*)
worse peor (*adj.*), 5
wrinkled arrugado-(a) (*adj.*), 9
wrist muñeca (*sust. f.*), 7
write escribir (*v.*), 3
writer escritor(-a) (*sust. m./f.*), 9
wrong: to be wrong no tener razón (*exp.*), 3

Y

year año (*sust. m.*), 2; **to be … years old** tener… años (de edad) (*exp.*), 3
yellow amarillo(-a) (*sust.m./adj.*), 1
yes sí (*adv.*), 1
yesterday ayer (*adv.*), 7; **the day before last** anteayer (*adv.*), 7
you tú (*pron./fam.*), 1; usted (Ud.) (*pron./form. sing.*), 1; ustedes (Uds.) (*pron. pl.*), 1; vosotro(-a)(-s) (*pron./pl.*), 1; **And you?** ¿Y tú? (*exp. fam.*), LP; ¿Y usted? (*exp. form.*), LP
young joven (*adj.*), 1; **young man** chico (*sust. m.*), 1; muchacho (*sust. m.*), 1; **young woman** chica (*sust. f.*), 1; muchacha (*sust. f.*), 1
younger menor (*adj.*), 5
youngest el/la menor (*adj.*), 5
You're welcome. De nada. (*exp.*), 1; Por nada. (*exp.*), 1

Z

zero cero (*sust. m.*), LP
zoo zoológico (*sust. m.*), 7

INDEX

América del Sur

Maps courtesy of
Patricia Isaacs, Parrot Graphics